DATE DUE			

VINGT ET UN CONTES

Vingt et Un Contes

Third Edition

Selected and Edited by

LEON P. IRVIN
Emeritus, Miami University

and

DONALD L. KING
Emeritus, St. Paul's School
Concord, New Hampshire

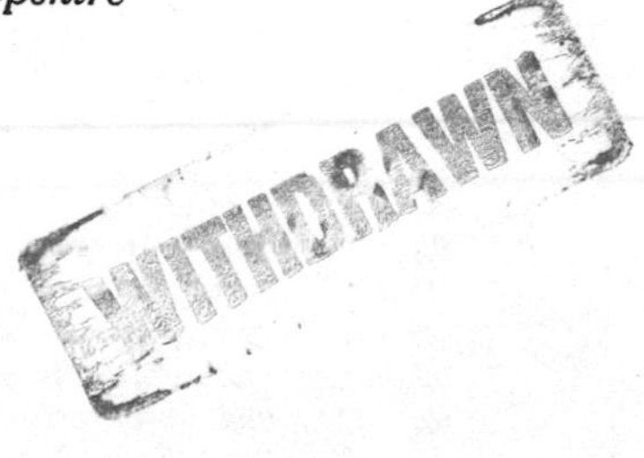

HARPER & ROW, Publishers
New York, Evanston, and London

LIBRARY OF CONGRESS CATALOG CARD NUMBER: *65–10352*

M-O

CONTENTS

PREFACE TO THE THIRD EDITION

The purpose of this collection is to bring together in one volume a large number of the best French short stories. The stories selected will introduce the student to some of the outstanding authors of nineteenth-century French literature and at the same time have sufficient plot to hold the interest of students in second year language courses.

In determining the order in which the stories are to be read, an effort was made to arrange them according to the difficulties of style and vocabulary. Thus, the stories by Maupassant begin the collection because they have the most elementary vocabulary and the easiest style.

Oral and written exercises, providing drill in vocabulary, idioms, grammar, and pronunciation, have been prepared for use in classes where such drill is desirable. Comprehension questions and vocabulary tests accompany certain stories intended for collateral reading; these stories are brought together at the end of the collection.

The vocabulary has been compiled with the purpose of giving help where it will be needed by students who have had only an elementary language course emphasizing grammar. It is sufficiently comprehensive to serve those who have had very limited reading experience. It includes, therefore, many words that will be familiar to the majority of students who use the book in a second year language course at the university level.

Before preparing the second edition an effort was made to

determine which stories had been the favorites of the students using the first edition. These stories were all retained and three new stories were added.

For this third edition, a portrait and a short biography of each author have been provided. We have added also a brief critical and historical commentary on the work of the writers.

Oxford, Ohio L. P. I.

VINGT ET UN CONTES

GUY DE MAUPASSANT

Guy de Maupassant (1850–1893) naquit en Normandie et y passa son enfance. Il finit ses études à Rouen, servit dans l'armée en 1870, et plus tard fut, pendant une dizaine d'années, modeste employé aux ministères de la Marine et de l'Instruction publique. Gustave Flaubert, auteur de *Madame Bovary*, ami de sa famille, l'encouragea à tenter une carrière littéraire. Il lui apprit à bien voir, à observer avec exactitude et à écrire avec précision. Il présenta Maupassant au célèbre romancier, Émile Zola, qui réunissait chez lui à Médan, près de Paris, un certain nombre de disciples et amis, connus sous le nom de "groupe de Médan." En 1880 le groupe publia *Soirées de Médan*, recueil de nouvelles composées sur le même thème: la guerre de 1870. La nouvelle, *Boule de Suif*, que Maupassant y contribua eut un vif succès et decida de sa carrière littéraire. Pendant dix ans, de 1880 à 1890, il publia dans plusieurs journaux environ 300 contes et nouvelles réunis plus tard en quinze volumes. Pendant la même période, il fit paraître des poésies, des impressions de voyage et six romans; il fit jouer deux pièces de théâtre.

Après 1890, les troubles nerveux dont il souffrait depuis quelques années commencèrent à augmenter, à devenir plus inquiétants. Après une tentative de suicide en 1892 il fut interné dans une clinique pour les maladies mentales où il mourut.

Maupassant a accepté certains principes littéraires de sa génération: sujets empruntés à la vie réelle, peinture de la vie contemporaine, de préférence la vie du peuple, des gens vulgaires exposés aux luttes de la vie. Comme son maître, Flaubert, et ses contemporains de l'école naturaliste, il s'efforce de réprimer ses sentiments, de rester indifférent devant les incidents et les personnages de son récit, d'être impassif et impartial. Il tire les personnages et les événements de ses oeuvres de tous les milieux où il a vécu successivement: paysans de Normandie, petit bourgeois de province et de Paris, incidents de la guerre de 1870, employés, propriétaires, enfin les grandes dames, le monde élégant de la presse et de la politique. Après 1885, quand son système nerveux commence à se déranger, il choisit souvent des sujets fantastiques et morbides.

Il voit l'homme brutal en ses appétits, poursuivant le bonheur et le plaisir, les satisfactions physiques et les biens matériels. Il fait son récit le plus souvent sans sympathie mais sans cruauté, sans préoccupation philosophique ou morale. Dans quelques oeuvres écrites vers la fin de sa carrière, la peinture de l'humanité est moins cynique; il semble avoir de la pitié des humbles, des pauvres bourgeois. Il discerne dans leur vie des vertus cachées, des tendresses, des bontés.

LA PARURE

GUY DE MAUPASSANT

C'était une de ces jolies et charmantes filles, nées, comme par une erreur du destin, dans une famille d'employés. Elle n'avait pas de dot, pas d'espérances, aucun moyen d'être connue, comprise, aimée, épousée par un homme riche et distingué; et elle se laissa marier avec un petit commis du ministère[1] de l'Instruction publique. 5

Elle fut simple, ne pouvant être parée; mais malheureuse comme une déclassée; car les femmes n'ont point de caste ni de race, leur beauté, leur grâce et leur charme leur servant de naissance et de famille. Leur finesse native, leur instinct d'élégance, leur souplesse d'esprit sont leur seule hiérarchie, et font des filles du peuple les égales des plus grandes dames. 10

Elle souffrait sans cesse, se sentant née pour toutes les délicatesses et tous les luxes. Elle souffrait de la pauvreté de son logement, de la misère des murs, de l'usure des sièges, de la laideur des étoffes. Toutes ces choses, dont une autre femme de sa caste ne se serait même pas aperçue, la torturaient et l'indignaient. La vue de la petite Bretonne qui faisait son humble ménage éveillait en elle des regrets désolés et des rêves éperdus. Elle songeait aux antichambres muettes, capitonnées avec des tentures orientales, éclairées par de hautes torchères de bronze, et aux deux grands valets en culotte courte qui dorment dans les larges fauteuils, assoupis par la chaleur lourde du calori- 15 20

[1] Commis employé dans les bureaux du ministre de l'Instruction publique.

fère. Elle songeait aux grands salons vêtus de soie ancienne, aux meubles fins portant des bibelots inestimables, et aux petits salons coquets, parfumés, faits pour la causerie de cinq heures avec les amis les plus intimes, les hommes connus et recherchés dont toutes les femmes envient et désirent l'attention.

Quand elle s'asseyait, pour dîner, devant la table ronde couverte d'une nappe de trois jours, en face de son mari qui découvrait la soupière en déclarant d'un air enchanté: «Ah! le bon pot-au-feu! je ne sais rien de meilleur que cela . . . ,» elle songeait aux dîners fins, aux argenteries reluisantes, aux tapisseries peuplant les murailles de personnages anciens et d'oiseaux étranges au milieu d'une forêt de féerie; elle songeait aux plats exquis servis en des vaisselles merveilleuses, aux galanteries chuchotées et écoutées avec un sourire de sphinx, tout en mangeant la chair rose d'une truite ou des ailes de gélinotte.

Elle n'avait pas de toilettes, pas de bijoux, rien. Et elle n'aimait que cela; elle se sentait faite pour cela. Elle eût tant désiré[2] plaire, être enviée, être séduisante et recherchée.

Elle avait une amie riche, une camarade de couvent qu'elle ne voulait plus aller voir, tant elle souffrait en revenant. Et elle pleurait pendant des jours entiers, de chagrin, de regret, de désespoir et de détresse.

Or, un soir, son mari rentra, l'air glorieux et tenant à la main une large enveloppe.

—Tiens, dit-il, voici quelque chose pour toi.

Elle déchira vivement le papier et en tira une carte imprimée qui portait ces mots:

«Le ministre de l'Instruction publique et Mme Georges Ramponneau prient M. et Mme Loisel de leur faire l'honneur de venir passer la soirée à l'hôtel[3] du ministère, le lundi 18 janvier.»

Au lieu d'être ravie, comme l'espérait son mari, elle jeta avec dépit l'invitation sur la table, murmurant:

[2] Elle aurait tant désiré.
[3] Le bâtiment où se trouvent les bureaux du ministère.

— Que veux-tu que je fasse de cela?

— Mais, ma chérie, je pensais que tu serais contente. Tu ne sors jamais, et c'est une occasion, cela, une belle! J'ai eu une peine infinie à l'obtenir. Tout le monde en veut; c'est très recherché et on n'en donne pas beaucoup aux employés. Tu verras là tout le monde officiel. 5

Elle le regardait d'un œil irrité, et elle déclara avec impatience:

— Que veux-tu que je me mette sur le dos pour aller là?

Il n'y avait pas songé; il balbutia: 10

— Mais la robe avec laquelle tu vas au théâtre. Elle me semble très bien, à moi. . . .

Il se tut, stupéfait, éperdu, en voyant que sa femme pleurait. Deux grosses larmes descendaient lentement des coins des yeux vers les coins de la bouche; il bégaya: 15

— Qu'as-tu? qu'as-tu?

Mais, par un effort violent, elle avait dompté sa peine et elle répondit d'une voix calme en essuyant ses joues humides:

— Rien. Seulement je n'ai pas de toilette et par conséquent, je ne peux aller à cette fête. Donne ta carte à quelque collègue 20 dont la femme sera mieux nippée que moi.

Il était désolé. Il reprit:

— Voyons, Mathilde. Combien cela coûterait-il, une toilette convenable, qui pourrait te servir encore en d'autres occasions, quelque chose de très simple? 25

Elle réfléchit quelques secondes, établissant ses comptes et songeant aussi à la somme qu'elle pouvait demander sans s'attirer un refus immédiat et une exclamation effarée du commis économe.

Enfin, elle répondit en hésitant: 30

— Je ne sais pas au juste, mais il me semble qu'avec quatre cents francs je pourrais arriver.

Il avait un peu pâli, car il réservait juste cette somme pour acheter un fusil et s'offrir des parties de chasse, l'été suivant, dans la plaine de Nanterre,[4] avec quelques amis qui allaient tirer des alouettes, par là, le dimanche.

Il dit cependant:

— Soit. Je te donne quatre cents francs. Mais tâche d'avoir une belle robe. 5

Le jour de la fête approchait, et Mme Loisel semblait triste, inquiète, anxieuse. Sa toilette était prête cependant. Son mari lui dit un soir:

— Qu'as-tu? Voyons, tu es toute drôle depuis trois jours.

Et elle répondit: 10

— Cela m'ennuie de n'avoir pas un bijou, pas une pierre, rien à mettre sur moi. J'aurai l'air misère[5] comme tout. J'aimerais presque mieux ne pas aller à cette soirée.

Il reprit:

— Tu mettras des fleurs naturelles. C'est très chic en cette 15 saison-ci. Pour dix francs tu auras deux ou trois roses magnifiques.

Elle n'était point convaincue.

— Non . . . il n'y a rien de plus humiliant que d'avoir l'air pauvre au milieu de femmes riches. 20

Mais son mari s'écria:

— Que tu es bête! Va trouver ton amie Mme Forestier et demande-lui de te prêter des bijoux. Tu es bien assez liée avec elle pour faire cela.

Elle poussa un cri de joie. 25

— C'est vrai. Je n'y avais point pensé.

Le lendemain, elle se rendit chez son amie et lui conta sa détresse.

Mme Forestier alla vers son armoire à glace, prit un large coffret, l'apporta, l'ouvrit, et dit à Mme Loisel: 30

— Choisis, ma chère.

Elle vit d'abord des bracelets, puis un collier de perles, puis

[4] Les champs autour de Nanterre, petite ville à six kilomètres de Paris.
[5] Expression familière pour *l'air de misère* ou *l'air misérable*.

une croix vénitienne, or et pierreries, d'un admirable travail. Elle essayait les parures devant la glace, hésitait, ne pouvait se décider à les quitter, à les rendre. Elle demandait toujours:

— Tu n'as plus rien autre?[6] 5

— Mais si. Cherche. Je ne sais pas ce qui peut te plaire.

Tout à coup elle découvrit, dans une boîte de satin noir, une superbe rivière de diamants; et son cœur se mit à battre d'un désir immodéré. Ses mains tremblaient en la prenant. Elle l'attacha autour de sa gorge, sur sa robe montante,[7] et demeura 10 en extase devant elle-même.

Puis, elle demanda, hésitante, pleine d'angoisse:

— Peux-tu me prêter cela, rien que cela?

— Mais oui, certainement.

Elle sauta au cou de son amie, l'embrassa avec emporte- 15 ment, puis s'enfuit avec son trésor.

Le jour de la fête arriva. Mme Loisel eut un succès. Elle était plus jolie que toutes, élégante, gracieuse, souriante et folle de joie. Tous les hommes la regardaient, demandaient son nom, cherchaient à être présentés. Tous les attachés du 20 cabinet voulaient valser avec elle. Le ministre la remarqua.

Elle dansait avec ivresse, avec emportement, grisée par le plaisir, ne pensant plus à rien, dans le triomphe de sa beauté, dans la gloire de son succés, dans une sorte de nuage de bonheur fait de tous ces hommages, de toutes ces admirations, 25 de tous ces désirs éveillés, de cette victoire si complète et si douce au cœur des femmes.

Elle partit vers quatre heures du matin. Son mari, depuis minuit, dormait dans un petit salon désert avec trois autres messieurs dont les femmes s'amusaient beaucoup. 30

Il lui jeta sur les épaules les vêtements qu'il avait apportés pour la sortie, modestes vêtements de la vie ordinaire, dont

[6] *Rien d'autre* est plus usuel.

[7] Robe qui couvre sa poitrine et ses épaules. Le contraire de ce mot est *décolletée*.

la pauvreté jurait avec l'élégance de la toilette de bal. Elle le sentit et voulut s'enfuir, pour ne pas être remarquée par les autres femmes qui s'enveloppaient de riches fourrures.

Loisel la retenait:

— Attends donc. Tu vas attraper froid dehors. Je vais appeler un fiacre.

Mais elle ne l'écoutait point et descendait rapidement l'escalier. Lorsqu'ils furent dans la rue, ils ne trouvèrent pas de voiture; et ils se mirent à chercher, criant après les cochers qu'ils voyaient passer de loin.

Ils descendaient vers la Seine,[8] désespérés, grelottants. Enfin ils trouvèrent sur le quai un de ces vieux coupés noctambules qu'on ne voit dans Paris que la nuit venue, comme s'ils eussent été honteux de leur misère pendant le jour.

Il les ramena jusqu'à leur porte, rue des Martyrs, et ils remontèrent tristement chez eux. C'était fini, pour elle. Et il songeait, lui, qu'il lui faudrait être au Ministère à dix heures.

Elle ôta les vêtements dont elle s'était enveloppé les épaules, devant la glace, afin de se voir encore une fois dans sa gloire. Mais soudain elle poussa un cri. Elle n'avait plus sa rivière autour du cou.

Son mari, à moitié dévêtu déjà, demanda:

— Qu'est-ce que tu as?

Elle se tourna vers lui, affolée:

— J'ai . . . j'ai . . . je n'ai plus la rivière de Mme Forestier.

Il se dressa, éperdu:

— Quoi! . . . comment! . . . Ce n'est pas possible!

Et ils cherchèrent dans les plis de la robe, dans les plis du manteau, dans les poches, partout. Ils ne la trouvèrent point.

Il demandait:

— Tu es sûre que tu l'avais encore en quittant le bal?

— Oui, je l'ai touchée dans le vestibule du Ministère.

[8] Fleuve qui traverse Paris.

— Mais si tu l'avais perdue dans la rue, nous l'aurions entendue tomber. Elle doit être dans le fiacre.

— Oui. C'est probable. As-tu pris le numéro?

— Non. Et toi, tu ne l'as pas regardé?

— Non. 5

Ils se contemplaient atterrés. Enfin Loisel se rhabilla.

— Je vais, dit-il, refaire tout le trajet que nous avons fait à pied, pour voir si je ne la retrouverai pas.

Et il sortit. Elle demeura en toilette de soirée, sans force pour se coucher, abattue sur une chaise, sans feu, sans pensée. 10

Son mari rentra vers sept heures. Il n'avait rien trouvé.

Il se rendit à la Préfecture de police,[9] aux journaux, pour faire promettre une récompense, aux compagnies de petites voitures, partout enfin où un soupçon d'espoir le poussait.

Elle attendit tout le jour, dans le même état d'effarement 15 devant cet affreux désastre.

Loisel revint le soir, avec la figure creusée, pâlie; il n'avait rien découvert.

— Il faut, dit-il, écrire à ton amie que tu as brisé la fermeture de sa rivière et que tu la fais réparer. Cela nous donnera 20 le temps de nous retourner.

Elle écrivit sous sa dictée.

Au bout d'une semaine, ils avaient perdu toute espérance.

Et Loisel, vieilli de cinq ans, déclara:

— Il faut aviser à remplacer ce bijou. 25

Ils prirent, le lendemain, la boîte qui l'avait renfermé, et se rendirent chez le joaillier, dont le nom se trouvait dedans. Il consulta ses livres:

— Ce n'est pas moi, madame, qui ai vendu cette rivière; j'ai dû seulement fournir l'écrin: 30

Alors ils allèrent de bijoutier en bijoutier, cherchant une parure pareille à l'autre, consultant leurs souvenirs, malades tous deux de chagrin et d'angoisse.

[9] A la Préfecture de police il y a un bureau où on laisse les objets trouvés.

Ils trouvèrent, dans une boutique du Palais-Royal,[10] un chapelet de diamants qui leur parut entièrement semblable à celui qu'ils cherchaient. Il valait quarante mille francs. On le leur laisserait à trente-six mille.

Ils prièrent donc le joaillier de ne pas le vendre avant trois jours. Et ils firent condition qu'on le reprendrait pour trente-quatre mille francs, si le premier était retrouvé avant la fin de février. 5

Loisel possédait dix-huit mille francs que lui avait laissés son père. Il emprunterait le reste. 10

Il emprunta, demandant mille francs à l'un, cinq cents à l'autre, cinq louis par-ci, trois louis par-là. Il fit des billets, prit des engagements ruineux, eut affaire aux usuriers, à toutes les races de prêteurs. Il compromit toute la fin de son existence, risqua sa signature sans savoir même s'il pourrait y faire honneur, et, épouvanté par les angoisses de l'avenir, par la noire misère qui allait s'abattre sur lui, par la perspective de toutes les privations physiques et de toutes les tortures morales, il alla chercher la rivière nouvelle, en déposant sur le comptoir du marchand trente-six mille francs. 15 20

Quand Mme Loisel reporta la parure à Mme Forestier, celle-ci lui dit, d'un air froissé:

— Tu aurais dû me la rendre plus tôt, car je pouvais en avoir besoin.

Elle n'ouvrit pas l'écrin, ce que redoutait son amie. Si elle s'était aperçue de la substitution, qu'aurait-elle pensé? Qu'aurait-elle dit? Ne l'aurait-elle pas prise pour une voleuse? 25

Mme Loisel connut la vie horrible des nécessiteux. Elle prit son parti, d'ailleurs, tout d'un coup, héroïquement. Il fallait payer cette dette effroyable. Elle payerait. On renvoya la bonne; on changea de logement; on loua sous les toits une mansarde. 30

[10] Le Palais-Royal, construit en 1629, est actuellement propriété nationale. A l'époque où se passe l'action de ce conte cet édifice contenait de belles boutiques de bijoutiers.

Elle connut les gros travaux du ménage, les odieuses besognes de la cuisine. Elle lava la vaisselle, usant ses ongles roses sur les poteries grasses et le fond des casseroles. Elle savonna le linge sale, les chemises et les torchons, qu'elle faisait sécher sur une corde; elle descendit à la rue, chaque matin, les ordures, et monta l'eau, s'arrêtant à chaque étage pour souffler. Et, vêtue comme une femme du peuple, elle alla chez le fruitier, chez l'épicier, chez le boucher, le panier au bras, marchandant, injuriée, défendant sou à sou son misérable argent.

Il fallait chaque mois payer des billets, en renouveler d'autres, obtenir du temps.

Le mari travaillait, le soir, à mettre au net les comptes d'un commerçant, et la nuit, souvent, il faisait de la copie à cinq sous la page.

Et cette vie dura dix ans.

Au bout de dix ans, ils avaient tout restitué, tout, avec le taux de l'usure, et l'accumulation des intérêts superposés.

Mme Loisel semblait vieille, maintenant. Elle était devenue la femme forte, et dure, et rude, des ménages pauvres. Mal peignée, avec les jupes de travers et les mains rouges, elle parlait haut, lavait à grande eau[11] les planchers. Mais parfois, lorsque son mari était au bureau, elle s'asseyait auprès de la fenêtre, et elle songeait à cette soirée d'autrefois, à ce bal où elle avait été si belle et si fêtée.

Que serait-il arrivé si elle n'avait point perdu cette parure? Qui sait? qui sait? Comme la vie est singulière, changeante! Comme il faut peu de chose pour vous perdre ou vous sauver!

Or, un dimanche, comme elle était allée faire un tour aux Champs-Élysées[12] pour se délasser des besognes de la semaine, elle aperçut tout à coup une femme qui promenait un enfant. C'était Mme Forestier, toujours jeune, toujours belle, toujours séduisante.

[11] En se servant de beaucoup d'eau.

[12] Belle avenue et promenade favorite du monde élégant à l'époque de l'action de ce conte.

Mme Loisel se sentit émue. Allait-elle lui parler? Oui, certes. Et maintenant qu'elle avait payé, elle lui dirait tout. Pourquoi pas?

Elle s'approcha.

— Bonjour, Jeanne. 5

L'autre ne la reconnaissait point, s'étonnant d'être appelée ainsi familièrement par cette bourgeoise. Elle balbutia:

— Mais . . . madame! . . . Je ne sais . . . Vous devez vous tromper.

— Non. Je suis Mathilde Loisel. 10

Son amie poussa un cri.

— Oh! . . . ma pauvre Mathilde, comme tu es changée! . . .

— Oui, j'ai eu des jours bien durs, depuis que je ne t'ai vue; et bien des misères . . . et cela à cause de toi! . . .

— De moi . . . Comment ça? 15

— Tu te rappelles bien cette rivière de diamants que tu m'as prêtée pour aller à la fête du Ministère.

— Oui. Eh bien?

— Eh bien, je l'ai perdue.

— Comment! puisque tu me l'as rapportée. 20

— Je t'en ai rapporté une autre toute pareille. Et voilà dix ans que nous la payons.[13] Tu comprends que ça n'était pas aisé pour nous, qui n'avions rien . . . Enfin c'est fini, et je suis rudement contente.

Mme Forestier s'était arrêtée. 25

— Tu dis que tu as acheté une rivière de diamants pour remplacer la mienne?

— Oui. Tu ne t'en étais pas aperçue, hein! Elles étaient bien pareilles.

Et elle souriait d'une joie orgueilleuse et naïve. 30

Mme Forestier, fort émue, lui prit les deux mains.

— Oh! ma pauvre Mathilde! Mais la mienne était fausse. Elle valait au plus cinq cents francs! . . .

[13] Comparer à *Voilà dix ans que nous l'avons payée.*

LA CONFESSION

GUY DE MAUPASSANT

Marguerite de Thérelles allait mourir. Bien qu'elle n'eût que cinquante et six ans, elle en paraissait au moins soixante et quinze. Elle haletait, plus pâle que ses draps, secouée de frissons épouvantables, la figure convulsée, l'œil hagard, comme si une chose horrible lui eût apparu. 5

Sa sœur aînée, Suzanne, plus âgée de six ans, à genoux près du lit, sanglotait. Une petite table approchée de la couche de l'agonisante portait, sur une serviette, deux bougies allumées, car on attendait le prêtre qui devait donner l'extrême-onction[1] et la communion dernière. 10

L'appartement avait cet aspect sinistre qu'ont les chambres des mourants, cet air d'adieu désespéré. Des fioles traînaient sur les meubles, des linges traînaient dans les coins, repoussés d'un coup de pied ou de balai. Les sièges en désordre semblaient eux-mêmes effarés, comme s'ils avaient couru dans tous 15 les sens. La redoutable mort était là, cachée, attendant.

L'histoire des deux sœurs était attendrissante. On la citait au loin; elle avait fait pleurer bien des yeux.

Suzanne, l'aînée, avait été aimée follement, jadis, d'un jeune homme qu'elle aimait aussi. Ils furent fiancés, et on 20

[1] L'extrême-onction, un des sept sacrements de l'église catholique, a pour but la sanctification de celui qui le reçoit. Le prêtre donne l'extrême-onction en appliquant les saintes huiles sur un malade en danger de mort.

n'attendait plus que le jour fixé pour le contrat, quand Henry de Sampierre était mort brusquement.

Le désespoir de la jeune fille fut affreux, et elle jura de ne se jamais marier. Elle tint parole. Elle prit des habits de veuve qu'elle ne quitta plus. 5

Alors sa sœur, sa petite sœur Marguerite, qui n'avait encore que douze ans, vint, un matin, se jeter dans les bras de l'aînée, et lui dit: «Grande sœur, je ne veux pas que tu sois malheureuse. Je ne veux pas que tu pleures toute ta vie. Je ne te quitterai jamais, jamais, jamais! Moi, non plus, je ne me 10 marierai pas. Je resterai près de toi, toujours, toujours, toujours.»

Suzanne l'embrassa attendrie par ce dévouement d'enfant, et n'y crut pas.

Mais la petite aussi tint parole et, malgré les prières des 15 parents, malgré les supplications de l'aînée, elle ne se maria jamais. Elle était jolie, fort jolie; elle refusa bien des jeunes gens qui semblaient l'aimer; elle ne quitta plus sa sœur.

. . . . .

Elles vécurent ensemble tous les jours de leur existence, sans se séparer une seule fois. Elles allèrent côte à côte, inséparable- 20 ment unies. Mais Marguerite sembla toujours triste, accablée, plus morne que l'aînée comme si peut-être son sublime sacrifice l'eût brisée. Elle vieillit plus vite, prit des cheveux blancs dès l'âge de trente ans et, souvent souffrante, semblait atteinte d'un mal inconnu qui la rongeait. 25

Maintenant elle allait mourir la première.

Elle ne parlait plus depuis vingt-quatre heures. Elle avait dit seulement, aux premières lueurs de l'aurore:

— Allez chercher monsieur le curé, voici l'instant.

Et elle était demeurée ensuite sur le dos, secouée de spasmes, 30 les lèvres agitées comme si des paroles terribles lui fussent montées du cœur, sans pouvoir sortir, le regard affolé d'épouvante, effroyable à voir.

Sa sœur, déchirée par la douleur, pleurait éperdument, le front sur le bord du lit et répétait.

— Margot, ma pauvre Margot, ma petite!

Elle l'avait toujours appelée: «ma petite», de même que la cadette l'avait toujours appelée: «grande sœur». 5

On entendit des pas dans l'escalier. La porte s'ouvrit. Un enfant de chœur parut, suivi du vieux prêtre en surplis. Dès qu'elle l'aperçut, la mourante s'assit d'une secousse, ouvrit les lèvres, balbutia deux ou trois paroles, et se mit à gratter les draps de ses ongles comme si elle eût voulu y faire un 10 trou.

L'abbé Simon s'approcha, lui prit la main, la baisa sur le front et, d'une voix douce:

— Dieu vous pardonne, mon enfant; ayez du courage, voici le moment venu,[2] parlez. 15

Alors, Marguerite, grelottant de la tête aux pieds, secouant toute sa couche de ses mouvements nerveux, balbutia:

— Assieds-toi, grande sœur, écoute.

Le prêtre se baissa vers Suzanne, toujours abattue au pied du lit, la releva, la mit dans un fauteuil et prenant dans 20 chaque main la main d'une des deux sœurs, il prononça:

— Seigneur, mon Dieu! envoyez-leur la force, jetez sur elles votre miséricorde.

Et Marguerite se mit à parler. Les mots lui sortaient de la gorge un à un, rauques, scandés, comme exténués. 25

. . . . .

— Pardon, pardon, grande sœur, pardonne-moi! Oh! si tu savais comme j'ai eu peur de ce moment-là, toute ma vie! . . .

Suzanne balbutia, dans ses larmes:

— Quoi te pardonner, petite? Tu m'as tout donné, tout sacrifié; tu es un ange . . . 30

Mais Marguerite l'interrompit:

— Tais-toi, tais-toi! Laisse-moi dire . . . ne m'arrête pas

[2] Le moment de la confession.

. . . C'est affreux . . . laisse-moi dire tout . . . jusqu'au bout, sans bouger . . . Écoute . . . Tu te rappelles . . . tu te rappelles . . . Henry . . .

Suzanne tressaillit et regarda sa sœur. La fillette reprit:

— Il faut que tu entendes tout pour comprendre. J'avais douze ans, seulement douze ans, tu te le rappelles bien, n'est-ce pas? Et j'étais gâtée, je faisais tout ce que je voulais! . . . Tu te rappelles bien comme on me gâtait? . . . Écoute . . . La première fois qu'il est venu, il avait des bottes vernies; il est descendu de cheval devant le perron, et il s'est excusé sur son costume, mais il venait apporter une nouvelle à papa. Tu te le rappelles, n'est-ce pas? . . . Ne dis rien . . . écoute. Quand je l'ai vu, j'ai été toute saisie, tant je l'ai trouvé beau, et je suis demeurée debout dans un coin du salon tout le temps qu'il a parlé. Les enfants sont singuliers . . . et terribles . . . Oh! oui . . . j'en ai rêvé!

«Il est revenu . . . plusieurs fois . . . je le regardais de tous mes yeux, de toute mon âme . . . J'étais grande pour mon âge . . . et bien plus rusée qu'on ne croyait. Il est revenu souvent . . . Je ne pensais qu'à lui. Je prononçais tout bas:

«— Henry . . . Henry de Sampierre!

«Puis on a dit qu'il allait t'épouser. Ce fut un chagrin . . . oh! grande sœur . . . un chagrin . . . un chagrin! J'ai pleuré trois nuits, sans dormir. Il revenait tous les jours, l'après-midi, après son déjeuner . . . tu te le rappelles, n'est-ce pas! Ne dis rien . . . écoute. Tu lui faisais des gâteaux qu'il aimait beaucoup . . . avec de la farine, du beurre et du lait . . . Oh! je sais bien comment . . . J'en ferais encore s'il le fallait. Il les avalait d'une seule bouchée, et puis il buvait un verre de vin . . . et puis il disait: «C'est délicieux.» Tu te rappelles comme il disait ça?

«J'étais jalouse, jalouse! . . . Le moment de ton mariage approchait. Il n'y avait plus que quinze jours. Je devenais folle. Je me disais: il n'épousera pas Suzanne, non, je ne veux pas! . . . C'est moi qu'il épousera, quand je serai grande. Jamais je n'en trouverai un que j'aime autant . . . Mais un soir, dix jours avant ton contrat, tu t'es promenée avec lui devant le château, au clair de lune . . . et là-bas . . . sous le sapin, sous le grand sapin . . . il t'a embrassée . . . embrassée . . . dans ses deux bras . . . , si longtemps . . . Tu te le rappelles, n'est-ce pas! C'était probablement la première fois . . . oui . . . Tu étais si pâle en rentrant au salon! 5

«Je vous ai vus; j'étais là, dans le massif. J'ai eu une rage! Si j'avais pu, je vous aurais tués! 10

«Je me suis dit: Il n'épousera pas Suzanne, jamais! Il n'épousera personne. Je serais trop malheureuse . . . Et tout d'un coup je me suis mise à le haïr affreusement.

«Alors, sais-tu ce que j'ai fait? . . . écoute. J'avais vu le jardinier préparer des boulettes pour tuer les chiens errants. 15 Il écrasait une bouteille avec une pierre et mettait le verre pilé dans une boulette de viande.

«J'ai pris chez maman une petite bouteille de pharmacien, je l'ai broyée avec un marteau, et j'ai caché le verre dans ma poche. C'était une poudre brillante . . . Le lendemain, comme 20 tu venais de faire les petits gâteaux, je les ai fendus avec un couteau et j'ai mis le verre dedans . . . Il en a mangé trois . . . moi aussi, j'en ai mangé un . . . J'ai jeté les six autres dans l'étang . . . les deux cygnes sont morts trois jours après . . . Tu te le rappelles? . . . Oh! ne dis rien . . . 25 écoute, écoute . . . Moi seule, je ne suis pas morte . . . mais j'ai toujours été malade . . . écoute . . . Il est mort . . . tu sais bien . . . écoute . . . ce n'est rien cela . . . C'est après, plus tard . . . toujours . . . le plus terrible . . . écoute . . . 30

«Ma vie, toute ma vie . . . quelle torture! Je me suis dit: Je ne quitterai plus ma sœur. Et je lui dirais tout, au moment de mourir . . . Voilà. Et depuis, j'ai toujours pensé à ce moment-là, à ce moment-là où je te dirais tout . . . Le voici venu . . . C'est terrible . . . Oh! grande sœur! 35

«J'ai toujours pensé, matin et soir, le jour, la nuit: Il faudra que je lui dise cela, une fois . . . J'attendais . . . Quel supplice! . . . C'est fait . . . Ne dis rien . . . Maintenant, j'ai peur . . . j'ai peur . . . oh! j'ai peur! Si j'allais le revoir, tout à l'heure quand je serai morte . . . Le revoir . . . y songes-tu? . . . La première! . . . Je n'oserai pas . . . Il le faut . . . Je vais mourir . . . Je veux que tu me pardonnes. Je le veux . . . Je ne veux pas m'en aller sans cela devant lui. Oh! dites-lui de me pardonner, monsieur le curé, dites-lui . . . je vous en prie. Je ne peux mourir sans ça . . .

. . . . .

Elle se tut, et demeura haletante, grattant toujours le drap de ses ongles crispés . . .

Suzanne avait caché sa figure dans ses mains et ne bougeait plus. Elle pensait à lui qu'elle aurait pu aimer si longtemps! Quelle bonne vie ils auraient eue! Elle le revoyait, dans l'autrefois disparu, dans le vieux passé à jamais éteint. Morts chéris! comme ils vous déchirent le cœur! Oh! ce baiser, son seul baiser! Elle l'avait gardé dans l'âme. Et puis plus rien, plus rien dans toute son existence! . . .

Le prêtre tout à coup se dressa et, d'une voix forte, vibrante, il cria:

— Mademoiselle Suzanne, votre sœur va mourir!

Alors Suzanne ouvrant ses mains, montra sa figure trempée de larmes, et, se précipitant sur sa sœur, elle la baisa de toute sa force en balbutiant:

— Je te pardonne, je te pardonne, petite . . .

L'AVENTURE DE WALTER SCHNAFFS

GUY DE MAUPASSANT

Depuis son entrée en France avec l'armée d'invasion,[1] Walter Schnaffs se jugeait le plus malheureux des hommes. Il était gros, marchait avec peine, soufflait beaucoup et souffrait affreusement des pieds qu'il avait fort plats et fort gras. Il était en outre pacifique et bienveillant, nullement magnanime ou sanguinaire, père de quatre enfants qu'il adorait et marié avec une jeune femme blonde, dont il regrettait désespérément chaque soir les tendresses, les petits soins et les baisers. Il aimait se lever tard et se coucher tôt, manger lentement de bonnes choses et boire de la bière dans les brasseries. Il songeait en outre que tout ce qui est doux dans l'existence disparaît avec la vie; et il gardait au cœur une haine épouvantable, instinctive et raisonnée en même temps, pour les canons, les fusils, les revolvers et les sabres, mais surtout pour les baïonnettes, se sentant incapable de manœuvrer assez vivement cette arme rapide pour défendre son gros ventre.

Et, quand il se couchait sur la terre, la nuit venue, roulé dans son manteau à côté des camarades qui ronflaient, il pensait longuement aux siens laissés là-bas et aux dangers semés sur sa route: «S'il était tué, que deviendraient les petits? Qui donc les nourrirait et les élèverait? A l'heure même, ils n'étaient pas riches, malgré les dettes qu'il avait contractées

[1] L'action de ce conte se passe pendant la guerre franco-prussienne (1870-1871).

en partant pour leur laisser quelque argent. Et Walter Schnaffs pleurait quelquefois.

Au commencement des batailles il se sentait dans les jambes de telles faiblesses qu'il se serait laissé tomber, s'il n'avait songé que toute l'armée lui passerait sur le corps. Le sifflement 5 des balles hérissait le poil sur sa peau.

Depuis des mois il vivait ainsi dans la terreur et dans l'angoisse.

Son corps d'armée s'avançait vers la Normandie, et fut un jour envoyé en reconnaissance avec un faible détachement 10 qui devait simplement explorer une partie du pays et se replier ensuite. Tout semblait calme dans la campagne; rien n'indiquait une résistance préparée.

Or, les Prussiens descendaient avec tranquillité dans une petite vallée que coupaient des ravins profonds, quand une 15 fusillade violente les arrêta net, jetant bas une vingtaine des leurs; et une troupe de francs-tireurs, sortant brusquement d'un petit bois grand comme la main, s'élança en avant, la baïonnette au fusil.

Walter Schnaffs demeura d'abord immobile, tellement sur- 20 pris et éperdu qu'il ne pensait même pas à fuir. Puis un désir fou de détaler le saisit; mais il songea aussitôt qu'il courait comme une tortue en comparaison des maigres Français qui arrivaient en bondissant comme un troupeau de chèvres. Alors, apercevant à six pas devant lui un large fossé plein 25 de broussailles couvertes de feuilles sèches, il y sauta à pieds joints sans songer même à la profondeur, comme on saute d'un pont dans une rivière.

Il passa, à la façon d'une flèche, à travers une couche épaisse de lianes et de ronces aiguës qui lui déchirèrent la 30 face et les mains, et il tomba lourdement assis sur un lit de pierres.

Levant aussitôt les yeux, il vit le ciel par le trou qu'il avait fait. Ce trou révélateur le pouvait dénoncer,[2] et il se traîna

[2] Aujourd'hui on dirait *pouvait le dénoncer.*

avec précaution, à quatre pattes, au fond de cette ornière, sous le toit de branchages enlacées, allant le plus vite possible, en s'éloignant du lieu de combat. Puis il s'arrêta et s'assit de nouveau, tapi comme un lièvre au milieu des hautes herbes sèches.

Il entendit pendant quelque temps encore des détonations, des cris et des plaintes. Puis les clameurs de la lutte s'affaiblirent, cessèrent. Tout redevint muet et calme.

Soudain quelque chose remua contre lui. Il eut un sursaut épouvantable. C'était un petit oiseau qui, s'étant posé sur une branche, agitait des feuilles mortes. Pendant près d'une heure, le cœur de Walter Schnaffs en battit à grands coups pressés.

La nuit venait, emplissant d'ombre le ravin. Et le soldat se mit à songer. Qu'allait-il faire? Qu'allait-il devenir? Rejoindre son armée? . . . Mais comment? Mais par où? Et il lui faudrait recommencer l'horrible vie d'angoisses, d'épouvantes, de fatigues et de souffrances qu'il menait depuis le commencement de la guerre! Non! Il ne se sentait plus ce courage! Il n'aurait plus l'énergie qu'il fallait pour supporter les marches et affronter les dangers de toutes les minutes.

Mais que faire? Il ne pouvait rester dans ce ravin et s'y cacher jusqu'à la fin des hostilités. Non, certes. S'il n'avait pas fallu manger, cette perspective ne l'aurait pas trop atterré; mais il fallait manger, manger tous les jours.

Et il se trouvait ainsi tout seul, en armes, en uniforme, sur le territoire ennemi, loin de ceux qui le pouvaient défendre. Des frissons lui couraient sur la peau.

Soudain il pensa: «Si seulement j'étais prisonnier!» Et son cœur frémit de désir, d'un désir violent, immodéré, d'être prisonnier des Français. Prisonnier! Il serait sauvé, nourri, logé, à l'abri des balles et des sabres, sans appréhension possible, dans une bonne prison bien gardée. Prisonnier! Quel rêve!

Et sa résolution fut prise immédiatement:

— Je vais me constituer prisonnier.

Il se leva, résolu à exécuter ce projet sans tarder d'une minute. Mais il demeura immobile, assailli soudain par des réflexions fâcheuses et par des terreurs nouvelles. 5

Où allait-il se constituer prisonnier? Comment? De quel côté? Et des images affreuses, des images de mort, se précipitèrent dans son âme.

Il allait courir des dangers terribles en s'aventurant seul, avec son casque à pointe, par la campagne. 10

S'il rencontrait des paysans? Ces paysans, voyant un Prussien perdu, un Prussien sans défense, le tueraient comme un chien errant! Ils le massacreraient avec leurs fourches, leurs pioches, leurs faux, leurs pelles! Ils en feraient une bouillie, une pâtée, avec l'acharnement des vaincus exaspérés. 15

S'il rencontrait des francs-tireurs? Ces francs-tireurs, des enragés sans loi ni discipline, le fusilleraient pour s'amuser, pour passer une heure, histoire de rire en voyant sa tête. Et il se croyait[3] déjà appuyé contre un mur en face de douze canons de fusils, dont les petits trous ronds et noirs semblaient le 20 regarder.

S'il rencontrait l'armée française elle-même? Les hommes d'avant-garde le prendraient pour un éclaireur, pour quelque hardi et malin troupier parti seul en reconnaissance, et ils lui tireraient dessus. Et il entendait[4] déjà les détonations ir- 25 régulières des soldats couchés dans les broussailles, tandis que lui debout au milieu d'un champ, s'affaissait, troué comme une écumoire par les balles qu'il sentait entrer dans sa chair.

Il se rassit, désespéré. Sa situation lui paraissait sans issue.

La nuit était tout à fait venue, la nuit muette et noire. Il ne 30 bougeait plus, tressaillant à tous les bruits inconnus et légers qui passent dans les ténèbres. Un lapin, tapant du cul au

[3] Il s'imaginait appuyé contre un mur.

[4] Il s'imaginait entendre déjà . . . s'affaisser . . . sentir entrer des balles.

bord d'un terrier, faillit faire s'enfuir Walter Schnaffs. Les cris des chouettes lui déchiraient l'âme, le traversant de peurs soudaines, douloureuses comme des blessures. Il écarquillait ses gros yeux pour tâcher de voir dans l'ombre; el il s'imaginait à tout moment entendre marcher près de lui. 5

Après d'interminables heures et des angoisses de damné, il aperçut, à travers son plafond de branchages, le ciel qui devenait clair. Alors, un soulagement immense le pénétra; ses membres se détendirent, reposés soudain; son cœur s'apaisa; ses yeux se fermèrent. Il s'endormit. 10

Quand il se réveilla, le soleil lui parut arrivé à peu près au milieu du ciel; il devait être midi. Aucun bruit ne troublait la paix morne des champs; et Walter Schnaffs s'aperçut qu'il était atteint d'une faim aiguë.

Il bâillait, la bouche humide à la pensée du saucisson, du 15 bon saucisson des soldats; et son estomac lui faisait mal.

Il se leva, fit quelques pas, sentit que ses jambes étaient faibles, et se rassit pour réfléchir. Pendant deux ou trois heures encore, il établit le pour et le contre, changeant à tout moment de résolution, combattu, malheureux, tiraillé par 20 les raisons les plus contraires.

Une idée lui parut enfin logique et pratique, c'était de guetter le passage d'un villageois seul, sans armes, et sans outils de travail dangereux, de courir au-devant de lui et de se remettre en ses mains en lui faisant bien comprendre qu'il 25 se rendait.

Alors il ôta son casque, dont la pointe le pouvait trahir, et il sortit sa tête au bord de son trou, avec des précautions infinies.

Aucun être isolé ne se montrait à horizon. Là-bas à gauche, 30 il apercevait, au bout des arbres d'une avenue, un grand château flanqué de tourelles.

Il attendit jusqu'au soir, souffrant affreusement, ne voyant rien que des vols de corbeaux, n'entendant rien que les plaintes sourdes de ses entrailles.

Et la nuit encore tomba sur lui.

Il s'allongea au fond de sa retraite et il s'endormit d'un sommeil fiévreux, hanté de cauchemars, d'un sommeil d'homme affamé.

L'aurore se leva de nouveau sur sa tête. Il se remit en observation. Mais la campagne restait vide comme la veille; et une peur nouvelle entrait dans l'esprit de Walter Schnaffs, la peur de mourir de faim! Il se voyait étendu au fond de son trou, sur le dos, les deux yeux fermés. Puis des bêtes, des petites bêtes de toute sorte s'approchaient de son cadavre et se mettaient à le manger, l'attaquant partout à la fois, se glissant sous ses vêtements pour mordre sa peau froide. Et un grand corbeau lui piquait les yeux de son bec effilé.

Alors, il devint fou, s'imaginant qu'il allait s'évanouir de faiblesse et ne plus pouvoir marcher. Et déjà, il s'apprêtait à s'élancer vers le village, résolu à tout oser, à tout braver, quand il aperçut trois paysans qui s'en allaient aux champs avec leurs fourches sur l'épaule, et il se replongea dans sa cachette.

Mais, dès que le soir obscurcit la plaine, il sortit lentement du fossé, et se mit en route, courbé, craintif, le cœur battant, vers le château lointain, préférant entrer là dedans plutôt qu'au village qui lui semblait redoutable comme une tanière pleine de tigres.

Les fenêtres d'en bas brillaient. Une d'elles était même ouverte; et une forte odeur de viande cuite s'en échappait, une odeur qui pénétra brusquement dans le nez et jusqu'au fond du ventre de Walter Schnaffs, qui le crispa, le fit haleter, l'attirant irrésistiblement, lui jetant au cœur une audace désespérée.

Et brusquement, sans réfléchir, il apparut, casqué, dans le cadre de la fenêtre.

Huit domestiques dînaient autour d'une grande table. Mais soudain une bonne demeura béante, laissant tomber son verre, les yeux fixes. Tous les regards suivirent le sien!

On aperçut l'ennemi!

Seigneur! les Prussiens attaquaient le château! . . .

Ce fut d'abord un cri, un seul cri, fait de huit cris poussés sur huit tons différents, un cri d'épouvante horrible, puis une levée tumultueuse, une bousculade mêlée, une fuite éperdue vers la porte du fond. Les chaises tombaient, les hommes renversaient les femmes et passaient dessus. En deux secondes, la pièce fut vide, abandonnée, avec la table couverte de mangeaille en face de Walter Schnaffs stupéfait, toujours debout dans sa fenêtre.

Après quelques instants d'hésitation, il enjamba le mur d'appui et s'avança vers les assiettes. Sa faim exaspérée le faisait trembler comme un fiévreux: mais une terreur le retenait, le paralysait encore. Il écouta. Toute la maison semblait frémir; des portes se fermaient, des pas rapides couraient sur le plancher de dessus. Le Prussien inquiet tendait l'oreille à ces confuses rumeurs; puis il entendit des bruits sourds comme si des corps fussent tombés dans la terre molle, au pied des murs, des corps humains sautant du premier étage.

Puis tout mouvement, toute agitation cessèrent, et le grand château devint silencieux comme un tombeau.

Walter Schnaffs s'assit devant une assiette restée intacte, et il se mit à manger. Il mangeait par grandes bouchées comme s'il eût craint d'être interrompu trop tôt, de n'en pouvoir engloutir assez. Il jetait à deux mains les morceaux dans sa bouche ouverte comme une trappe; et des paquets de nourriture lui descendaient coup sur coup dans l'estomac, gonflant sa gorge en passant. Parfois, il s'interrompait, prêt à crever à la façon d'un tuyau trop plein. Il prenait à la cruche au cidre et se déblayait l'œsophage comme on lave un conduit bouché.

Il vida toutes les assiettes, tous les plats et toutes les bouteilles; puis, saoul de liquide et de mangeaille, abruti, rouge, secoué par des hoquets, l'esprit troublé et la bouche grasse, il déboutonna son uniforme pour souffler, incapable d'ailleurs de faire un pas. Ses yeux se fermaient, ses idées s'engourdissaient; il posa son front pesant dans ses bras croisés sur la table, et il perdit doucement la notion des choses et des faits. 5

Le dernier croissant éclairait vaguement l'horizon au-dessus des arbres du parc. C'était l'heure froide qui précède le jour. Des ombres glissaient dans les fourrés, nombreuses et muettes; et parfois, un rayon de lune faisait reluire dans l'ombre une pointe d'acier. 10

Le château tranquille dressait sa grande silhouette noire. Deux fenêtres seules brillaient encore au rez-de-chaussée.

Soudain, une voix tonnante hurle:

— En avant! nom d'un nom! à l'assaut! mes enfants!

Alors, en un instant, les portes, les contrevents et les vitres 15 s'enfoncèrent sous un flot d'hommes qui s'élança, brisa, creva tout, envahit la maison. En un instant cinquante soldats armés jusqu'aux cheveux, bondirent dans la cuisine où reposait pacifiquement Walter Schnaffs, et, lui posant sur la poitrine cinquante fusils chargés, le culbutèrent, le roulèrent, le saisirent, 20 le lièrent des pieds à la tête.

Il haletait d'ahurissement, trop abruti pour comprendre, battu, crossé et fou de peur.

Et tout d'un coup, un gros militaire chamarré d'or lui planta son pied sur le ventre en vociférant: 25

— Vous êtes mon prisonnier, rendez-vous!

Le Prussien n'entendit que ce seul mot «prisonnier», et il gémit: *«ya, ya, ya»*.

Il fut relevé, ficelé sur une chaise, et examiné avec une vive curiosité par ses vainqueurs qui soufflaient comme des baleines. 30 Plusieurs s'assirent, n'en pouvant plus d'émotion et de fatigue.

Il souriait, lui, il souriait maintenant, sûr d'être enfin prisonnier!

Un autre officier entra et prononça:

— Mon colonel, les ennemis se sont enfuis; plusieurs semblent avoir été blessés. Nous restons maîtres de la place.

Le gros militaire qui s'essuyait le front vociféra: «Victoire!».

Et il écrivit sur un petit agenda de commerce tiré de sa poche: 5

«Après une lutte acharnée, les Prussiens ont dû battre en retraite, emportant leurs morts et leurs blessés, qu'on évalue à cinquante hommes hors de combat. Plusieurs sont restés entre nos mains.»[5]

Le jeune officier reprit: 10

— Quelles dispositions dois-je prendre, mon colonel?

Le colonel répondit:

— Nous allons nous replier pour éviter un retour offensif avec de l'artillerie et des forces supérieures.

Et il donna l'ordre de repartir. 15

La colonne se reforma dans l'ombre, sous les murs du château, et se mit en mouvement, enveloppant de partout Walter Schnaffs garrotté, tenu par six guerriers le revolver au poing.

Des reconnaissances furent envoyées pour éclairer la route. 20 On avançait avec prudence, faisant halte de temps en temps.

Au jour levant, on arrivait à la sous-préfecture de la Roche-Oysel,[6] dont la garde nationale avait accompli ce fait d'armes.

La population anxieuse et surexcitée attendait. Quand on 25 aperçut le casque du prisonnier, des clameurs formidables éclatèrent. Les femmes levaient les bras; des vieilles pleuraient; un aïeul lança sa béquille au Prussien et blessa le nez d'un de ses gardiens.

Le colonel hurlait. 30

— Veillez à la sûreté du captif.

On parvint enfin à la maison de ville. La prison fut ouverte,

[5] Remarquez l'exagération humouristique et l'ironie de Maupassant en ridiculisant la garde nationale.

[6] Cette ville n'existe pas.

et Walter Schnaffs jeté dedans, libre de liens. Deux cents hommes en armes montèrent la garde autour du bâtiment.

Alors, malgré des symptômes d'indigestion qui le tourmentaient depuis quelque temps, le Prussien, fou de joie, se mit à danser éperdument, en levant les bras et les jambes, à danser en poussant des cris frénétiques, jusqu'au moment où il tomba, épuisé au pied d'un mur.

Il était prisonnier! Sauvé!

C'est ainsi que le château de Champignet fut repris à l'ennemi après six heures seulement d'occupation.

Le colonel Ratier, marchand de drap, qui enleva cette affaire à la tête des gardes nationaux de la Roche-Oysel, fut décoré.

LA FICELLE

GUY DE MAUPASSANT

Sur toutes les routes autour de Goderville,[1] les paysans et leurs femmes s'en venaient[2] vers le bourg, car c'était jour de marché. Les mâles allaient, à pas tranquilles, tout le corps en avant à chaque mouvement de leurs longues jambes torses, déformées par les rudes travaux, par la pesée sur la charrue 5 qui fait en même temps monter l'épaule gauche et dévier la taille, par le fauchage des blés qui fait écarter les genoux pour prendre un aplomb solide, par toutes les besognes lentes et pénibles de la campagne. Leur blouse bleue, empesée, brillante, comme vernie, ornée au col et aux poignets d'un petit 10 dessin de fil blanc, gonflée autour de leur torse osseux, semblait un ballon prêt à s'envoler, d'où sortaient une tête, deux bras et deux pieds.

Les uns tiraient au bout d'une corde une vache, un veau. Et leurs femmes, derrière l'animal, lui fouettaient les reins 15 d'une branche encore garnie de feuilles, pour hâter sa marche. Elles portaient au bras de larges paniers d'où sortaient des têtes de poulets par-ci, des têtes de canards par-là. Et elles marchaient d'un pas plus court et plus vif que leurs hommes, la taille sèche, droite et drapée dans un petit châle étriqué, 20 épinglé sur leur poitrine plate, la tête enveloppée d'un linge blanc collé sur les cheveux et surmontée d'un bonnet.

[1] Village près du Havre, en Normandie.
[2] Se dirigeaient vers.

Puis, un char à bancs passait, au trot saccadé d'un bidet, secouant étrangement deux hommes assis côte à côte et une femme dans le fond du véhicule, dont elle tenait le bord pour atténuer les durs cahots.

Sur la place de Goderville, c'était une foule, une cohue d'humains et de bêtes mélangés. Les cornes des bœufs, les hauts chapeaux à longs poils des paysans riches et les coiffes des paysannes émergeaient à la surface de l'assemblée. Et les voix criardes aiguës, glapissantes, formaient une clameur continue et sauvage que dominait parfois un grand éclat poussé par la robuste poitrine d'un campagnard en gaieté, ou le long meuglement d'une vache attachée au mur d'une maison.

Tout cela sentait l'étable, le lait et le fumier, le foin et la sueur, dégageait cette saveur aigre, affreuse, humaine et bestiale, particulière aux gens des champs.

Maître[3] Hauchecorne, de Bréauté, venait d'arriver à Goderville, et il se dirigeait vers la place, quand il aperçut par terre un petit bout de ficelle. Maître Hauchecorne, économe en vrai Normand, pensa que tout était bon à ramasser qui peut servir; et il se baissa péniblement, car il souffrait de rhumatismes. Il prit, par terre, le morceau de corde mince, et il se disposait à le rouler avec soin, quand il remarqua, sur le seuil de sa porte, maître Malandain, le bourrelier, qui le regardait. Ils avaient eu des affaires[4] ensemble au sujet d'un licol, autrefois, et ils étaient restés fâchés, étant rancuniers tous deux. Maître Hauchecorne fut pris d'une sorte de honte d'être vu ainsi, par son ennemi, cherchant dans la crotte un bout de ficelle. Il cacha brusquement sa trouvaille sous sa blouse, puis dans la poche de sa culotte; puis il fit semblant de chercher encore par terre quelque chose qu'il ne trouvait point, et il s'en alla vers le marché, la tête en avant, courbé en deux par ses douleurs.

[3] Titre donné souvent à des hommes respectés et d'un âge un peu avancé.

[4] Ils avaient eu une dissension, une querelle.

Il se perdit aussitôt dans la foule criarde et lente, agitée par les interminables marchandages. Les paysans tâtaient les vaches, s'en allaient, revenaient, perplexes, toujours dans la crainte d'être mis dedans,[5] n'osant jamais se décider, épiant l'œil du vendeur, cherchant sans fin à découvrir la ruse de l'homme et le défaut de la bête.

Les femmes, ayant posé à leurs pieds leurs grands paniers, en avaient tiré leurs volailles qui gisaient par terre, liées par les pattes, l'œil effaré, la crête écarlate.

Elles écoutaient les propositions, maintenaient leurs prix, l'air sec, le visage impassible, ou bien tout à coup, se décidant au rabais proposé, criaient au client qui s'éloignait lentement:

— C'est dit, maît' Anthime. J' vous l' donne.[6]

Puis, peu à peu, la place se dépeupla, et l'angélus sonnant midi, ceux qui demeuraient trop loin se répandirent dans les auberges.

Chez Jourdain, la grande salle était pleine de mangeurs, comme la vaste cour était pleine de véhicules de toute race,[7] charrettes, cabriolets, chars à bancs, tilburys, carrioles innommables, jaunes de crotte, déformées, rapiécées, levant au ciel, comme deux bras, leurs brancards, ou bien le nez par terre et le derrière en l'air.

Tout contre les dîneurs attablés, l'immense cheminée, pleine de flamme claire, jetait une chaleur vive dans le dos de la rangée de droite. Trois broches tournaient, chargées de poulets, de pigeons et de gigots; et une délectable odeur de viande rôtie et de jus ruisselant sur la peau rissolée, s'envolait de l'âtre, allumait les gaietés, mouillait les bouches.

Toute l'aristocratie de la charrue mangeait là, chez maît' Jourdain, aubergiste et maquignon, un malin qui avait des écus.

Les plats passaient, se vidaient comme les brocs de cidre

[5] D'être trompés.
[6] Très bien, maître Anthime. Je vous le vends au prix désiré.
[7] De toute sorte.

jaune. Chacun racontait ses affaires, ses achats et ses ventes. On prenait des nouvelles des récoltes. Le temps était bon pour les verts, mais un peu mucre pour les blés.

Tout à coup, le tambour roula, dans la cour, devant la maison. Tout le monde aussitôt fut debout, sauf quelques indifférents, et on courut à la porte, aux fenêtres, la bouche encore pleine et la serviette à la main.

Après qu'il eut terminé son roulement, le crieur public lança d'une voix saccadée, scandant ses phrases à contretemps:

— Il est fait assavoir aux habitants[8] de Goderville, et en général à toutes — les personnes présentes au marché, qu'il a été perdu ce matin, sur la route de Beuzeville, entre — neuf heures et dix heures, un portefeuille en cuir noir, contenant cinq cents francs et des papiers d'affaires. On est prié de le rapporter — à la mairie, incontinent, ou chez maître Fortuné Houlbrèque, de Manneville. Il y aura vingt francs de récompense.

Puis l'homme s'en alla. On entendit encore une fois au loin des battements sourds de l'instrument et la voix affaiblie du crieur.

Alors on se mit à parler de cet événement, en énumérant les chances qu'avait maître Houlbrèque de retrouver ou de ne pas retrouver son portefeuille.

Et le repas s'acheva.

On finissait le café, quand le brigadier de gendarmerie parut sur le seuil:

Il demanda:

— Maître Hauchecorne, de Bréauté, est-il ici?

— Maître Hauchecorne, assis à l'autre bout de la table, répondit:

— Me v'là.[9]

Et le brigadier reprit:

— Maître Hauchecorne, voulez-vous avoir la complaisance

[8] On fait savoir aux habitants . . .
[9] Me voilà.

de m'accompagner à la mairie. M. le maire voudrait vous parler.

Le paysan, surpris, inquiet, avala d'un coup son petit verre, se leva et, plus courbé encore que le matin, car les premiers pas après chaque repos étaient particulièrement difficiles, il se mit en route en répétant: 5

— Me v'là, me v'là.

Et il suivit le brigadier.

Le maire l'attendait, assis dans un fauteuil. C'était le notaire de l'endroit, homme gros, grave, à phrases pompeuses. 10

— Maître Hauchecorne, dit-il, on vous a vu ce matin ramasser, sur la route de Beuzeville, le portefeuille perdu par maître Houlbrèque, de Manneville.

Le campagnard, interdit, regardait le maire, apeuré déjà par ce soupçon qui pesait sur lui, sans qu'il comprît pourquoi. 15

— Mé, mé, j'ai ramassé çu portafeuille?[10]

— Oui, vous-même.

— Parole d'honneur, je n'en ai seulement point eu connaissance.

— On vous a vu. 20

— On m'a vu, mé?[11] Qui ça qui m'a vu?

— M. Malandain, le bourrelier.

Alors le vieux se rappela, comprit et, rougissant de colère:

— Ah! i m'a vu, çu manant! I m'a vu ramasser ct'e ficelle-là, tenez, m'sieu le maire.[12] 25

Et, fouillant au fond de sa poche, il en retira le petit bout de corde.

Mais le maire, incrédule, remuait la tête.

— Vous ne me ferez pas accroire, maître Hauchecorne, que M. Malandain, qui est un homme digne de foi, a pris ce fil pour un portefeuille. 30

[10] Moi, moi, j'ai ramassé ce portefeuille?
[11] On m'a vu, moi?
[12] Il m'a vu, ce manant! Il m'a vu ramasser cette ficelle. . . .

Le paysan, furieux, leva la main, cracha de côté pour attester son honneur, répétant:

— C'est pourtant la vérité du bon Dieu, la sainte vérité, m'sieu le maire. Là, sur mon âme et mon salut, je l' répète.

Le maire reprit: 5

— Après avoir ramassé l'objet, vous avez même encore cherché longtemps dans la boue, si quelque pièce de monnaie ne s'en était pas échappée.

Le bonhomme suffoquait d'indignation et de peur.

— Si on peut dire! . . . si on peut dire . . . des menteries[13] 10 comme ça pour dénaturer un honnête homme! Si on peut dire! . . .

Il eut beau protester, on ne le crut pas.

Il fut confronté avec M. Malandain, qui répéta et soutint son affirmation. Ils s'injurièrent une heure durant. On fouilla, 15 sur sa demande, maître Hauchecorne. On ne trouva rien sur lui.

Enfin, le maire, fort perplexe, le renvoya, en le prévenant qu'il allait aviser le parquet et demander des ordres.

La nouvelle s'était répandue. A sa sortie de la mairie, le 20 vieux fut entouré, interrogé avec une curiosité sérieuse ou goguenarde, mais où n'entrait aucune indignation. Et il se mit à raconter l'histoire de la ficelle. On ne le crut pas. On riait.

Il allait, arrêté par tous, arrêtant ses connaissances, recommençant sans fin son récit et ses protestations, montrant ses 25 poches retournées, pour prouver qu'il n'avait rien.

On lui disait:

— Vieux malin, va!

Et il se fâchait, s'exaspérant, enfiévré, désolé de n'être pas cru, ne sachant que faire, et contant toujours son histoire. 30

La nuit vint. Il fallait partir. Il se mit en route avec trois voisins à qui il montra la place où il avait ramassé le bout de corde; et tout le long du chemin il parla de son aventure.

[13] Comment peut-on dire des mensonges pareils . . .

Le soir, il fit une tournée dans le village de Bréauté, afin de la dire à tout le monde. Il ne rencontra que des incrédules.

Il en fut malade toute la nuit.

Le lendemain, vers une heure de l'après-midi, Marius Paumelle, valet de ferme de maître Breton, cultivateur à Ymauville, rendait le portefeuille et son contenu à maître Houlbrèque, de Manneville.

Cet homme prétendait avoir, en effet, trouvé l'objet sur la route; mais, ne sachant pas lire, il l'avait rapporté à la maison et donné à son patron.

La nouvelle se répandit aux environs. Maître Hauchecorne en fut informé. Il se mit aussitôt en tournée et commença à narrer son histoire complétée du dénouement. Il triomphait.

— C' qui m' faisait deuil,[14] disait-il, c'est point tant la chose, comprenez-vous; mais c'est la menterie. Y a rien qui vous nuit comme d'être en réprobation pour une menterie.

Tout le jour il parlait de son aventure, il la contait sur les routes aux gens qui passaient, au cabaret aux gens qui buvaient, à la sortie de l'église le dimanche suivant. Il arrêtait des inconnus pour la leur dire. Maintenant, il était tranquille, et pourtant quelque chose le gênait sans qu'il sût au juste ce que c'était. On avait l'air de plaisanter en l'écoutant. On ne paraissait pas convaincu. Il lui semblait sentir des propos derrière son dos.

Le mardi de l'autre semaine,[15] il se rendit au marché de Goderville, uniquement poussé par le besoin de conter son cas.

Malandain, debout sur sa porte, se mit à rire en le voyant passer. Pourquoi?

Il aborda un fermier de Criquetot, qui ne le laissa pas achever et, lui jetant une tape dans le creux de son ventre, lui cria par la figure: «Gros malin, va!» Puis lui tourna les talons.

[14] Ce qui me chagrinait.
[15] Le mardi de la semaine suivante.

Maître Hauchecorne demeura interdit et de plus en plus inquiet. Pourquoi l'avait-on appelé «gros malin»?

Quand il fut assis à table, dans l'auberge de Jourdain, il se remit à expliquer l'affaire.

Un maquignon de Montivilliers lui cria: 5

— Allons, allons, vieille pratique,[16] je la connais, ta ficelle!

Hauchecorne balbutia:

— Puisqu'on l'a retrouvé çu portafeuille?

Mais l'autre reprit:

— Tais-té, mon pé, y en a un qui trouve, et y en a un qui 10 r'porte.[17] Ni vu ni connu, je t'embrouille.[18]

Le paysan resta suffoqué. Il comprenait enfin. On l'accusait d'avoir fait reporter le portefeuille par un compère, par un complice.

Il voulut protester. Toute la table se mit à rire. 15

Il ne put achever son dîner et s'en alla, au milieu des moqueries.

Il rentra chez lui, honteux et indigné, étranglé par la colère, par la confusion, d'autant plus atterré qu'il était capable, avec sa finauderie de Normand, de faire ce dont on l'accusait, et 20 même de s'en vanter comme d'un bon tour. Son innocence lui apparaissait confusément comme impossible à prouver, sa malice étant connue. Et il se sentait frappé au cœur par l'injustice du soupçon.

Alors il recommença à conter l'aventure, en allongeant 25 chaque jour son récit, ajoutant chaque fois des raisons nouvelles, des protestations plus énergiques, des serments plus solennels qu'il imaginait, qu'il préparait dans ses heures de solitude, l'esprit uniquement occupé de l'histoire de la ficelle. On le croyait d'autant moins que sa défense était plus com- 30 pliquée et son argumentation plus subtile.

[16] Vieux rusé.

[17] Tais-toi, mon père, il y en a un qui trouve, et il y en a un qui reporte.

[18] Locution qui s'emploie pour indiquer le succès d'une ruse. Comparer l'anglais *What no one sees is nobody's business.*

— Ça, c'est des raisons d' menteux,[19] disait-on derrière son dos.

Il le sentait, se rongeait les sangs,[20] s'épuisait en efforts inutiles.

Il dépérissait à vue d'œil. 5

Les plaisants maintenant lui faisaient conter «la Ficelle» pour s'amuser, comme on fait conter sa bataille au soldat qui a fait campagne. Son esprit, atteint à fond, s'affaiblissait.

Vers la fin de décembre, il s'alita.

Il mourut dans les premiers jours de janvier, et, dans le 10 délire de l'agonie, il attestait son innocence, répétant:

— Une 'tite ficelle . . . une 'tite ficelle . . . t'nez, la voilà, m'sieu le maire.[21]

[19] Ce sont des explications de menteur.

[20] On dit plus souvent *se ronger le cœur*. Le sens est: *il avait des chagrins et des inquiétudes qui le tourmentaient.*

[21] Une petite ficelle . . . tenez, la voilà, monsieur le maire.

LES PRISONNIERS

GUY DE MAUPASSANT

Aucun bruit dans la forêt que le frémissement léger de la neige tombant sur les arbres. Elle tombait depuis midi, une petite neige fine qui poudrait les branches d'une mousse glacée qui jetait sur les feuilles mortes des fourrés un léger toit d'argent, étendait par les chemins un immense tapis moelleux 5 et blanc, et qui épaississait le silence illimité de cet océan d'arbres.

Devant la porte de la maison forestière,[1] une jeune femme, les bras nus, cassait du bois à coups de hache sur une pierre. Elle était grande, mince et forte, une fille des forêts, fille et 10 femme de forestiers.

Une voix cria de l'intérieur de la maison:

—Nous sommes seules, ce soir, Berthine, faut rentrer, v'là la nuit, y a p't-être[2] bien des Prussiens et des loups qui rôdent. 15

La bûcheronne répondit en fendant une souche à grands coups qui redressaient sa poitrine à chaque mouvement pour lever les bras.

—J'ai fini, m'man. Me v'là, me v'là, y a pas[3] de crainte; il fait encore jour. 20

Puis elle rapporta ses fagots et ses bûches et les entassa le long de la cheminée, ressortit pour fermer les auvents,

[1] Maison habitée par le garde de la forêt.

[2] Il faut rentrer, voilà la nuit, il y a peut-être des Prussiens.

[3] Me voilà, il n'y a pas de crainte, il n'y a rien à craindre.

d'énormes auvents en cœur de chêne, et rentrée enfin, elle poussa les lourds verrous de la porte.

Sa mère filait auprès du feu, une vieille ridée que l'âge avait rendue craintive:

— J'aime pas, dit-elle, quand le père est dehors. Deux femmes ça n'est pas fort.

La jeune répondit:

— Oh! je tuerais ben un loup ou un Prussien tout de même.

Et elle montrait de l'œil un gros revolver suspendu au-dessus de l'âtre.

Son homme avait été incorporé dans l'armée au commencement de l'invasion prussienne,[4] et les deux femmes étaient demeurées seules avec le père, le vieux garde Nicolas Pichon, dit l'Échasse, qui avait refusé obstinément de quitter sa demeure pour rentrer à la ville.

La ville prochaine, c'était Rethel,[5] ancienne place forte perchée sur un rocher. On y était patriote, et les bourgeois avaient décidé de résister aux envahisseurs, de s'enfermer chez eux et de soutenir un siège selon la tradition de la cité. Deux fois déjà, sous Henri IV et Louis XIV, les habitants de Rethel s'étaient illustrés par des défenses héroïques. Ils en feraient autant cette fois, ventrebleu! ou bien on les brûlerait dans leurs murs.

Donc, ils avaient acheté des canons et des fusils, équipé une milice, formé des bataillons et des compagnies, et ils s'exerçaient tout le jour sur la place d'Armes. Tous, boulangers, épiciers, bouchers, notaires, avoués, menuisiers, libraires, pharmaciens eux-mêmes manœuvraient à tour de rôle, à des heures régulières, sous les ordres de M. Lavigne, ancien sous-officier de dragons, aujourd'hui mercier, ayant épousé la fille et hérité de la boutique de M. Ravaudan, l'aîné.

Il avait pris le grade de commandant-major de la place, et tous les jeunes hommes étant partis à l'armée, il avait enrégi-

[4] Pendant la guerre Franco-Prussienne, 1870-71.
[5] Petite ville près de la frontière belge.

menté tous les autres qui s'entraînaient pour la résistance. Les gros n'allaient plus par les rues qu'au pas gymnastique pour fondre leur graisse et prolonger leur haleine, les faibles portaient des fardeaux pour fortifier leurs muscles.

Et on attendait les Prussiens. Mais les Prussiens ne paraissaient pas. Ils n'étaient pas loin, cependant; car deux fois déjà leurs éclaireurs avaient poussé à travers bois jusqu'à la maison forestière de Nicolas Pichon, dit l'Échasse.

Le vieux garde, qui courait comme un renard, était venu prévenir la ville. On avait pointé les canons, mais l'ennemi ne s'était point montré.

Le logis de l'Échasse servait de poste avancé dans la forêt d'Aveline. L'homme, deux fois par semaine, allait aux provisions et apportait aux bourgeois citadins des nouvelles de la campagne.

Il était parti ce jour-là pour annoncer qu'un petit détachement d'infanterie allemande s'était arrêté chez lui l'avant-veille, vers deux heures de l'après-midi, puis était reparti presque aussitôt. Le sous-officier qui commandait parlait français.

Quand il s'en allait ainsi, le vieux, il emmenait ses deux chiens, deux molosses à gueule de lion, par crainte des loups qui commençaient à devenir féroces, et il laissait ses deux femmes en leur recommandant de se barricader dans la maison dès que la nuit approcherait.

La jeune n'avait peur de rien, mais la vieille tremblait et répétait:

— Ça finira mal, tout ça, vous verrez que ça finira mal.

Ce soir-là, elle était encore plus inquiète que de coutume:

— Sais-tu à quelle heure rentrera le père? dit-elle.

— Oh! pas avant onze heures, pour sûr. Quand il dîne chez le commandant, il rentre toujours tard.

Et elle accrochait sa marmite sur le feu pour faire la soupe, quand elle cessa de remuer, écoutant un bruit vague qui lui était venu par le tuyau de la cheminée.

Elle murmura:

— V'la qu'on marche dans le bois, il y a ben sept-huit[6] hommes, au moins. 5

La mère, effarée, arrêta son rouet en balbutiant:

— Oh! mon Dieu! et le père qu'est pas là![7]

Elle n'avait point fini de parler que des coups violents firent trembler la porte.

Commes les femmes ne répondaient point, une voix forte et 10 gutturale cria:

— Oufrez!

Puis, après un silence, la même voix reprit:

— Oufrez ou che gasse la borte![8]

Alors Berthine glissa dans la poche de sa jupe le gros 15 révolver de la cheminée, puis, étant venue coller son oreille contre l'huis, elle demanda:

— Qui êtes-vous?

La voix répondit:

— Che suis le tétachement de l'autre chour.[9] 20

La jeune femme reprit:

— Qu'est-ce que vous voulez?

— Che suis berdu tepuis ce matin, tans le pois,[10] avec mon tétachemcnt. Oufrez ou che gasse la borte.

La forestière n'avait pas le choix; elle fit glisser vivement 25 le gros verrou, puis tirant le lourd battant, elle aperçut dans l'ombre pâle des neiges, six hommes, six soldats prussiens, les mêmes qui étaient venus la veille. Elle prononça d'un ton résolu:

— Qu'est-ce que vous venez faire à cette heure-ci? 30

[6] Sept ou huit.
[7] Le père qui n'est pas là.
[8] Ouvrez ou je casse la porte.
[9] Je suis le détachement de l'autre jour.
[10] Je suis perdu depuis ce matin, dans le bois.

Le sous-officier répéta:

— Che suis berdu, tout à fait berdu, ché regonnu la maison. Che n'ai rien manché tepuis ce matin, mon tétachement non blus.[11]

Berthine déclara: 5

— C'est que je suis toute seule avec maman, ce soir.

Le soldat, qui paraissait un brave homme, répondit:

— Ça ne fait rien. Che ne ferai bas de mal, mais fous nous ferez à mancher. Nous dombons te faim et te fatigue.[12]

La forestière se recula: 10

— Entrez, dit-elle.

Ils entrèrent, poudrés de neige, portant sur leurs casques une sorte de crème mousseuse qui les faisait ressembler à des meringues, et ils paraissaient las, exténués.

La jeune femme montra les bancs de bois des deux côtés 15 de la grande table.

— Asseyez-vous, dit-elle, je vais vous faire de la soupe. C'est vrai que vous avez l'air rendus.

Puis elle referma les verrous de la porte.

Elle remit de l'eau dans la marmite, y jeta de nouveau du 20 beurre et des pommes de terre, puis décrochant un morceau de lard pendu dans la cheminée, elle en coupa la moitié qu'elle plongea dans le bouillon.

Les six hommes suivaient de l'œil tous ses mouvements avec une faim éveillée dans leurs yeux. Ils avaient posé leurs 25 fusils et leurs casques dans un coin, et ils attendaient, sages comme des enfants sur les bancs d'une école.

La mère s'était remise à filer en jetant à tout moment des regards éperdus sur les soldats envahisseurs. On n'entendait rien autre chose que le ronflement léger du rouet et le crépite- 30 ment du feu et le murmure de l'eau qui s'échauffait.

[11] Je suis perdu . . . j'ai reconnu la maison . . . je n'ai rien mangé . . .

[12] Je ne ferai pas de mal, mais vous nous ferez à manger. Nous tombons de faim

Mais soudain un bruit étrange les fit tous tressaillir, quelque chose comme un souffle rauque poussé sous la porte, un souffle de bête, fort et ronflant.

Le sous-officier allemand avait fait un bond vers les fusils. La forestière l'arrêta d'un geste, et souriante: 5

— C'est les loups, dit-elle. Ils sont comme vous, ils rôdent et ils ont faim.

L'homme incrédule voulut voir, et sitôt que le battant fut ouvert, il aperçut deux grandes bêtes grises qui s'enfuyaient d'un trot rapide et allongé. 10

Il revint s'asseoir en murmurant:

— Ché n'aurais pas gru.[13]

Et il attendit que sa pâtée fût prête.

Ils la mangèrent voracement, avec des bouches fendues jusqu'aux oreilles pour en avaler davantage, des yeux ronds 15 s'ouvrant en même temps que les mâchoires, et des bruits de gorge pareils à des glouglous de gouttières.

Les deux femmes, muettes, regardaient les rapides mouvements des grandes barbes rouges; et les pommes de terre avaient l'air de s'enfoncer dans ces toisons mouvantes. 20

Mais comme ils avaient soif, la forestière descendit à la cave leur tirer du cidre. Elle y resta longtemps; c'était un petit caveau voûté qui, pendant la révolution, avait servi de prison et de cachette, disait-on. On y parvenait au moyen d'un étroit escalier tournant fermé par une trappe au fond de la 25 cuisine.

Quand Berthine reparut, elle riait, elle riait toute seule, d'un air sournois. Et elle donna aux Allemands sa cruche de boisson.

Puis elle soupa aussi, avec sa mère, à l'autre bout de la 30 cuisine.

Les soldats avaient fini de manger, et ils s'endormaient tous les six, autour de la table. De temps en temps un front tom-

[13] Je ne l'aurais pas cru.

bait sur la planche avec un bruit sourd, puis l'homme, réveillé brusquement, se redressait.

Berthine dit au sous-officier:

— Couchez-vous devant le feu, pardi, il y a bien d'la place pour six. Moi je grimpe à ma chambre avec maman.

Et les deux femmes montèrent au premier étage. On les entendit fermer leur porte à clef, marcher quelque temps; puis elles ne firent plus aucun bruit.

Les Prussiens s'étendirent sur le pavé, les pieds au feu, la tête supportée par leurs manteaux roulés, et ils ronflèrent bientôt tous les six sur six tons divers, aigus ou sonores, mais continus et formidables.

Ils dormaient certes depuis longtemps déjà quand un coup de feu retentit, si fort, qu'on l'aurait cru tiré contre les murs de la maison. Les soldats se dressèrent aussitôt. Mais deux nouvelles détonations éclatèrent, suivies de trois autres encore.

La porte du premier s'ouvrit brusquement, et la forestière parut, nu-pieds, en chemise, en jupon court, une chandelle à la main, l'air affolé. Elle balbutia:

— V'là les Français, ils sont au moins deux cents. S'ils vous trouvent ici, ils vont brûler la maison. Descendez dans la cave bien vite, et faites pas de bruit. Si vous faites du bruit, nous sommes perdus.

Le sous-officier, effaré, murmura:

— Che feux pien, che feux pien. Par où faut-il tescendre?[14]

La jeune femme souleva avec précipitation la trappe étroite et carrée, et les six hommes disparurent par le petit escalier tournant, s'enfonçant dans le sol l'un après l'autre, à reculons, pour bien tâter les marches du pied.

Mais quand la pointe du dernier casque eut disparu, Berthine rabattant la lourde planche de chêne, épaisse comme un mur, dure comme de l'acier, maintenue par des charnières et une serrure de cachot, donna deux longs tours de clef, puis

[14] Je veux bien. Par où faut-il descendre.

elle se mit à rire, d'un rire muet et ravi, avec une envie folle de danser sur la tête de ses prisonniers.

Ils ne faisaient aucun bruit, enfermés là dedans comme dans une boîte solide, une boîte de pierre, ne recevant que l'air d'un soupirail garni de barres de fer.

Berthine aussitôt ralluma son feu, remit dessus sa marmite, et refit de la soupe en murmurant:

— Le père s'ra fatigué cette nuit.

Puis elle s'assit et attendit. Seul, le balancier sonore de l'horloge promenait dans le silence son tic-tac régulier. De temps en temps la jeune femme jetait un regard sur le cadran, un regard impatient qui semblait dire:

— Ça ne va pas vite.

Mais bientôt il lui sembla qu'on murmurait sous ses pieds. Des paroles basses, confuses lui parvenaient à travers la voûte maçonnée de la cave. Les Prussiens commençaient à deviner sa ruse, et bientôt le sous-officier remonta le petit escalier et vint heurter du poing la trappe. Il cria de nouveau:

— Oufrez.

Elle se leva, s'approcha et, imitant son accent:

— Qu'est-ce que fous foulez?

— Oufrez.

— Che n'oufre pas.

L'homme se fâchait.

— Oufrez ou che gasse la borte.

Elle se mit à rire:

— Casse, mon bonhomme, casse, mon bonhomme!

Et il commença à frapper avec la crosse de son fusil contre la trappe de chêne, fermée sur sa tête. Mais elle aurait résisté à des coups de catapulte.

La forestière l'entendit redescendre. Puis les soldats vinrent, l'un après l'autre, essayer leur force, et inspecter la fermeture. Mais, jugeant sans doute leurs tentatives inutiles, ils redescendirent tous dans la cave et recommencèrent à parler entre eux.

La jeune femme les écoutait, puis elle alla ouvrir la porte du dehors et elle tendit l'oreille dans la nuit.

Un aboiement lointain lui parvint. Elle se mit à siffler comme aurait fait un chasseur, et, presque aussitôt, deux énormes chiens surgirent dans l'ombre et bondirent sur elle 5 en gambadant. Elles les saisit par le cou et les maintint pour les empêcher de courir. Puis elle cria de toute sa force:

— Ohé père!

Une voix répondit, très éloignée encore:

— Ohé Berthine! 10

Elle attendit quelques secondes, puis reprit:

— Ohé père!

La voix plus proche répéta:

— Ohé Berthine!

La forestière reprit: 15

— Passe pas devant le soupirail. Y a des Prussiens dans la cave.

Et brusquement la grande silhouette de l'homme se dessina sur la gauche, arrêtée entre deux troncs d'arbres. Il demanda, inquiet: 20

— Des Prussiens dans la cave. Qué qui font?[15]

La jeune femme se mit à rire:

— C'est ceux d'hier. Ils s'étaient perdus dans la forêt, je les ai mis au frais dans la cave.

Et elle conta l'aventure, comment elle les avait effrayés 25 avec des coups de revolver et enfermés dans le caveau.

Le vieux toujours grave demanda:

— Qué que tu veux que j'en fassions à c't' heure?[16]

Elle répondit:

— Va quérir M. Lavigne avec sa troupe. Il les fera prisonniers. C'est lui qui sera content. 30

Et le père Pichon sourit:

[15] Qu'est-ce qu'ils font?

[16] Qu'est-ce que tu veux que j'en fasse à cette heure?

— C'est vrai qu'i sera content.[17]

Sa fille reprit:

— T'as de la soupe, mange-la vite et pi repars.[18]

Le vieux garde s'attabla, et se mit à manger la soupe après avoir posé par terre deux assiettes pleines pour ses chiens. 5

Les Prussiens, entendant parler, s'étaient tus.

L'Échasse repartit un quart d'heure plus tard. Et Berthine, la tête dans ses mains, attendit.

Les prisonniers recommençaient à s'agiter. Ils criaient maintenant, appelaient, battaient sans cesse de coups de crosse 10 furieux la trappe inébranlable.

Puis ils se mirent à tirer des coups de fusil par le soupirail, espérant sans doute être entendus si quelque détachement allemand passait dans les environs.

La forestière ne remuait plus; mais tout ce bruit l'énervait, 15 l'irritait. Une colère méchante s'éveillait en elle; elle eût voulu les assassiner, les gueux, pour les faire taire.

Puis, son impatience grandissant, elle se mit à regarder l'horloge, à compter les minutes.

Le père était parti depuis une heure et demie. Il avait 20 atteint la ville maintenant. Elle croyait le voir. Il racontait la chose à M. Lavigne, qui pâlissait d'émotion et sonnait sa bonne pour avoir son uniforme et ses armes. Elle entendait, lui semblait-il, le tambour courant par les rues. Les têtes effarées apparaissaient aux fenêtres. Les soldats citoyens 25 sortaient de leurs maisons, à peine vêtus, essoufflés, bouclant leurs ceinturons, et partaient, au pas gymnastique vers la maison du commandant.

Puis la troupe, l'Échasse en tête, se mettait en marche, dans la nuit, dans la neige, vers la forêt. 30

Elle regardait l'horloge. «Ils peuvent être ici dans une heure.»

[17] C'est vrai qu'il sera content.

[18] Tu as de la soupe, mange-la vite et puis repars.

Une impatience nerveuse l'envahissait. Les minutes lui paraissaient interminables. Comme c'était long!

Enfin, le temps qu'elle avait fixé pour leur arrivée fut marqué par l'aiguille.

Et elle ouvrit de nouveau la porte, pour les écouter venir. 5
Elle aperçut une ombre marchant avec précaution. Elle eut peur, poussa un cri. C'était son père.

Il dit:

— Ils m'envoient pour voir s'il n'y a rien de changé.

— Non, rien. 10

Alors, il lança à son tour, dans la nuit, un coup de sifflet strident et prolongé. Et, bientôt, on vit une chose brune qui s'en venait, sous les arbres, lentement: l'avant-garde composée de dix hommes.

L'Échasse répétait à tout instant: 15

— Passez pas devant le soupirail.

Et les premiers arrivés montraient aux nouveaux venus le soupirail redouté.

Enfin le gros de la troupe se montra, en tout deux cents hommes, portant chacun deux cents cartouches. 20

M. Lavigne, agité, frémissant, les disposa de façon à cerner de partout la maison en laissant un large espace libre devant le petit trou noir, au ras du sol, par où la cave prenait de l'air.

Puis il entra dans l'habitation et s'informa de la force et de l'attitude de l'ennemi, devenu tellement muet qu'on aurait pu 25
le croire disparu, évanoui, envolé par le soupirail.

M. Lavigne frappa du pied la trappe et appela:

— Monsieur l'officier prussien?

L'Allemand ne répondit pas.

Le commandant reprit: 30

— Monsieur l'officier prussien?

Ce fut en vain. Pendant vingt minutes il somma cet officier silencieux de se rendre avec armes et bagages, en lui promettant la vie sauve et les honneurs militaires pour lui et ses soldats. Mais il n'obtint aucun signe de consentement ou d'hostilité. La situation devenait difficile.

Les soldats-citoyens battaient la semelle dans la neige, se frappaient les épaules à grands coups de bras, comme font les cochers pour s'échauffer, et ils regardaient le soupirail avec une envie grandissante et puérile de passer devant.

Un d'eux, enfin, se hasarda, un nommé Potdevin qui était très souple. Il prit son élan et passa en courant comme un cerf. La tentative réussit. Les prisonniers semblaient morts.

Une voix cria:

— Y a personne.

Et un autre soldat traversa l'espace libre devant le trou dangereux. Alors ce fut un jeu. De minute en minute, un homme se lançant, passait d'une troupe dans l'autre comme font les enfants en jouant aux barres, et il lançait derrière lui des éclaboussures de neige tant il agitait vivement les pieds. On avait allumé, pour se chauffer, de grands feux de bois mort, et ce profil courant du garde national apparaissait illuminé dans un rapide voyage du camp de droite au camp de gauche.

Quelqu'un cria.

— A toi, Maloison.

Maloison était un gros boulanger dont le ventre donnait à rire aux camarades.

Il hésitait. On le blagua. Alors, prenant son parti il se mit en route, d'un petit pas gymnastique régulier et essoufflé, qui secouait sa forte bedaine.

Tout le détachement riait aux larmes. On criait pour l'encourager:

— Bravo, bravo Maloison!

Il arrivait environ aux deux tiers de son trajet quand une flamme longue, rapide et rouge jaillit du soupirail. Une détonation retentit, et le vaste boulanger s'abattit sur le nez avec un cri épouvantable.

Personne ne s'élança pour le secourir. Alors on le vit se

traîner à quatre pattes dans la neige en gémissant, et, quand il fut sorti du terrible passage, il s'évanouit.

Il avait une balle dans le gras de la cuisse, tout en haut.

Après la première surprise et la première épouvante, un nouveau rire s'éleva. 5

Mais le commandant Lavigne apparut sur le seuil de la maison forestière. Il venait d'arrêter son plan d'attaque. Il commanda d'une voix vibrante:

— Le zingueur Planchut et ses ouvriers.

Trois hommes s'approchèrent. 10

— Descellez les gouttières de la maison.

Et en un quart d'heure on eut apporté au commandant vingt mètres de gouttières.

Alors il fit pratiquer, avec mille précautions de prudence, un petit trou rond dans le bord de la trappe, et, organisant 15 un conduit d'eau de la pompe à cette ouverture, il déclara d'un air enchanté:

— Nous allons offrir à boire à messieurs les Allemands.

Un hurrah frénétique d'admiration éclata suivi de hurlements de joie et de rires éperdus. Et le commandant organisa 20 des pelotons de travail qui se relayeraient de cinq minutes en cinq minutes. Puis il commanda:

— Pompez.

Et le volant de fer ayant été mis en branle, un petit bruit glissa le long des tuyaux et tomba bientôt dans la cave, de 25 marche en marche, avec un murmure de cascade, un murmure de rocher à poissons rouges.[19]

On attendit.

Une heure s'écoula, puis deux, puis trois.

Le commandant, fiévreux, se promenait dans la cuisine, col- 30 lant son oreille à terre de temps en temps, cherchant à deviner ce que faisait l'ennemi, se demandant s'il allait bientôt capituler.

[19] Murmure pareil à celui fait par l'eau qui coule sur un rocher dans un bassin à poissons rouges.

Il s'agitait, maintenant, l'ennemi. On l'entendait remuer les barriques, parler, clapoter.

Puis, vers huit heures du matin, une voix sortit du soupirail:

— Ché foulé parlé[20] à monsieur l'officier français.

Lavigne répondit, de la fenêtre, sans avancer trop la tête: 5

— Vous rendez-vous?

— Che me rends.

— Alors passez les fusils dehors.

Et on vit aussitôt une arme sortir du trou et tomber dans la neige, puis deux, trois, toutes les armes. Et la même voix 10 déclara:

— Che n'ai blus. Tépêchez-fous. Ché suis noyé.[21]

Le commandant commanda:

— Cessez.

Le volant de la pompe retomba immobile. 15

Et, ayant empli la cuisine de soldats qui attendaient, l'arme au pied, il souleva lentement la trappe de chêne.

Quatre têtes apparurent trempées, quatre têtes blondes aux longs cheveux pâles, et on vit sortir, l'un après l'autre, les six Allemands grelottants, ruisselants, effarés. 20

Ils furent saisis et garrottés. Puis, comme on craignait une surprise on repartit tout de suite, en deux convois, l'un conduisant les prisonniers et l'autre conduisant Maloison sur un matelas posé sur des perches.

Ils rentrèrent triomphalement dans Rethel. 25

M. Lavigne fut décoré pour avoir capturé une avant-garde prussienne, et le gros boulanger eut la médaille militaire pour blessure reçue devant l'ennemi.

[20] Je voudrais parler . . .
[21] Je n'en ai plus. Dépêchez-vous. Je suis noyé.

MADEMOISELLE PERLE

GUY DE MAUPASSANT

Quelle singulière idée j'ai eue, vraiment, ce soir-là, de choisir pour reine Mlle Perle.

Je vais tous les ans faire les Rois[1] chez mon vieil ami Chantal. Mon père, dont il était le plus intime camarade, m'y conduisait quand j'étais enfant. J'ai continué, et je continuerai 5 sans doute tant que je vivrai, et tant qu'il y aura un Chantal en ce monde.

Les Chantal, d'ailleurs, ont une existence singulière; ils vivent à Paris comme s'ils habitaient Grasse, Yvetot ou Pont-à-Mousson.[2] 10

Ils possèdent, auprès de l'Observatoire, une maison dans un petit jardin.[3] Ils sont chez eux, là, comme en province. De Paris, du vrai Paris, ils ne connaissent rien, ils ne soupçonnent rien; ils sont si loin, si loin! Parfois, cependant, ils y font un voyage, un long voyage. Mme Chantal va aux grandes 15 provisions, comme on dit dans la famille. Voici comment on va aux grandes provisions.

[1] Célébrer la fête des Rois, l'Épiphanie, le 6 janvier, jour où les rois arrivèrent à Bethléem pour adorer l'Enfant-Jésus et lui apporter leurs présents. Pour la fête on prépare un gateau, appelé la galette des Rois, dans lequel on introduit une fève ou une très petite poupée de porcelaine. Le gateau est coupé en autant de portions qu'il y a de convives. Celui qui reçoit dans sa portion la poupée devient roi, si c'est un homme, et il doit choisir une reine.

[2] Comme s'ils habitaient une petite ville de province. Les trois villes mentionnées sont de petites villes.

[3] Jardin avec des arbres et des fleurs.

Mlle Perle, qui a les clefs des armoires de cuisine (car les armoires au linge sont administrées par la maîtresse elle-même), Mlle Perle prévient que le sucre touche à sa fin, que les conserves sont épuisées, qu'il ne reste plus grand'chose au fond du sac à café.

Ainsi mise en garde contre la famine, Mme Chantal passe l'inspection des restes, en prenant des notes sur un calepin. Puis, quand elle a inscrit beaucoup de chiffres, elle se livre d'abord à de longs calculs et ensuite à de longues discussions avec Mlle Perle. On finit cependant par se mettre d'accord et par fixer les quantités de chaque chose dont on se pourvoira pour trois mois: sucre, riz, pruneaux, café, confitures, boîtes de petits pois, de haricots, de homard, poissons salés ou fumés, etc., etc.

Après quoi, on arrête le jour des achats, et on s'en va, en fiacre, dans un fiacre à galerie, chez un épicier considérable qui habite au delà des ponts, dans les quartiers neufs.

Mme Chantal et Mlle Perle font ce voyage ensemble, mystérieusement, et reviennent à l'heure du dîner, exténuées, bien qu'émues encore, et cahotées dans le coupé, dont le toit est couvert de paquets et de sacs, comme une voiture de déménagement.

Pour les Chantal, toute la partie de Paris située de l'autre côté de la Seine constitute les quartiers neufs, quartiers habités par une population singulière, bruyante, peu honorable, qui passe les jours en dissipations, les nuits en fêtes, et qui jette l'argent par les fenêtres. De temps en temps cependant, on mène les jeunes filles au théâtre, à l'Opéra-Comique ou au Français,[4] quand la pièce est recommandée par le journal que lit M. Chantal.

Les jeunes filles ont aujourd'hui dix-neuf et dix-sept ans; ce

[4] L'Opéra-Comique et le Français (appelé aussi le Théâtre-Français) sont subventionnés (*subsidized*) par l'État. On menait les jeunes filles Chantal à ces théâtres parce qu'on y jouait surtout un répertoire classique.

sont deux belles filles, grandes et fraîches, très bien élevées, trop bien élevées, si bien élevées qu'elles passent inaperçues comme deux jolies poupées. Jamais l'idée ne me viendrait de faire attention ou de faire la cour aux demoiselles Chantal; c'est à peine si on ose leur parler, tant on les sent immaculées; 5 on a presque peur d'être inconvenant en les saluant.

Quant au père, c'est un charmant homme, très instruit, très ouvert, très cordial, mais qui aime avant tout le repos, le calme, la tranquillité, et qui a fortement contribué à momifier ainsi sa famille pour vivre à son gré, dans une stagnante 10 immobilité. Il lit beaucoup, cause volontiers, et s'attendrit facilement. L'absence de contacts, de coudoiements et de heurts a rendu très sensible et délicat son épiderme, son épiderme moral. La moindre chose l'émeut, l'agite et le fait souffrir.

Les Chantal ont des relations cependant, mais des relations 15 restreintes, choisies avec soin dans le voisinage. Ils échangent aussi deux ou trois visites par an avec des parents qui habitent au loin.

Quant à moi, je vais dîner chez eux le 15 août[5] et le jour des Rois. Cela fait partie de mes devoirs comme la communion 20 de Pâques pour les catholiques.

Le 15 août, on invite quelques amis, mais aux Rois, je suis le seul convive étranger.

II

Donc, cette année, comme les autres années, j'ai été dîner chez les Chantal pour fêter l'Épiphanie. 25

Selon la coutume, j'embrassai M. Chantal, Mme Chantal et Mlle Perle, et je fis un grand salut à Mlles Louise et Pauline. On m'interrogea sur mille choses, sur les événements du boulevard,[6] sur la politique, sur ce qu'on pensait dans le pu-

[5] Jour où l'Église célèbre la Fête de l'Assomption (l'enlèvement de la Sainte Vierge au ciel par les anges).

[6] Sur les nouvelles de la ville, les sujets de conversation parmi les gens du boulevard.

blic des affaires du Tonkin,[7] et sur nos représentants. Mme Chantal, une grosse dame dont toutes les idées me font l'effet d'être carrées à la façon des pierres de taille, avait coutume d'émettre cette phrase comme conclusion à toute discussion politique: «Tout cela est de la mauvaise graine pour plus tard». Pourquoi me suis-je toujours imaginé que les idées de Mme Chantal sont carrées? Je n'en sais rien; mais tout ce qu'elle dit prend cette forme dans mon esprit; un carré, un gros carré avec quatre angles symétriques. Il y a d'autres personnes dont les idées me semblent toujours rondes et roulantes comme des cerceaux. Dès qu'elles ont commencé une phrase sur quelque chose, ça roule, ça va, ça sort par dix, vingt, cinquante idées rondes, des grandes et des petites que je vois courir l'une derrière l'autre, jusqu'au bout de l'horizon. D'autres personnes aussi ont des idées pointues . . . Enfin, cela importe peu.

On se mit à table comme toujours, et le dîner s'acheva sans qu'on eût dit rien à retenir.

Au dessert, on apporta le gâteau des Rois.[8] Or, chaque année, M. Chantal était roi. Était-ce l'effet d'un hasard continu ou d'une convention familiale, je n'en sais rien, mais il trouvait infailliblement la fève dans sa part de pâtisserie, et il proclamait reine Mme Chantal. Aussi, fus-je stupéfait en sentant dans une bouchée de brioche quelque chose de très dur qui faillit me casser une dent. J'ôtai doucement cet objet de ma bouche et j'aperçus une petite poupée de porcelaine, pas plus grosse qu'un haricot. La surprise me fit dire: «Ah!» On me regarda, et Chantal s'écria en battant des mains: «C'est Gaston. C'est Gaston. Vive le roi! Vive le roi!»

Tout le monde reprit en chœur: «Vive le roi!» Et je rougis jusqu'aux oreilles, comme on rougit souvent, sans raison, dans les situations un peu sottes. Je demeurais les yeux baissés, tenant entre deux doigts ce grain de faïence, m'efforçant de

[7] Pays de l'Indo-Chine, conquis par la France en 1883-1885.
[8] Voir note 1, page 50.

rire et ne sachant que faire ni que dire, lorsque Chantal reprit: «Maintenant, il faut choisir une reine.»

Alors je fus atterré. En une seconde, mille pensées, mille suppositions me traversèrent l'esprit. Voulait-on me faire désigner une des demoiselles Chantal. Était-ce là un moyen de me faire dire celle que je préférais? Était-ce une douce, légère, insensible poussée des parents vers un mariage possible? L'idée de mariage rôde sans cesse dans toutes les maisons à grandes filles et prend toutes les formes, tous les déguisements, tous les moyens. Une peur atroce de me compromettre m'envahit, et aussi une extrême timidité, devant l'attitude si obstinément correcte et fermée de Mlles Louise et Pauline. Élire l'une d'elles au détriment de l'autre, me sembla aussi difficile que de choisir entre deux gouttes d'eau; et puis, la crainte de m'aventurer dans une histoire où je serais conduit au mariage malgré moi, tout doucement, par des procédés aussi discrets, aussi inaperçus et aussi calmes que cette royauté insignifiante, me troublait horriblement.

Mais tout à coup, j'eus une inspiration, et je tendis à Mlle Perle la poupée symbolique. Tout le monde fut d'abord surpris, puis on apprécia sans doute ma délicatesse et ma discrétion, car on applaudit avec furie. On criait: «Vive la reine! vive la reine!»

Quant à elle, la pauvre vieille fille, elle avait perdu toute contenance; elle tremblait, effarée, et balbutiait: «Mais non . . . mais non . . . mais non . . . pas moi . . . je vous en prie . . . pas moi . . . je vous en prie . . .»

Alors, pour la première fois de ma vie, je regardai Mlle Perle, et je me demandai ce qu'elle était.

J'étais habitué à la voir dans cette maison, comme on voit les vieux fauteuils de tapisserie sur lesquels on s'assied depuis son enfance sans y avoir jamais pris garde. Un jour, on ne sait pourquoi, parce qu'un rayon de soleil tombe sur le siège, on se dit tout à coup: «Tiens, mais il est fort curieux, ce meuble;» et on découvre que le bois a été travaillé par un artiste, et que l'étoffe est remarquable. Jamais je n'avais pris garde à Mlle Perle.

Elle faisait partie de la famille Chantal, voilà tout; mais comment? A quel titre? — C'était une grande personne maigre qui s'efforçait de rester inaperçue, mais qui n'était pas insignifiante. On la traitait amicalement, mieux qu'une femme de charge, moins bien qu'une parente. Je saisissais tout à coup, maintenant, une quantité de nuances dont je ne m'étais point soucié jusqu'ici! Mme Chantal disait: «Perle». Les jeunes filles: «Mlle Perle», et Chantal ne l'appelait que Mademoiselle, d'un air plus révérend peut-être.

Je me mis à la regarder. — Quel âge avait-elle? Quarante ans? Oui, quarante ans. — Elle n'était pas vieille, cette fille, elle se vieillissait. Je fus soudain frappé par cette remarque. Elle se coiffait, s'habillait, se parait ridiculement, et, malgré tout, elle n'était point ridicule, tant elle portait en elle de grâce simple, naturelle, de grâce voilée, cachée avec soin. Quelle drôle de créature, vraiment! Comment ne l'avais-je jamais mieux observée? Elle se coiffait d'une façon grotesque, avec de petits frisons vieillots tout à fait farces; et, sous cette chevelure à la Vierge conservée,[9] on voyait un grand front calme, coupé par deux rides profondes, deux rides de longues tristesses, puis deux yeux bleus, larges et doux, si timides, si craintifs, si humbles, deux beaux yeux restés si naïfs, pleins d'étonnements de fillette, de sensations jeunes et aussi de chagrins qui avaient passé dedans, en les attendrissant, sans les troubler.

Tout le visage était fin et discret, un de ces visages qui se sont éteints sans avoir été usés, ou fanés par les fatigues ou les grandes émotions de la vie.

Quelle jolie bouche! et quelles jolies dents! Mais on eût dit qu'elle n'osait pas sourire!

[9] Cette chevelure pareille à celle d'une vieille image de la Vierge.

Et, brusquement, je la comparai à Mme Chantal! Certes! Mlle Perle était mieux, cent fois mieux, plus fine, plus noble, plus fière.

J'étais stupéfait de mes observations. On versait du champagne. Je tendis mon verre à la reine, en portant sa santé avec un compliment bien tourné. Elle eut envie, je m'en aperçus, de se cacher la figure dans sa serviette; puis, comme elle trempait ses lèvres dans le vin clair, tout le monde cria: «La reine boit! la reine boit!» Elle devint alors toute rouge et s'étrangla. On riait; mais je vis bien qu'on l'aimait beaucoup dans la maison.

III

Dès que le dîner fut fini, Chantal me prit par le bras. C'était l'heure de son cigare, heure sacrée. Quand il était seul, il allait le fumer dans la rue; quand il avait quelqu'un à dîner, on montait au billard, et il jouait en fumant. Ce soir-là, on avait même fait du feu dans le billard, à cause des Rois; et mon vieil ami prit sa queue, une queue très fine qu'il frotta de blanc avec grand soin, puis il dit:

— A toi, mon garçon!

Car il me tutoyait, bien que j'eusse vingt-cinq ans, mais il m'avait vu tout enfant.

Je commençai donc la partie; je fis quelques carambolages; j'en manquai quelques autres; mais comme la pensée de Mlle Perle me rôdait dans la tête, je demandai tout à coup:

— Dites donc, monsieur Chantal, est-ce que Mlle Perle est votre parente?

Il cessa de jouer, très étonné, et me regarda.

— Comment, tu ne sais pas? tu ne connais pas l'histoire de Mlle Perle?

— Mais non.

— Ton père ne te l'a jamais racontée?

— Mais non.

— Tiens, tiens, que c'est drôle! ah! par exemple, que c'est drôle! Oh! mais, c'est toute une aventure!

Il se tut, puis reprit:

— Et si tu savais comme c'est singulier que tu me demandes ça aujourd'hui, un jour des Rois! 5

— Pourquoi?

— Ah! pourquoi! Écoute. Voilà de cela quarante et un ans, quarante et un ans aujourd'hui même, jour de l'Épiphanie. Nous habitions alors Roüy-le-Tors, sur les remparts; mais il 10 faut d'abord t'expliquer la maison pour que tu comprennes bien. Roüy est bâti sur une côte, ou plutôt sur un mamelon qui domine un grand pays de prairies. Nous avions là une maison avec un beau jardin suspendu, soutenu en l'air par les vieux murs de défense. Donc la maison était dans la ville, dans 15 la rue, tandis que le jardin dominait la plaine. Il y avait aussi une porte de sortie de ce jardin sur la campagne, au bout d'un escalier secret qui descendait dans l'épaisseur des murs, comme on en trouve dans les romans. Une route passait devant cette porte qui était munie d'une grosse cloche, car les paysans, 20 pour éviter le grand tour, apportaient par là leurs provisions.

Tu vois bien les lieux, n'est-ce pas? Or, cette année-là, aux Rois, il neigeait depuis une semaine. On eût dit la fin du monde. Quand nous allions aux remparts regarder la plaine, ça nous faisait froid dans l'âme, cet immense pays blanc, tout 25 blanc, glacé, et qui luisait comme du vernis. On eût dit que le bon Dieu avait empaqueté la terre pour l'envoyer au grenier des vieux mondes. Je t'assure que c'était bien triste.

Nous demeurions en famille à ce moment-là, et nombreux, très nombreux: mon père, ma mère, mon oncle, et ma tante, 30 mes deux frères et mes quatre cousines; c'étaient de jolies fillettes; j'ai épousé la dernière. De tout ce monde-là, nous ne sommes plus que trois survivants: ma femme, moi et ma belle-sœur qui habite Marseille. Sacristi, comme ça s'égrène, une famille! ça me fait trembler quand j'y pense! Moi, j'avais quinze ans, puisque j'en ai cinquante-six.

Donc, nous allions fêter les Rois, et nous étions très gais, très gais! Tout le monde attendait le dîner dans le salon, quand mon frère aîné, Jacques, se mit à dire: «Il y a un chien qui hurle dans la plaine depuis dix minutes; ça doit être une pauvre bête perdue.»

Il n'avait pas fini de parler, que la cloche du jardin tinta. Elle avait un gros son de cloche d'église qui faisait penser aux morts. Tout le monde en frissonna. Mon père appela le domestique et lui dit d'aller voir. On attendit en grand silence; nous pensions à la neige qui couvrait toute la terre. Quand l'homme revint, il affirma qu'il n'avait rien vu. Le chien hurlait toujours, sans cesse, et sa voix ne changeait point de place.

On se mit à table; mais nous étions un peu émus, surtout les jeunes. Ça alla bien jusqu'au rôti, puis voilà que la cloche se remet à sonner trois fois de suite, trois grands coups, longs, qui ont vibré jusqu'au bout de nos doigts et qui nous ont coupé le souffle, tout net. Nous restions à nous regarder, la fourchette en l'air, écoutant toujours, et saisis d'une espèce de peur surnaturelle.

Ma mère enfin parla: «C'est étonnant qu'on ait attendu si longtemps pour revenir; n'allez pas seul, Baptiste; un de ces messieurs va vous accompagner.»

Mon oncle François se leva. C'était une espèce d'hercule, très fier de sa force et qui ne craignait rien au monde. Mon père lui dit: «Prends un fusil. On ne sait pas ce que ça peut être».

Mais mon oncle ne prit qu'une canne et sortit aussitôt avec le domestique.

Nous autres, nous demeurâmes frémissants de terreur et d'angoisse, sans manger, sans parler. Mon père essaya de nous rassurer: «Vous allez voir, dit-il, que ce sera quelque mendiant ou quelque passant perdu dans la neige. Après avoir sonné une première fois, voyant qu'on n'ouvrait pas tout de suite, il a tenté de retrouver son chemin, puis, n'ayant pu y parvenir, il est revenu à notre porte».

L'absence de mon oncle nous parut durer une heure. Il revint enfin, furieux, jurant: «Rien, nom de nom, c'est un farceur! Rien que ce maudit chien qui hurle à cent mètres des murs. Si j'avais pris un fusil, je l'aurais tué pour le faire taire».

On se remit à dîner, mais tout le monde demeurait anxieux; on sentait bien que ce n'était pas fini, qu'il allait se passer quelque chose, que la cloche, tout à l'heure, sonnerait encore.

Et elle sonna, juste au moment où l'on coupait le gâteau des Rois. Tous les hommes se levèrent ensemble. Mon oncle François, qui avait bu du champagne, affirma qu'il allait LE massacrer, avec tant de fureur, que ma mère et ma tante se jetèrent sur lui pour l'empêcher. Mon père, bien que très calme et un peu impotent (il traînait la jambe depuis qu'il se l'était cassée en tombant de cheval), déclara à son tour qu'il voulait savoir ce que c'était, et qu'il irait. Mes frères, âgés de dix-huit et de vingt ans, coururent chercher leurs fusils; et comme on ne faisait guère attention à moi, je m'emparai d'une carabine de jardin et je me disposai aussi à accompagner l'expédition.

Elle partit aussitôt. Mon père et mon oncle marchaient devant, avec Baptiste, qui portait une lanterne. Mes frères Jacques et Paul suivaient, et je venais derrière, malgré les supplications de ma mère, qui demeurait avec sa sœur et mes cousines sur le seuil de la maison.

La neige s'était remise à tomber depuis une heure; et les arbres en étaient chargés. Les sapins pliaient sous ce lourd vêtement livide, pareils à des pyramides blanches, à d'énormes pains de sucre; et on apercevait à peine, à travers le rideau gris des flocons menus et pressés, les arbustes plus légers, tout pâles dans l'ombre. Elle tombait si épaisse, la neige, qu'on y voyait tout juste à dix pas. Mais la lanterne jetait une grande clarté devant nous. Quand on commença à descendre par l'escalier tournant creusé dans la muraille, j'eus peur, vraiment. Il me sembla qu'on marchait derrière moi; qu'on allait me saisir par les épaules et m'emporter; et j'eus envie de retourner; mais comme il fallait retraverser tout le jardin, je n'osai pas.

J'entendis qu'on ouvrait la porte sur la plaine; puis mon oncle se remit à jurer: «Nom d'un nom, il est reparti! Si j'aperçois seulement son ombre, je ne le rate pas, ce c . . . -là.»[10]

C'était sinistre de voir la plaine, ou, plutôt, de la sentir devant soi, car on ne la voyait pas; on ne voyait qu'un voile de neige sans fin, en haut, en bas, en face, à droite, à gauche, partout.

Mon oncle reprit: «Tiens, revoilà le chien qui hurle; je vais lui apprendre comment je tire, moi. Ça sera toujours ça de gagné.»

Mais mon père qui était bon, reprit: «Il vaut mieux l'aller chercher, ce pauvre animal qui crie la faim. Il aboie au secours, ce misérable; il appelle comme un homme en détresse. Allons-y».

Et on se mit en route à travers ce rideau, à travers cette tombée épaisse, continue, à travers cette mousse qui emplissait la nuit et l'air, qui remuait, flottait, tombait et glaçait la chair en fondant, la glaçait comme elle l'aurait brûlée, par une douleur vive et rapide sur la peau, à chaque toucher des petits flocons blancs.

Nous enfoncions jusqu'aux genoux dans cette pâte molle et froide; et il fallait lever très haut la jambe pour marcher. A mesure que nous avancions, la voix du chien devenait plus

[10] Pour ce *cochon-là*. Ce terme, exprimant du dégoût pour une personne, un animal ou une chose, est très vulgaire. C'est pourquoi on ne l'imprime pas d'ordinaire.

claire, plus forte. Mon oncle cria: «Le voici!» On s'arrêta pour l'observer, comme on doit faire en face d'un ennemi qu'on rencontre dans la nuit.

Je ne voyais rien, moi; alors, je rejoignis les autres, et je l'aperçus; il était effrayant et fantastique à voir, ce chien, un gros chien noir, un chien de berger à grands poils et à tête de loup, dressé sur ses quatre pattes, tout au bout de la longue traînée de lumière que faisait la lanterne sur la neige. Il ne bougeait pas; il s'était tu; et il nous regardait.

Mon oncle dit: «C'est singulier, il n'avance ni ne recule. J'ai bien envie de lui flanquer un coup de fusil.»

Mon père reprit d'une voix ferme: «Non, il faut le prendre».

Alors mon frère Jacques ajouta: «Mais il n'est pas seul. Il y a quelque chose à côté de lui».

Il y avait quelque chose derrière lui, en effet, quelque chose de gris, d'impossible à distinguer. On se remit en marche avec précaution.

En nous voyant approcher, le chien s'assit sur son derrière. Il n'avait pas l'air méchant. Il semblait plutôt content d'avoir réussi à attirer des gens.

Mon père alla droit à lui et le caressa. Le chien lui lécha les mains; et on reconnut qu'il était attaché à la roue d'une petite voiture, d'une sorte de voiture joujou enveloppée tout entière dans trois ou quatre couvertures de laine. On enleva ces linges avec soin, et comme Baptiste approchait sa lanterne de la porte de cette carriole qui ressemblait à une niche roulante, on aperçut dedans un petit enfant qui dormait.

Nous fûmes tellement stupéfaits que nous ne pouvions dire un mot. Mon père se remit le premier, et comme il était de grand cœur, et d'âme un peu exaltée, il étendit la main sur le toit de la voiture et il dit: «Pauvre abandonné, tu seras des nôtres!» Et il ordonna à mon frère Jacques de rouler devant nous notre trouvaille.

Mon père reprit, pensant tout haut:

«Quelque enfant d'amour dont la pauvre mère est venue sonner à ma porte en cette nuit de l'Épiphanie, en souvenir de l'Enfant-Dieu».

Il s'arrêta de nouveau, et, de toute sa force, il cria quatre fois à travers la nuit vers les quatre coins du ciel: «Nous l'avons recueilli!» Puis, posant la main sur l'épaule de son frère, il murmura: «Si tu avais tiré sur le chien, François? . . .»

Mon oncle ne répondit pas, mais il fit, dans l'ombre, un grand signe de croix, car il était très religieux, malgré ses airs fanfarons.

On avait détaché le chien, qui nous suivait.

Ah! par exemple, ce qui fut gentil à voir, c'est la rentrée à la maison. On eut d'abord beaucoup de mal à monter la voiture par l'escalier des remparts; on y parvint cependant et on la roula jusque dans le vestibule.

Comme maman était drôle, contente et effarée! Et mes quatre petites cousines (la plus jeune avait six ans), elles ressemblaient à quatre poules autour d'un nid. On retira enfin de sa voiture l'enfant qui dormait toujours. C'était une fille, âgée de six semaines environ. Et on trouva dans ses langes dix mille francs en or, oui, dix mille francs! que papa plaça pour lui faire une dot. Ce n'était donc pas un enfant de pauvres . . . mais peut-être l'enfant de quelque noble avec une petite bourgeoise de la ville . . . , ou encore . . . nous avons fait mille suppositions et on n'a jamais rien su . . . mais là, jamais rien . . . jamais rien . . . Le chien lui-même ne fut reconnu par personne. Il était étranger au pays. Dans tous les cas, celui ou celle qui était venu sonner trois fois à notre porte connaissait bien mes parents, pour les avoir choisis ainsi.

Voilà donc comment Mlle Perle entra, à l'âge de six semaines, dans la maison Chantal.

On ne la nomma que plus tard, Mlle Perle, d'ailleurs. On la

fit baptiser d'abord: «Marie, Simonne, Claire», Claire devant[11] lui servir de nom de famille.

Je vous assure que ce fut une drôle de rentrée dans la salle à manger avec cette mioche réveillée qui regardait autour d'elle ces gens et ces lumières, de ses yeux vagues, bleus et 5 troubles.

On se remit à table et le gâteau fut partagé. J'étais roi; et je pris pour reine Mlle Perle, comme vous, tout à l'heure. Elle ne se douta guère, ce jour-là, de l'honneur qu'on lui faisait.

Donc, l'enfant fut adoptée, et élevée dans la famille. Elle 10 grandit; des années passèrent. Elle était gentille, douce, obéissante. Tout le monde l'aimait et on l'aurait abominablement gâtée si ma mère ne l'eût empêché.

Ma mère était une femme d'ordre et de hiérarchie. Elle consentait à traiter la petite Claire comme ses propres fils, 15 mais elle tenait cependant à ce que la distance qui nous séparait fût bien marquée, et la situation bien établie.

Aussi, dès que l'enfant put comprendre, elle lui fit connaître son histoire et fit pénétrer tout doucement, même tendrement dans l'esprit de la petite, qu'elle était pour les Chantal 20 une fille adoptive, recueillie, mais en somme une étrangère.

Claire comprit cette situation avec une singulière intelligence, avec un instinct surprenant; et elle sut prendre et garder la place qui lui était laissée, avec tant de tact, de grâce et de gentillesse, qu'elle touchait mon père à le faire 25 pleurer.

Ma mère elle-même fut tellement émue par la reconnaissance passionnée et le dévouement un peu craintif de cette mignonne et tendre créature, qu'elle se mit à l'appeler: «Ma fille». Parfois, quand la petite avait fait quelque chose de 30 bon, de délicat, ma mère relevait ses lunettes sur son front, ce qui indiquait toujours une émotion chez elle et elle répétait: «Mais c'est une perle, une vraie perle, cette enfant!» — Ce

[11] Participe présent de *devoir.*

nom en resta à la petite Claire qui devint et demeura pour nous Mlle Perle.

IV

M. Chantal se tut. Il était assis sur le billard, les pieds ballants, et il maniait une boule de la main gauche, tandis que de la droite il tripotait un linge qui servait à effacer les points sur le tableau d'ardoise et que nous appelions «le linge à craie». Un peu rouge, la voix sourde, il parlait pour lui maintenant, parti dans ses souvenirs, allant doucement, à travers les choses anciennes et les vieux événements qui se réveillaient dans sa pensée, comme on va, en se promenant, dans les vieux jardins de la famille où l'on fut élevé, et où chaque arbre, chaque chemin, chaque plante, les houx pointus, les lauriers qui sentent bon, les ifs dont la graine rouge et grasse s'écrase entre les doigts, font surgir, à chaque pas, un petit fait de notre vie passée, un de ces faits insignifiants et délicieux qui forment le fond même, la trame de l'existence.

Moi, je restais en face de lui, adossée à la muraille, les mains appuyées sur ma queue de billard inutile.

Il reprit, au bout d'une minute: «Cristi, qu'elle était jolie à dix-huit ans . . . et gracieuse . . . et parfaite . . . Ah! la jolie . . . jolie . . . jolie et bonne . . . et brave . . . et charmante fille! . . . Elle avait des yeux . . . des yeux bleus . . . transparents . . . , clairs . . . comme je n'en ai jamais vu de pareils . . . jamais!

Il se tut encore. Je demandai: «Pourquoi ne s'est-elle pas mariée?»

Il répondit, non pas à moi, mais à ce mot qui passait, «mariée».

— «Pourquoi? pourquoi? Elle n'a pas voulu . . . pas voulu. Elle avait pourtant trente mille francs de dot, et elle fut demandée plusieurs fois . . . elle n'a pas voulu! Elle semblait triste à cette époque-là. C'est quand j'épousai ma cousine, la petite Charlotte, ma femme, avec qui j'étais fiancé depuis six ans.»

Je regardais M. Chantal et il me semblait que je pénétrais dans son esprit, que je pénétrais tout à coup dans un de ces humbles et cruels drames des cœurs honnêtes, des cœurs droits, des cœurs sans reproches, dans un de ces cœurs inavoués, inexplorés, que personne n'a connu, pas même ceux qui en sont les muettes et résignées victimes.

Et, une curiosité hardie me poussant tout à coup, je prononçai.

— C'est vous qui auriez dû l'épouser, monsieur Chantal?

Il tressaillit, me regarda, et dit:

— Moi? épouser qui?

— Mlle Perle.

— Pourquoi ça?

— Parce que vous l'aimiez plus que votre cousine.

Il me regarda avec des yeux étranges, ronds, effarés, puis il balbutia:

— «Je l'ai aimée . . . moi? . . . comment? qu'est-ce qui t'a dit ça? . . .»

— «Parbleu, ça se voit . . . et c'est même à cause d'elle que vous avez tardé si longtemps à épouser votre cousine qui vous attendait depuis six ans.»

Il lâcha la bille qu'il tenait de la main gauche, saisit à deux mains le linge à craie, et, s'en couvrant le visage, se mit à sangloter dedans. Il pleurait d'une façon désolante et ridicule, comme pleure une éponge qu'on presse, par les yeux, le nez et la bouche en même temps. Et il toussait, crachait, se mouchait dans le linge à craie, s'essuyait les yeux, éternuait, recommençait à couler par toutes les fentes de son visage, avec un bruit de gorge qui faisait penser aux gargarismes.

Moi, effaré, honteux, j'avais envie de me sauver et je ne savais plus que dire, que faire, que tenter.

Et soudain, la voix de Mme Chantal résonna dans l'escalier: «Est-ce bientôt fini, votre fumerie?»

J'ouvris la porte et je criai: «Oui, Madame, nous descendons.»

Puis, je me précipitai vers son mari, et, le saisissant par les coudes: «Monsieur Chantal, mon ami Chantal, écoutez-moi; votre femme vous appelle, remettez-vous, remettez-vous vite, il faut descendre; remettez-vous.» 5

Il bégaya: «Oui . . . oui . . . je viens . . . pauvre fille . . . je viens . . . dites-lui que j'arrive.»

Et il commença à s'essuyer consciencieusement la figure avec le linge qui, depuis deux ou trois ans, essuyait toutes les 10 marques de l'ardoise, puis il apparut, moitié blanc et moitié rouge, le front, le nez, les joues et le menton barbouillés de craie, et les yeux gonflés, encore pleins de larmes.

Je le pris par les mains et l'entraînai dans sa chambre en murmurant: «Je vous demande pardon, je vous demande bien 15 pardon, monsieur Chantal, de vous avoir fait de la peine . . . mais . . . je ne savais pas . . . vous . . . vous comprenez . . .

Il me serra la main: «Oui . . . oui . . . il y a des moments difficiles . . .» 20

Puis il se plongea la figure dans sa cuvette. Quand il en sortit, il ne me parut pas encore présentable; mais j'eus l'idée d'une petite ruse. Comme il s'inquiétait, en se regardant dans la glace, je lui dis: «Il suffira de raconter que vous avez un grain de poussière dans l'œil, et vous pourrez pleurer devant 25 tout le monde autant qu'il vous plaira.»

Il descendit en effet, en se frottant les yeux avec son mouchoir. On s'inquiéta; chacun voulut chercher le grain de poussière qu'on ne trouva point, et on raconta des cas semblables où il était devenu nécessaire d'aller chercher le 30 médecin.

Moi, j'avais rejoint Mlle Perle et je la regardais, tourmenté par une curiosité ardente, une curiosité qui devenait une souffrance. Elle avait dû être bien jolie en effet, avec ses yeux doux, si grands, si calmes, si larges qu'elle avait l'air de ne 35 les jamais fermer, comme font les autres humains. Sa toilette était un peu ridicule, une vraie toilette de vieille fille, et la déparait sans la rendre gauche.

Il me semblait que je voyais en elle, comme j'avais vu tout à l'heure dans l'âme de M. Chantal, que j'apercevais, d'un bout à l'autre, cette vie humble, simple et dévouée; mais un besoin me venait aux lèvres, un besoin harcelant de l'interroger, de savoir si, elle aussi, l'avait aimé, lui; si elle avait souffert comme lui de cette longue souffrance secrète, aiguë, qu'on ne voit pas, qu'on ne sait pas, qu'on ne devine pas, mais qui s'échappe, la nuit, dans la solitude de la chambre noire. Je la regardais, je voyais battre son cœur sous son corsage à guimpe, et je me demandais si cette douce figure candide avait gémi chaque soir, dans l'épaisseur moite de l'oreiller, et sanglοté, le corps secoué de sursauts, dans la fièvre du lit brûlant.

Et je lui dis tout bas, comme font les enfants qui cassent un bijou pour voir dedans: «Si vous aviez vu pleurer M. Chantal tout à l'heure, il vous aurait fait pitié.»

Elle tressaillit: «Comment, il pleurait?

— Oh! oui, il pleurait!

— Et pourquoi ça?

Elle semblait très émue. Je répondis:

— A votre sujet.

— A mon sujet?

— Oui. Il me racontait combien il vous avait aimée autrefois; et combien il lui en avait coûté d'épouser sa femme au lieu de vous . . .»

Sa figure pâle me parut s'allonger un peu; ses yeux toujours ouverts, ses yeux calmes se fermèrent tout à coup, si vite qu'ils semblaient s'être clos pour toujours. Elle glissa de sa chaise sur le plancher et s'y affaissa doucement, lentement, comme aurait fait une écharpe tombée.

Je criai: «Au secours! au secours! Mlle Perle se trouve mal.»

Mme Chantal et ses filles se précipitèrent, et comme on

cherchait de l'eau, une serviette et du vinaigre, je pris mon chapeau et me sauvai.

Je m'en allai à grands pas, le cœur secoué, l'esprit plein de remords et de regrets. Et parfois aussi j'étais content; il me semblait que j'avais fait une chose louable et nécessaire. 5

Je me demandais: «Ai-je eu tort? Ai-je eu raison?» Ils avaient cela dans l'âme comme on garde du plomb dans une plaie fermée. Maintenant ne seront-ils pas plus heureux? Il était trop tard pour que recommençât leur torture et assez tôt pour qu'ils s'en souvinssent avec attendrissement. 10

Et peut-être qu'un soir du prochain printemps, émus par un rayon de lune tombé sur l'herbe, à leurs pieds, à travers les branches, ils se prendront et se serreront la main en souvenir de toute cette souffrance étouffée et cruelle; et peut-être aussi que cette courte étreinte fera passer dans leurs 15 veines un peu de ce frisson qu'ils n'auront point connu, et leur jettera, à ces morts ressuscités en une seconde, la rapide et divine sensation de cette ivresse, de cette folie qui donne aux amoureux plus de bonheur en un tressaillement, que n'en peuvent cueillir, en toute leur vie, les autres hommes! 20

ALPHONSE DAUDET

Alphonse Daudet (1840–1897) naquit à Nîmes dans le Midi. Quand il avait huit ans, la famille s'installa à Lyon où Alphonse entra au lycée. C'est là qu'on lui donna le nom de Petit Chose à cause de sa petite taille et de sa timidité. A l'âge de seize ans il finit ses études au lycée et dut gagner sa vie. Il accepta une place dans une école secondaire où il était chargé de surveiller les élèves quand ils n'étaient pas en classe. Il trouva cette vie bien dure et nous en a laissé un récit fantaisiste dans *le Petit Chose*, publié dix ans plus tard. Après un an, il quitta la place pour rejoindre son frère aîné, journaliste à Paris. Il trouva une modeste position dans un ministère et plus tard fut attaché comme secrétaire particulier au cabinet du duc de Morny, homme politique de grande influence.

Bientôt après son arrivée à Paris, il eut la chance de faire publier ses poésies qu'il avait commencé d'ecrire au lycée. Avec la publication de ce volume, *les Amoureuses*, sa fortune changea.

Ses devoirs de secrétaire lui laissent beaucoup de temps pour poursuivre ses travaux littéraires. Mais sa santé est délicate. Pendant trois ans, il quitte le climat de Paris pour passer l'hiver dans le Midi, en Corse, en Algérie. Après la mort du duc de Morny en 1865, Daudet se consacre entièrement à la littérature. Il écrit des contes, des nouvelles, des romans. Il fait jouer des pièces; le journalisme l'attire. En 1867 il épouse une Parisienne, auteur et critique, qui exercera une certaine influence sur les oeuvres de son mari.

Malgré sa mauvaise santé, Daudet continua pendant plus de trente ans ses travaux littéraires. Il a tenté de grandes études historiques de moeurs contemporaines. Il a fait de fortes peintures de la vie bourgeoise, de la vie des employés, des ouvriers, des durs combats contre la misère. Il a laissé deux volumes de souvenirs où il raconte ses débuts à Paris et l'histoire de ses livres.

Daudet subit l'influence des idées et des aspirations littéraires de son époque. Comme Flaubert et Zola, il remplit des cahiers de notes et d'observations exactes qu'il introduit plus tard dans ses oeuvres. Comme eux, il raconte des événements vécus, des choses et des êtres vus. Pour ne pas inventer, il utilise des documents. Ses romans sont donc des oeuvres documentaires dont on peut chercher des sources authentiques. Mais Daudet est différent de ses contemporains naturalistes par l'imagination poétique et par l'émotion qu'il éprouve devant ses personnages. Il aime les pauvres malheureux, les victimes de la vie. Il ne pense pas que l'art doive être impassible. Il conte les aventures, drames ou comédies, avec l'émotion d'un coeur tendre qui aime ou hait les événements et les hommes, en même temps qu'il les observe. Le charme de ses oeuvres consiste dans le mélange de l'ironie, de l'humour, de tendresse, de sympathie. *Froment jeune et Risler aîné* est un roman extrêmement touchant; *Tartarin de Tarascon*, caricature inimitable du type méridional et peut-être son chef-d'oeuvre, est d'une ironie charmante et bienveillante.

LA CHÈVRE DE M. SEGUIN

ALPHONSE DAUDET

A M. Pierre Gringoire,[1] *poète lyrique à Paris*

Tu seras bien toujours le même, mon pauvre Gringoire!

Comment! on t'offre une place de chroniqueur dans un bon journal de Paris, et tu as l'aplomb de refuser . . . Mais regarde-toi, malheureux garçon! Regarde ce pourpoint troué, ces chausses en déroute, cette face maigre qui crie la faim. 5
Voilà pourtant où t'a conduit la passion des belles rimes! Voilà ce que t'ont valu dix ans de loyaux services dans les pages du sire Apollo[2] . . . Est-ce que tu n'as pas honte, à la fin?

Fais-toi donc chroniqueur, imbécile! fais-toi chroniqueur! 10
Tu gagneras de beaux écus à la rose,[3] tu auras ton couvert chez Brébant,[4] et tu pourras te montrer les jours de première[5] avec une plume neuve à ta barrette. . . .

Non? Tu ne veux pas? Tu prétends rester libre à ta guise jusqu'au bout . . . Eh bien, écoute un peu l'histoire de la 15
chèvre de M. Seguin. Tu verras ce que l'on gagne à vouloir vivre libre.

. . . . .

[1] Poète dramatique et satirique (1475 - vers 1538). Daudet s'adresse à lui comme à une personnification des écrivains pauvres qui, refusant un emploi lucratif, préfèrent une vie de pauvreté à une vie aisée nécessitant le sacrifice de leurs ambitions littéraires.

[2] Comme page du sire Apollo, dieu grec des arts. L'expression signifie *serviteur de la poésie, poète.*

[3] Ancienne pièce de monnaie, frappée à la rose.

[4] Restaurateur à la mode du temps de Daudet.

[5] Jours de la première représentation d'une pièce de théâtre.

M. Seguin n'avait jamais eu de bonheur avec ses chèvres. Il les perdait toutes de la même façon: un beau matin, elles cassaient leur corde, s'en allaient dans la montagne, et là-haut le loup les mangeait. Ni les caresses de leur maître, ni la peur du loup, rien ne les retenait. C'était, paraît-il, des chèvres 5 indépendantes, voulant à tout prix le grand air et la liberté.

Le brave M. Seguin, qui ne comprenait rien au caractère de ses bêtes, était consterné. Il disait:

— C'est fini; les chèvres s'ennuient chez moi, je n'en garderai pas une. 10

Cependant il ne se découragea pas, et, après avoir perdu six chèvres de la même manière, il en acheta une septième; seulement, cette fois, il eut soin de la prendre toute jeune, pour qu'elle s'habituât mieux à demeurer chez lui.

Ah! Gringoire, qu'elle était jolie la petite chèvre de M. 15 Seguin! qu'elle était jolie avec ses yeux doux, sa barbiche de sous-officier,[6] ses sabots noirs et luisants, ses cornes zébrées et ses longs poils blancs qui lui faisaient une houppelande! C'était presque aussi charmant que le cabri d'Esmeralda,[7] tu te rappelles, Gringoire? — et puis, docile, caressante, se lais- 20 sant traire sans bouger, sans mettre son pied dans l'écuelle. Un amour de petite chèvre . . .

M. Seguin avait derrière sa maison un clos entouré d'aubépines. C'est là qu'il mit la nouvelle pensionnaire. Il l'attacha à un pieu, au plus bel endroit du pré, en ayant soin de lui 25 laisser beaucoup de corde, et de temps en temps il venait voir si elle était bien. La chèvre se trouvait très heureuse et broutait l'herbe de si bon cœur que M. Seguin était ravi.

— Enfin, pensait le pauvre homme, en voilà une qui ne s'ennuiera pas chez moi! 30

M. Seguin se trompait, sa chèvre s'ennuya.

. . . . .

[6] Les sous-officiers du temps de Daudet portaient généralement une barbe, à l'imitation de l'empereur, Napoléon III.

[7] Esmeralda est un des principaux personnages de *Notre-Dame de Paris*, roman de Victor Hugo. Elle parcourait les rues accompagnée d'une chèvre. Le poète Gringoire figurait aussi dans le roman.

Un jour, elle se dit en regardant la montagne:

—Comme on doit être bien là-haut! Quel plaisir de gambader dans la bruyère, sans cette maudite longe qui vous écorche le cou! . . . C'est bon pour l'âne ou pour le bœuf de brouter dans un clos! . . . Les chèvres, il leur faut du large. 5

A partir de ce moment, l'herbe du clos lui parut fade. L'ennui lui vint. Elle maigrit, son lait se fit rare. C'était pitié de la voir tirer tout le jour sur sa longe, la tête tournée du côté de la montagne, la narine ouverte, en faisant *Mê!* . . . tristement. 10

M. Seguin s'apercevait bien que sa chèvre avait quelque chose, mais il ne savait pas ce que c'était . . . Un matin, comme il achevait de la traire, la chèvre se retourna et lui dit dans son patois:

—Écoutez, monsieur Seguin, je me languis chez vous, 15 laissez-moi aller dans la montagne.

—Ah! mon Dieu! . . . Elle aussi! cria M. Seguin stupéfait, et du coup il laissa tomber son écuelle; puis, s'asseyant dans l'herbe à côté de sa chèvre:

—Comment, Blanquette, tu veux me quitter! 20

Et Blanquette répondit:

—Oui, monsieur Seguin.

—Est-ce que l'herbe te manque ici?

—Oh! non! monsieur Seguin.

—Tu es peut-être attachée de trop court; veux-tu que 25 j'allonge la corde?

—Ce n'est pas la peine, monsieur Seguin.

—Alors, qu'est-ce qu'il te faut? qu'est-ce que tu veux?

—Je veux aller dans la montagne, monsieur Seguin.

—Mais, malheureuse, tu ne sais pas qu'il y a le loup dans 30 la montagne . . . Que feras-tu quand il viendra? . . .

—Je lui donnerai des coups de corne, monsieur Seguin.

—Le loup se moque bien de tes cornes. Il m'a mangé des

biques autrement encornées[8] que toi . . . Tu sais bien, la pauvre vieille Renaude qui était ici l'an dernier? une maîtresse chèvre, forte et méchante comme un bouc. Elle s'est battue avec le loup toute la nuit . . . puis, le matin, le loup l'a mangée. 5

— Pécaïre! Pauvre Renaude! . . . Ça ne fait rien, monsieur Seguin, laissez-moi aller dans la montagne.

— Bonté divine! . . . dit M. Seguin mais qu'est-ce qu'on leur fait donc à mes chèvres? Encore une que le loup va me manger . . . Eh bien, non . . . je te sauverai malgré toi, 10 coquine! et de peur que tu ne rompes ta corde, je vais t'enfermer dans l'étable, et tu y resteras toujours.

Là-dessus, M. Seguin emporta la chèvre dans une étable toute noire, dont il ferma la porte à double tour. Malheureusement, il avait oublié la fenêtre, et à peine eut-il le dos tourné, 15 que la petite s'en alla . . .

Tu ris, Gringoire? Parbleu! je crois bien; tu es du parti des chèvres, toi, contre ce bon M. Seguin . . . Nous allons voir si tu riras tout à l'heure.

Quand la chèvre blanche arriva dans la montagne, ce fut 20 un ravissement général. Jamais les vieux sapins n'avaient rien vu d'aussi joli. On la reçut comme une petite reine. Les châtaigniers se baissaient jusqu'à terre pour la caresser du bout de leurs branches. Les genêts d'or s'ouvraient sur son passage, et sentaient bon tant qu'ils pouvaient. Toute la mon- 25 tagne lui fit fête.

Tu penses, Gringoire, si notre chèvre était heureuse! Plus de corde,[9] plus de pieu . . . rien qui l'empêchât de gambader, de brouter à sa guise . . . C'est là qu'il y en[10] avait de l'herbe! jusque pardessus les cornes, mon cher! . . . Et quelle 30 herbe! Savoureuse, fine, dentelée, faite de mille plantes . . . c'était bien autre chose que le gazon du clos. Et les fleurs

[8] Beaucoup mieux encornées.
[9] Il n'y avait plus de corde . . .
[10] *En* n'est pas nécessaire. C'est le style familier de conversation.

donc! . . . De grandes campanules bleues, des digitales de pourpre à longs calices, toute une forêt de fleurs sauvages débordant de sucs capiteux! . . .

La chèvre blanche, à moitié soûle, se vautrait là-dedans les jambes en l'air et roulait le long des talus, pêle-mêle avec les feuilles tombées et les châtaignes . . . Puis, tout à coup, elle se redressait d'un bond sur ses pattes. Hop! la voilà partie, la tête en avant, à travers les maquis et les buissières, tantôt sur un pic, tantôt au fond d'un ravin, là-haut, en bas, partout. . . . On aurait dit qu'il y avait dix chèvres de M. Seguin dans la montagne.

C'est qu'elle n'avait peur de rien, la Blanquette.

Elle franchissait d'un saut de grands torrents qui l'éclaboussaient au passage de poussière humide et d'écume. Alors, toute ruisselante, elle allait s'étendre sur quelque roche plate et se faisait sécher par le soleil . . . Une fois, s'avançant au bord d'un plateau, une fleur de cytise aux dents, elle aperçut en bas, tout en bas dans la plaine, la maison de M. Seguin avec le clos derrière. Cela la fit rire aux larmes.

— Que c'est petit! dit-elle; comment ai-je pu tenir là-dedans?

Pauvrette! de se voir[11] si haut perchée, elle se croyait au moins aussi grande que le monde . . .

En somme, ce fut une bonne journée pour la chèvre de M. Seguin. Vers le milieu du jour, en courant de droite et de gauche, elle tomba dans une troupe de chamois en train de croquer une lambrusque à belles dents. Notre petite coureuse en robe blanche fit sensation. On lui donna la meilleure place à la lambrusque, et tous ces messieurs furent très galants. . . . Il paraît même, — ceci doit rester entre nous, Gringoire, — qu'un jeune chamois à pelage noir eut la bonne fortune de plaire à Blanquette. Les deux amoureux s'égarèrent parmi le bois une heure ou deux, et si tu veux savoir ce qu'ils se

[11] En se voyant.

dirent, va le demander aux sources bavardes qui courent invisibles dans la mousse.

. . . . .

Tout à coup le vent fraîchit. La montagne devint violette: c'était le soir . . .

— Déjà! dit la petite chèvre; et elle s'arrêta fort étonnée. 5

En bas, les champs étaient noyés de brume. Le clos de M. Seguin disparaissait dans le brouillard, et de la maisonnette on ne voyait plus que le toit avec un peu de fumée. Elle écouta les clochettes d'un troupeau qu'on ramenait, et se sentit l'âme toute triste . . . Un gerfaut, qui rentrait, la frôla de 10 ses ailes en passant. Elle tressaillit . . . puis ce fut un hurlement dans la montagne:

— Hou! hou!

Elle pensa au loup; de tout le jour la folle n'y avait pas pensé . . . Au même moment une trompe sonna bien loin 15 dans la vallée. C'était ce bon M. Seguin qui tentait un dernier effort.

— Hou! hou! . . . faisait le loup.

— Reviens! reviens! . . . criait la trompe.

Blanquette eut envie de revenir; mais en se rappelant le 20 pieu, la corde, la haie du clos, elle pensa que maintenant elle ne pouvait plus se faire à cette vie, et qu'il valait mieux rester.

La trompe ne sonnait plus . . .

La chèvre entendit derrière elle un bruit de feuilles. Elle 25 se retourna et vit dans l'ombre deux oreilles courtes, toutes droites, avec deux yeux qui reluisaient . . . C'était le loup.

. . . . .

Énorme, immobile, assis sur son train de derrière, il était là regardant la petite chèvre blanche et la dégustant par avance. Comme il savait bien qu'il la mangerait, le loup ne se 30 pressait pas: seulement, quand elle se retourna, il se mit à rire méchamment.

— Ha! ha! la petite chèvre de M. Seguin; et il passa sa grosse langue rouge sur ses babines d'amadou.[12]

Blanquette se sentit perdue . . . Un moment, en se rappelant l'histoire de la vieille Renaude, qui s'était battue toute la nuit pour être mangée le matin, elle se dit qu'il vaudrait peut-être mieux se laisser manger tout de suite; puis, s'étant ravisée, elle tomba en garde, la tête basse et la corne en avant, comme une brave chèvre de M. Seguin qu'elle était . . . Non pas qu'elle eût l'espoir de tuer le loup, — les chèvres ne tuent pas le loup, — mais seulement pour voir si elle pourrait tenir aussi longtemps que la Renaude . . .

Alors le monstre s'avança, et les petites cornes entrèrent en danse.

Ah! la brave chevrette, comme elle y allait de bon cœur! Plus de dix fois, je ne mens pas, Gringoire, elle força le loup à reculer pour reprendre haleine. Pendant ces trêves d'une minute, la gourmande cueillait en hâte encore un brin de sa chère herbe; puis elle retournait au combat, la bouche pleine . . . Cela dura toute la nuit. De temps en temps la chèvre de M. Seguin regardait les étoiles danser dans le ciel clair, et elle se disait:

— Oh! pourvu que je tienne jusqu'à l'aube . . .

L'une après l'autre, les étoiles s'éteignirent. Blanquette redoubla de coups de cornes, le loup de coups de dents . . . Une lueur pâle parut dans l'horizon . . . Le chant d'un coq enroué monta d'une métairie.

— Enfin! dit la pauvre bête, qui n'attendait plus que le jour pour mourir; et elle s'allongea par terre dans sa belle fourrure blanche toute tachée de sang . . .

Alors le loup se jeta sur la petite chèvre et la mangea.

Adieu, Gringoire!

L'histoire que tu as entendue n'est pas un conte de mon

[12] De couleur de l'amadou, jaune rougeâtre.

invention. Si jamais tu viens en Provence, nos ménagers te parleront souvent de la *cabro de moussu Seguin, que se battégue touto la neui emé lou loup, e piei lou matin lou loup la mangé.*[13]

Tu m'entends bien, Gringoire:

E piei lou matin lou loup la mangé.

[13] La chèvre de monsieur Seguin, qui se battit toute la nuit avec le loup, et puis, le matin, le loup la mangea.

LES DEUX AUBERGES

ALPHONSE DAUDET

C'était en revenant de Nîmes,[1] une après-midi de juillet. Il faisait une chaleur accablante. A perte de vue, la route blanche, embrasée, poudroyait entre les jardins d'oliviers et de petits chênes, sous un grand soleil d'argent mat qui remplissait tout le ciel. Pas une tache d'ombre, pas un souffle de vent. 5
Rien que la vibration de l'air chaud et le cri strident des cigales, musique folle, assourdissante, à temps pressés, qui semble la sonorité même de cette immense vibration lumineuse . . . Je marchais en plein désert depuis deux heures, quand tout à coup, devant moi, un groupe de maisons blanches 10
se dégagea de la poussière de la route. C'était ce qu'on appelle le relais de Saint-Vincent; cinq ou six mas,[2] de longues granges à toiture rouge, un abreuvoir sans eau dans un bouquet de figuiers maigres, et, tout au bout du pays, deux grandes auberges qui se regardent face à face de chaque 15
côté du chemin.

Le voisinage de ces auberges avait quelque chose de saisissant. D'un côté, un grand bâtiment neuf, plein de vie, d'animation, toutes les portes ouvertes, la diligence arrêtée devant, les chevaux fumants qu'on dételait, les voyageurs descendus 20

[1] Vieille ville de Provence, cité natale de Daudet. Il quitta Paris en 1863 à cause de sa santé fragile et acheta près de Nîmes un vieux moulin abandonné où il passa plusieurs mois.

[2] Mot employé dans le Midi de France pour désigner une maison de campagne, une ferme.

buvant à la hâte sur la route dans l'ombre courte des murs; la cour encombrée de mulets, de charrettes; des rouliers couchés sous les hangars en attendant *la fraîche.* A l'intérieur, des cris, des jurons, des coups de poing sur les tables, le choc des verres, le fracas des billards, les bouchons de limonade qui sautaient, et, dominant tout ce tumulte, une voix joyeuse, éclatante, qui chantait à faire trembler les vitres:

> La belle Margoton
> Tant matin[3] s'est levée,
> A pris son broc d'argent,
> A l'eau s'en est allée . . .

. . . L'auberge d'en face, au contraire, était silencieuse et comme abandonnée. De l'herbe sous le portail, des volets cassés, sur la porte un rameau de petit houx tout rouillé qui pendait comme un vieux panache, les marches du seuil calées avec des pierres de la route . . . Tout cela si pauvre, si pitoyable, que c'était une charité vraiment de s'arrêter là pour boire un coup.

. . . . .

En entrant, je trouvai une longue salle déserte et morne, que le jour éblouissant de trois grandes fenêtres sans rideaux fait plus morne et plus déserte encore. Quelques tables boiteuses où traînaient des verres ternis par la poussière, un billard crevé qui tendait ses quatre blouses comme des sébiles, un divan jaune, un vieux comptoir, dormaient là dans une chaleur malsaine et lourde. Et des mouches! des mouches! jamais je n'en avais tant vu: sur le plafond, collées aux vitres, dans les verres, par grappes . . . Quand j'ouvris la porte, ce fut un bourdonnement, un frémissement d'ailes comme si j'entrais dans une ruche.

Au fond de la salle, dans l'embrasure d'une croisée, il y

[3] De très bonne heure.

avait une femme debout contre la vitre, très occupée à regarder dehors. Je l'appelai deux fois:

— Hé! l'hôtesse!

Elle se retourna lentement, et me laissa voir une pauvre figure de paysanne, ridée, crevassée, couleur de terre, encadrée dans de longues barbes de dentelle rousse comme en portent les vieilles de chez nous. Pourtant ce n'était pas une vieille femme; mais les larmes l'avaient toute fanée.

— Qu'est-ce que vous voulez? me demanda-t-elle en essuyant ses yeux.

— M'asseoir un moment et boire quelque chose . . .

Elle me regarda très étonnée, sans bouger de sa place, comme si elle ne comprenait pas.

— Ce n'est donc pas une auberge ici?

La femme soupira:

— Si . . . c'est une auberge, si vous voulez . . . Mais pourquoi n'allez-vous pas en face comme les autres? C'est bien plus gai . . .

— C'est trop gai pour moi . . . J'aime mieux rester chez vous.

Et, sans attendre sa réponse, je m'installai devant une table.

Quand elle fut bien sûre que je parlais sérieusement, l'hôtesse se mit à aller et venir d'un air très affairé, ouvrant des tiroirs, remuant des bouteilles, essuyant des verres, dérangeant les mouches . . . On sentait que ce voyageur à servir était tout un événement. Par moments la malheureuse s'arrêtait, et se prenait la tête comme si elle désespérait d'en venir à bout.

Puis elle passait dans la pièce du fond; je l'entendais remuer de grosses clefs, tourmenter des serrures, fouiller dans la huche au pain, souffler, épousseter, laver des assiettes. De temps en temps, un gros soupir, un sanglot mal étouffé . . .

Après un quart d'heure de ce manège, j'eus devant moi une

assiettée de *passerilles* (raisins secs), un vieux pain de Beaucaire aussi dur que du grès, et une bouteille de piquette.

— Vous êtes servi, dit l'étrange créature; et elle retourna bien vite prendre sa place devant la fenêtre.

. . . . .

Tout en buvant, j'essayai de la faire causer. 5

— Il ne vous vient pas souvent du monde,[4] n'est-ce pas, ma pauvre femme?

— Oh! non, monsieur, jamais personne . . . Quand nous étions seuls dans le pays, c'était différent: nous avions le relais, des repas de chasse pendant le temps des macreuses, des 10 voitures toute l'année . . . Mais depuis que les voisins sont venus s'établir, nous avons tout perdu . . . Le monde aime mieux aller en face. Chez nous, on trouve que c'est trop triste. . . . Le fait est que la maison n'est pas bien agréable. Je ne suis pas belle, j'ai les fièvres, mes deux petites sont mortes. 15 . . . Là-bas, au contraire, on rit tout le temps. C'est une Arlésienne[5] qui tient l'auberge, une belle femme avec des dentelles et trois tours de chaîne d'or au cou. Le conducteur,[6] qui est son amant, lui amène la diligence. Avec ça un tas d'enjôleuses pour chambrières . . . Aussi, il lui en vient de la pratique! 20 Elle a toute la jeunesse de Bezouces, de Redessan, de Jonquières. Les rouliers font un détour pour passer par chez elle . . . Moi, je reste ici tout le jour, sans personne, à me consumer.

Elle disait cela d'une voix distraite, indifférente, le front 25 toujours appuyé contre la vitre. Il y avait évidemment dans l'auberge d'en face quelque chose qui la préoccupait . . .

Tout à coup, de l'autre côté de la route, il se fit un grand mouvement. La diligence s'ébranlait dans la poussière. On

[4] Les gens ne viennent pas souvent chez vous. . . .

[5] Arles est une petite ville près de Nîmes. Les Arlésiennes ont la réputation d'être très belles.

[6] Celui qui conduit les chevaux, *the driver.*

entendait des coups de fouet, les fanfares du postillon, les filles accourues sur la porte qui criaient:

—Adiousias! . . . adiousias![7] . . . et par là-dessus la formidable voix de tantôt reprenant de plus belle:

A pris son broc d'argent,
A l'eau s'en est allée;
De là n'a vu venir
Trois chevaliers d'armée . . .

. . . A cette voix l'hôtesse frissonna de tout son corps, et, se tournant vers moi:

—Entendez-vous? me dit-elle tout bas, c'est mon mari . . . N'est-ce pas qu'il chante bien?

Je la regardai, stupéfait.

—Comment? votre mari! . . . Il va donc là-bas, lui aussi?

Alors elle, d'un air navré, mais avec une grande douceur:

—Qu'est-ce que vous voulez, monsieur? Les hommes sont comme ça, ils n'aiment pas voir pleurer; et moi je pleure toujours depuis la mort des petites . . . Puis, c'est si triste cette grande baraque où il n'y a jamais personne . . . Alors, quand il s'ennuie trop, mon pauvre José va boire en face, et comme il a une belle voix, l'Arlésienne le fait chanter. Chut! . . . le voilà qui recommence.

Et, tremblante, les mains en avant, avec de grosses larmes qui la faisaient encore plus laide, elle était là comme en extase devant la fenêtre à écouter son José chanter pour l'Arlésienne:

Le premier lui a dit:
«Bonjour, belle mignonne!»

[7] Adieu!

LE CURÉ DE CUCUGNAN

ALPHONSE DAUDET

Tous les ans, à la Chandeleur, les poètes provençaux publient en[1] Avignon un joyeux petit livre[2] rempli jusqu'aux bords de beaux vers et de jolis contes. Celui de cette année m'arrive à l'instant, et j'y trouve un adorable fabliau que je vais essayer de vous traduire en l'abrégeant un peu . . . 5
Parisiens, tendez vos mannes. C'est de la fine fleur de farine provençale qu'on va vous servir cette fois . . .

. . . . .

L'abbé Martin était curé . . . de Cucugnan.

Bon comme le pain, franc comme l'or, il aimait paternellement ses Cucugnanais; pour lui, son Cucugnan aurait été 10
le paradis sur terre, si les Cucugnanais lui avaient donné un peu plus de satisfaction. Mais, hélas! les araignées filaient dans son confessionnal, et, le beau jour de Pâques, les hosties restaient au fond de son saint-ciboire. Le bon prêtre en avait le cœur meurtri, et toujours il demandait à Dieu la grâce de 15
ne pas mourir avant d'avoir ramené au bercail son troupeau dispersé.

[1] Les gens d'Avignon disent *en* par exception. D'ordinaire on emploie *à* devant les noms de ville.

[2] Ce conte est une traduction de *Lou Curat de Cucugnan*, écrit en provençal par Lou Cascarelet, pseudonyme de Roumanille. Le conte provençal parut en 1867 dans l'Almanac provençal (Armana prouvençau), le «joyeux petit livre» dont parle Daudet.

Or, vous allez voir que Dieu l'entendit.

Un dimanche, après l'Évangile, M. Martin monta en chaire.

. . . .

— Mes frères, dit-il, vous me croirez si vous voulez: l'autre nuit, je me suis trouvé, moi misérable pécheur, à la porte du paradis. 5

«Je frappai: saint Pierre m'ouvrit!

«— Tiens! c'est vous, mon brave monsieur Martin, me fit-il; quel bon vent?[3] . . . et qu'y a-t-il pour votre service?

«— Beau saint Pierre, vous qui tenez le grand livre et la clef, pourriez-vous me dire, si je ne suis pas trop curieux, combien vous avez de Cucugnanais en paradis? 10

«— Je n'ai rien à vous refuser, monsieur Martin; asseyez-vous, nous allons voir la chose ensemble.

«Et saint Pierre prit son gros livre, l'ouvrit, mit ses besicles:

«— Voyons un peu: Cucugnan, disons-nous. Cu . . . Cu . . . Cucugnan. Nous y sommes. Cucugnan . . . Mon brave monsieur Martin, la page est toute blanche. Pas une âme . . . Pas plus de Cucugnanais que d'arêtes dans une dinde. 15

«— Comment! Personne de Cucugnan ici? Personne? Ce n'est pas possible! Regardez mieux . . . 20

«— Personne, saint homme. Regardez vous-même, si vous croyez que je plaisante.

«Moi, pécaïre! je frappais des pieds, et, les mains jointes, je criais miséricorde. Alors, saint Pierre:

«— Croyez-moi, monsieur Martin, il ne faut pas ainsi vous mettre le cœur à l'envers, car vous pourriez en avoir quelque mauvais coup de sang. Ce n'est pas votre faute, après tout. Vos Cucugnanais, voyez-vous, doivent faire à coup sûr leur petite quarantaine en purgatoire. 25

«— Ah! par charité, grand saint Pierre! faites que je puisse au moins les voir et les consoler. 30

«— Volontiers, mon ami . . . Tenez, chaussez vite ces san-

[3] Quel bon vent vous amène?

dales, car les chemins ne sont pas beaux de reste . . . Voilà qui est bien[4] . . . Maintenant, cheminez droit devant vous. Voyez-vous là-bas, au fond, en tournant? Vous trouverez une porte d'argent toute constellée de croix noires . . . à main droite . . . Vous frapperez, on vous ouvrira . . . Adessias![5] 5
Tenez-vous sain et gaillardet.

. . . . .

«Et je cheminai . . . je cheminai! Quelle battue! j'ai la chair de poule, rien que d'y songer. Un petit sentier, plein de ronces, d'escarboucles qui luisaient et de serpents qui sifflaient, m'amena jusqu'à la porte d'argent. 10

«— Pan! pan![6]

«— Qui frappe? me fait une voix rauque et dolente.

«— Le curé de Cucugnan.

«— De . . . ?

«— De Cucugnan. 15

«— Ah! . . . Entrez.

«J'entrai. Un grand bel ange, avec des ailes sombres comme la nuit, avec une robe resplendissante comme le jour, avec une clef de diamant pendue à sa ceinture, écrivait, cra-cra,[7] dans un grand livre plus gros que celui de saint Pierre . . . 20

«— Finalement, que voulez-vous et que demandez-vous? dit l'ange.

«— Bel ange de Dieu, je veux savoir, — je suis bien curieux peut-être, — si vous avez ici les Cucugnanais.

«— Les . . . ? 25

«— Les Cucugnanais, les gens de Cucugnan . . . que[8] c'est moi qui suis leur prieur.

«— Ah! l'abbé Martin, n'est-ce pas?

«— Pour vous servir, monsieur l'ange.

[4] Saint Pierre approuve la façon dont le curé a attaché les sandales.
[5] Adieu!
[6] Imitation du son qu'on fait en frappant à une porte.
[7] Imitant le son de la plume qui glisse sur le papier.
[8] Puisque c'est moi qui suis. . . .

«— Vous dites donc Cucugnan . . .

«Et l'ange ouvre et feuillette son grand livre, mouillant son doigt de salive pour que le feuillet glisse mieux . . .

«— Cucugnan, dit-il en poussant un long soupir . . . Monsieur Martin, nous n'avons en purgatoire personne de Cucugnan. 5

«— Jésus! Marie! Joseph! personne de Cucugnan en purgatoire! O grand Dieu! où sont-ils donc?

«— Eh! saint homme, ils sont en paradis. Où diantre voulez-vous qu'ils soient? 10

«— Mais j'en viens, du paradis . . .

«— Vous en venez! . . . Eh bien?

«— Eh bien! ils n'y sont pas! . . . Ah! bonne mère des anges! . . .

«— Que voulez-vous, monsieur le curé! s'ils ne sont ni en 15 paradis ni en purgatoire, il n'y a pas de milieu, ils sont . . .

«— Sainte-Croix! Jésus, fils de David! Aï! aï! aï! est-il possible? . . . Serait-ce un mensonge du grand saint Pierre? . . . Pourtant je n'ai pas entendu chanter le coq![9] . . . Aï! pauvres nous! comment irai-je en paradis si mes Cucugnanais 20 n'y sont pas?

«— Écoutez, mon pauvre monsieur Martin, puisque vous voulez coûte que coûte être sûr de tout ceci, et voir de vos yeux de quoi il retourne,[10] prenez ce sentier, filez en courant, si vous savez courir . . . Vous trouverez, à gauche, un grand 25 portail. Là, vous vous renseignerez sur tout. Dieu vous le donne![11]

«Et l'ange ferma la porte.

. . . . .

«C'était un long sentier tout pavé de braise rouge. Je

[9] Allusion à un passage de la Bible (Mathieu, XXVI, 74): *Le coq chanta quand Pierre eut renié Jésus la troisième fois.* Ainsi le chant du coq aurait indiqué au curé que saint Pierre mentait.

[10] *De quoi il retourne* signifie *ce qui se passe.*

[11] Que Dieu vous donne ce que vous désirez.

chancelais comme si j'avais bu; à chaque pas, je trébuchais; j'étais tout en eau, chaque poil de mon corps avait sa goutte de sueur, et je haletais de soif . . . Mais, ma foi, grâce aux sandales que le bon saint Pierre m'avait prêtées, je ne me brûlai pas les pieds. 5

«Quand j'eus fait assez de faux pas clopin-clopant,[12] je vis à ma main gauche une porte . . . non, un portail, un énorme portail, tout bâillant, comme la porte d'un grand four. Oh! mes enfants, quel spectacle! Là, on ne demande pas mon nom; là, point de registre. Par fournées et à pleine porte, on 10 entre là, mes frères, comme le dimanche vous entrez au cabaret.

«Je suais à grosses gouttes, et pourtant j'étais transi, j'avais le frisson. Mes cheveux se dressaient. Je sentais le brûlé, la chair rôtie, quelque chose comme l'odeur qui se répand dans 15 notre Cucugnan quand Éloy, le maréchal, brûle pour la ferrer la botte d'un vieil âne. Je perdais haleine dans cet air puant et embrasé; j'entendais une clameur horrible, des gémissements, des hurlements et des jurements.

«— Eh bien! entres-tu ou n'entres-tu pas, toi? — me fait, en 20 me piquant de sa fourche, un démon cornu.

«— Moi? Je n'entre pas. Je suis un ami de Dieu.

«— Tu es un ami de Dieu . . . Eh! b . . .[13] de teigneux! que viens-tu faire ici? . . .

«— Je viens . . . Ah! ne m'en parlez pas, que je ne puis 25 plus me tenir sur mes jambes . . . Je viens . . . je viens de loin . . . humblement vous demander . . . si . . . si, par coup de hasard . . . vous n'auriez pas ici . . . quelqu'un . . . quelqu'un de Cucugnan . . .

«— Ah! feu de Dieu! tu fais la bête, toi, comme si tu ne 30 savais pas que tout Cucugnan est ici. Tiens, laid corbeau, regarde, et tu verras comme nous les arrangeons ici, tes fameux Cucugnanais . . .

. . . . . .

[12] Marchant avec peine. [13] Sous-entendu *bougre*, mot vulgaire.

«Et je vis, au milieu d'un épouvantable tourbillon de flamme:

«Le long Coq-Galine, — vous l'avez tous connu, mes frères, — Coq-Galine, qui se grisait si souvent, et si souvent secouait les puces[14] à sa pauvre Clairon. 5

«Je vis Catarinet . . . cette petite gueuse . . . avec son nez en l'air . . . qui couchait toute seule à la grange . . . Il vous en souvient, mes drôles! . . . Mais passons, j'en ai trop dit.

«Je vis Pascal Doigt-de-Paix, qui faisait son huile avec les olives de M. Julien. 10

«Je vis Babet la glaneuse, qui, en glanant, pour avoir plus vite noué sa gerbe, puisait à poignées aux gerbiers.

«Je vis maître Grapasi, qui huilait si bien la roue de sa brouette.[15]

«Et Dauphine, qui vendait si cher l'eau de son puits. 15

«Et le Tortillard, qui, lorsqu'il me rencontrait portant le bon Dieu,[16] filait son chemin, la barrette sur la tête et la pipe au bec . . . comme s'il avait rencontré un chien.

«Et Coulau avec sa Zette, et Jacques, et Pierre, et Toni . . .

. . . . .

Ému, blême de peur, l'auditoire gémit, en voyant, dans 20 l'enfer tout ouvert, qui[17] son père et qui sa mère, qui sa grand'mère et qui sa sœur . . .

— Vous sentez bien, mes frères, reprit le bon abbé Martin, vous sentez bien que ceci ne peut pas durer. J'ai charge d'âmes, et je veux, je veux vous sauver de l'abîme où vous 25 êtes tous en train de rouler tête première. Demain je me mets à l'ouvrage, pas plus tard que demain. Et l'ouvrage ne

[14] Expression grossière signifiant *battait.*

[15] Que faisait Grapasi? Pourquoi huilait-il la roue de sa brouette?

[16] Portant l'hostie (*the Host, the consecrated wafer*) à un malade peut-être. Si le Tortillard avait voulu montrer du respect, il se serait arrêté, aurait ôté sa barrette et sa pipe.

[17] *Qui . . . qui . . . qui. . .* : quelques uns . . . d'autres . . . d'autres . . .

manquera pas! Voici comment je m'y prendrai. Pour que tout se fasse bien, il faut tout faire avec ordre. Nous irons rang par rang, comme à Jonquières quand on danse.[18]

«Demain, lundi, je confesserai les vieux et les vieilles. Ce n'est rien. 5

«Mardi, les enfants. J'aurai bientôt fait.

«Mercredi, les garçons et les filles. Cela pourra être long.

«Jeudi, les hommes. Nous couperons court.

«Vendredi, les femmes. Je dirai: Pas d'histoires!

«Samedi, le meunier! . . . Ce n'est pas trop d'un jour pour 10 lui tout seul . . .

«Et, si dimanche nous avons fini, nous serons bien heureux.

«Voyez-vous, mes enfants, quand le blé est mûr, il faut le couper; quand le vin est tiré, il faut le boire. Voilà assez de linge sale, il s'agit de le laver, et de le bien laver. 15

«C'est la grâce que je vous souhaite. *Amen!*»

. . . . .

Ce qui fut dit fut fait. On coula la lessive.

Depuis ce dimanche mémorable, le parfum des vertus de Cucugnan se respire à dix lieues à l'entour.

Et le bon pasteur M. Martin, heureux et plein d'allégresse, 20 a rêvé l'autre nuit que, suivi de tout son troupeau, il gravissait, en resplendissante procession, au milieu des cierges allumés, d'un nuage d'encens qui embaumait et des enfants de chœur qui chantaient *Te Deum*,[19] le chemin éclairé de la cité de Dieu. 25

Et voilà l'histoire du curé de Cucugnan, telle que m'a ordonné de vous le dire ce grand gueusard de Roumanille, qui la tenait lui-même d'un autre bon compagnon.

[18] *Jonquières* est un petit village près de Nîmes. L'allusion est à la farandole, danse provençale. Pour l'exécuter, les danseurs se mettent en rang en se tenant par la main.

[19] Chant religieux latin qui commence *Te Deum laudamus* (Nous vous louons, O Dieu).

L'ÉLIXIR DU RÉVÉREND PÈRE GAUCHER

ALPHONSE DAUDET

— Buvez ceci, mon voisin; vous m'en direz des nouvelles.[1]

Et, goutte à goutte, avec le soin minutieux d'un lapidaire comptant des perles, le curé de Graveson[2] me versa deux doigts d'une liqueur verte, dorée, chaude, étincelante, exquise . . . J'en eus l'estomac tout ensoleillé. 5

— C'est l'élixir du Père Gaucher, la joie et la santé de notre Provence, me fit le brave homme d'un air triomphant; on le fabrique au couvent des Prémontrés,[3] à deux lieues de votre moulin . . . N'est-ce pas que cela vaut bien toutes les chartreuses du monde? . . . Et si vous saviez comme elle est 10 amusante, l'histoire de cet élixir! Écoutez plutôt . . .

Alors, tout naïvement, sans y entendre malice, dans cette salle à manger de presbytère, si candide et si calme avec son Chemin de la croix[4] en petits tableaux et ses jolis rideaux clairs empesés comme des surplis, l'abbé me commença une 15 historiette légèrement sceptique et irrévérencieuse, à la façon d'un conte d'Érasme ou de d'Assoucy.[5]

. . . . .

[1] Vous me direz ce que vous en pensez.

[2] Village près de Nîmes.

[3] Ordre religieux établi au XIIe siècle.

[4] Série de quatorze tableaux représentant les scènes de la souffrance de Jésus-Christ.

[5] Érasme, savant hollandais (1467-1536), célèbre par son esprit. Assoucy, poète burlesque français (1605-1675).

— Il y a vingt ans, les Prémontrés, ou plutôt les Pères blancs, comme les appellent nos Provençaux, étaient tombés dans une grande misère. Si vous aviez vu leur maison de ce temps-là, elle vous aurait fait peine.

Le grand mur, la tour Pacôme[6] s'en allaient en morceaux. Tout autour du cloître rempli d'herbes, les colonnettes se fendaient, les saints de pierre croulaient dans leur niches. Pas un vitrail debout, pas une porte qui tînt. Dans les préaux, dans les chapelles, le vent du Rhône soufflait comme en Camargue,[7] éteignant les cierges, cassant le plomb des vitrages, chassant l'eau des bénitiers. Mais le plus triste de tout, c'était le clocher du couvent, silencieux comme un pigeonnier vide, et les Pères, faute d'argent pour s'acheter une cloche, obligés de sonner matines avec des cliquettes de bois d'amandier! . . .

Pauvres Pères blancs! Je les vois encore, à la procession de la Fête-Dieu,[8] défilant tristement dans leurs capes rapiécées, pâles, maigres, nourris de *citres* et de pastèques, et derrière eux monseigneur l'abbé, qui venait la tête basse, tout honteux de montrer au soleil sa crosse dédorée et sa mitre de laine blanche mangée des vers. Les dames de la confrérie en pleuraient de pitié dans les rangs, et les gros porte-bannière ricanaient entre eux tout bas en se montrant les pauvres moines:

— Les étourneaux vont maigres quand ils vont en troupe.

Le fait est que les infortunés Pères blancs en étaient arrivés eux-mêmes à se demander s'ils ne feraient pas mieux de prendre leur vol à travers le monde et de chercher pâture chacun de son côté.

Or, un jour que cette grave question se débattait dans le chapitre, on vint annoncer au prieur que le frère Gaucher demandait à être entendu au conseil . . . Vous saurez pour votre gouverne que ce frère Gaucher était le bouvier du

[6] Saint Pacôme, saint égyptien, vécut au quatrième siècle.
[7] Île de la Méditerranée, à l'embouchure (*mouth*) du Rhône.
[8] Corpus-Christi.

couvent; c'est-à-dire qu'il passait ses journées à rouler d'arcade en arcade dans le cloître, en poussant devant lui deux vaches étiques qui cherchaient l'herbe aux fentes des pavés. Nourri jusqu'à douze ans par une vieille folle du pays des Baux, qu'on appelait tante Bégon, recueilli depuis chez les moines, 5 le malheureux bouvier n'avait jamais pu rien apprendre qu'à conduire ses bêtes et à réciter son *Pater noster*;[9] encore le disait-il en provençal, car il avait la cervelle dure et l'esprit fin comme une dague de plomb. Fervent chrétien du reste, quoiqu'un peu visionnaire, à l'aise sous le cilice et se don- 10 nant la discipline avec une conviction robuste, et des bras![10] . . .

Quand on le vit entrer dans la salle du chapitre, simple et balourd, saluant l'assemblée la jambe en arrière, prieur, chanoines, argentier, tout le monde se mit à rire. C'était tou- 15 jours l'effet que produisait, quand elle arrivait quelque part, cette bonne face grisonnante avec sa barbe de chèvre et ses yeux un peu fous; aussi le frère Gaucher ne s'en émut pas.

— Mes Révérends, fit-il d'un ton bonasse en tortillant son chapelet de noyaux d'olives, on a bien raison de dire que ce 20 sont les tonneaux vides qui chantent le mieux. Figurez-vous qu'à force de creuser ma pauvre tête déjà si creuse, je crois que j'ai trouvé le moyen de nous tirer tous de peine.

«Voici comment. Vous savez bien tante Bégon,[11] cette brave femme qui me gardait quand j'étais petit. (Dieu ait son âme, 25 la vieille coquine! elle chantait de bien vilaines chansons après boire.) Je vous dirai donc, mes Révérends Pères, que tante Bégon, de son vivant, se connaissait aux herbes des montagnes autant et mieux qu'un vieux merle de Corse. Voire, elle avait composé, sur la fin de ses jours, un élixir incomparable en 30 mélangeant cinq ou six espèces de simples que nous allions

[9] Prière latine commençant *Pater noster* (notre Père qui êtes aux cieux, etc.).

[10] *And such arms!*

[11] Vous savez qui était tante Bégon.

cueillir ensemble dans les Alpilles. Il y a belles années de cela; mais je pense qu'avec l'aide de saint Augustin et la permission de notre Père abbé, je pourrais — en cherchant bien — retrouver la composition de ce mystérieux élixir. Nous n'aurions plus alors qu'à le mettre en bouteilles, et à le vendre un peu cher, ce qui permettrait à la communauté de s'enrichir doucettement, comme ont fait nos frères de la Trappe et de la Grande[12] . . .

Il n'eut pas le temps de finir. Le prieur s'était levé pour lui sauter au cou. Les chanoines lui prenaient les mains. L'argentier, encore plus ému que tous les autres, lui baisait avec respect le bord tout effrangé de sa cucule . . . Puis chacun revint à sa chaire pour délibérer; et, séance tenante, le chapitre décida qu'on confierait les vaches au frère Thrasybule, pour que le frère Gaucher pût se donner tout entier à la confection de son élixir.

. . . . .

Comment le bon frère parvint-il à retrouver la recette de tante Bégon? au prix de quels efforts? au prix de quelles veilles? L'histoire ne le dit pas. Seulement, ce qui est sûr, c'est qu'au bout de six mois, l'élixir des Pères blancs était déjà très populaire. Dans tout le Comtat,[13] dans tout le pays d'Arles,[13] pas un *mas*, pas une grange qui n'eût au fond de sa *dépense*, entre les bouteilles de vin cuit et les jarres d'olives à la picholine, un petit flacon de terre brune cacheté aux armes de Provence, avec un moine en extase sur une étiquette d'argent. Grâce à la vogue de son élixir, la maison des Prémontrés s'enrichit très rapidement. On releva la tour Pacôme. Le prieur eut une mitre neuve, l'église de jolis vitraux ouvragés; et, dans la fine dentelle du clocher, toute une com-

[12] La Trappe, abbaye en Normandie, où on fabriquait un élixir appelé *Trappistine*. La Grande (Chartreuse), monastère dans une vallée des Alpes, où on faisait la liqueur *Chartreuse*.

[13] Le Comtat-Venaissin, ancienne province dont la ville principale était Avignon. Arles, ville de l'ancienne province de Provence.

pagnie de cloches et de clochettes vint s'abattre, un beau matin de Pâques, tintant et carillonnant à la grande volée.

Quant au frère Gaucher, ce pauvre frère lai dont les rusticités égayaient tant le chapitre, il n'en fut plus question dans le couvent. On ne connut plus désormais que le Révérend Père Gaucher, homme de tête et de grand savoir, qui vivait complètement isolé des occupations si menues et si multiples du cloître, et s'enfermait tout le jour dans sa distillerie, pendant que trente moines battaient la montagne pour lui chercher des herbes odorantes . . . Cette distillerie, où personne, pas même le prieur, n'avait le droit de pénétrer, était une ancienne chapelle abandonnée, tout au bout du jardin des chanoines. La simplicité des bons Pères en avait fait quelque chose de mystérieux et de formidable; et si, par aventure, un moinillon hardi et curieux, s'accrochant aux vignes grimpantes, arrivait jusqu'à la rosace du portail, il en dégringolait bien vite, effaré d'avoir vu le Père Gaucher, avec sa barbe de nécroman, penché sur ses fourneaux, le pèse-liqueur à la main; puis, tout autour, des cornues de grès rose, des alambics gigantesques, des serpentins de cristal, tout un encombrement bizarre qui flamboyait ensorcelé dans la lueur rouge des vitraux . . .

Au jour tombant, quand sonnait le dernier Angélus, la porte de ce lieu de mystère s'ouvrait discrètement, et le Révérend se rendait à l'église pour l'office du soir. Il fallait voir quel accueil quand il traversait le monastère! Les frères faisaient la haie sur son passage. On disait:

— Chut! . . . il a le secret! . . .

L'argentier le suivait et lui parlait la tête basse . . . Au milieu de ces adulations, le Père s'en allait en s'épongeant le front, son tricorne aux larges bords posé en arrière comme une auréole, regardant autour de lui d'un air de complaisance les grandes cours plantées d'orangers, les toits bleus où tournaient des girouettes neuves, et, dans le cloître éclatant de blancheur, — entre les colonnettes élégantes et fleuries, —

les chanoines habillés de frais qui défilaient deux par deux avec des mines reposées.

— C'est à moi qu'ils doivent tout cela! se disait le Révérend en lui-même; et chaque fois cette pensée lui faisait monter des bouffées d'orgueil.

Le pauvre homme en fut bien puni. Vous allez voir . . .

. . . . . .

Figurez-vous qu'un soir, pendant l'office, il arriva à l'église dans une agitation extraordinaire: rouge, essoufflé, le capuchon de travers, et si troublé qu'en prenant de l'eau bénite il y trempa ses manches jusqu'au coude. On crut d'abord que c'était l'émotion d'arriver en retard; mais quand on le vit faire de grandes révérences à l'orgue et aux tribunes au lieu de saluer le maître-autel, traverser l'église en coup de vent, errer dans le chœur pendant cinq minutes pour chercher sa stalle, puis, une fois assis, s'incliner de droite et de gauche en souriant d'un air béat, un murmure d'étonnement courut dans les trois nefs. On chuchotait de bréviaire à bréviaire:

— Qu'a donc notre Père Gaucher? . . . Qu'a donc notre Père Gaucher?

Par deux fois le prieur, impatienté, fit tomber sa crosse sur les dalles pour commander le silence . . . Là-bas, au fond du chœur, les psaumes allaient toujours; mais les répons manquaient d'entrain . . .

Tout à coup, au beau milieu de l'*Ave verum*,[14] voilà mon Père Gaucher qui se renverse dans sa stalle et entonne d'une voix éclatante:

Dans Paris, il y a un Père blanc,
Patatin, patatan, tarabin, taraban . . .

Consternation générale. Tout le monde se lève. On crie:

— Emportez-le . . . il est possédé!

[14] Cantique latin commençant *Ave verum corpus* . . . (*Hail true body* . . .)

Les chanoines se signent. La crosse de monseigneur se démène . . . Mais le Père Gaucher ne voit rien, n'écoute rien; et deux moines vigoureux sont obligés de l'entraîner par la petite porte du chœur, se débattant comme un exorcisé et continuant de plus belle ses *patatin* et ses *taraban.* 5

. . . . .

Le lendemain, au petit jour, le malheureux était à genoux dans l'oratoire du prieur, et faisait sa *coulpe* avec un ruisseau de larmes:

— C'est l'élixir, Monseigneur, c'est l'élixir qui m'a surpris, disait-il en se frappant la poitrine. 10

Et de le voir si marri, si repentant, le bon prieur en était tout ému lui-même.

— Allons, allons, Père Gaucher, calmez-vous, tout cela séchera comme la rosée au soleil . . . Après tout, le scandale n'a pas été aussi grand que vous pensez. Il y a bien eu la 15 chanson qui était un peu . . . hum! hum! . . . Enfin il faut espérer que les novices ne l'auront pas entendue . . . A présent, voyons, dites-moi bien comment la chose vous est arrivée . . . C'est en essayant l'élixir, n'est-ce pas? Vous aurez eu la main trop lourde[15] . . . Oui, oui, je comprends . . . C'est comme 20 le frère Schwartz,[16] l'inventeur de la poudre: vous avez été victime de votre invention . . . Et dites-moi, mon brave ami, est-il nécessaire que vous l'essayiez sur vous-même, ce terrible élixir?

— Malheureusement, oui, Monseigneur . . . l'éprouvette me 25 donne bien la force et le degré de l'alcool; mais pour le fini, le velouté, je ne me fie guère qu'à ma langue . . .

— Ah! très bien . . . Mais écoutez encore un peu que je

[15] Vous avez probablement eu . . . Le sens est que le Père Gaucher a peut-être versé trop d'élixir.

[16] Une légende attribue au moine allemand Schwartz (vers 1318-1384) l'invention de la poudre à canon et prétend qu'il a été victime de sa découverte.

vous dise . . . Quand vous goûtez ainsi l'élixir par nécessité, est-ce que cela vous semble bon? Y prenez-vous du plaisir? . . .

— Hélas! oui, Monseigneur, fit le malheureux Père en devenant tout rouge . . . Voilà deux soirs que je lui trouve un bouquet, un arome! . . . C'est pour sûr le démon qui m'a joué ce vilain tour . . . Aussi je suis bien décidé désormais à ne plus me servir que de l'éprouvette. Tant pis si la liqueur n'est pas assez fine, si elle ne fait pas assez la perle . . .

— Gardez-vous-en bien, interrompit le prieur avec vivacité. Il ne faut pas s'exposer à mécontenter la clientèle . . . Tout ce que vous avez à faire maintenant que vous voilà prévenu, c'est de vous tenir sur vos gardes . . . Voyons, qu'est-ce qu'il vous faut pour vous rendre compte? . . . Quinze ou vingt gouttes, n'est-ce pas? . . . mettons vingt gouttes . . . Le diable sera bien fin s'il vous attrape avec vingt gouttes . . . D'ailleurs, pour prévenir tout accident, je vous dispense dorénavant de venir à l'église. Vous direz l'office du soir dans la distillerie . . . Et maintenant, allez en paix, mon Révérend, et surtout . . . comptez bien vos gouttes.

Hélas! le pauvre Révérend eut beau compter ses gouttes . . . le démon le tenait, et ne le lâcha plus.

C'est la distillerie qui entendit de singuliers offices!

. . . . .

Le jour, encore, tout allait bien. Le Père était assez calme: il préparait ses réchauds, ses alambics, triait soigneusement ses herbes, toutes herbes de Provence, fines, grises, dentelées, brûlées de parfums et de soleil . . . Mais, le soir, quand les simples étaient infusés et que l'élixir tiédissait dans de grandes bassines de cuivre rouge, le martyre du pauvre homme commençait.

— . . . Dix-sept . . . dix-huit . . . dix-neuf . . . vingt! . . . Les gouttes tombaient du chalumeau dans le gobelet de vermeil. Ces vingt-là, le Père les avalait d'un trait, presque sans plaisir. Il n'y avait que la vingt et unième qui lui faisait envie. Oh! cette vingt et unième goutte! . . . Alors, pour échapper à la tentation, il allait s'agenouiller tout au bout du laboratoire et s'abîmait dans ses patenôtres. Mais de la liqueur 5 encore chaude il montait une petite fumée toute chargée d'aromates, qui venait rôder autour de lui et, bon gré, mal gré, le ramenait vers les bassines . . . La liqueur était d'un beau vert doré . . . Penché dessus, les narines ouvertes, le père la remuait tout doucement avec son chalumeau, et dans 10 les petites paillettes étincelantes que roulait le flot d'émeraude, il lui semblait voir les yeux de tante Bégon qui riaient et pétillaient en le regardant . . .

— Allons! encore une goutte!

Et de goutte en goutte, l'infortuné finissait par avoir son 15 gobelet plein jusqu'au bord. Alors, à bout de forces, il se laissait tomber dans un grand fauteuil, et, le corps abandonné, la paupière à demi close, il dégustait son péché par petits coups, en se disant tout bas avec un remords délicieux:

— Ah! je me damne . . . je me damne . . . 20

Le plus terrible, c'est qu'au fond de cet élixir diabolique, il retrouvait, par je ne sais quel sortilège, toutes les vilaines chansons de tante Bégon: *Ce sont trois petites commères, qui parlent de faire un banquet* . . . ou: *Bergerette de maître André s'en va-t-au bois seulette* . . . et toujours la fameuse 25 des Pères blancs: *Patatin, patatan.*

Pensez quelle confusion le lendemain, quand ses voisins de cellule lui faisaient d'un air malin:

— Eh! eh! Père Gaucher, vous aviez des cigales en tête, hier soir en vous couchant. 30

Alors c'étaient des larmes, des désespoirs, et le jeûne, et le cilice, et la discipline. Mais rien ne pouvait contre le démon de l'élixir; et tous les soirs, à la même heure, la possession recommençait.

. . . . .

Pendant ce temps, les commandes pleuvaient à l'abbaye que c'était une bénédiction. Il en venait de Nîmes, d'Aix, d'Avignon, de Marseille . . . De jour en jour le couvent prenait un petit air de manufacture. Il y avait des frères emballeurs, des frères étiqueteurs, d'autres pour les écritures, d'autres pour le camionnage; le service de Dieu y perdait bien par-ci par-là[17] quelques coups de cloches; mais les pauvres gens du pays n'y perdaient rien, je vous en réponds . . .

Et donc, un beau dimanche matin, pendant que l'argentier lisait en plein chapitre son inventaire de fin d'année et que les bons chanoines l'écoutaient les yeux brillants et le sourire aux lèvres, voilà le Père Gaucher qui se précipite au milieu de la conférence en criant:

— C'est fini . . . Je n'en fais plus . . . Rendez-moi mes vaches.

— Qu'est-ce qu'il y a donc, Père Gaucher? demanda le prieur, qui se doutait bien un peu de ce qu'il y avait.

— Ce qu'il y a, Monseigneur? . . . Il y a que je suis en train de me préparer une belle éternité de flammes et de coups de fourche . . . Il y a que je bois, que je bois comme un misérable . . .

— Mais je vous avais dit de compter vos gouttes.

— Ah! bien oui, compter mes gouttes! c'est par gobelets qu'il faudrait compter maintenant . . . Oui, mes Révérends, j'en suis là. Trois fioles par soirée . . . Vous comprenez bien que cela ne peut pas durer . . . Aussi, faites faire l'élixir par qui vous voudrez . . . Que le feu de Dieu me brûle si je m'en mêle encore!

C'est le chapitre qui ne riait plus.

— Mais, malheureux, vous nous ruinez! criait l'argentier en agitant son grand-livre.

— Préférez-vous que je me damne?

Pour lors, le Prieur se leva.

[17] De temps en temps.

— Mes Révérends, dit-il en étendant sa belle main blanche où luisait l'anneau pastoral, il y a moyen de tout arranger . . . C'est le soir, n'est-ce pas, mon cher fils, que le démon vous tente? . . .

— Oui, monsieur le prieur, régulièrement tous les soirs . . . Aussi, maintenant, quand je vois arriver la nuit, j'en ai, sauf votre respect, les sueurs qui me prennent, comme l'âne de Capitou,[18] quand il voyait venir le bât.

— Eh bien! rassurez-vous . . . Dorénavant, tous les soirs, à l'office, nous réciterons à votre intention l'oraison de saint Augustin, à laquelle l'indulgence plénière est attachée . . . Avec cela, quoi qu'il arrive, vous êtes à couvert . . . C'est l'absolution pendant le péché.

— Oh bien! alors, merci, monsieur le prieur!

Et, sans en demander davantage, le Père Gaucher retourna à ses alambics, aussi léger qu'une alouette.

Effectivement, à partir de ce moment-là, tous les soirs à la fin des complies, l'officiant ne manquait jamais de dire:

— Prions pour notre pauvre Père Gaucher, qui sacrifie son âme aux intérêts de la communauté . . . *Oremus Domine*[19] . . .

Et pendant que sur toutes ces capuches blanches, prosternées dans l'ombre des nefs, l'oraison courait en frémissant comme une petite bise sur la neige, là-bas, tout au bout du couvent, derrière le vitrage enflammé de la distillerie, on entendait le Père Gaucher qui chantait à tue-tête:

Dans Paris il y a un Père blanc,
Patatin, patatan, taraban, tarabin;
Dans Paris il y a un Père blanc
Qui fait danser des moinettes,

[18] Allusion au proverbe provençal: *Es coume l'ase de Capitou; fuge en vesènt veni lou bast.* Il est comme l'âne du Chapitre; il s'enfuit en voyant venir le bât.

[19] Nous vous prions, O Dieu.

Trin, trin, trin, dans un jardin;
Qui fait danser des . . .

. . . . .

. . . Ici le bon curé s'arrêta plein d'épouvante:
— Miséricorde! si mes paroissiens m'entendaient!

LA MULE DU PAPE

ALPHONSE DAUDET

De tous les jolis dictons, proverbes ou adages, dont nos paysans de Provence passementent leurs discours,[1] je n'en sais pas un plus pittoresque ni plus singulier que celui-ci. A quinze lieues autour de mon moulin, quand on parle d'un homme rancunier, vindicatif, on dit: «Cet homme-là! méfiez-vous! 5
. . . il est comme la mule du Pape, qui garde sept ans son coup de pied.»

J'ai cherché bien longtemps d'où ce proverbe pouvait venir, ce que c'était que cette mule papale et ce coup de pied gardé pendant sept ans. Personne ici n'a pu me renseigner à ce 10
sujet, pas même Francet Mamaï, mon joueur de fifre, qui connaît pourtant son légendaire provençal sur le bout du doigt.[2] Francet pense comme moi qu'il y a là-dessous quelque ancienne chronique du pays d'Avignon;[3] mais il n'en a jamais entendu parler autrement que par le proverbe. 15

— Vous ne trouverez cela qu'à la bibliothèque des Cigales,[4] m'a dit le vieux fifre en riant.

L'idée m'a paru bonne, et comme la bibliothèque des Cigales est à ma porte, je suis allé m'y enfermer pendant huit jours.

[1] Leur conversation.

[2] Par cœur.

[3] Le pays tout autour d'Avignon, les anciennes provinces de Comtat-Venaissin, de Provence et de Languedoc.

[4] En plein air. Le vieux fifre veut dire que Daudet doit chercher de l'inspiration dans les champs où son imagination l'aidera à trouver l'origine de l'expression.

C'est une bibliothèque merveilleuse, admirablement montée, ouverte aux poètes jour et nuit, et desservie par de petits bibliothécaires à cymbales[5] qui vous font de la musique tout le temps. J'ai passé là quelques journées délicieuses, et, après une semaine de recherches, — sur le dos, — j'ai fini par découvrir ce que je voulais, c'est-à-dire l'histoire de ma mule et de ce fameux coup de pied gardé pendant sept ans. Le conte en est joli quoique un peu naïf, et je vais essayer de vous le dire tel que je l'ai lu hier matin dans un manuscrit couleur du temps, qui sentait bon la lavande sèche et avait de grands fils[6] de la Vierge pour signets.

. . . . .

Qui n'a pas vu Avignon du temps des Papes,[7] n'a rien vu. Pour la gaieté, la vie, l'animation, le train des fêtes, jamais une ville pareille. C'étaient, du matin au soir, des processions, des pèlerinages, les rues jonchées de fleurs, tapissées de hautes lices, des arrivages de cardinaux par le Rhône,[8] bannières au vent, galères pavoisées, les soldats du Pape qui chantaient du latin sur les places, les crécelles des frères quêteurs; puis, du haut en bas des maisons qui se pressaient en bourdonnant autour du grand palais papal comme des abeilles autour de leur ruche, c'était encore le tic tac des métiers à dentelles, le va-et-vient des navettes tissant l'or des chasubles, les petits marteaux des ciseleurs de burettes, les tables d'harmonie qu'on ajustait chez les luthiers, les cantiques des ourdisseuses; par là-dessus[9] le bruit des cloches, et toujours quelques tambourins qu'on entendait ronfler, là-bas, du côté du pont.[10] Car chez nous, quand le peuple est content, il faut qu'il danse, il faut

[5] Les bibliothécaires à cymbales sont des cigales.

[6] Les fils (prononcez *fil*) de la Vierge sont les fils blancs et légers flottant dans l'air les beaux jours d'automne, produits par diverses araignées.

[7] Les Papes demeurèrent à Avignon de 1309 à 1377.

[8] Fleuve qui se jette dans la Méditerranée près de Marseille.

[9] Par dessus tout cela: *over and above all that.*

[10] Dans la direction du pont.

qu'il danse; et comme en ce temps-là les rues de la ville étaient trop étroites pour la farandole, fifres et tambourins se postaient sur le pont d'Avignon, au vent frais du Rhône, et jour et nuit l'on y dansait, l'on y dansait . . . Ah! l'heureux temps! l'heureuse ville! Des hallebardes qui ne coupaient pas; 5 des prisons d'État où l'on mettait le vin à rafraîchir. Jamais de disette; jamais de guerre . . . Voilà comment les Papes du Comtat[11] savaient gouverner leur peuple; voilà pourquoi leur peuple les a tant regrettés! . . .

. . . . .

Il y en a un surtout, un bon vieux, qu'on appelait Boni- 10 face . . .[12] Oh! celui-là, que de larmes on a versées en Avignon quand il est mort! C'était un prince si aimable, si avenant! Il vous riait si bien du haut de sa mule! Et quand vous passiez près de lui, — fussiez-vous[13] un pauvre petit tireur de garance ou le grand viguier de la ville, — il vous 15 donnait sa bénédiction si poliment! Un vrai pape d'Yvetot,[14] mais d'un Yvetot de Provence, avec quelque chose de fin dans le rire, un brin de marjolaine à sa barrette, et pas la moindre Jeanneton[14] . . . La seule Jeanneton qu'on lui ait jamais connue, à ce bon père, c'était sa vigne, — une petite vigne qu'il 20 avait plantée lui-même, à trois lieues d'Avignon, dans les myrtes de Château-Neuf.[15]

Tous les dimanches, en sortant de vêpres, le digne homme allait lui faire sa cour, et quand il était là-haut, assis au bon

[11] Le Comtat-Venaissin, ancienne province dont Avignon était la capitale.

[12] Nom inventé. Aucun des Papes d'Avignon ne se nommait Boniface.

[13] Si vous étiez même . . .

[14] Petite ville de Normandie. Au XVIe siècle les seigneurs de cette ville prirent le titre de roi. Dans la chanson *le Roi d'Yvetot* écrite par Béranger au commencement du XIXe siècle, le roi vit, content et paisible, avec sa femme Jeanneton et ne songe pas à agrandir ses états. *Un pape d'Yvetot* signifie donc *un pape* débonnaire et doux.

[15] Village où était situé un château des Papes.

soleil, sa mule près de lui, ses cardinaux tout autour étendus aux pieds des souches, alors il faisait déboucher un flacon de vin du cru, — ce beau vin, couleur de rubis, qui s'est appelé depuis le Château-Neuf des Papes, — et il le dégustait par petits coups, en regardant sa vigne d'un air attendri. Puis, le flacon vidé, le jour tombant, il rentrait joyeusement à la ville, suivi de tout son chapitre; et, lorsqu'il passait sur le pont d'Avignon,[16] au milieu des tambours et des farandoles, sa mule, mise en train par la musique, prenait un petit amble sautillant, tandis que lui-même il marquait le pas de la danse avec sa barrette, ce qui scandalisait fort ses cardinaux, mais faisait dire à tout le peuple: «Ah! le bon prince! Ah! le brave pape!»

. . . . .

Après sa vigne de Château-Neuf, ce que le pape aimait le plus au monde, c'était sa mule. Le bonhomme en raffolait de cette bête-là. Tous les soirs avant de se coucher, il allait voir si son écurie était bien fermée, si rien ne manquait dans sa mangeoire, et jamais il ne se serait levé de table sans faire préparer sous ses yeux un grand bol de vin à la française, avec beaucoup de sucre et d'aromates, qu'il allait lui porter lui-même, malgré les observations de ses cardinaux . . . Il faut dire aussi que la bête en valait la peine. C'était une belle mule noire mouchetée de rouge, le pied sûr, le poil luisant, la croupe large et pleine, portant fièrement sa petite tête sèche toute harnachée de pompons, de nœuds, de grelots d'argent, de bouffettes; avec cela douce comme un ange, l'œil naïf, et deux longues oreilles, toujours en branle, qui lui donnaient l'air bon enfant. Tout Avignon la respectait, et, quand elle allait dans les rues, il n'y avait pas de bonnes manières qu'on ne lui fît; car chacun savait que c'était le meilleur moyen d'être bien en cour, et qu'avec son air innocent, la mule du

[16] Daudet rappelle la chanson: Sur le pont d'Avignon,
L'on y danse, l'on y danse, etc.

Pape en avait mené plus d'un à la fortune, à preuve Tistet Védène et sa prodigieuse aventure.

Ce Tistet Védène était, dans le principe, un effronté galopin, que son père, Guy Védène, le sculpteur d'or, avait été obligé de chasser de chez lui, parce qu'il ne voulait rien faire et dé- 5 bauchait les apprentis. Pendant six mois, on le vit traîner sa jaquette[17] dans tous les ruisseaux d'Avignon, mais principalement du côté de la maison papale; car le drôle avait depuis longtemps son idée sur la mule du Pape, et vous allez voir que c'était quelque chose de malin . . . Un jour que Sa Sainteté 10 se promenait toute seule sous les remparts avec sa bête, voilà mon Tistet qui l'aborde, et lui dit en joignant les mains d'un air d'admiration:

— Ah! mon Dieu! grand Saint-Père, quelle brave mule vous avez là! . . . Laissez un peu que je la regarde . . . Ah! mon 15 Pape, la belle mule! . . . L'empereur d'Allemagne n'en a pas une pareille.

Et il la caressait, et il lui parlait doucement comme à une demoiselle:

— Venez çà, mon bijou, mon trésor, ma perle fine . . . 20

Et le bon Pape, tout ému, se disait dans lui-même:

— Quel bon petit garçonnet! . . . Comme il est gentil avec ma mule!

Et puis le lendemain savez-vous ce qui arriva? Tistet Védène troqua sa vieille jaquette jaune contre une belle aube en den- 25 telles, un camail de soie violette, des souliers à boucles, et il entra dans la maîtrise du Pape, où jamais avant lui on n'avait reçu que des fils de nobles et des neveux de cardinaux . . . Voilà ce que c'est que l'intrigue! . . . Mais Tistet ne s'en tint pas là.[18] 30

Une fois au service du Pape, le drôle continua le jeu qui lui avait si bien réussi. Insolent avec tout le monde, il n'avait d'attentions ni de prévenances que pour la mule, et toujours

[17] Se promener sans rien à faire.
[18] Ne s'arrêta pas là.

on le rencontrait par les cours du palais avec une poignée d'avoine ou une bottelée de sainfoin, dont il secouait gentiment les grappes roses en regardant le balcon du Saint-Père, d'un air de dire: «Hein! . . . pour qui ça? . . .» Tant et tant qu'à la fin le bon Pape, qui se sentait devenir vieux, en arriva à lui laisser le soin de veiller sur l'écurie et de porter à la mule son bol de vin à la française; ce qui ne faisait pas rire les cardinaux.

. . . . .

Ni la mule non plus, cela ne la faisait pas rire . . . Maintenant, à l'heure de son vin, elle voyait toujours arriver chez elle cinq ou six petits clercs de maîtrise qui se fourraient vite dans la paille avec leur camail et leurs dentelles; puis, au bout d'un moment, une bonne odeur chaude de caramel et d'aromates emplissait l'écurie, et Tistet Védène apparaissait portant avec précaution le bol de vin à la française. Alors le martyre de la pauvre bête commençait.

Ce vin parfumé qu'elle aimait tant, qui lui tenait chaud, qui lui mettait des ailes, on avait la cruauté de le lui apporter, là, dans sa mangeoire, de le lui faire respirer; puis, quand elle en avait les narines pleines, passe, je t'ai vu;[19] la belle liqueur de flamme rose s'en allait toute dans le gosier de ces garnements . . . Et encore, s'ils n'avaient fait que lui voler son vin; mais c'étaient commes des diables, tous ces petits clercs, quand ils avaient bu! . . . L'un lui tirait les oreilles, l'autre la queue; Quiquet lui montait sur le dos, Béluguet lui essayait sa barrette, et pas un de ces galopins ne songeait que d'un coup de reins ou d'une ruade la brave bête aurait pu les envoyer tous dans l'étoile polaire, et même plus loin . . . Mais non! On n'est pas pour rien la mule du Pape, la mule des bénédictions et des indulgences . . . Les enfants avaient beau faire, elle ne se fâchait pas; et ce n'était qu'à Tistet

[19] Formule employée par un prestidigitateur (*magician*) avant de faire disparaître un objet. Comparer l'anglais *Presto, change!*

Védène qu'elle en voulait . . . Celui-là, par exemple, quand elle le sentait derrière elle, son sabot lui démangeait, et vraiment il y avait bien de quoi.[20] Ce vaurien de Tistet lui jouait de si vilains tours! Il avait de si cruelles inventions après boire! . . . 5

Est-ce qu'un jour il ne s'avisa pas de la faire monter avec lui au clocheton de la maîtrise, là-haut, tout là-haut, à la pointe du palais! . . . Et ce que je vous dis là n'est pas un conte, deux cent mille Provençaux l'ont vu. Vous figurez-vous la terreur de cette malheureuse mule, lorsque, après avoir 10 tourné pendant une heure à l'aveuglette dans un escalier en colimaçon et grimpé je ne sais combien de marches, elle se trouva tout à coup sur une plate-forme éblouissante de lumière, et qu'à mille pieds au-dessous d'elle elle aperçut tout un Avignon fantastique, les baraques du marché pas plus grosses 15 que des noisettes, les soldats du Pape devant leur caserne comme des fourmis rouges, et là-bas, sur un fil d'argent, un petit point microscopique où l'on dansait, où l'on dansait . . . Ah! pauvre bête! quelle panique! Du cri qu'elle en poussa, toutes les vitres du palais tremblèrent. 20

— Qu'est-ce qu'il y a? qu'est-ce qu'on lui fait? s'écria le bon Pape en se précipitant sur son balcon.

Tistet Védène était déjà dans la cour, faisant mine de pleurer et de s'arracher les cheveux:

— Ah! grand Saint-Père, ce qu'il y a! Il y a que votre 25 mule . . . Mon Dieu! qu'allons-nous devenir? Il y a que votre mule est montée dans le clocheton . . .

— Toute seule? ? ?

— Oui, grand Saint-Père, toute seule . . . Tenez! regardez-la, là-haut . . . Voyez-vous le bout de ses oreilles qui passe? 30 . . . On dirait deux hirondelles . . .

— Miséricorde! fit le pauvre Pape en levant les yeux . . . Mais elle est donc devenue folle! Mais elle va se tuer . . . Veux-tu bien descendre, malheureuse! . . .

[20] Il y avait cause suffisante pour que son sabot lui démangeât.

Pécaïre! elle n'aurait pas mieux demandé, elle, que de descendre . . . mais par où? L'escalier, il n'y fallait pas songer: ça se monte encore,[21] ces choses-là; mais, à la descente, il y aurait de quoi se rompre cent fois les jambes . . . Et la pauvre mule se désolait, et, tout en rôdant sur la plate-forme avec ses gros yeux pleins de vertige, elle pensait à Tistet Védène:

— Ah! bandit, si j'en réchappe . . . quel coup de sabot demain matin!

Cette idée de coup de sabot lui redonnait un peu de cœur au ventre; sans cela elle n'aurait pas pu se tenir . . . Enfin on parvint à la tirer de là-haut; mais ce fut toute une affaire. Il fallut la descendre avec un cric, des cordes, une civière. Et vous pensez quelle humiliation pour la mule d'un pape de se voir pendue à cette hauteur, nageant des pattes dans le vide comme un hanneton au bout d'un fil. Et tout Avignon qui la regardait!

La malheureuse bête n'en dormit pas de la nuit.[22] Il lui semblait toujours qu'elle tournait sur cette maudite plate-forme, avec les rires de la ville au-dessous, puis elle pensait à cet infâme Tistet Védène et au joli coup de sabot qu'elle allait lui détacher le lendemain matin. Ah! mes amis, quel coup de sabot! De Pampérigouste[23] on en verrait la fumée . . . Or, pendant qu'on lui préparait cette belle réception à l'écurie, savez-vous ce que faisait Tistet Védène? Il descendait le Rhône en chantant sur une galère papale et s'en allait à la cour de Naples avec la troupe de jeunes nobles que la ville envoyait tous les ans près de la reine Jeanne[24] pour s'exercer à la diplomatie et aux belles manières. Tistet n'était pas noble; mais le Pape tenait à le récompenser des soins qu'il

[21] On peut les monter, ces choses-là.

[22] Pendant toute la nuit.

[23] Lieu imaginaire à une grande distance.

[24] Jeanne Ire, reine de Naples de 1343 à 1382.

avait donnés à sa bête, et principalement de l'activité qu'il venait de déployer pendant la journée du sauvetage.

C'est la mule qui fut désappointée le lendemain!

—Ah! le bandit! il s'est douté de quelque chose! . . . pensait-elle en secouant ses grelots avec fureur . . . Mais c'est égal, va, mauvais! tu le retrouveras au retour, ton coup de sabot . . . je te le garde!

Et elle le lui garda.

Après le départ de Tistet, la mule du Pape retrouva son train de vie tranquille et ses allures d'autrefois. Plus de Quiquet, plus de Béluguet à l'écurie. Les beaux jours du vin à la française étaient revenus, et avec eux la bonne humeur, les longues siestes, et le petit pas de gavotte quand elle passait sur le pont d'Avignon. Pourtant, depuis son aventure, on lui marquait toujours un peu de froideur dans la ville. Il y avait des chuchotements sur sa route; les vieilles gens hochaient la tête, les enfants riaient en se montrant le clocheton. Le bon Pape lui-même n'avait plus autant de confiance en son amie, et, lorsqu'il se laissait aller à faire un petit somme sur son dos, le dimanche, en revenant de la vigne, il gardait toujours cette arrière-pensée: «Si j'allais me réveiller là-haut, sur la plate-forme!» La mule voyait cela et elle en souffrait, sans rien dire; seulement, quand on prononçait le nom de Tistet Védène devant elle, ses longues oreilles frémissaient, et elle aiguisait avec un petit rire le fer de ses sabots sur le pavé.

Sept ans se passèrent ainsi; puis, au bout de ces sept années, Tistet Védène revint de la cour de Naples. Son temps n'était pas encore fini là-bas; mais il avait appris que le premier moutardier du Pape venait de mourir subitement en Avignon, et, comme la place lui semblait bonne, il était arrivé en grande hâte pour se mettre sur les rangs.[25]

Quand cet intrigant de Védène entra dans la salle du palais, le Saint-Père eut peine à le reconnaître, tant il avait grandi et pris du corps. Il faut dire aussi que le bon Pape s'était fait

[25] Se mettre parmi les candidats à la place.

vieux de son côté, et qu'il n'y voyait pas bien sans besicles.

Tistet ne s'intimida pas.

— Comment! grand Saint-Père, vous ne me reconnaissez plus? . . . C'est moi, Tistet Védène! . . .

— Védène? . . .

— Mais oui, vous savez bien . . . celui qui portait le vin français à votre mule.

— Ah! oui . . . oui . . . je me rappelle . . . Un bon petit garçonnet, ce Tistet Védène! . . . Et maintenant, qu'est-ce qu'il veut de nous?

— Oh! peu de chose, grand Saint-Père . . . Je venais vous demander . . . A propos, est-ce que vous l'avez toujours, votre mule? Et elle va bien? . . . Ah! tant mieux! . . . Je venais vous demander la place du premier moutardier qui vient de mourir.

— Premier moutardier, toi! . . . Mais tu es trop jeune. Quel âge as-tu donc?

— Vingt ans deux mois, illustre pontife, juste cinq ans de plus que votre mule . . . Ah! palme de Dieu, la brave bête! . . . Si vous saviez comme je l'aimais cette mule-là! . . . comme je me suis langui d'elle en Italie! . . . Est-ce que vous ne me la laisserez pas voir?

— Si, mon enfant, tu la verras, fit le bon Pape tout ému . . . Et puisque tu l'aimes tant, cette brave bête, je ne veux plus que tu vives loin d'elle. Dès ce jour, je t'attache à ma personne en qualité de premier moutardier . . . Mes cardinaux crieront, mais tant pis! j'y suis habitué . . . Viens nous trouver demain, à la sortie de vêpres, nous te remettrons les insignes de ton grade en présence de notre chapitre, et puis . . . je te mènerai voir la mule, et tu viendras à la vigne avec nous deux . . . hé! hé! Allons! va . . .

Si Tistet Védène était content en sortant de la grande salle, avec quelle impatience il attendit la cérémonie du lendemain, je n'ai pas besoin de vous le dire. Pourtant il y avait dans le palais quelqu'un de plus heureux encore et de plus impatient que lui: c'était la mule. Depuis le retour de Védène jusqu'aux vêpres du jour suivant, la terrible bête ne cessa de se bourrer d'avoine et de tirer au mur avec ses sabots de derrière. Elle aussi se préparait pour la cérémonie . . .

Et donc, le lendemain, lorsque vêpres furent dites, Tistet Védène fit son entrée dans la cour du palais papal. Tout le haut clergé était là, les cardinaux en robes rouges, l'avocat du diable[26] en velours noir, les abbés du couvent avec leurs petites mitres, les marguilliers de Saint-Agrico,[27] les camails violets de la maîtrise, le bas clergé aussi, les soldats du Pape en grand uniforme, les trois confréries de pénitents, les ermites du mont Ventoux avec leurs mines farouches et le petit clerc qui va derrière en portant la clochette, les frères flagellants nus jusqu'à la ceinture, les sacristains fleuris en robes de juges, tous, tous, jusqu'aux donneurs d'eau bénite, et celui qui allume, et celui qui éteint . . . il n'y en avait pas un qui manquât . . . Ah! c'était une belle ordination! Des cloches, des pétards, du soleil, de la musique, et toujours ces enragés de tambourins[28] qui menaient la danse, là-bas, sur le pont d'Avignon . . .

Quand Védène parut au milieu de l'assemblée, sa prestance et sa belle mine y firent courir un murmure d'admiration. C'était un magnifique Provençal, mais des blonds, avec de grands cheveux frisés au bout et une petite barbe follette qui semblait prise aux copeaux de fin métal tombé du burin de son père, le sculpteur d'or. Le bruit courait que dans cette barbe blonde les doigts de la reine Jeanne avaient quelquefois joué; et le sire de Védène avait bien, en effet, l'air glorieux et le regard distrait des hommes que les reines ont aimés . . .

[26] Avant la canonisation d'un saint on examine la vie et les œuvres du personnage dont on veut inscrire le nom sur la liste des saints. Sa cause est débattue par deux ecclésiastiques. Celui qui expose les mérites du candidat s'appelle l'avocat du bon Dieu; celui chargé d'exposer les défauts s'appelle l'avocat du diable.

[27] Une vieille église d'Avignon.

[28] Ces enragés joueurs de tambourins.

Ce jour-là, pour faire honneur à sa nation, il avait remplacé ses vêtements napolitains par une jaquette bordée de rose à la Provençale, et sur son chaperon tremblait une grande plume d'ibis de Camargue.[29]

Sitôt entré, le premier moutardier salua d'un air galant, et se dirigea vers le haut perron, où le Pape l'attendait pour lui remettre les insignes de son grade: la cuiller de buis jaune et l'habit de safran. La mule était au bas de l'escalier, toute harnachée et prête à partir pour la vigne . . . Quand il passa près d'elle, Tistet Védène eut un bon sourire et s'arrêta pour lui donner deux ou trois petites tapes amicales sur le dos, en regardant du coin de l'œil si le Pape le voyait. La position était bonne . . . La mule prit son élan:

— Tiens! attrape, bandit! Voilà sept ans que je te le garde!

Et elle vous[30] lui détacha un coup de sabot si terrible, si terrible, que de Pampérigouste même on en vit la fumée, un tourbillon de fumée blonde où voltigeait une plume d'ibis; tout ce qui restait de l'infortuné Tistet Védène! . . .

Les coups de pied de mule ne sont pas aussi foudroyants d'ordinaire; mais celle-ci était une mule papale; et puis, pensez donc! elle le lui gardait depuis sept ans . . . Il n'y a pas de plus bel exemple de rancune ecclésiastique.[31]

[29] Île de la Méditerranée, à l'embouchure (*mouth*) du Rhône.

[30] Elle lui détacha, je vous assure, un coup de sabot.

[31] Le mot *mule* a deux sens, *mule* et *slipper*. La mule du Pape, une pantoufle blanche sur laquelle est brodée une croix, est symbolique du pouvoir papal. Tistet se moqua du pouvoir papal et attira enfin sur lui la vengeance ecclésiastique.

PROSPER MÉRIMÉE

Prosper Mérimée (1803–1870), fils du peintre Jean Mérimée, naquit à Paris où il fit ses études. Il aimait les langues et littératures classiques et surtout l'archéologie. Il apprit des langues étrangères, l'anglais, l'italien, l'espagnol, et le russe. Suivant les conseils de son père, il commença sans enthousiasme d'étudier le droit et fut reçu avocat. Il entre au ministère du Commerce où ses devoirs lui laissent le temps de travailler à ses premières oeuvres littéraires. A l'age de vingt-deux ans, il fait ses débuts en publiant un recueil de fantaisies dramatiques, *le Théâtre de Clara Gazul*, qui prétendait être des pièces écrites pas une actrice espagnole. Il donne ensuite deux romans historiques. *La Jacquerie* (1828) raconte l'insurrection des paysans au quatorzième siècle. *Chronique du règne de Charles IX* (1829) est une histoire du seizième siècle. Plusieurs de ses nouvelles, dont *Mateo Falcone* et *Tamango*, paraissent en 1829 dans *Revue de Paris*. Nommé inspecteur général des monuments historiques en 1833, il se consacre à ses devoirs avec enthousiasme. Il y trouve l'occasion d'exercer son sens critique et d'utiliser les connaissances qu'il a acquises en archéologie. Il s'intéresse à la conservation des anciens édifices français. Il fait souvent des voyages, en Angleterre, en Italie, en Corse, en Espagne. Il tire de ses voyages l'inspiration de quelques oeuvres. L'action de *Colomba* se passe en Corse. *Carmen*, dont on a fait le libretto de l'opéra-comique, est une histoire espagnole. Pendant un voyage en Espagne, il se lie d'amitié avec la famille Montijo. Après le mariage d'Eugénie de Montijo à l'empereur Napoléon III, Mérimée est souvent l'invité des souverains. En 1853, il devient sénateur. Dans les dernières années de sa vie, il essaye de faire connaître en France la littérature russe et donne des traductions de Pouchkine, Gogol, Turgueniev. Il publie ses travaux historiques et archéologiques et quatre volumes de récits de voyage.

Dans le choix de ses sujets, Mérimée suit la mode du moment. Il préfère des épisodes historiques ou des situations exceptionnelles, d'une vérité brutale; il conte avec sérénité toute sorte d'aventures singulières, de crimes, de vices, des histoires les plus répugnantes. Il se plait à créer des émotions fortes, surtout de la terreur. Pourtant, par l'observation précise et l'impersonnalité du style, il ressemble au réalistes de la génération suivante. Il ne révèle ni ses sympathies ni ses antipathies. Il est surtout artiste. Il cherche la simplicité et l'unité, une action courte et rapide. Il sait choisir l'action significative qui dessine le caractère. Il indique avec précision des états de conscience sans se perdre en longues analyses.

MATEO FALCONE

PROSPER MÉRIMÉE

En sortant de Porto-Vecchio[1] et se dirigeant au nord-ouest, vers l'intérieur de l'île, on voit le terrain s'élever assez rapidement, et, après trois heures de marche par des sentiers tortueux, obstrués par de gros quartiers de rocs, et quelquefois coupés par des ravins, on se trouve sur le bord d'un *maquis* très étendu. Le maquis est la patrie des bergers corses et de quiconque s'est brouillé avec la justice. Il faut savoir que le laboureur corse, pour s'épargner la peine de fumer son champ, met le feu à une certaine étendue de bois: tant pis si la flamme se répand plus loin que besoin n'est;[2] arrive que pourra,[3] on est sûr d'avoir une bonne récolte en semant sur cette terre fertilisée par les cendres des arbres qu'elle portait. Les épis enlevés, car on laisse la paille, qui donnerait de la peine à recueillir, les racines qui sont restées en terre sans se consumer poussent, au printemps suivant, des cépées très épaisses qui, en peu d'années, parviennent à une hauteur de sept ou huit pieds. C'est cette manière de taillis fourré que l'on nomme maquis. Différentes espèces d'arbres et d'arbrisseaux le composent, mêlés et confondus comme il plaît à Dieu. Ce n'est que la hache à la main que l'homme s'y ouvrirait un passage, et l'on

[1] L'action de ce conte se passe en Corse (Corsica). Porto-Vecchio (prononcer *vekjo*) est une petite ville sur la côte orientale de l'île.

[2] Qu'il n'est besoin.

[3] Arrive ce qui pourra.

voit des maquis si épais et si touffus, que les mouflons eux-mêmes ne peuvent y pénétrer.

Si vous avez tué un homme, allez dans le maquis de Porto-Vecchio, et vous y vivrez en sûreté, avec un bon fusil, de la poudre et des balles; n'oubliez pas un manteau brun garni d'un capuchon, qui sert de couverture et de matelas. Les bergers vous donnent du lait, du fromage et des châtaignes, et vous n'aurez rien à craindre de la justice ou des parents du mort, si ce n'est quand il vous faudra descendre à la ville pour y renouveler vos munitions.

Mateo Falcone, quand j'étais en Corse en 18..,[4] avait sa maison à une demi-lieue de ce maquis. C'était un homme assez riche pour le pays; vivant noblement, c'est-à-dire sans rien faire, du produit de ses troupeaux, que des bergers, espèces de nomades, menaient paître çà et là sur les montagnes. Lorsque je le vis, deux années après l'événement que je vais raconter, il me parut âgé de cinquante ans tout au plus. Figurez-vous un homme petit, mais robuste, avec des cheveux crépus, noirs comme le jais, un nez aquilin, les lèvres minces, les yeux grands et vifs, et un teint couleur de revers de botte. Son habileté au tir au fusil passait pour extraordinaire, même dans son pays, où il y a tant de bons tireurs. Par exemple, Mateo n'aurait jamais tiré sur un mouflon avec des chevrotines; mais, à cent vingt pas, il l'abattait d'une balle dans la tête ou dans l'épaule, à son choix. La nuit, il se servait de ses armes aussi facilement que le jour, et l'on m'a cité de lui ce trait d'adresse qui paraîtra peut-être incroyable à qui[5] n'a pas voyagé en Corse. A quatre-vingts pas, on plaçait une chandelle allumée derrière un transparent de papier, large comme une assiette. Il mettait en joue, puis on éteignait la chandelle, et, au bout d'une minute, dans l'obscurité la plus complète, il tirait et perçait le transparent trois fois sur quatre.

[4] Lorsque Mérimée écrivit ce conte il n'avait pas été en Corse. Il y alla en 1839.

[5] Idiomatique pour *à celui qui.*

Avec un mérite aussi transcendant, Mateo Falcone s'était attiré une grande réputation. On le disait[6] aussi bon ami que dangereux ennemi: d'ailleurs serviable et faisant l'aumône, il vivait en paix avec tout le monde dans le district de Porto-Vecchio. Mais on contait de lui qu'à Corte, où il avait pris 5 femme, il s'était débarrassé fort vigoureusement d'un rival qui passait pour aussi redoutable en guerre qu'en amour: du moins on attribuait à Mateo certain coup de fusil qui surprit ce rival comme il était à se raser devant un petit miroir pendu à sa fenêtre. L'affaire assoupie, Mateo se maria. Sa femme 10 Giuseppa lui avait donné d'abord trois filles (dont il enrageait), et enfin un fils, qu'il nomma Fortunato: c'était l'espoir de sa famille, l'héritier du nom. Les filles étaient bien mariées: leur père pouvait compter au besoin sur les poignards et les escopettes de ses gendres. Le fils n'avait que dix ans, 15 mais il annonçait déjà d'heureuses dispositions.

Un certain jour d'automne, Mateo sortit de bonne heure avec sa femme pour aller visiter un de ses troupeaux dans une clairière du maquis. Le petit Fortunato voulait l'accompagner, mais la clairière était trop loin; d'ailleurs, il fallait bien que 20 quelqu'un restât pour garder la maison; le père refusa donc: on verra s'il n'eut pas lieu de s'en repentir.

Il était absent depuis quelques heures, et le petit Fortunato était tranquillement étendu au soleil, regardant les montagnes bleues, et pensant que, le dimanche prochain, il irait dîner à 25 la ville, chez son oncle le *caporal*,[7] quand il fut soudainement interrompu dans ses méditations par l'explosion d'une arme à feu. Il se leva et se tourna du côté de la plaine d'où partait ce

[6] On disait qu'il était.

[7] Les caporaux furent autrefois les chefs que se donnèrent les communes corses quand elles s'insurgèrent contre les seigneurs féodaux. Aujourd'hui, on donne encore quelquefois ce nom à un homme qui, par ses propriétés, ses alliances et sa clientèle, exerce une influence et une sorte de magistrature effective sur un canton. Les Corses se divisent, par une ancienne habitude, en cinq castes: les gentilshommes, les caporaux, les citoyens, les plebéiens et les étrangers (Note de Mérimée)

bruit. D'autres coups de fusil se succédèrent, tirés à intervalles inégaux, et toujours de plus en plus rapprochés; enfin, dans le sentier qui menait de la plaine à la maison de Mateo parut un homme, coiffé d'un bonnet pointu comme en portent les montagnards, barbu, couvert de haillons, et se traînant avec peine en s'appuyant sur son fusil. Il venait de recevoir un coup de feu dans la cuisse.

Cet homme était un *bandit* qui, étant parti de nuit pour aller chercher de la poudre à la ville, était tombé en route dans une embuscade de voltigeurs corses.[8] Après une vigoureuse défense, il était parvenu à faire sa retraite, vivement poursuivi et tiraillant de rocher en rocher. Mais il avait peu d'avance sur les soldats, et sa blessure le mettait hors d'état de gagner le maquis avant d'être rejoint.

Il s'approcha de Fortunato et lui dit:

— Tu es le fils de Mateo Falcone?

— Oui.

— Moi, je suis Gianetto Sanpiero. Je suis poursuivi par les collets jaunes.[9] Cache-moi, car je ne puis aller plus loin.

— Et que dira mon père si je te cache sans sa permission?

— Il dira que tu as bien fait.

— Qui sait?

— Cache-moi vite; ils viennent.

— Attends que mon père soit revenu.

— Que j'attende? malédiction! Ils seront ici dans cinq minutes. Allons, cache-moi, ou je te tue.

Fortunato lui répondit avec le plus grand sang-froid:

— Ton fusil est déchargé, et il n'y a plus de cartouches dans ta carchera.[10]

[8] C'est un corps levé depuis peu d'années par le gouvernement, et qui sert concurremment avec la gendarmerie au maintien de la police (Note de Mérimée).

[9] L'uniforme des voltigeurs était alors un habit brun avec un collet jaune (Note de Mérimée).

[10] Ceinture de cuir qui sert de giberne et de portefeuille (Note de Mérimée).

— J'ai mon stylet.

— Mais courras-tu aussi vite que moi?

Il fit un saut, et se mit hors d'atteinte.

— Tu n'es pas le fils de Mateo Falcone! Me laisseras-tu donc arrêter devant ta maison? 5

L'enfant parut touché.

— Que me donneras-tu si je te cache? dit-il en se rapprochant.

Le bandit fouilla dans une poche de cuir qui pendait à sa ceinture, et il en tira une pièce de cinq francs qu'il avait 10 réservée sans doute pour acheter de la poudre. Fortunato sourit à la vue de la pièce d'argent; il s'en saisit, et dit à Gianetto:

— Ne crains rien.

Aussitôt il fit un grand trou dans un tas de foin placé auprès 15 de la maison. Gianetto s'y blottit, et l'enfant le recouvrit de manière à lui laisser un peu d'air pour respirer, sans qu'il fût possible cependant de soupçonner que ce foin cachât un homme. Il s'avisa, de plus, d'une finesse de sauvage assez ingénieuse. Il alla prendre une chatte et ses petits, et les établit 20 sur le tas de foin pour faire croire qu'il n'avait pas été remué depuis peu.[11] Ensuite, remarquant des traces de sang sur le sentier près de la maison, il les couvrit de poussière avec soin, et, cela fait, il se recoucha au soleil avec la plus grande tranquillité. 25

Quelques minutes après, six hommes en uniforme brun à collet jaune, et commandés par un adjudant, étaient devant la porte de Mateo. Cet adjudant était quelque peu parent de Falcone. (On sait qu'en Corse on suit les degrés de parenté beaucoup plus loin qu'ailleurs.) Il se nommait Tiodoro 30 Gamba: c'était un homme actif, fort redouté des bandits dont il avait déjà traqué plusieurs.

— Bonjour, petit cousin, dit-il à Fortunato en l'abordant;

[11] Depuis peu de temps.

comme te voilà grandi! As-tu vu passer un homme tout à l'heure?

— Oh! je ne suis pas encore si grand que vous, mon cousin, répondit l'enfant d'un air niais.

— Cela viendra. Mais n'as-tu pas vu passer un homme, dis-moi?

— Si j'ai vu passer un homme?[12]

— Oui, un homme avec un bonnet pointu en velours noir, et une veste brodée de rouge et de jaune?

— Un homme avec un bonnet pointu, et une veste brodée de rouge et de jaune?

— Oui, réponds vite, et ne répète pas mes questions.

— Ce matin, M. le curé est passé devant notre porte, sur son cheval Piero. Il m'a demandé comment papa se portait, et je lui ai répondu . . .

— Ah! petit drôle, tu fais le malin! Dis-moi vite par où est passé Gianetto, car c'est lui que nous cherchons; et, j'en suis certain, il a pris ce sentier.

— Qui sait?

— Qui sait? C'est moi qui sais que tu l'as vu.

— Est-ce qu'on voit les passants quand on dort?

— Tu ne dormais pas, vaurien; les coups de fusil t'ont réveillé.

— Vous croyez donc, mon cousin, que vos fusils font tant de bruit? L'escopette de mon père en fait bien davantage.

— Que le diable te confonde, maudit garnement! Je suis bien sûr que tu as vu le Gianetto. Peut-être même l'as-tu caché. Allons, camarades, entrez dans cette maison, et voyez si notre homme n'y est pas. Il n'allait plus que d'une patte,[13] et il a trop de bon sens, le coquin, pour avoir cherché à gagner le maquis en clopinant. D'ailleurs, les traces de sang s'arrêtent ici.

— Et que dira papa? demanda Fortunato en ricanant;

[12] Vous me demandez si j'ai vu passer un homme?
[13] Il ne marchait que sur un pied.

que dira-t-il s'il sait qu'on est entré dans sa maison pendant qu'il était sorti?

— Vaurien! dit l'adjudant Gamba en le prenant par l'oreille, sais-tu qu'il ne tient qu'à moi de te faire changer de note?[14] Peut-être qu'en te donnant une vingtaine de coups de plat de sabre tu parleras enfin.

Et Fortunato ricanait toujours.

— Mon père est Mateo Falcone! dit-il avec emphase.

— Sais-tu bien, petit drôle, que je puis t'emmener à Corte ou à Bastia. Je te ferai coucher dans un cachot, sur la paille, les fers aux pieds, et je te ferai guillotiner si tu ne dis[15] où est Gianetto Sanpiero.

L'enfant éclata de rire à cette ridicule menace. Il répéta:

— Mon père est Mateo Falcone.

— Adjudant, dit tout bas un des voltigeurs, ne nous brouillons pas avec Mateo.

Gamba paraissait évidemment embarrassé. Il causait à voix basse avec ses soldats, qui avaient déjà visité toute la maison. Ce n'était pas une opération fort longue, car la cabane d'un Corse ne consiste qu'en une seule pièce carrée. L'ameublement se compose d'une table, de bancs, de coffres et d'ustensiles de chasse ou de ménage. Cependant le petit Fortunato caressait sa chatte, et semblait jouir malignement de la confusion des voltigeurs et de son cousin.

Un soldat s'approcha du tas de foin. Il vit la chatte, et donna un coup de baïonnette dans le foin avec négligence, et en haussant les épaules, comme s'il sentait que sa précaution était ridicule. Rien ne remua; et le visage de l'enfant ne trahit pas la plus légère émotion.

L'adjudant et sa troupe se donnaient au diable;[16] déjà ils regardaient sérieusement du côté de la plaine, comme disposés

[14] Changer de ton, parler plus franchement.

[15] Si tu ne dis pas.

[16] S'impatientaient et se décourageaient, voulant abandonner la poursuite.

à s'en retourner par où ils étaient venus, quand leur chef, convaincu que les menaces ne produiraient aucune impression sur le fils de Falcone, voulut faire un dernier effort et tenter le pouvoir des caresses et des présents.

— Petit cousin, dit-il, tu me parais un gaillard bien éveillé! Tu iras loin. Mais tu joues un vilain jeu avec moi; et, si je ne craignais[17] de faire de la peine à mon cousin Mateo, le diable m'emporte! je t'emmènerais avec moi.

— Bah!

— Mais, quand mon cousin sera revenu, je lui conterai l'affaire, et, pour ta peine d'avoir menti il te donnera le fouet jusqu'au sang.

— Savoir?[18]

— Tu verras . . . Mais, tiens . . . sois brave garçon, et je te donnerai quelque chose.

— Moi, mon cousin, je vous donnerai un avis: c'est que, si vous tardez davantage, le Gianetto sera dans le maquis, et alors il faudra plus d'un luron comme vous pour aller l'y chercher.

L'adjudant tira de sa poche une montre d'argent qui valait bien dix écus; et, remarquant que les yeux du petit Fortunato étincelaient en la regardant, il lui dit en tenant la montre suspendue au bout de sa chaîne d'acier.

— Fripon! tu voudrais bien avoir une montre comme celle-ci suspendue à ton col, et tu te promènerais dans les rues de Porto-Vecchio, fier comme un paon; et les gens te demanderaient: «Quelle heure est-il?» et tu leur dirais: «Regardez à[19] ma montre.»

— Quand je serai grand, mon oncle le caporal me donnera une montre.

— Oui; mais le fils de ton oncle en a déjà une . . . pas

[17] Si je ne craignais pas.
[18] Vraiment? Tu crois savoir?
[19] Regardez l'heure à ma montre.

aussi belle que celle-ci, à la vérité . . . Cependant il est plus jeune que toi.

L'enfant soupira.

— Eh bien, la veux-tu, cette montre, petit cousin?

Fortunato, lorgnant la montre du coin de l'œil, ressemblait à un chat à qui l'on présente un poulet tout entier. Comme il sent qu'on se moque de lui, il n'ose y porter la griffe, et de temps en temps il détourne les yeux pour ne pas s'exposer à succomber à la tentation; mais il se lèche les babines à tout moment, et il a l'air de dire à son maître: «Que votre plaisanterie est cruelle!»

Cependant l'adjudant Gamba semblait de bonne foi en présentant sa montre. Fortunato n'avança pas la main; mais il lui dit avec un sourire amer:

— Pourquoi vous moquez-vous de moi?

— Par Dieu! je ne me moque pas. Dis-moi seulement où est Gianetto, et cette montre est à toi.

Fortunato laissa échapper un sourire d'incrédulité; et, fixant ses yeux noirs sur ceux de l'adjudant, il s'efforçait d'y lire la foi qu'il devait avoir en ses paroles.

— Que je perde mon épaulette, s'écria l'adjudant, si je ne te donne pas la montre à cette condition! Les camarades sont témoins; et je ne puis m'en dédire.

En parlant ainsi, il approchait toujours la montre, tant, qu'elle touchait presque la joue pâle de l'enfant. Celui-ci montrait bien sur sa figure le combat que se livraient en son âme la convoitise et le respect dû à l'hospitalité. Sa poitrine nue se soulevait avec force, et il semblait près d'étouffer. Cependant la montre oscillait, tournait, et quelquefois lui heurtait le bout du nez. Enfin, peu à peu, sa main droite s'éleva vers la montre: le bout de ses doigts la toucha; et elle pesait tout entière dans sa main sans que l'adjudant lâchât pourtant le bout de la chaîne . . . Le cadran était azuré . . . la boîte nouvellement fourbie . . , au soleil, elle paraissait toute de feu . . . La tentation était trop forte.

Fortunato éleva aussi sa main gauche, et indiqua du pouce, par-dessus son épaule, le tas de foin auquel il était adossé. L'adjudant le comprit aussitôt. Il abandonna l'extrémité de la chaîne, Fortunato se sentit seul possesseur de la montre. Il se leva avec l'agilité d'un daim, et s'éloigna de dix pas du tas de foin, que les voltigeurs se mirent aussitôt à culbuter.

On ne tarda pas à voir le foin s'agiter; et un homme sanglant, le poignard à la main, en sortit; mais, comme il essayait de se lever en pied, sa blessure refroidie ne lui permit plus de se tenir debout. Il tomba. L'adjudant se jeta sur lui et lui arracha son stylet. Aussitôt on le garotta fortement, malgré sa résistance.

Gianetto, couché par terre, et lié comme un fagot, tourna la tête vers Fortunato qui s'était rapproché.

— Fils de . . . ! lui dit-il avec plus de mépris que de colère.

L'enfant lui jeta la pièce d'argent qu'il en[20] avait reçu, sentant qu'il avait cessé de la mériter; mais le proscrit n'eut pas l'air de faire attention à ce mouvement. Il dit avec beaucoup de sang-froid à l'adjudant:

— Mon cher Gamba, je ne puis marcher; vous allez être obligé de me porter à la ville.

— Tu courais tout à l'heure plus vite qu'un chevreuil, repartit le cruel vainqueur; mais sois tranquille: je suis si content de te tenir, que je te porterais une lieue sur mon dos sans être fatigué. Au reste, mon camarade, nous allons te faire une litière avec des branches et ta capote; et à la ferme de Crespoli nous trouverons des chevaux.

— Bien, dit le prisonnier; vous mettrez aussi un peu de paille sur votre litière, pour que je sois plus commodément.[21]

Pendant que les voltigeurs s'occupaient, les uns à faire une espèce de brancard avec des branches de châtaignier, les autres à panser la blessure de Gianetto, Mateo Falcone et sa femme

[20] Qu'il avait reçu de lui.
[21] Sous-entendu *couché*.

parurent tout d'un coup au détour d'un sentier qui conduisait au maquis. La femme s'avançait courbée péniblement sous le poids d'un énorme sac de châtaignes, tandis que son mari se prélassait, ne portant qu'un fusil à la main et un autre en bandoulière; car il est indigne d'un homme de porter d'autre fardeau que ses armes.

A la vue des soldats, la première pensée de Mateo fut qu'ils venaient pour l'arrêter. Mais pourquoi cette idée? Mateo avait-il donc quelques démêlés avec la justice? Non. Il jouissait d'une bonne réputation. C'était, comme on dit, *un particulier bien famé;*[22] mais il était Corse et montagnard, et il y a peu de Corses montagnards qui, en scrutant bien leur mémoire, n'y trouvent quelque peccadille, telle que coups de fusil, coups de stylet et autres bagatelles. Mateo, plus qu'un autre, avait la conscience nette; car depuis plus de dix ans il n'avait dirigé son fusil contre un homme; mais toutefois il était prudent, et il se mit en posture de faire une belle défense, s'il en était besoin.

— Femme, dit-il à Giuseppa, mets bas ton sac et tiens-toi prête.

Elle obéit sur-le-champ. Il lui donna le fusil qu'il avait en bandoulière et qui aurait pu le gêner. Il arma celui qu'il avait à la main, et il s'avança lentement vers sa maison, longeant les arbres qui bordaient le chemin, et prêt, à la moindre démonstration hostile, à se jeter derrière le plus gros tronc, d'où il aurait pu faire feu à couvert. Sa femme marchait sur ses talons, tenant son fusil de rechange et sa giberne. L'emploi d'une bonne ménagère, en cas de combat, est de charger les armes de son mari.

D'un autre côté, l'adjudant était fort en peine en voyant Mateo s'avancer ainsi, à pas comptés, le fusil en avant et le doigt sur la détente.

— Si par hasard, pensa-t-il, Mateo se trouvait parent de

[22] Expression populaire et archaïque pour une personne de bonne réputation.

Gianetto, ou s'il était son ami, et qu'il voulût le défendre, les bourres de ses deux fusils arriveraient à deux d'entre nous, aussi sûr qu'une lettre à la poste, et s'il me visait, nonobstant la parenté! . . .

Dans cette perplexité, il prit un parti fort courageux, ce fut de s'avancer seul vers Mateo pour lui conter l'affaire, en l'abordant comme une vieille connaissance; mais le court intervalle qui le séparait de Mateo lui parut terriblement long.

— Holà! eh! mon vieux camarade, criait-il, comment cela va-t-il, mon brave? C'est moi, je suis Gamba, ton cousin.

Mateo, sans répondre un mot, s'était arrêté, et, à mesure que l'autre parlait il relevait doucement le canon de son fusil, de sorte qu'il était dirigé vers le ciel au moment où l'adjudant le joignit.

— Bonjour, frère,[23] dit l'adjudant en lui tendant la main. Il ya bien longtemps que je ne t'ai vu.

— Bonjour, frère.

— J'étais venu pour te dire bonjour en passant et à ma cousine Pepa. Nous avons fait une longue traite aujourd'hui; mais il ne faut pas plaindre notre fatigue, car nous avons fait une fameuse prise. Nous venons d'empoigner Gianetto Sanpiero.

— Dieu soit loué! s'écria Giuseppa. Il nous a volé une chèvre laitière la semaine passée.

Ces mots réjouirent Gamba.

— Pauvre diable! dit Mateo, il avait faim.

— Le drôle s'est défendu comme un lion, poursuivit l'adjudant un peu mortifié; il m'a tué un de mes voltigeurs, et, non content de cela, il a cassé le bras au caporal Chardon; mais il n'y a pas grand mal, ce n'était qu'un Français . . . Ensuite, il s'était si bien caché, que le diable ne l'aurait pu découvrir. Sans mon petit cousin Fortunato, je ne l'aurais jamais pu trouver.

— Fortunato! s'écria Mateo.

[23] Salut ordinaire des Corses (Note de Mérimée).

— Fortunato! répéta Giuseppa.

— Oui, le Gianetto s'était caché sous ce tas de foin là-bas; mais mon petit cousin m'a montré la malice. Aussi je le dirai à son oncle le caporal, afin qu'il lui envoie un beau cadeau pour sa peine. Et son nom et le tien seront dans le rapport que j'enverrai à M. l'avocat général.

— Malédiction! dit tout bas Mateo.

Ils avaient rejoint le détachement. Gianetto était déjà couché sur la litière et prêt à partir. Quand il vit Mateo en la compagnie de Gamba, il sourit d'un sourire étrange; puis, se tournant vers la porte de la maison, il cracha sur le seuil en disant:

— Maison d'un traître!

Il n'y avait qu'un homme décidé à mourir qui eût osé prononcer le mot de traître en l'appliquant à Falcone. Un bon coup de stylet, qui n'aurait pas eu besoin d'être répété, aurait immédiatement payé l'insulte. Cependant Mateo ne fit pas d'autre geste que celui de porter sa main à son front comme un homme accablé.

Fortunato était entré dans la maison en voyant arriver son père. Il reparut bientôt avec une jatte de lait, qu'il présenta les yeux baissés à Gianetto.

— Loin de moi! lui cria le proscrit d'une voix foudroyante.

Puis, se tournant vers un des voltigeurs:

— Camarade, donne-moi à boire, dit-il.

Le soldat remit sa gourde entre ses mains, et le bandit but l'eau que lui donnait un homme avec lequel il venait d'échanger des coups de fusil. Ensuite il demanda qu'on lui attachât les mains de manière qu'il les eût croisées sur sa poitrine, au lieu de les avoir liées derrière le dos.

— J'aimc, disait-il, à être couché à mon aise.

On s'empressa de le satisfaire, puis l'adjudant donna le signal du départ, dit adieu à Mateo, qui ne lui répondit pas, et descendit au pas accéléré vers la plaine.

Il se passa près de dix minutes avant que Mateo ouvrît la

bouche. L'enfant regardait d'un œil inquiet tantôt sa mère et tantôt son père, qui, s'appuyant sur son fusil, le considérait avec une expression de colère concentrée.

— Tu commences bien! dit enfin Mateo d'une voix calme, mais effrayante pour qui connaissait l'homme. 5

— Mon père! s'écria l'enfant en s'avançant les larmes aux yeux comme pour se jeter à ses genoux.

Mais Mateo lui cria:

— Arrière de moi!

Et l'enfant s'arrêta et sanglota, immobile, à quelques pas 10 de son père.

Giuseppa s'approcha. Elle venait d'apercevoir la chaîne de la montre, dont un bout sortait de la chemise de Fortunato.

— Qui t'a donné cette montre? demanda-t-elle d'un ton sévère. 15

— Mon cousin l'adjudant.

Falcone saisit la montre, et, la jetant avec force contre une pierre, il la mit en mille pièces.

— Femme, dit-il, cet enfant est-il de moi?

Les joues brunes de Giuseppa devinrent d'un rouge de 20 brique.

— Que dis-tu, Mateo? et sais-tu bien à qui tu parles?

— Eh bien, cet enfant est le premier de sa race qui ait fait une trahison.

Les sanglots et les hoquets de Fortunato redoublèrent, et 25 Falcone tenait ses yeux de lynx toujours attachés sur lui. Enfin, il frappa la terre de la crosse de son fusil, puis le rejeta sur son épaule et reprit le chemin du maquis en criant à Fortunato de le suivre. L'enfant obéit.

Giuseppa courut après Mateo et lui saisit le bras. 30

— C'est ton fils, lui dit-elle d'une voix tremblante en attachant ses yeux noirs sur ceux de son mari, comme pour lire ce qui se passait dans son âme.

— Laisse-moi, répondit Mateo: je suis son père.

Giuseppa embrassa son fils et entra en pleurant dans sa 35

cabane. Elle se jeta à genoux devant une image de la Vierge et pria avec ferveur. Cependant Falcone marcha quelque deux cents pas dans le sentier et ne s'arrêta que dans un petit ravin où il descendit. Il sonda la terre avec la crosse de son fusil et la trouva molle et facile à creuser. L'endroit lui parut convenable pour son dessein.

— Fortunato, va auprès de cette grosse pierre.

L'enfant fit ce qu'il lui commandait, puis il s'agenouilla.

— Dis tes prières.

— Mon père, mon père, ne me tuez pas.

— Dis tes prières! répéta Mateo d'une voix terrible.

L'enfant tout en balbutiant et en sanglotant, récita le *Pater* et le *Credo*. Le père, d'une voix forte, répondait *Amen*! à la fin de chaque prière.

— Sont-ce là toutes les prières que tu sais?

— Mon père, je sais encore l'*Ave Maria* et la litanie que ma tante m'a apprise.

— Elle est bien longue, n'importe.

L'enfant acheva la litanie d'une voix éteinte.

— As-tu fini?

— Oh! mon père, grâce! pardonnez-moi! Je ne le ferai plus! Je prierai tant mon cousin le caporal qu'on fera grâce au Gianetto.

Il parlait encore; Mateo avait armé son fusil et le couchait en joue en lui disant:

— Que Dieu te pardonne!

L'enfant fit un effort désespéré pour se relever et embrasser les genoux de son père; mais il n'en eut pas le temps, Mateo fit feu, et Fortunato tomba roide mort.

Sans jeter un coup d'œil sur le cadavre, Mateo reprit le chemin de sa maison pour aller chercher une bêche afin d'enterrer son fils. Il avait fait à peine quelques pas qu'il rencontra Giuseppa, qui accourait alarmée du coup de feu.

— Qu'as-tu fait? s'écria-t-elle.

— Justice.

— Où est-il?

— Dans le ravin. Je vais l'enterrer. Il est mort en chrétien; je lui ferai chanter une messe. Qu'on dise à mon gendre Tiodoro Bianchi de venir demeurer avec nous. 5

ANDRÉ THEURIET

André Theuriet (1833–1907), né à Marly-le-Roy, à vingt kilomètres de Paris, n'avait que quatre ans lorsque son père obtint une situation comme receveur de l'enregistrement dans un bureau du gouvernement à Bar-le-Duc. C'est ici que le jeune Theuriet fit ses premières études et sentit grandir en lui l'amour de la nature. La lecture des livres qu'il trouvait dans une vieille bibliothèque compléta son éducation. A l'âge de vingt ans, il obtint un emploi dans un bureau du gouvernement et grâce à son énergie, sa patience et son goût pour la vie administrative il monta rapidement en grade. En 1886 il prit sa retraite après s'être fait une belle situation. Il debuta comme écrivain en 1857 par quelques poèmes intitulés *In Memoriam,* présentés dans *Revue des Deux Mondes* et suivis, toujours dans cette même revue littéraire, par de nouveaux poèmes et autres oeuvres en prose. En 1867 il publia son premier recueil de poèmes, *le*

Chemin des Bois, ouvrage qui fut couronné par l'Académie française. Ensuite ce "poète-bureaucrate" enrichit sa production littéraire de romans et de contes. Ses oeuvres en prose les mieux connues sont *Nouvelles intimes*, *Raymonde*, *Sous bois, impressions d'un forestier*, *Sauvageonne*, et *Amour d'automne*. Une pièce de théâtre, *Jean-Marie*, fut présentée à l'Odéon avec Sarah Bernhardt dans le rôle principal. Dans toute son oeuvre littéraire André Theuriet montre clairement les traits dominants de son caractère: l'amour de la nature et la connaissance profonde de la vie administrative. Par son talent il nous donne l'impression d'avoir connu les personnages qu'il nous présente et les scènes qu'il nous décrit. Son style, clair et harmonieux, plaît aussi bien à l'oreille qu'à la pensée. Il fut nommé chevalier de la Légion d'honneur et fut élu membre de l'Académie française.

LA SAINT-NICOLAS

ANDRÉ THEURIET

— Monsieur le sous-directeur peut-il recevoir Madame Blouet? demanda le garçon de bureau, entr'ouvrant discrètement l'un des battants de la porte du cabinet.

Tournant le dos à la cheminée, le sous-directeur, Hubert Boinville, travaille penché sur le large bureau d'acajou 5 encombré de dossiers. Il relève sa figure grave et mélancolique, encadrée d'une barbe brune où brillent çà et là quelques fils gris, et ses yeux noirs aux paupières fatiguées laissent tomber un regard sur la carte que lui tend le digne et solennel huissier. Sur ce petit carré de bristol, il y a écrit à la main, 10 d'une écriture vieillotte et tremblée: «Veuve Blouet.» Le nom ne lui apprend rien, et, tout en rejetant la carte au milieu des dossiers, il a un geste d'impatience.

— C'est une vieille dame, ajoute l'huissier; faut-il la renvoyer? 15

— Faites-la entrer, répond le sous-directeur d'un ton résigné.

Le garçon de bureau se redresse dans son habit à boutons de métal, disparaît, puis, au bout d'un instant, introduit la solliciteuse, qui, dès le seuil, ébauche une antique révérence. 20

Hubert Boinville se soulève à demi et d'un signe froidement poli indique à la visiteuse un fauteuil où elle s'assied après avoir renouvelé sa révérence.

C'est une petite vieille aux pauvres vêtements noirs. La robe de mérinos a plus d'une reprise; elle est fripée et d'un ton verdâtre. Un voile de crêpe défraîchi, qui a déjà dû servir pour plus d'un deuil, pend misérablement de chaque côté du chapeau démodé et laisse voir, sous un tour de faux cheveux châtains, une figure rondelette, toute ridée, avec de petits yeux vifs et une petite bouche dont les lèvres rentrées trahissent l'absence des dents.

—Monsieur, commence-t-elle d'une voix un peu essoufflée, je suis fille, veuve et sœur d'employés[1] qui ont fourni de bons et loyaux services, et j'ai adressé une demande de secours à la Direction générale . . . Je désirerais savoir si je puis espérer quelque chose.

Le sous-directeur a écouté ce début sans sourciller. Il a entendu tant de suppliques analogues!

—Avez-vous déjà été secourue, madame? demande-t-il flegmatiquement.

—Non, monsieur, jusqu'à présent j'avais pu vivre sans tendre la main . . . J'ai une petite pension[2] et . . .

—Ah! interrompt-il sèchement, dans ce cas je crains bien que nous ne puissions rien pour vous . . . Nous avons à soulager beaucoup de personnes malheureuses qui n'ont pas même cette resource d'une pension.

—Attendez, monsieur! s'écrie-t-elle désespérément, je n'ai pas tout dit . . . J'avais trois garçons, ils sont morts; le dernier donnait des leçons de mathématiques . . . L'autre hiver, en allant du Panthéon au collège Chaptal, par une pluie battante, il a attrapé un mauvais rhume qui a tourné en fluxion de poitrine et qui l'a emmené[3] en quinze jours . . . Ses leçons nous faisaient vivre, moi et son enfant, car il m'a laissé une petite-fille. Les frais de maladie et les frais mortuaires m'ont mise à sec.[4] J'ai engagé mon titre de pension pour payer des

[1] Employés de l'Administration publique.

[2] *Pension* signifie ici *revenu annuel*, non pas *lieu où on est logé et nourri.*

[3] Emporté, tué.

[4] M'ont ruinée complètement, ont pris tout mon argent.

dettes criardes . . . Me voilà seule au monde avec la petiote, sans un pauvre sou, et j'ai quatre-vingt-deux ans . . . C'est un grand âge, n'est-ce pas donc?

Sous leurs paupières ridées, les yeux de la vieille solliciteuse sont devenus humides. Le sous-directeur l'a écoutée plus attentivement. Les intonations un peu chantantes et certaines locutions provinciales de la vieille dame résonnent à son oreille comme une musique déjà entendue et jadis familière. Ces façons de parler ont un goût de terroir qu'il croit reconnaître et qui lui cause une sensation singulière. Il sonne, demande le dossier de «la veuve Blouet», et quand le solennel garçon de bureau pose, d'un air important, la mince chemise jaune sur la table, Hubert Boinville compulse les pièces avec un intérêt visible.

— Vous êtes Lorraine, madame, reprend-il en montrant à la veuve une figure moins fermée, où court un faible sourire. Je m'en étais douté à votre accent.

— Oui, monsieur, je suis de l'Argonne . . . Comment, vous avez reconnu mon accent? Je croyais bien l'avoir perdu après avoir si longtemps *valté*[5] aux quatre coins de la France, comme un *camp-volant.*

Le sous-directeur regarde avec une compassion croissante cette pauvre veuve d'employé qu'un coup de vent a arrachée à sa forêt natale, et jetée dans Paris comme une feuille sèche, après l'avoir longuement roulée par les chemins arides de la vie bureaucratique. Il sent peu à peu s'amollir son cœur de fonctionnaire et répond en souriant de nouveau:

— Moi aussi je suis de l'Argonne, et j'ai vécu longtemps près de votre village, à Clermont . . . Allons, madame, ayez bon courage . . . J'espère que nous obtiendrons le secours que vous désirez . . . Vous avez donné votre adresse?

— Oui, monsieur, rue de la Santé, 12, près du couvent des Capucins . . . Bien des mercis; je m'en vais contente de vos

[5] Patois pour *voyagé.*

bonnes paroles; et contente aussi d'avoir retrouvé un pays[6] . . .

Et la vieille dame se retire après s'être confondue en révérences.

Dès que Mme Blouet a disparu, le sous-directeur se lève et va appuyer son front à la vitre de l'une des fenêtres qui donnent sur les jardins de l'hôtel. Mais ce ne sont pas les cimes des marronniers à demi effeuillés qu'il contemple; son regard, devenu rêveur, s'en va plus loin . . . très loin, là-bas, vers l'Est, au delà des plaines et des collines crayeuses de la Champagne, jusqu'à une vallée adossée à une grande forêt, avec une modeste rivière qui coule son eau jaune entre des files de peupliers, au pied d'une vieille petite ville aux toits de tuiles brunes . . .

C'est là qu'il a vécu enfant, c'est là qu'il revenait chaque année aux vacances. Son père, greffier de la justice de paix, y menait la vie étroite et serrée des petits bourgeois sans fortune. Élevé à la dure, accoutumé de bonne heure au devoir strict et au travail acharné, Hubert a quitté le pays à vingt ans et n'y est plus guère retourné que pour suivre le convoi de son père. Doué d'une intelligence supérieure et d'une volonté de fer, enragé travailleur, il a monté rapidement les degrés de l'échelle administrative. Être sous-directeur à trente-huit ans, cela passe dans le monde des bureaux pour un avancement exceptionnel. Austère, ponctuel, réservé et poli, à cheval[7] sur les règlements, il arrive au ministère à dix heures, n'en sort qu'à six et emporte du travail chez lui. D'une nature peu expansive bien que sensible au fond, il passe pour être très *boutonné*.[8] Il va peu dans le monde, et sa vie a été tellement prise par le travail qu'il n'a jamais eu le temps de songer au mariage. Son cœur a pourtant parlé une fois, dans l'Argonne, alors qu'il avait vingt ans, mais, comme il n'était qu'un simple

[6] Un habitant de mon pays, un compatriote.
[7] Connaissant bien les règlements, il exige qu'on les respecte.
[8] Réservé, discret.

surnuméraire sans fortune, la fille qu'il aimait l'a dédaigné et s'est mariée richement avec un gros marchand de bois. Cette première déception a laissé à Boinville une arrière-amertume que ses succès administratifs n'ont jamais corrigée. Son esprit est resté teinté de mélancolie, et, ce soir, après avoir entendu cette vieille femme lui parler de sa détresse avec cet accent du terroir qu'on n'oublie jamais, il s'est senti envahi d'une tristesse rétrospective.

Le front posé contre la vitre, il remue comme un amas de feuilles mortes les lointains souvenirs de jeunesse, ensevelis profondément dans sa mémoire, et le parfum des saisons passées au pays natal lui remonte doucement au cerveau.

Il revient à son fauteuil, et, prenant le dossier Blouet, il l'annote au crayon de cette mention marginale: «Situation digne d'intérêt — accorder» — puis il sonne le garçon et renvoie le dossier au sous-chef chargé des secours.

II

Le jour où le secours fut accordé officiellement, Hubert Boinville quitta son bureau un peu plus tôt que d'habitude. L'idée lui était venue d'aller annoncer lui-même la bonne nouvelle à sa vieille payse.

Trois cents francs, c'était une goutte d'eau à peine, tombant du réservoir de l'énorme budget ministériel, mais dans le budget de la veuve cette goutte devait se changer en une rosée bienfaisante. Encore qu'on fût[9] au commencement de décembre, le temps était doux, et Boinville fit à pied le long trajet qui le séparait de la rue de la Santé. Quand il arriva à destination, la nuit commençait à enténébrer ce quartier désert. A la lueur d'un bec de gaz placé près du couvent des Capucins, il aperçut le n° 12, au-dessus d'une porte bâtarde percée dans un long mur de moellons. Il n'eut qu'à pousser cette porte entrebâillée et se trouva dans un vaste jardin, où l'on distinguait,

[9] Bien qu'on fût.

dans l'ombre, des carrés de légumes, des touffes de rosiers, et çà et là des silhouettes d'arbres fruitiers. Au fond, deux ou trois points lumineux éclairaient la façade d'un corps de logis en équerre. Le sous-directeur se dirigea en tâtonnant vers le rez-de-chaussée et eut la chance de tomber sur le jardinier en 5 personne, qui le guida vers l'escalier menant au logement de la veuve.

Après avoir trébuché deux fois sur des marches boueuses, Boinville heurta à une porte par-dessous laquelle filtrait une mince raie de lumière et fut tout étonné quand, cette porte 10 s'étant ouverte, il vit devant lui une jeune fille d'une vingtaine d'années qui se tenait sur le seuil, levant sa lampe d'une main et regardant le visiteur avec des yeux surpris.

C'était une jeune personne vêtue de noir, à la physionomie vive et avenante. La lumière tombant de haut éclairait à point 15 ses cheveux châtains frisottants, ses joues rondes à fossettes, sa bouche souriante et ses yeux bleus limpides.

— Ne me suis-je pas trompé? murmura Boinville, est-ce bien ici que demeure Mme Blouet?

— Oui, monsieur. Donnez-vous la peine d'entrer . . . 20 Grand'mère, c'est un monsieur qui te demande.

— Je viens! répondit une voix grêle qui sortait d'une pièce contiguë; — et, une minute après, la vieille dame arrivait en trottinant, avec son tour de travers sous son bonnet noir, et achevant de dénouer les cordons d'un tablier de toile bleue. 25

— Sainte mère de Dieu! s'écria-t-elle ébaubie en reconnaissant le sous-directeur, comment, c'est vous, monsieur? . . . Faites bien excuse,[10] je ne m'attendais guère à l'honneur de vous voir . . . Claudette, offre donc le fauteuil à monsieur le sous-directeur . . . C'est ma petite-fille, monsieur, tout ce 30 qui me reste au monde.

Hubert Boinville s'était assis dans un antique fauteuil de velours et d'un rapide coup d'œil il avait examiné la pièce qui paraissait servir à la fois de salon et de salle à manger. —

[10] Excusez-moi.

Il expliqua brièvement l'objet de sa visite.

—Ah! mon brave monsieur, bien des mercis! s'exclama la veuve . . . On a raison de dire: un bonheur n'arrive jamais seul . . . Figurez-vous que la petiote a passé ses examens pour entrer dans les Télégraphes,[11] et, en attendant d'être placée, elle fait par-ci par-là des enluminures . . . Aujourd'hui, elle a été payée d'une grosse commande d'images, et alors nous avons décidé que nous fêterions ce soir la Saint-Nicolas,[12] comme au bon vieux temps . . . Vous vous souvenez?

—Mais, grand'mère, interrompit la jeune fille en riant, monsieur ne sait pas ce que c'est que la Saint-Nicolas . . . A Paris, on ne fête pas ce saint-là!

—Si fait, monsieur sait parfaitement ce que je veux dire. Il est du pays, Claudette, il est de Clermont.

—La Saint-Nicolas! reprit le sous-directeur dont la figure triste s'épanouit, je crois bien![13] . . . C'est aujourd'hui, en effet, le six décembre . . .

Cette date avait allumé toute une flambée de souvenirs d'enfance qui éclairaient joyeusement son cerveau. A cette clarté, il revit la vaste cheminée paternelle, égayée par les apprêts de la fête patronale; il entendit la musique sautillante des violons, allant par les rues chercher les filles pour le bal annuel; et il se rappela ses émotions du lendemain, quand il courait pieds nus pour tâter dans l'âtre ses sabots pleins de joujoux que saint Nicolas, sur son âne, avait apportés nuitamment par la cheminée.

—Donc, ce soir, continua avec volubilité la grand'mère, nous avons résolu de ne manger rien que des plats du pays.

[11] Dans les bureaux de l'administration des Télégraphes.

[12] La fête de Saint-Nicolas, le 6 décembre, célébrée surtout dans les provinces du nord et de l'est. Dans ces contrées Saint-Nicolas remplace père Noël (Santa-Claus). D'après la légende, il pénètre dans les maisons la nuit du 5 au 6 décembre, portant des joujoux pour les enfants sages. Les grands se réunissent pour dîner et chanter le jour de Saint-Nicolas.

[13] Mais certainement!

Le jardinier d'en bas nous a donné, en choux, navets et pommes de terre, de quoi faire une bonne *potée*; j'ai acheté un saucisson de Lorraine, et quand vous êtes entré j'étais en train de préparer un *tôt-fait*.

— Oh! un *tôt-fait*! s'écria Boinville devenu plus expansif, voilà bien vingt ans que je n'ai entendu prononcer le nom de ce gâteau d'œufs, de lait et de farine, et plus longtemps encore que je n'y ai goûté . . .

Ses traits s'étaient animés et la jeune fille, qui l'observait à la dérobée, crut voir passer une lueur gourmande dans ses yeux bruns.

Tandis qu'il souriait, pensif, au souvenir de ce mets du pays, la grand'mère et Claudette s'étaient retirées un peu à l'écart et paraissaient discuter avec vivacité une grave question.

— Non, grand'mère, chuchotait la jeune fille, ce serait indiscret.

— Pourquoi donc? murmura la veuve. Je suis sûre que cela lui ferait plaisir.

Et comme il les regardait, intrigué, la grand'mère revint vers lui:

— Monsieur, commença-t-elle, vous avez déjà été bien bon pour nous, et si ce n'était pas abuser j'aurais encore une faveur à vous demander . . . Il est tard et vous avez un bon bout de chemin[14] à faire pour aller retrouver votre dîner . . . Vous nous rendriez bien heureuses si vous vouliez goûter de notre *tôt-fait* . . . N'est-ce pas, Claudette!

— Oui, grand'mère; seulement monsieur dînera mal, et d'ailleurs il est sans doute attendu chez lui.

— Non, personne ne m'attend, répondit Boinville en songeant au restaurant où d'habitude il dînait solitairement et maussadement, je suis libre, mais . . .

Il hésitait encore, tout en regardant les yeux rieurs et printaniers de Claudette; puis, tout à coup, il s'écria avec une rondeur dont il n'était pas coutumier:

[14] Un long chemin.

— Eh bien! j'accepte sans façon et avec plaisir!

— A la bonne heure! fit la vieille dame ragaillardie . . . Claudette, qu'est-ce que je te disais? . . . Mets vivement le couvert, puis tu iras chercher du vin, tandis que je retournerai à mon *tôt-fait* . . . 5

Claudette, vive comme un lézard, avait ouvert la grande armoire. Elle en tira une nappe à liteaux rouges, puis des serviettes. En un clin d'œil la table fut dressée. La jeune fille alluma un bougeoir et descendit, tandis que la veuve, assise avec des châtaignes dans son giron, les fendait lentement et 10 les étalait sur le marbre du poêle.

— N'est-ce pas que la petite est preste et gaie? disait-elle au sous-directeur . . . C'est ma consolation . . . Elle réjouit ma vieillesse comme une fauvette sur un vieux toit . . . — Et elle reprenait en secouant ses châtaignes: — Ce sera un maigre 15 souper, mais un souper offert de bon cœur, et puis ça vous rappellera le pays, *nomme?* (n'est-ce pas?)

Claudette était remontée, rouge et un peu essoufflée; la bonne dame apporta la *potée* fumante et embaumée, et on se mit à table. 20

Entre cette brave octogénaire tout heureuse et cette jeune fille si sérieuse et si naturelle, devant cette nappe qui fleurait l'iris, dans ce milieu quasi campagnard qui lui reparlait des choses du passé, Hubert Boinville fit honneur à la *potée*. Il se dégelait peu à peu et causait familièrement, s'amusant aux 25 saillies de Claudette et riant d'un bon rire enfantin aux mots patois dont la grand'mère émaillait ses phrases. De temps en temps, la veuve se levait et allait à la cuisine surveiller son entremets. Enfin elle reparut, triomphante, tenant la *cocotte*[15] de fonte, d'où s'élevait le *tôt-fait* avec des boursouflures brunes 30 et dorées et une appétissante odeur de fleur d'oranger. Après, vinrent les châtaignes grillées au four et encore toutes craquantes dans leur écorce fendillée et rissolée. La vieille dame tira du fond de l'armoire une bouteille de *fignolette*,

[15] La casserole.

cette liqueur du pays fabriquée avec de l'eau-de-vie et du vin doux; puis, tandis que Claudette desservait, elle prit machinalement son tricot et s'assit près du poêle, tout en jasant; mais, sous l'influence d'une chaleur douce, jointe à l'action de la *fignolette*, elle ne tarda pas à s'assoupir. Claudette avait posé la lampe au milieu de la table; Hubert et la jeune fille se trouvaient ainsi presque en tête-à-tête, et Claudette, naturellement gaie et enjouée, défrayait quasiment à elle seule la conversation.

Elle aussi avait passé son enfance en Argonne, près d'une vieille tante, et elle rappelait à Boinville de menus détails locaux dont la précision le remettait insensiblement dans le milieu provincial d'autrefois. — Comme il faisait très chaud dans la chambre, Claudette avait entr'ouvert la croisée, et il arrivait des bouffées d'air frais, imprégnées de l'odeur maraîchère du jardin d'en bas, où l'on entendait le glouglou d'une fontaine s'égouttant dans une auge de pierre, tandis qu'au loin une cloche de couvent sonnait lentement l'*Angélus*.

Hubert Boinville eut tout à coup une hallucination. La *fignolette* lorraine et les yeux clairs de cette jolie fille qui évoquait pour lui les paysages forestiers de sa petite ville y étaient pour beaucoup. Il lui sembla qu'il avait reculé de vingt ans en arrière et qu'il était transporté dans quelque rustique logis de sa province natale. Ce vent dans les arbres, ce frais murmure d'eau vive, c'était la voix caressante de l'Aire et le frisson des futaies de l'Argonne; cette cloche qui chantait là-bas, c'était celle de l'église paroissiale du bourg fêtant la veillée de Saint-Nicolas . . . Sa jeunesse ensevelie pendant vingt ans sous les paperasses administratives, sa jeunesse revivait dans toute sa verdeur, et devant lui les yeux bleus de Claudette riaient si ingénument, avec un éclat d'avril en fleur, que son cœur engourdi se réveillait et battait un plaisant tic tac dans sa poitrine . . .

La vieille dame s'était réveillée en sursaut et balbutiait des paroles d'excuse. Hubert Boinville se leva; il était temps de prendre congé. Après avoir chaudement remercié Mme Blouet et avoir promis de revenir, il tendit la main à Claudette. Leurs regards se rencontrèrent un moment, et ceux du sous-directeur étaient si brillants que les paupières de la jeune fille s'abaissèrent vivement sur ses rieuses prunelles azurées. Ce fut elle qui le reconduisit jusqu'au bas, et quand ils furent sur le seuil il lui serra encore une fois la main sans trouver rien à lui dire . . .

Et cependant il avait le cœur plein, le sous-directeur, et quand il se retrouva seul dans le désert ténébreux de la rue de la Santé il lui sembla qu'il entendait chanter dans le ciel tous les violons de la Saint-Nicolas.

III

Hubert Boinville donnait de nouveau, comme on dit en style de bureaucratie, «une impulsion active et éclairée au service.» Pourtant le souvenir de la soirée de Saint-Nicolas lui revenait souvent au milieu de son travail. A plusieurs reprises, il avait été distrait de la lecture d'un dossier par l'image rayonnante des beaux yeux de Claudette. Cette apparition voltigeait sur les paperasses comme un léger papillon bleu; quand le sous-directeur rentrait dans son morne appartement de garçon, elle l'accompagnait et semblait le regarder railleusement, tandis qu'il tisonnait son feu qui brûlait mal. Alors il songeait à ce bon dîner dans la petite chambre campagnarde où le poêle ronflait si joyeusement, à ce gai babil de jeune fille qui avait un moment ressuscité les sensations de sa vingtième année. Parfois, il regardait mélancoliquement dans la glace sa barbe déjà grisonnante; il pensait à sa jeunesse sans amour, à sa maturité commençante, et il se disait: «Ai-je passé le temps d'aimer?» Alors, il était pris d'une nostalgie de tendresse qui lui mettait l'esprit en désarroi, et il regrettait de ne s'être point marié.

Un jour, par une sombre après-midi de la fin de décembre,

le solennel garçon de bureau entr'ouvrit discrètement la porte du cabinet et annonça:

— Madame veuve Blouet.

Boinville se leva avec empressement pour recevoir la visiteuse. Après qu'il l'eut fait asseoir, il lui demanda en rougissant des nouvelles de sa petite-fille. 5

— Merci, monsieur, répondit-elle, la petite va bien, votre visite lui a porté chance . . . Elle sollicitait depuis longtemps une place dans les Télégraphes . . . Elle a reçu hier sa nomination et je n'ai pas voulu quitter Paris sans prendre 10 congé de vous et vous témoigner toute ma reconnaissance.

La poitrine de Boinville se serra.

— Vous quittez Paris? demanda-t-il. Ce poste est donc en province?

— Oui, dans les Vosges . . . Et naturellement j'accompagne 15 Claudette . . . J'ai quatre-vingt-deux ans, mon cher monsieur; je n'ai plus grand temps à passer dans ce monde et nous ne voulons pas nous séparer.

— Vous partez bientôt?

— Dans la première semaine de janvier . . . Adieu, mon- 20 sieur. Vous avez été très bon pour nous, et Claudette m'a bien recommandé de vous remercier en son nom.

Le sous-directeur, interdit et absorbé, ne répondait guère que par des monosyllabes. Quand la vieille dame fut sortie, il resta longtemps accoudé sur son bureau, la tête dans ses 25 mains. Cette nuit-là, il dormit mal, et, le lendemain, il fut de très maussade humeur avec ses employés. Il ne tenait pas en place. Dès trois heures, il brossa son chapeau, quitta le ministère et sauta dans une voiture qui passait.

Une demi-heure après, il traversait tout frissonnant le jardin 30 maraîcher du n° 12 de la rue de la Santé et il sonnait à la porte de Mme Blouet.

Ce fut Claudette qui vint lui ouvrir. A l'aspect du sous-directeur, elle tressaillit, puis devint toute rouge, tandis qu'un sourire passait dans ses yeux bleus. 35

— Grand'mère est sortie, dit-elle, mais elle ne tardera pas à rentrer, et elle sera si heureuse de vous voir! . . .

— Ce n'est pas Mme Blouet que je désirais surtout rencontrer, mais vous, mademoiselle.

— Moi? murmura-t-elle troublée. 5

— Oui, vous, répéta-t-il brusquement. — Sa gorge se serrait, il cherchait ses mots et les trouvait avec peine: — Vous partez toujours au mois de janvier?

Elle répondit par un signe de tête affirmatif.

— Ne regrettez-vous pas de quitter Paris? 10

— Oh! si . . . Cela me fait gros cœur[16] . . . Mais quoi? Cette place est pour nous une bonne fortune et grand'mère pourra du moins vivre en paix pendant ses dernières années.

— Et si je vous donnais un moyen de rester à Paris, tout en assurant le repos et le bien-être de Mme Blouet? 15

— Oh! monsieur! s'exclama la jeune fille dont le visage s'épanouit.

— C'est un moyen héroïque, reprit-il en hésitant; vous le trouverez peut-être au-dessus de vos forces . . .

— Je suis courageuse . . . Dites seulement, monsieur. 20

— Eh bien! mademoiselle. . . . — Il s'arrêta pour reprendre sa respiration; puis, très vite, presque rudement, il ajouta; — Voulez-vous m'épouser?

— Mon Dieu! . . . balbutia-t-elle, et l'émotion la laissa sans voix. 25

Tout en exprimant une violente surprise, sa figure n'avait rien d'effarouché. Sa poitrine était agitée, ses lèvres restaient entr'ouvertes, mais ses grands yeux bleus humides brillaient d'un éclat très doux.

Quant à Boinville, il n'osait la regarder, de peur de lire sur 30 ses traits un refus humiliant. Pourtant, inquiet de son silence prolongé, sans relever la tête, il lui demanda:

— Me trouvez-vous trop âgé? Vous semblez tout effrayée! . . .

[16] Cela me chagrine.

— Effrayée, répondit-elle ingénument, non, mais troublée et . . . contente! . . . C'est trop beau . . . Je n'ose pas y croire!

— Chère enfant! s'écria-t-il en lui prenant les mains, croyez-y et croyez surtout que le véritable heureux, c'est moi, 5 parce que je vous aime!

Elle restait muette, mais dans le rayonnement de ses yeux il y avait une telle effusion de reconnaissance et de tendresse, qu'Hubert Boinville ne pouvait plus s'y méprendre. Il y lut sans doute qu'elle aussi se sentait heureuse, et pour les mêmes 10 raisons, car il l'attira plus près de lui. Elle se laissait faire, et Hubert, plus hardi, ayant levé les mains de la jeune fille à la hauteur de ses lèvres, les baisait avec une vivacité toute juvénile.

— Sainte mère de Dieu! s'écria la vieille dame, qui arriva 15 sur ces entrefaites.

Ils se retournèrent, lui, un peu confus; elle, tout empourprée et radieuse.

— Madame Blouet, dit enfin gaiement Hubert Boinville, ne vous scandalisez pas! . . . Le soir où j'ai dîné chez vous, 20 saint Nicolas est descendu dans ma cheminée comme au temps où j'étais enfant, et il m'a fait cadeau d'une femme . . . La voici, c'est votre petite-fille . . . Nous nous marierons le plus tôt possible, si vous le permettez.

ÉMILE ZOLA

Émile Zola est né à Paris en 1840, mais passa son enfance en Provence. Après la mort de son père, sa mère s'installa à Paris où Émile continua ses études pendant quelques mois, mais sans succès. Il trouva un emploi sur les quais. Gagnant à peine de quoi vivre, il connut la misère de la classe ouvrière. Ensuite, il travailla comme commis dans une maison d'édition où il pouvait fréquenter le monde littéraire et scientifique.

Durant ses heures de repos, dans l'intention de prouver que "l'hérédité a ses lois" il commence à écrire les vingt romans de la série *les Rougon-Macquart, histoire naturelle et sociale d'une famille sous le Second Empire.* Comme Balzac, le grand écrivain réaliste, Zola reconnaît aussi l'influence du milieu social sur la formation de ses personnages qui, allant inévitablement vers leur destinée, ne peuvent qu'obéir à cette double force: hérédité et milieu. Les gens qui peuplent ses romans sont les victimes de leurs passions instinctives. Cette série nous présente toute la société du Second Empire: la vie provinciale dans *la Fortune de Rougon;* les débauchés dans *Nana;* les ouvriers dans *l'Assommoir, Germinal* et *la Bête humaine;* les paysans dans *la Terre;* les militaires dans *la Débâcle* et ainsi de suite.

Les plus importants de ces romans, ceux qui contiennent le plus de vérité, d'observation et d'imagination sont *l'Assommoir* et *Germinal,* deux oeuvres exposant d'une manière frappante le talent réaliste de Zola, talent vulgaire et robuste, plus capable de peindre les brutes et les fous que de faire vivre les personnages nobles ou ordinaires. Zola prétendait être un homme de science qui employait le roman comme document humain pour prouver la forte influence que peut avoir l'hérédité sur l'homme, selon les théories du docteur Claude Bernard, célèbre physiologiste français.

Dans ses derniers livres, *les Quatre Evangiles,* il a abandonné les peintures de la misère et du vice de la société pour manifester son amour de la justice et de la fraternité.

Si Zola eût été mort avant 1898 on se serait souvenu uniquement de lui comme homme de lettres. Cette date, cependant, marque le commencement d'une tumultueuse activité politique, marquée par une lettre adressée au Président de la République et publiée dans les journaux, par laquelle Zola soutenait publiquement la défense d'un certain Capitaine Dreyfus, accusé de trahison et mis en prison, en Guyane Française, à l'Ile du Diable. Zola a dénoncé la perfidie de l'accusation et a demandé la réhabilitation de l'infortuné capitaine. Enfin, et grâce principalement aux efforts de Zola, il a été prouvé que des ennemis du capitaine juif avaient employé de faux documents pour le perdre. Dreyfus a été réhabilité et Zola a été acclamé comme défenseur des droits sacrés de l'homme.

L'ATTAQUE DU MOULIN

ÉMILE ZOLA

I

Le moulin du père Merlier, par cette belle soirée d'été, était en grande fête. Dans la cour, on avait mis trois tables, placées bout à bout, et qui attendaient les convives. Tout le pays savait qu'on devait fiancer, ce jour-là, la fille Merlier, Françoise, avec Dominique, un garçon qu'on accusait de fainéantise, 5 mais que les femmes, à trois lieues à la ronde, regardaient avec des yeux luisants, tant il avait bon air.

Ce moulin du père Merlier était une vraie gaîté. Il se trouvait juste au milieu de Rocreuse,[1] à l'endroit où la grand'-route fait un coude. Le village n'a qu'une rue, deux files de 10 masures, une file à chaque bord de la route; mais là, au coude, des prés s'élargissent, de grands arbres, qui suivent le cours de la Morelle, couvrent le fond de la vallée d'ombrages magnifiques. Il n'y a pas, dans toute la Lorraine, un coin de nature plus adorable. 15

Et c'était là que le moulin du père Merlier égayait de son tic-tac un coin de verdures folles. La bâtisse, faite de plâtre et de planches, semblait vieille comme le monde. Elle trempait à moitié dans la Morelle, qui arrondit à cet endroit un clair bassin. Une écluse était ménagée, la chute tombait de quelques 20

[1] L'action de ce conte se passe en Lorraine. Pourtant les noms géographiques, Rocreuse, Morelle, Gagny, Sauval, Lormière, etc., sont imaginaires et imités de noms réellement existants.

mètres sur la roue du moulin, qui craquait en tournant, avec la toux asthmatique d'une fidèle servante vieillie dans la maison. Quand on conseillait au père Merlier de la changer, il hochait la tête en disant qu'une jeune roue serait plus paresseuse et ne connaîtrait pas si bien le travail; et il raccommodait l'ancienne avec tout ce qui lui tombait sous la main, des douves de tonneau, des ferrures rouillées, du zinc, du plomb. La roue en paraissait plus gaie, avec son profil devenu étrange, toute empanachée d'herbes et de mousses.

Un escalier rompu descendait à la rivière, près d'un pieu où était amarrée une barque. Une galerie de bois passait au-dessus de la roue. Des fenêtres s'ouvraient, percées irrégulièrement.[2] C'était un pêle-mêle d'encoignures, de petites murailles, de constructions ajoutées après coup,[3] de poutres et de toitures qui donnaient au moulin un aspect d'ancienne citadelle démantelée. Mais des lierres avaient poussé, toutes sortes de plantes grimpantes bouchaient les crevasses trop grandes et mettaient un manteau vert à la vieille demeure. Les demoiselles qui passaient, dessinaient sur leurs albums le moulin du père Merlier.

Du côté de la route, la maison était plus solide. Un portail en pierre s'ouvrait sur la grande cour, que bordaient à droite et à gauche des hangars et des écuries. Près d'un puits, un orme immense couvrait de son ombre la moitié de la cour. Au fond, la maison alignait les quatre fenêtres de son premier étage, surmonté d'un colombier. La seule coquetterie du père Merlier était de faire badigeonner cette façade tous les dix ans. Elle venait justement d'être blanchie, et elle éblouissait le village, lorsque le soleil l'allumait, au milieu du jour.

Depuis vingt ans, le père Merlier était maire de Rocreuse. On l'estimait pour la fortune qu'il avait su faire. On lui donnait quelque chose comme quatre-vingt mille francs, amassés sou à sou. Quand il avait épousé Madeleine Guillard,

[2] Les fenêtres étaient séparées par des espaces irréguliers.
[3] Ajoutées plus tard, non comprises dans le plan original du moulin.

qui lui apportait en dot le moulin, il ne possédait guère que ses deux bras. Mais Madeleine ne s'était jamais repentie de son choix, tant il avait su mener gaillardement les affaires du ménage. Aujourd'hui, la femme était défunte, il restait veuf avec sa fille Françoise. Sans doute, il aurait pu se reposer, 5 laisser la roue du moulin dormir dans la mousse; mais il se serait trop ennuyé, et la maison lui aurait semblé morte. Il travaillait toujours, pour le plaisir. Le père Merlier était alors un grand vieillard, à longue figure silencieuse, qui ne riait jamais, mais qui était tout de même très gai en dedans. On 10 l'avait choisi pour maire, à cause de son argent et aussi pour le bel air qu'il savait prendre, lorsqu'il faisait un mariage.

Françoise Merlier venait d'avoir dix-huit ans. Elle ne passait pas pour une des belles filles du pays, parce qu'elle était chétive. Jusqu'à quinze ans, elle avait même été laide. On ne 15 pouvait pas comprendre, à Rocreuse, comment la fille du père et de la mère Merlier, tous deux si bien plantés, poussait mal et d'un air de regret. Mais à quinze ans, tout en restant délicate, elle prit une petite figure la plus jolie du monde. Elle avait des cheveux noirs, des yeux noirs, et elle était toute 20 rose avec ça; une bouche qui riait toujours, des trous dans les joues, un front clair où il y avait comme une couronne de soleil. Quoique chétive pour le pays, elle n'était pas maigre, loin de là; on voulait dire simplement qu'elle n'aurait pas pu lever un sac de blé; mais elle devenait toute potelée, avec 25 l'âge elle devait finir par être ronde et friande comme une caille. Seulement, les longs silences de son père l'avaient rendue raisonnable très jeune. Si elle riait toujours, c'était pour faire plaisir aux autres. Au fond, elle était sérieuse.

Naturellement, tout le pays la courtisait, plus encore pour 30 ses écus que pour sa gentillesse. Et elle avait fini par faire un choix, qui venait de scandaliser la contrée. De l'autre côté de la Morelle, vivait un grand garçon, que l'on nommait Dominique Penquer. Il n'était pas de Rocreuse. Dix ans auparavant, il était arrivé de Belgique, pour hériter d'un oncle. 35

qui possédait un petit bien, sur la lisière même de la forêt de Gagny, juste en face du moulin, à quelques portées de fusil. Il venait pour vendre ce bien, disait-il, et retourner chez lui. Mais le pays le charma, paraît-il, car il n'en bougea plus. On le vit cultiver son bout de champ, récolter quelques légumes dont il vivait. Il pêchait, il chassait; plusieurs fois, les gardes faillirent le prendre et lui dresser des procès-verbaux. Cette existence libre, dont les paysans ne s'expliquaient pas bien les ressources, avait fini par lui donner un mauvais renom. On le traitait vaguement de braconnier.[4] En tout cas, il était paresseux, car on le trouvait souvent endormi dans l'herbe, à des heures où il aurait dû travailler. La masure qu'il habitait, sous les derniers arbres de la forêt, ne semblait pas non plus la demeure d'un honnête garçon. Il aurait eu[5] un commerce avec les loups des ruines de Gagny, que cela n'aurait point surpris les vieilles femmes. Pourtant, les jeunes filles, parfois, se hasardaient à le défendre, car il était superbe, cet homme louche, souple et grand comme un peuplier, très blanc de peau, avec une barbe et des cheveux blonds qui semblaient de l'or au soleil. Or, un beau matin, Françoise avait déclaré au père Merlier qu'elle aimait Dominique et que jamais elle ne consentirait à épouser un autre garçon.

On pense[6] quel coup de massue le père Merlier reçut, ce jour-là! Il ne dit rien, selon son habitude. Il avait son visage réfléchi; seulement, sa gaîté intérieure ne luisait plus dans ses yeux. On se bouda pendant une semaine. Françoise, elle aussi, était toute grave. Ce qui tourmentait le père Merlier, c'était de savoir comment ce gredin de braconnier avait bien pu ensorceler sa fille. Jamais Dominique n'était venu au moulin. Le meunier guetta et il aperçut le galant, de l'autre côté de la Morelle, couché dans l'herbe et feignant de dormir. Fran-

[4] En parlant de lui on donnait à entendre qu'il était braconnier.
[5] S'il avait eu un commerce.
[6] On peut s'imaginer quel coup.

çoise, de sa chambre, pouvait le voir. La chose était claire, ils avaient dû s'aimer, en se faisant les doux yeux par-dessus la roue du moulin.

Cependant, huit autres jours s'écoulèrent. Françoise devenait de plus en plus grave. Le père Merlier ne disait toujours rien. 5
Puis, un soir, silencieusement, il amena lui-même Dominique. Françoise, justement, mettait la table. Elle ne parut pas étonnée, elle se contenta d'ajouter un couvert; seulement, les petits trous de ses joues venaient de se creuser de nouveau, et son rire avait reparu. Le matin, le père Merlier était allé 10
trouver Dominique dans sa masure, sur la lisière du bois. Là, les deux hommes avaient causé pendant trois heures, les portes et les fenêtres fermées. Jamais personne n'a su ce qu'ils avaient pu se dire. Ce qu'il y a de certain, c'est que le père Merlier en sortant traitait déjà Dominique comme son fils. 15
Sans doute, le vieillard avait trouvé le garçon qu'il était allé chercher, un brave garçon, dans ce paresseux qui se couchait sur l'herbe pour se faire aimer des filles.

Tout Rocreuse clabauda. Les femmes, sur les portes,[7] ne tarissaient pas au sujet de la folie du père Merlier, qui intro- 20
duisait ainsi chez lui un garnement. Il laissa dire.[8] Peut-être s'était-il souvenu de son propre mariage. Lui non plus ne possédait pas un sou vaillant, lorsqu'il avait épousé Madeleine et son moulin; cela pourtant ne l'avait point empêché de faire un bon mari. D'ailleurs, Dominique coupa court aux cancans, 25
en se mettant si rudement à la besogne, que le pays en fut émerveillé. Justement le garçon du moulin était tombé au sort,[9] et jamais Dominique ne voulut qu'on en engageât un autre. Il porta les sacs, conduisit la charrette, se battit avec la vieille roue, quand elle se faisait prier pour tourner, tout cela 30
d'un tel cœur, qu'on venait le voir par plaisir. Le père Merlier

[7] Sur les pas des portes.
[8] Il laissa parler les gens, ne fit aucun effort d'expliquer la chose.
[9] Avait été choisi pour le service militaire.

avait son rire silencieux. Il était très fier d'avoir deviné ce garçon. Il n'y a rien comme l'amour pour donner du courage aux jeunes gens.

Au milieu de toute cette grosse besogne, Françoise et Dominique s'adoraient. Ils ne se parlaient guère, mais ils se regardaient avec une douceur souriante. Jusque-là, le père Merlier n'avait pas dit un seul mot au sujet du mariage; et tous deux respectaient ce silence, attendant la volonté du vieillard. Enfin, un jour, vers le milieu de juillet, il avait fait mettre trois tables dans la cour, sous le grand orme, en invitant ses amis de Rocreuse à venir le soir boire un coup avec lui. Quand la cour fut pleine et que tout le monde eut le verre en main, le père Merlier leva le sien très haut, en disant:

— C'est pour avoir le plaisir de vous annoncer que Françoise épousera ce gaillard-là dans un mois, le jour de la Saint-Louis.[10]

Alors, on trinqua bruyamment. Tout le monde riait. Mais le père Merlier haussant la voix, dit encore:

— Dominique, embrasse ta promise. Ça se doit.

Et ils s'embrassèrent, très rouges pendant que l'assistance riait plus fort. Ce fut une vraie fête. On vida un petit tonneau. Puis, quand il n'y eut là que les amis intimes, on causa d'une façon calme. La nuit était tombée, une nuit étoilée et très claire. Dominique et Françoise, assis sur un banc, l'un près de l'autre, ne disaient rien. Un vieux paysan parlait de la guerre que l'empereur[11] avait déclarée à la Prusse. Tous les gars du village étaient déjà partis. La veille, des troupes avaient encore passé. On allait se cogner dur.

— Bah! dit le père Merlier avec l'égoïsme d'un homme heureux, Dominique est étranger, il ne partira pas . . . Et si les Prussiens venaient, il serait là pour défendre sa femme.

[10] Jour de la fête de Saint-Louis, le 25 août.
[11] Napoléon III.

Cette idée que les Prussiens pouvaient venir parut une bonne plaisanterie. On allait leur flanquer une râclée soignée, et ce serait vite fini.

—Je les ai déjà vus, je les ai déjà vus, répéta d'une voix sourde le vieux paysan.

Il y eut un silence. Puis, on trinqua une fois encore. Françoise et Dominique n'avaient rien entendu; ils s'étaient pris doucement la main, derrière le banc, sans qu'on pût les voir, et cela leur semblait si bon, qu'ils restaient là, les yeux perdus au fond des ténèbres.

Quelle nuit tiède et superbe! Le village s'endormait aux deux bords de la route blanche, dans une tranquillité d'enfant. On n'entendait plus, de loin en loin, que le chant de quelque coq éveillé trop tôt. Des grands bois voisins, descendaient de longues haleines qui passaient sur les toitures comme des caresses. Jamais une paix plus large n'était descendue sur un coin plus heureux de nature.

II

Un mois plus tard, jour pour jour, juste la veille de la Saint-Louis, Rocreuse était dans l'épouvante. Les Prussiens avaient battu l'empereur et s'avançaient à marches forcées vers le village. Depuis une semaine, des gens qui passaient sur la route annonçaient les Prussiens: «Ils sont à Lormière, ils sont à Novelles»; et, à entendre dire qu'ils se rapprochaient si vite, Rocreuse, chaque matin, croyait les voir descendre par les bois de Gagny. Ils ne venaient point cependant, cela effrayait davantage. Bien sûr qu'ils tomberaient sur le village pendant la nuit et qu'ils égorgeraient tout le monde.

La nuit précédente, un peu avant le jour, il y avait eu une alerte. Les habitants s'étaient réveillés, en entendant un grand bruit d'hommes sur la route. Les femmes déjà se jetaient à genoux et faisaient des signes de croix, lorsqu'on avait reconnu des pantalons rouges,[12] en entr'ouvrant prudemment les fenêtres. C'était un détachement français. Le capitaine avait tout de suite demandé le maire du pays, et il était resté au moulin, après avoir causé avec le père Merlier.

Le soleil se levait gaîment, ce jour-là. Il ferait chaud, à midi. Sur les bois, une clarté blonde flottait, tandis que dans les fonds, au-dessus des prairies, montaient des vapeurs blanches. Le village propre et joli, s'éveillait dans la fraîcheur, et la campagne, avec sa rivière et ses fontaines, avait des grâces mouillées de bouquet.[13] Mais cette belle journée ne faisait rire personne. On venait de voir le capitaine tourner autour du moulin, regarder les maisons voisines, passer de l'autre côté de la Morelle, et de là, étudier le pays avec une lorgnette; le père Merlier, qui l'accompagnait, semblait donner des explications. Puis, le capitaine avait posté des soldats derrière des murs, derrière des arbres, dans des trous. Le gros du détachement campait dans la cour du moulin. On allait donc se battre? Et quand le père Merlier revint, on l'interrogea. Il fit un long signe de tête, sans parler. Oui, on allait se battre.

Françoise et Dominique étaient là, dans la cour, qui le regardaient. Il finit par ôter sa pipe de la bouche, et dit cette simple phrase:

— Ah! mes pauvres petits, ce n'est pas demain que je vous marierai!

Dominique, les lèvres serrées, avec un pli de colère au front, se haussait parfois, restait les yeux fixés sur les bois de Gagny, comme s'il eût voulu voir arriver les Prussiens. Françoise, très pâle, sérieuse, allait et venait, fournissant aux soldats ce dont ils avaient besoin. Ils faisaient la soupe dans un coin de la cour, et plaisantaient, en attendant de manger.

[12] Les soldats français portaient à cette époque des pantalons rouges; l'uniforme prussien était gris.

[13] Avait les charmes d'un bouquet tout mouillé de rosée (*dew*).

Cependant, le capitaine paraissait ravi. Il avait visité les chambres et la grande salle du moulin donnant sur la rivière. Maintenant, assis près du puits, il causait avec le père Merlier.

— Vous avez là une vraie forteresse, disait-il. Nous tiendrons bien jusqu'à ce soir . . . Les bandits sont en retard. Ils devraient être ici.

Le meunier restait grave. Il voyait son moulin flamber comme une torche. Mais il ne se plaignait pas, jugeant cela inutile. Il ouvrit seulement la bouche, pour dire:

— Vous devriez faire cacher la barque derrière la roue. Il y a là un trou où elle tient[4] . . . Peut-être qu'elle pourra servir.

Le capitaine donna un ordre. Ce capitaine était un bel homme d'une quarantaine d'années, grand et de figure aimable. La vue de Françoise et de Dominique semblait le réjouir. Il s'occupait d'eux, comme s'il avait oublié la lutte prochaine. Il suivait Françoise des yeux, et son air disait clairement qu'il la trouvait charmante. Puis, ce tournant vers Dominique:

— Vous n'êtes donc pas à l'armée, mon garçon? lui demanda-t-il brusquement.

— Je suis étranger, répondit le jeune homme.

Le capitaine parut goûter médiocrement cette raison . . . Il cligna les yeux et sourit. Françoise était plus agréable à fréquenter que le canon. Alors, en le voyant sourire, Dominique ajouta:

— Je suis étranger, mais je loge une balle dans une pomme, à cinq cents mètres . . . Tenez, mon fusil de chasse est là, derrière vous.

— Il pourra vous servir, répliqua simplement le capitaine.

Françoise s'était approchée, un peu tremblante. Et, sans se soucier du monde qui était là, Dominique prit et serra dans les siennes les deux mains qu'elle lui tendait, comme pour se mettre sous sa protection. Le capitaine avait souri de nou-

[14] Où elle peut être contenue.

veau, mais il n'ajouta pas une parole. Il demeurait assis, son épée entre les jambes, les yeux perdus,[15] paraissant rêver.

Il était déjà dix heures. La chaleur devenait très forte. Un lourd silence se faisait.

Et, dans cet air endormi, brusquement, un coup de feu éclata. Le capitaine se leva vivement, les soldats lâchèrent leurs assiettes de soupe, encore à moitié pleines. En quelques secondes, tous furent à leur poste de combat; de bas en haut, le moulin se trouvait occupé. Cependant, le capitaine, qui s'était porté[16] sur la route n'avait rien vu; à droite, à gauche, la route s'étendait, vide et toute blanche. Un deuxième coup de feu se fit entendre, et toujours rien, pas une ombre. Mais, en se retournant, il aperçut du côté de Gagny, entre deux arbres, un flocon de fumée qui s'envolait, pareil à un fil de la Vierge. Le bois restait profond et doux.

— Les gredins se sont jetés dans la forêt, murmura-t-il. Ils nous savent ici.[17]

Alors, la fusillade continua, de plus en plus nourrie, entre les soldats français, postés autour du moulin, et les Prussiens, cachés derrière les arbres. Les balles sifflaient au-dessus de la Morelle, sans causer de pertes ni d'un côté ni de l'autre. Les coups étaient irréguliers, partaient de chaque buisson; et l'on n'apercevait toujours que les petites fumées, balancées mollement par le vent. Cela dura près de deux heures. L'officier chantonnait d'un air indifférent. Françoise et Dominique, qui étaient restés dans la cour, se haussaient et regardaient pardessus une muraille basse. Ils s'intéressaient surtout à un petit soldat, posté au bord de la Morelle, derrière la carcasse d'un vieux bateau; il était à plat ventre, guettait, lâchait son coup de feu, puis se laissait glisser dans un fossé, un peu en arrière, pour recharger son fusil; et ses mouvements étaient si drôles, si rusés, si souples, qu'on se laissait aller à sourire en le

[15] Les yeux regardant sans rien voir, ne se fixant sur rien.
[16] Était sorti et avait marché un peu sur la route.
[17] Ils savent que nous sommes ici.

voyant. Il dut apercevoir quelque tête de Prussien, car il se leva vivement et épaula; mais, avant qu'il eût tiré, il jeta un cri, tourna sur lui-même et roula dans le fossé, où ses jambes eurent un instant le roidissement convulsif des pattes d'un poulet qu'on égorge. Le petit soldat venait de recevoir une balle en pleine poitrine. C'était le premier mort. Instinctivement, Françoise avait saisi la main de Dominique et la lui serrait, dans une crispation nerveuse.

—Ne restez pas là, dit le capitaine. Les balles viennent jusqu'ici.

En effet, un petit coup sec s'était fait entendre dans le vieil orme, et un bout de branche tombait en se balançant. Mais les deux jeunes gens ne bougèrent pas, cloués par l'anxiété du spectacle. A la lisière du bois, un Prussien était brusquement sorti de derrière un arbre comme d'une coulisse, battant l'air de ses bras et tombant à la renverse. Et rien ne bougea plus, les deux morts semblaient dormir au grand soleil. On ne voyait toujours personne dans la campagne alourdie. Le pétillement de la fusillade lui-même cessa. Seule, la Morelle chuchotait avec son bruit clair.

Le père Merlier regarda le capitaine d'un air de surprise, comme pour lui demander si c'était fini.

—Voilà le grand coup, murmura celui-ci. Méfiez-vous. Ne restez pas là.

Il n'avait pas achevé qu'une décharge effroyable eut lieu. Le grand orme fut comme fauché, une volée de feuilles tournoya. Les Prussiens avaient heureusement tiré trop haut. Dominique entraîna, emporta presque Françoise, tandis que le père Merlier, les suivait en criant:

—Mettez-vous dans le petit caveau, les murs sont solides.

Mais ils ne l'écoutèrent pas, ils entrèrent dans la grande salle, où une dizaine de soldats attendaient en silence, les volets fermés, guettant par des fentes. Le capitaine était resté seul dans la cour, accroupi derrière la petite muraille, pendant que les décharges furieuses continuaient. Au dehors, les soldats

qu'il avait postés, ne cédaient le terrain que pied à pied. Pourtant, ils rentraient un à un en rampant, quand l'ennemi les avait délogés de leurs cachettes. Leur consigne était de gagner du temps, de ne point se montrer, pour que les Prussiens ne pussent savoir quelles forces ils avaient devant eux. 5
Une heure encore s'écoula. Et, comme un sergent arrivait disant qu'il n'y avait plus dehors que deux ou trois hommes, l'officier tira sa montre, en murmurant:

— Deux heures et demie . . . Allons, il faut tenir quatre heures. 10

Il fit fermer le grand portail de la cour, et tout fut préparé pour une résistance énergique. Comme les Prussiens se trouvaient de l'autre côté de la Morelle, un assaut immédiat n'était pas à craindre. Il y avait bien un pont à deux kilomètres, mais ils ignoraient sans doute son existence, et il était 15
peu croyable qu'ils tenteraient de passer à gué la rivière. L'officier fit donc simplement surveiller la route. Tout l'effort allait porter[18] du côté de la campagne.

La fusillade de nouveau avait cessé. Le moulin semblait mort sous le grand soleil. Pas un volet n'était ouvert, aucun 20
bruit ne sortait de l'intérieur. Peu à peu, cependant les Prussiens se montraient à la lisière du bois de Gagny. Ils allongeaient la tête, s'enhardissaient. Dans le moulin, plusieurs soldats épaulaient déjà; mais le capitaine cria:

— Non, non, attendez . . . Laissez-les s'approcher. 25

Ils y mirent beaucoup de prudence, regardant le moulin d'un air méfiant. Cette vieille demeure, silencieuse et morne, avec ses rideaux de lierre, les inquiétait. Pourtant, ils avançaient. Quand ils furent une cinquantaine dans la prairie, en face, l'officier dit un seul mot: 30

— Allez!

Un déchirement se fit entendre, des coups isolés suivirent. Françoise, agitée d'un tremblement, avait porté malgré elle les mains à ses oreilles. Dominique, derrière les soldats, regardait;

[18] Allait être appliqué, dirigé.

et, quand la fumée se fut un peu dissipée, il aperçut trois Prussiens étendus sur le dos au milieu du pré. Les autres s'étaient jetés derrière les saules et les peupliers. Et le siège commença.

Pendant plus d'une heure, le moulin fut criblé de balles. 5 De temps à autre, le capitaine consultait sa montre. Et, comme une balle fendait un volet et allait se loger dans le plafond:

— Quatre heures, murmura-t-il. Nous ne tiendrons jamais.

Peu à peu, en effet, cette fusillade terrible ébranlait le vieux 10 moulin. Un volet tomba à l'eau, troué comme une dentelle, et il fallut le remplacer par un matelas. Dominique avait supplié Françoise de se retirer, mais elle voulait rester avec lui; elle s'était assise derrière une grande armoire de chêne, qui la protégeait. Une balle pourtant arriva dans l'armoire, 15 dont les flancs rendirent un son grave. Alors, Dominique se plaça devant Françoise. Il n'avait pas encore tiré, il tenait son fusil à la main, ne pouvant approcher des fenêtres dont les soldats tenaient toute la largeur. A chaque décharge, le plancher tressaillait. 20

— Attention! attention! cria tout d'un coup le capitaine.

Il venait de voir sortir du bois toute une masse sombre. Aussitôt s'ouvrit un formidable feu de peloton. Ce fut comme une trombe qui passa sur le moulin. Un autre volet partit, et par l'ouverture béante de la fenêtre, les balles entrèrent. Deux 25 soldats roulèrent sur le carreau. L'un ne remua plus; on le poussa contre le mur, parce qu'il encombrait. L'autre se tordit en demandant qu'on l'achevât; mais on ne l'écoutait point, les balles entraient toujours, chacun se garait et tâchait de trouver une meurtrière pour riposter. Un troisième soldat fut blessé; 30 celui-là ne dit pas une parole, il se laissa couler au bord d'une table, avec des yeux fixes et hagards. En face de ces morts, Françoise, prise d'horreur, avait repoussé machinalement sa chaise, pour s'asseoir à terre, contre le mur; elle se croyait là plus petite et moins en danger. Cependant, on était allé 35 prendre tous les matelas de la maison, on avait rebouché à moitié la fenêtre. La salle s'emplissait de débris, d'armes rompues, de meubles éventrés.

— Cinq heures, dit le capitaine. Tenez bon . . . Ils vont chercher à passer l'eau. 5

A ce moment, Françoise poussa un cri. Une balle, qui avait ricoché, venait de lui effleurer le front. Quelques gouttes de sang parurent. Dominique la regarda; puis, s'approchant de la fenêtre, il lâcha son premier coup de feu, et il ne s'arrêta plus. Il chargeait, tirait, sans s'occuper de ce qui se passait 10 près de lui; de temps à autre seulement, il jetait un coup d'œil sur Françoise. D'ailleurs, il ne se pressait pas, visait avec soin. Les Prussiens, longeant les peupliers, tentaient le passage de la Morelle, comme le capitaine l'avait prévu; mais, dès qu'un d'entre eux se hasardait, il tombait frappé à la tête par 15 une balle de Dominique. Le capitaine, qui suivait ce jeu, était émerveillé. Il complimenta le jeune homme, en lui disant qu'il serait heureux d'avoir beaucoup de tireurs de sa force. Dominique ne l'entendait pas. Une balle lui entama l'épaule, une autre lui contusionna le bras. Et il tirait toujours. 20

Il y eut deux nouveaux morts. Les matelas, déchiquetés, ne bouchaient plus les fenêtres. Une dernière décharge semblait devoir emporter le moulin. La position n'était plus tenable. Cependant, l'officier répétait:

— Tenez bon . . . Encore une demi-heure. 25

Maintenant, il comptait les minutes. Il avait promis à ses chefs d'arrêter l'ennemi là jusqu'au soir, et il n'aurait pas reculé d'une semelle avant l'heure qu'il avait fixée pour la retraite. Il gardait son air aimable, souriait à Françoise, afin de la rassurer. Lui-même venait de ramasser le fusil d'un 30 soldat mort et faisait le coup de feu.

Il n'y avait plus que quatre soldats dans la salle. Les Prussiens se montraient en masse sur l'autre bord de la Morelle, et il était évident qu'ils allaient passer la rivière d'un moment à l'autre. Quelques minutes s'écoulèrent encore. 35

Le capitaine s'entêtait, ne voulait pas donner l'ordre de la retraite, lorsqu'un sergent accourut, en disant:

— Ils sont sur la route, ils vont nous prendre par derrière.

Les Prussiens devaient avoir trouvé le pont. Le capitaine tira sa montre. 5

— Encore cinq minutes, dit-il. Ils ne seront pas ici avant cinq minutes.

Puis, à six heures précises, il consentit enfin à faire sortir ses hommes par une petite porte qui donnait sur une ruelle. De là, ils se jetèrent dans un fossé, ils gagnèrent la forêt de 10 Sauval. Le capitaine avait, avant de partir, salué très poliment le père Merlier, en s'excusant. Et il avait même ajouté:

— Amusez-les . . . Nous reviendrons.

Cependant, Dominique était resté seul dans la salle. Il tirait toujours, n'entendant rien, ne comprenant rien. Il n'éprouvait 15 que le besoin de défendre Françoise. Les soldats étaient partis, sans qu'il s'en doutât le moins du monde. Il visait et tuait son homme à chaque coup. Brusquement, il y eut un grand bruit. Les Prussiens, par derrière, venaient d'envahir la cour. Il lâcha un dernier coup, et ils tombèrent sur lui, comme 20 son fusil fumait encore.

Quatre hommes le tenaient. D'autres vociféraient autour de lui, dans une langue effroyable. Ils faillirent l'égorger tout de suite. Françoise s'était jetée en avant, suppliante. Mais un officier entra et se fit remettre le prisonnier. Après quelques 25 phrases qu'il échangea en allemand avec les soldats, il se tourna vers Dominique et lui dit rudement, en très bon français:

— Vous serez fusillé dans deux heures.

III

C'était une règle posée par l'état-major allemand: tout 30 Français n'appartenant pas à l'armée régulière et pris les armes à la main, devait être fusillé. Les compagnies franches elles-mêmes n'étaient pas reconnues comme belligérantes. En faisant ainsi de terribles exemples sur les paysans qui défendaient leurs foyers, les Allemands voulaient empêcher la levée en masse, qu'ils redoutaient.

L'officier, un homme grand et sec, d'une cinquantaine d'années, fit subir à Dominique un bref interrogatoire. Bien qu'il parlât le français très purement, il avait une raideur toute prussienne.

— Vous êtes de ce pays?

— Non, je suis Belge.

— Pourquoi avez-vous pris les armes? . . . Tout ceci ne doit pas vous regarder.

Dominique ne répondit pas. A ce moment, l'officier aperçut Françoise debout et très pâle, qui écoutait; sur son front blanc, sa légère blessure mettait une barre rouge. Il regarda les jeunes gens l'un après l'autre, parut comprendre, et se contenta d'ajouter:

— Vous ne niez pas avoir tiré?

— J'ai tiré tant que j'ai pu, répondit tranquillement Dominique.

Cet aveu était inutile, car il était noir de poudre, couvert de sueur, taché de quelques gouttes de sang qui avaient coulé de l'éraflure de son épaule.

— C'est bien, répéta l'officier. Vous serez fusillé dans deux heures.

Françoise ne cria pas. Elle joignit les mains et les éleva dans un geste de muet désespoir. L'officier remarqua ce geste. Deux soldats avaient emmené Dominique dans une pièce voisine, où ils devaient le garder à vue. La jeune fille était tombée sur une chaise, les jambes brisées;[19] elle ne pouvait pleurer, elle étouffait. Cependant, l'officier l'examinait toujours. Il finit par lui adresser la parole:

— Ce garçon est votre frère? demanda-t-il.

[19] Les jambes fatiguées, elle ne pouvait plus se tenir debout.

Elle dit non de la tête. Il resta raide, sans un sourire. Puis, au bout d'un silence:

— Il habite le pays depuis longtemps?

Elle dit oui, d'un nouveau signe.

— Alors il doit très bien connaître les bois voisins? 5

Cette fois, elle parla.

— Oui, monsieur, dit-elle en le regardant avec quelque surprise.

Il n'ajouta rien et tourna sur ses talons, en demandant qu'on lui amenât le maire du village. Mais Françoise s'était 10 levée, une légère rougeur au visage, croyant avoir saisi le but de ses questions et reprise d'espoir. Ce fut elle-même qui courut pour trouver son père.

Le père Merlier, dès que les coups de feu avaient cessé, était vivement descendu par la galerie de bois, pour visiter sa 15 roue. Il adorait sa fille, il avait une solide amitié pour Dominique, son futur gendre; mais sa roue tenait aussi une large place dans son cœur. Il fourrait les doigts dans les trous des balles, pour en mesurer la profondeur; il réfléchissait à la façon dont il pourrait réparer toutes ces avaries. Françoise 20 le trouva qui bouchait déjà des fentes avec des débris et de la mousse.

— Père, dit-elle, ils vous demandent.

Et elle pleura enfin, en lui contant ce qu'elle venait d'entendre. Le père Merlier hocha la tête. On ne fusillait pas les 25 gens comme ça. Il fallait voir. Et il rentra dans le moulin, de son air silencieux et paisible. Quand l'officier lui eut demandé des vivres pour ses hommes, il répondit que les gens de Rocreuse n'étaient pas habitués à être brutalisés, et qu'on n'obtiendrait rien d'eux si l'on employait la violence. 30 Il se chargeait de tout, mais à la condition qu'on le laissât agir seul. L'officier parut se fâcher d'abord de ce ton tranquille; puis, il céda, devant les paroles brèves et nettes du vieillard. Même il le rappela, pour lui demander:

— Ces bois-là, en face, comment les nommez-vous? 35

— Les bois de Sauval.

— Et quelle est leur étendue?

Le meunier le regarda fixement.

— Je ne sais pas, répondit-il.

Et il s'éloigna. Une heure plus tard, la contribution de 5
guerre en vivres et en argent, réclamée par l'officier était dans
la cour du moulin. La nuit venait, Françoise suivait avec
anxiété les mouvements des soldats. Elle ne s'éloignait pas de
la pièce dans laquelle était enfermé Dominique. Vers sept
heures, elle eut une émotion poignante; elle vit l'officier entrer 10
chez le prisonnier, et, pendant un quart d'heure, elle entendit
leurs voix qui s'élevaient. Un instant, l'officier reparut sur le
seuil pour donner un ordre en allemand, qu'elle ne comprit
pas; mais, lorsque douze hommes furent venus se ranger dans
la cour, le fusil au bras, un tremblement la saisit, elle se 15
sentit mourir. C'en était donc fait; l'exécution allait avoir
lieu. Les douze hommes restèrent là dix minutes, la voix de
Dominique continuait à s'élever sur un ton de refus violent.
Enfin, l'officier sortit, en fermant brutalement la porte et en
disant: 20

— C'est bien, réfléchissez . . . Je vous donne jusqu'à demain matin.

Et, d'un geste, il fit rompre les rangs aux douze hommes.
Françoise restait hébétée. Le père Merlier, qui avait continué
de fumer sa pipe, en regardant le peloton d'un air simple- 25
ment curieux, vint la prendre par le bras, avec une douceur
paternelle. Il l'emmena dans sa chambre.

— Tiens-toi tranquille, lui dit-il, tâche de dormir . . .
Demain, il fera jour, et nous verrons.

En se retirant, il l'enferma par prudence. Il avait pour 30
principe que les femmes ne sont bonnes à rien, et qu'elles
gâtent tout, lorsqu'elles s'occupent d'une affaire sérieuse.
Cependant Françoise ne se coucha pas. Elle demeura longtemps assise sur son lit, écoutant les rumeurs de la maison.
Les soldats allemands, campés dans la cour, chantaient et 35

riaient; ils durent manger et boire jusqu'à onze heures, car le tapage ne cessa pas un instant. Dans le moulin même, des pas lourds résonnaient de temps à autre, sans doute des sentinelles qu'on relevait. Mais, ce qui l'intéressait surtout, c'étaient les bruits qu'elle pouvait saisir dans la pièce qui se trouvait sous sa chambre. Plusieurs fois elle se coucha par terre, elle appliqua son oreille contre le plancher. Cette pièce était justement celle où l'on avait enfermé Dominique. Il devait marcher du mur à la fenêtre, car elle entendit longtemps la cadence régulière de sa promenade; puis, il se fit un grand silence, il s'était sans doute assis. D'ailleurs, les rumeurs cessaient, tout s'endormait. Quand la maison lui parut s'assoupir, elle ouvrit sa fenêtre le plus doucement possible, elle s'accouda.

Au dehors, la nuit avait une sérénité tiède. Le mince croissant de la lune, qui se couchait derrière les bois de Sauval, éclairait la campagne d'une lueur de veilleuse. L'ombre allongée des grands arbres barrait de noir les prairies, tandis que l'herbe, aux endroits découverts, prenait une douceur de velours verdâtre. Mais Françoise ne s'arrêtait guère au charme mystérieux de la nuit. Elle étudiait la campagne, cherchant les sentinelles que les Allemands avaient dû poster de côté. Elle voyait parfaitement leurs ombres s'échelonner le long de la Morelle. Une seule[20] se trouvait devant le moulin, de l'autre côté de la rivière, près d'un saule dont les branches trempaient dans l'eau. Françoise la distinguait parfaitement. C'était un grand garçon qui se tenait immobile, la face tournée vers le ciel, de l'air rêveur d'un berger.

Alors, quand elle eut ainsi inspecté les lieux avec soin, elle revint s'asseoir sur son lit. Elle y resta une heure, profondément absorbée. Puis elle écouta de nouveau: la maison n'avait plus un souffle. Elle retourna à la fenêtre, jeta un coup d'œil; mais sans doute une des cornes de la lune qui apparaissait encore derrière les arbres, lui parut gênante, car elle se remit

[20] Le mot *sentinelle* est féminin.

à attendre. Enfin, l'heure lui sembla venue. La nuit était toute noire, elle n'apercevait plus la sentinelle en face, la campagne s'étalait comme une mare d'encre. Elle tendit l'oreille un instant et se décida. Il y avait là, passant près de la fenêtre, une échelle de fer, des barres scellées dans le mur, qui montait de la roue au grenier, et qui servait autrefois aux meuniers pour visiter certains rouages; puis, le mécanisme avait été modifié, depuis longtemps l'échelle disparaissait sous les lierres épais qui couvraient ce côté du moulin.

Françoise, bravement, enjamba la balustrade de sa fenêtre, saisit une des barres de fer et se trouva dans le vide. Elle commença à descendre. Ses jupons l'embarrassaient beaucoup. Brusquement, une pierre se détacha de la muraille et tomba dans la Morelle avec un rejaillissement sonore. Elle s'était arrêtée, glacée d'un frisson. Mais elle comprit que la chute d'eau, de son ronflement continu, couvrait à distance tous les bruits qu'elle pouvait faire, et elle descendit alors plus hardiment, tâtant le lierre du pied, s'assurant des échelons. Lorsqu'elle fut à la hauteur de la chambre qui servait de prison à Dominique, elle s'arrêta. Une difficulté imprévue faillit lui faire perdre tout son courage: la fenêtre de la pièce du bas n'était pas régulièrement percée au-dessous de la fenêtre de sa chambre, elle s'écartait de l'échelle, et lorsqu'elle allongea la main, elle ne rencontra que la muraille. Lui faudrait-il donc remonter sans pousser son projet jusqu'au bout? Ses bras se lassaient, le murmure de la Morelle, au-dessous d'elle, commençait à lui donner des vertiges. Alors, elle arracha du mur de petits fragments de plâtre et les lança dans la fenêtre de Dominique. Il n'entendait pas, peut-être dormait-il. Elle émietta encore la muraille, elle s'écorchait les doigts. Et elle était à bout de force, elle se sentait tomber à la renverse, lorsque Dominique ouvrit enfin doucement.

— C'est moi, murmura-t-elle. Prends-moi vite, je tombe.

C'était la première fois qu'elle le tutoyait. Il la saisit, en se penchant, et l'apporta dans la chambre. Là, elle eut une crise de larmes, étouffant ses sanglots, pour qu'on ne l'entendît pas. Puis, par un effort suprême, elle se calma.

— Vous êtes gardé? demanda-t-elle à voix basse.

Dominique, encore stupéfait de la voir ainsi, fit un simple signe, en montrant sa porte. De l'autre côté, on entendait un ronflement; la sentinelle, cédant au sommeil, avait dû se coucher par terre, contre la porte, en se disant que, de cette façon, le prisonnier ne pouvait bouger.

— Il faut fuir, reprit-elle vivement. Je suis venue pour vous supplier de fuir et pour vous dire adieu.

Mais lui ne paraissait pas l'entendre. Il répétait:

— Comment, c'est vous, c'est vous . . . Oh! que vous m'avez fait peur! Vous pouviez vous tuer.

Il lui prit les mains, il les baisa.

— Que je vous aime, Françoise! . . . Vous êtes aussi courageuse que bonne. Je n'avais qu'une crainte, c'était de mourir sans vous avoir revue . . . Mais vous êtes là, et maintenant ils peuvent me fusiller. Quand j'aurai passé un quart d'heure avec vous, je serai prêt.

Peu à peu, il l'avait attirée à lui, et elle appuyait sa tête sur son épaule. Le danger les rapprochait. Ils oubliaient tout dans cette étreinte.

— Ah! Françoise, reprit Dominique d'une voix caressante, c'est aujourd'hui la Saint-Louis, le jour si longtemps attendu de notre mariage. Rien n'a pu nous séparer, puisque nous voilà tous les deux seuls, fidèles au rendez-vous . . . N'est-ce pas? c'est à cette heure le matin des noces.

— Oui, oui, répéta-t-elle, le matin des noces.

Ils échangèrent un baiser en frissonnant. Mais, tout d'un coup, elle se dégagea, la terrible réalité se dressait devant elle.

— Il faut fuir, il faut fuir, bégaya-t-elle. Ne perdons pas une minute.

Et comme il tendait les bras dans l'ombre pour la reprendre, elle le tutoya de nouveau:

— Oh! je t'en prie, écoute-moi . . . Si tu meurs, je mourrai. Dans une heure, il fera jour. Je veux que tu partes tout de suite.

Alors, rapidement, elle expliqua son plan. L'échelle de fer descendait jusqu'à la roue; là, il pourrait s'aider des palettes et entrer dans la barque qui se trouvait dans un enfoncement. Il lui serait facile ensuite de gagner l'autre bord de la rivière et de s'échapper.

— Mais il doit y avoir des sentinelles? dit-il.

— Une seule, en face, au pied du premier saule.

— Et si elle m'aperçoit, si elle veut crier?

Françoise frissonna. Elle lui mit dans la main un couteau qu'elle avait descendu. Il y eut un silence.

— Et votre père, et vous? reprit Dominique. Mais non, je ne puis fuir . . . Quand je ne serai plus là, ces soldats vous massacreront peut-être . . . Vous ne les connaissez pas. Ils m'ont proposé de me faire grâce, si je consentais à les guider dans la forêt de Sauval. Lorsqu'ils ne me trouveront plus, ils sont capables de tout.

La jeune fille ne s'arrêta pas à discuter. Elle répondit simplement à toutes les raisons qu'il donnait:

— Par amour pour moi, fuyez . . . Si vous m'aimez, Dominique, ne restez pas ici une minute de plus.

Puis, elle promit de remonter dans sa chambre. On ne saurait pas qu'elle l'avait aidé. Elle finit par le prendre dans ses bras, par l'embrasser, pour le convaincre, avec un élan de passion extraordinaire. Lui[21] était vaincu. Il ne posa plus qu'une question.

— Jurez-moi que votre père connaît votre démarche et qu'il me conseille la fuite?

— C'est mon père qui m'a envoyée, répondit hardiment Françoise.

Elle mentait. Dans ce moment, elle n'avait qu'un besoin immense, le savoir en sûreté, échapper à cette abominable pensée que le soleil allait être le signal de sa mort. Quand

[21] *Lui,* au lieu de *il,* pour insister sur le sujet.

il serait loin, tous les malheurs pouvaient fondre sur elle; cela lui paraîtrait doux, du moment où[22] il vivrait. L'égoïsme de sa tendresse le voulait vivant, avant toutes choses.

— C'est bien, dit Dominique, je ferai comme il vous plaira.

Alors, ils ne parlèrent plus. Dominique alla rouvrir la fenêtre. Mais, brusquement, un bruit les glaça. La porte fut ébranlée, et ils crurent qu'on l'ouvrait. Évidemment, une ronde avait entendu leurs voix. Et tous deux debout, serrés l'un contre l'autre, attendaient dans une angoisse indicible. La porte fut de nouveau secouée; mais elle ne s'ouvrit pas. Ils eurent chacun un soupir étouffé; ils venaient de comprendre, ce devait être le soldat couché en travers du seuil, qui s'était retourné. En effet, le silence se fit, les ronflements recommencèrent.

Dominique voulut absolument que Françoise remontât d'abord chez elle. Il la prit dans ses bras, il lui dit un muet adieu. Puis, il l'aida à saisir l'échelle et se cramponna à son tour. Mais il refusa de descendre un seul échelon avant de la savoir dans sa chambre. Quand Françoise fut rentrée, elle laissa tomber d'une voix légère comme un souffle:

— Au revoir, je t'aime!

Elle resta accoudée, elle tâcha de suivre Dominique. La nuit était toujours très noire. Elle chercha la sentinelle et ne l'aperçut pas; seul, le saule faisait une tache pâle, au milieu des ténèbres. Pendant un instant, elle entendit le frôlement du corps de Dominique le long du lierre. Ensuite la roue craqua, et il y eut un léger clapotement qui lui annonça que le jeune homme venait de trouver la barque. Une minute plus tard, en effet, elle distingua la silhouette sombre de la barque sur la nappe grise de la Morelle. Alors, une angoisse terrible la reprit à la gorge. A chaque instant, elle croyait entendre le cri d'alarme de la sentinelle; les moindres bruits, épars dans l'ombre, lui semblaient des pas précipités de soldats, des froissements d'armes, des bruits de fusils qu'on armait. Pour-

[22] Du moment où signifie *pourvu que*.

tant, les secondes s'écoulaient, la campagne gardait sa paix souveraine. Dominique devait aborder à l'autre rive. Françoise ne voyait plus rien. Le silence était majestueux. Et elle entendit un piétinement, un cri rauque, la chute sourde d'un corps. Puis, le silence se fit plus profond. Alors, comme si elle eût senti la mort passer, elle resta toute froide, en face de l'épaisse nuit.

IV

Dès le petit jour, des éclats de voix ébranlèrent le moulin. Le père Merlier était venu ouvrir la porte de Françoise. Elle descendit dans la çour, pâle et très calme. Mais là, elle ne put réprimer un frisson, en face du cadavre d'un soldat prussien, qui était allongé près du puits, sur un manteau étalé.

Autour du corps, des soldats gesticulaient, criaient sur un ton de fureur. Plusieurs d'entre eux montraient les poings au village. Cependant, l'officier venait de faire appeler le père Merlier, comme maire de la commune.

— Voici, lui dit-il d'une voix étranglée par la colère, un de nos hommes que l'on a trouvé assassiné sur le bord de la rivière . . . Il nous faut un exemple éclatant, et je compte que vous allez nous aider à découvrir le meurtrier.

— Tout ce que vous voudrez, répondit le meunier avec son flegme. Seulement, ce ne sera pas commode.

L'officier s'était baissé pour écarter un pan du manteau, qui cachait la figure du mort. Alors apparut une horrible blessure. La sentinelle avait été frappée à la gorge, et l'arme était restée dans la plaie. C'était un couteau de cuisine à manche noir.

— Regardez ce couteau, dit l'officier au père Merlier, peut-être nous aidera-t-il dans nos recherches.

Le vieillard avait eu un tressaillement. Mais il se remit aussitôt, il répondit, sans qu'un muscle de sa face bougeât:

— Tout le monde a des couteaux pareils, dans nos campagnes . . . Peut-être que votre homme s'ennuyait de se battre et qu'il se sera fait son affaire lui-même. Ça se voit.

— Taisez-vous! cria furieusement l'officier. Je ne sais ce qui me retient de mettre le feu aux quatre coins du village.

La colère heureusement l'empêchait de remarquer la profonde altération du visage de Françoise. Elle avait dû s'asseoir sur le banc de pierre, près du puits. Malgré elle, ses regards ne quittaient plus ce cadavre, étendu à terre, presque à ses pieds. C'était un grand et beau garçon, qui ressemblait à Dominique, avec des cheveux blonds et des yeux bleus. Cette ressemblance lui retournait le cœur. Elle pensait que le mort avait peut-être laissé là-bas, en Allemagne, quelque amoureuse qui allait pleurer. Et elle reconnaissait son couteau dans la gorge du mort. Elle l'avait tué.

Cependant, l'officier parlait de frapper Rocreuse de mesures terribles, lorsque des soldats accoururent. On venait de s'apercevoir seulement de l'évasion de Dominique. Cela causa une agitation extrême. L'officier se rendit sur les lieux, regarda par la fenêtre, laissée ouverte, comprit tout, et revint exaspéré.

Le père Merlier parut très contrarié de la fuite de Dominique.

— L'imbécile! murmura-t-il, il gâte tout.

Françoise qui l'entendit, fut prise d'angoisse. Son père, d'ailleurs, ne soupçonnait pas sa complicité. Il hocha la tête, en lui disant à demi-voix:

— A présent, nous voilà propres![23]

— C'est ce gredin! c'est ce gredin! criait l'officier. Il aura gagné les bois[24] . . . Mais il faut qu'on nous le retrouve, ou le village payera pour lui.

Et, s'adressant au meunier:

— Voyons, vous devez savoir où il se cache?

Le père Merlier eut son rire silencieux, en montrant la large étendue des coteaux boisés.

[23] Nous voilà dans une mauvaise situation.
[24] Il a peut-être gagné les bois.

— Comment voulez-vous trouver un homme là-dedans? dit-il.

— Oh! il doit y avoir des trous que vous connaissez. Je vais vous donner dix hommes. Vous les guiderez.

— Je veux bien. Seulement, il nous faudra huit jours pour battre tous les bois des environs. 5

La tranquillité du vieillard enrageait l'officier. Il comprenait en effet le ridicule de cette battue. Ce fut alors qu'il aperçut sur le banc Françoise pâle et tremblante. L'attitude anxieuse de la jeune fille le frappa. Il se tut un instant, examinant tour à tour le meunier et Françoise. 10

— Est-ce que cet homme, finit-il par demander brutalement au vieillard, n'est pas l'amant de votre fille?

Le père Merlier devint livide, et l'on put croire qu'il allait se jeter sur l'officier pour l'étrangler. Il se raidit, il ne répondit pas. Françoise avait mis son visage entre ses mains. 15

— Oui, c'est cela, continua le Prussien, vous ou votre fille l'avez aidé à fuir. Vous êtes son complice . . . Une dernière fois, voulez-vous nous le livrer?

Le meunier ne répondit pas. Il s'était détourné, regardant au loin d'un air indifférent, comme si l'officier ne s'adressait 20 pas à lui. Cela mit le comble à la colère de ce dernier.

— Eh bien! déclara-t-il, vous allez être fusillé à sa place.

Et il commanda une fois encore le peloton d'exécution. Le père Merlier garda son flegme. Il eut à peine un léger haussement d'épaules, tout ce drame lui semblait d'un goût médiocre. 25 Sans doute il ne croyait pas qu'on fusillât un homme si aisément. Puis, quand le peloton fut là, il dit avec gravité:

— Alors, c'est sérieux? . . . Je veux bien. S'il vous en faut un absolument, moi autant qu'un autre.

Mais Françoise s'était levée, affolée, bégayant: 30

— Grâce, monsieur, ne faites pas du mal à mon père. Tuez-moi à sa place . . . C'est moi qui ai aidé Dominique à fuir. Moi seule suis coupable.

— Tais-toi, fillette, s'écria le père Merlier. Pourquoi mens-tu? . . . Elle a passé la nuit enfermée dans sa chambre, monsieur. Elle ment, je vous assure.

— Non, je ne mens pas, reprit ardemment la jeune fille. Je suis descendue par la fenêtre, j'ai poussé Dominique à s'enfuir . . . C'est la vérité, la seule vérité . . . 5

Le vieillard était devenu très pâle. Il voyait bien dans ses yeux qu'elle ne mentait pas, et cette histoire l'épouvantait. Ah! ces enfants, avec leurs cœurs, comme ils gâtaient tout! Alors, il se fâcha.

— Elle est folle, ne l'écoutez pas. Elle vous raconte des 10 histoires stupides . . . Allons, finissons-en.

Elle voulut protester encore. Elle s'agenouilla, elle joignit les mains. L'officier, tranquillement, assistait à cette lutte douloureuse.

— Mon Dieu! finit-il par dire, je prends votre père, parce 15 que je ne tiens plus l'autre . . . Tâchez de retrouver l'autre, et votre père sera libre.

Un moment, elle le regarda, les yeux agrandis par l'atrocité de cette proposition.

— C'est horrible, murmura-t-elle. Où voulez-vous que je 20 retrouve Dominique, à cette heure? Il est parti, je ne sais plus.

— Enfin, choisissez. Lui ou votre père.

— Oh! mon Dieu! est-ce que je puis choisir? Mais je saurais[25] où est Dominique, que je ne pourrais pas choisir! 25 . . . C'est mon cœur que vous coupez . . . J'aimerais mieux mourir tout de suite. Oui, ce serait plus tôt fait. Tuez-moi, je vous en prie, tuez-moi . . .

Cette scène de désespoir et de larmes finissait par impatienter l'officier. Il s'écria: 30

— En voilà assez! Je veux être bon, je consens à vous donner deux heures . . . Si, dans deux heures, votre amoureux n'est pas là, votre père payera pour lui.

Et il fit conduire le père Merlier dans la chambre qui avait

[25] Mais si je savais.

servi de prison à Dominique. Le vieux demanda du tabac et se mit à fumer. Sur son visage impassible on ne lisait aucune émotion. Seulement, quand il fut seul, tout en fumant, il pleura deux grosses larmes qui coulèrent lentement sur ses joues. Sa pauvre et chère enfant, comme elle souffrait! 5

Françoise était restée au milieu de la cour. Des soldats prussiens passaient en riant. Certains lui jetaient des mots, des plaisanteries qu'elle ne comprenait pas. Elle regardait la porte par laquelle son père venait de disparaître. Et, d'un geste lent, elle portait la main à son front, comme pour 10 l'empêcher d'éclater.

L'officier tourna sur ses talons, en répétant:

— Vous avez deux heures. Tâchez de les utiliser.

Elle avait deux heures. Cette phrase bourdonnait dans sa tête. Alors, machinalement, elle sortit de la cour, elle marcha 15 devant elle. Où aller? que faire? Elle n'essayait même pas de prendre un parti, parce qu'elle sentait bien l'inutilité de ses efforts. Pourtant, elle aurait voulu voir Dominique. Ils se seraient entendus tous les deux, ils auraient peut-être trouvé un expédient. Et, au milieu de la confusion de ses pensées, elle 20 descendit au bord de la Morelle, qu'elle traversa en dessous de l'écluse, à un endroit où il y avait de grosses pierres. Ses pieds la conduisirent sous le premier saule, au coin de la prairie. Comme elle se baissait, elle aperçut une mare de sang qui la fit pâlir. C'était bien là. Et elle suivit les traces de 25 Dominique dans l'herbe foulée; il avait dû courir, on voyait une ligne de grands pas coupant la prairie de biais. Puis, au delà, elle perdit ces traces. Mais, dans un pré voisin, elle crut les retrouver. Cela la conduisit à la lisière de la forêt, où toute indication s'effaçait. 30

Françoise s'enfonça quand même sous les arbres. Cela la soulageait d'être seule. Elle s'assit un instant. Puis, en songeant que l'heure s'écoulait, elle se remit debout. Depuis combien de temps avait-elle quitté le moulin? Cinq minutes? une demi-heure? Elle n'avait plus conscience du temps. Peut- 35 être Dominique était-il allé se cacher dans un taillis qu'elle connaissait, et où ils avaient, une après-midi, mangé des noisettes ensemble. Elle se rendit au taillis, le visita. Un merle seul s'envola, en sifflant sa phrase douce et triste. Alors, elle pensa qu'il s'était réfugié dans un creux de roches, où il se mettait parfois à l'affût; mais le creux de roches était vide. A quoi bon le chercher? elle ne le trouverait pas; et peu à peu le désir de le découvrir la passionnait, elle marchait plus vite. L'idée qu'il avait dû monter dans un arbre lui vint brusquement. Elle avança dès lors, les yeux levés, et pour qu'il la sût près de lui, elle l'appelait tous les quinze à vingt pas. Des coucous répondaient, un souffle qui passait dans les branches lui faisait croire qu'il était là et qu'il descendait. Une fois même, elle s'imagina le voir; elle s'arrêta, étranglée. avec l'envie de fuir. Qu'allait-elle lui dire? Venait-elle donc pour l'emmener et le faire fusiller? Oh! non, elle ne parlerait point de ces choses. Elle lui crierait de se sauver, de ne pas rester dans les environs. Puis, la pensée de son père qui l'attendait lui causa une douleur aiguë. Elle tomba sur le gazon, en pleurant, en répétant tout haut:

— Mon Dieu! mon Dieu! pourquoi suis-je là!

Elle était folle d'être venue. Et, comme prise de peur, elle courut, elle chercha à sortir de la forêt. Trois fois, elle se trompa, et elle croyait qu'elle ne retrouverait plus le moulin, lorsqu'elle déboucha dans une prairie, juste en face de Rocreuse. Dès qu'elle aperçut le village, elle s'arrêta. Est-ce qu'elle allait rentrer seule?

Elle restait debout, quand une voix l'appela doucement:

— Françoise! Françoise!

Et elle vit Dominique qui levait la tête, au bord d'un fossé. Juste Dieu! elle l'avait trouvé! Le ciel voulait donc sa mort? Elle retint un cri, elle se laissa glisser dans le fossé.

— Tu me cherchais? demanda-t-il.

— Oui, répondit-elle, la tête bourdonnante, ne sachant ce qu'elle disait.

— Ah! que se passe-t-il?

Elle baissa les yeux, elle balbutia:

— Mais, rien, j'étais inquiète, je désirais te voir.

Alors, tranquillisé, il lui expliqua qu'il n'avait pas voulu s'éloigner. Il craignait pour eux. Ces gredins de Prussiens étaient très capables de se venger sur les femmes et sur les vieillards. Enfin, tout allait bien, et il ajouta en riant:

— La noce sera pour dans huit jours,[26] voilà tout.

Puis, comme elle restait bouleversée, il redevint grave.

— Mais, qu'as-tu? tu me caches quelque chose.

— Non, je te jure. J'ai couru pour venir.

Il l'embrassa, en disant que c'était imprudent pour elle et pour lui de causer davantage; et il voulut remonter le fossé, afin de rentrer dans la forêt. Elle le retint. Elle tremblait.

— Écoute, tu ferais peut-être bien tout de même de rester là . . . Personne ne te cherche, tu ne crains rien.

— Françoise, tu me caches quelque chose, répéta-t-il.

De nouveau, elle jura qu'elle ne lui cachait rien. Seulement, elle aimait mieux le savoir près d'elle. Et elle bégaya encore d'autres raisons. Elle lui parut si singulière, que maintenant lui-même aurait refusé de s'éloigner. D'ailleurs, il croyait au retour des Français. On avait vu des troupes du côté de Sauval.

— Ah! qu'ils se pressent, qu'ils soient ici le plus tôt possible! murmura-t-elle avec ferveur.

A ce moment, onze heures sonnèrent au clocher de Rocreuse. Les coups arrivaient, clairs et distincts. Elle se leva, effarée; il y avait deux heures qu'elle avait quitté le moulin.

— Écoute, dit-elle rapidement, si nous avions besoin de toi, je monterai dans ma chambre et j'agiterai mon mouchoir.

Et elle partit en courant, pendant que Dominique, très inquiet, s'allongeait au bord du fossé, pour surveiller le moulin. Comme elle allait rentrer dans Rocreuse, Françoise rencontra un vieux mendiant, le père Bontemps, qui connais-

[26] La noce sera pour aujourd'hui en huit jours.

sait tout le pays. Il la salua, il venait de voir le meunier au milieu des Prussiens; puis, en faisant des signes de croix et en marmottant des mots entrecoupés, il continua sa route.

— Les deux heures sont passées, dit l'officier quand Françoise parut. 5

Le père Merlier était là, assis sur le banc, près du puits. Il fumait toujours. La jeune fille, de nouveau, supplia, pleura, s'agenouilla. Elle voulait gagner du temps. L'espoir de voir revenir les Français avait grandi en elle, et tandis qu'elle se lamentait, elle croyait entendre au loin les pas cadencés d'une 10 armée. Oh! s'ils avaient paru, s'ils les avaient tous délivrés!

— Écoutez, monsieur, une heure, encore une heure . . . Vous pouvez bien nous accorder une heure!

Mais l'officier restait inflexible. Il ordonna même à deux hommes de s'emparer d'elle et de l'emmener, pour qu'on 15 procédât à l'exécution du vieux tranquillement. Alors, un combat affreux se passa dans le cœur de Françoise. Elle ne pouvait laisser ainsi assassiner son père. Non, non, elle mourrait plutôt avec Dominique; et elle s'elançait vers sa chambre, lorsque Dominique lui-même entra dans la cour. 20

L'officier et les soldats poussèrent un cri de triomphe. Mais lui, comme s'il n'y avait eu là que Françoise, s'avança vers elle, tranquille, un peu sévère.

— C'est mal, dit-il. Pourquoi ne m'avez-vous pas ramené? Il a fallu que le père Bontemps me contât les choses[27] . . . 25 Enfin, me voilà.

V

Il était trois heures. De grands nuages noirs avaient lentement empli le ciel, la queue de quelque orage voisin. Ce ciel jaune, ces haillons cuivrés changeaient la vallée de Rocreuse, si gaie au soleil, en un coupe-gorge plein d'une ombre louche. 30 L'officier prussien s'était contenté de faire enfermer Domi-

[27] Me mît au courant de la situation réelle.

nique, sans se prononcer sur le sort qu'il lui réservait. Depuis midi, Françoise agonisait dans une angoisse abominable. Elle ne voulait pas quitter la cour, malgré les instances de son père. Elle attendait les Français. Mais les heures s'écoulaient, la nuit allait venir, et elle souffrait d'autant plus, que tout ce temps gagné ne paraissait pas devoir changer[28] l'affreux dénoûment.

Cependant, vers trois heures, les Prussiens firent leurs préparatifs de départ. Depuis un instant, l'officier s'était, comme la veille, enfermé avec Dominique. Françoise avait compris que la vie du jeune homme se décidait. Alors, elle joignit les mains, elle pria. Le père Merlier, à côté d'elle, gardait son attitude muette et rigide de vieux paysan, qui ne lutte pas contre la fatalité des faits.

— Oh! mon Dieu! oh! mon Dieu! balbutiait Françoise, ils vont le tuer . . .

Le meunier l'attira près de lui et la prit sur ses genoux comme un enfant.

A ce moment, l'officier sortait, tandis que, derrière lui, deux hommes amenaient Dominique.

— Jamais, jamais! criait ce dernier. Je suis prêt à mourir.

— Réfléchissez bien, reprit l'officier. Ce service que vous me refusez, un autre nous le rendra. Je vous offre la vie, je suis généreux . . . Il s'agit simplement de nous conduire à Montredon, à travers bois. Il doit y avoir des sentiers.

Dominique ne répondait plus.

— Alors, vous vous entêtez?

— Tuez-moi, et finissons-en, répondit-il.

Françoise, les mains jointes, le suppliait de loin. Elle oubliait tout, elle lui aurait conseillé une lâcheté. Mais le père Merlier lui saisit les mains, pour que les Prussiens ne vissent pas son geste de femme affolée.

— Il a raison, murmura-t-il, il vaut mieux mourir.

[28] En toute probabilité ce temps gagné ne devait pas changer l'affreux dénoûment.

Le peloton d'exécution était là. L'officier attendait une faiblesse de Dominique. Il comptait toujours le décider. Il y eut un silence. Au loin, on entendait de violents coups de tonnerre. Une chaleur lourde écrasait la campagne. Et ce fut dans ce silence qu'un cri retentit:

— Les Français! les Français!

C'étaient eux, en effet. Sur la route de Sauval, à la lisière du bois, on distinguait la ligne des pantalons rouges. Ce fut, dans le moulin, une agitation extraordinaire. Les soldats prussiens couraient, avec des exclamations gutturales. D'ailleurs, pas un coup de feu n'avait encore été tiré.

— Les Français! les Français! cria Françoise en battant des mains.

Elle était comme folle. Elle venait de s'échapper de l'étreinte de son père, et elle riait, les bras en l'air. Enfin, ils arrivaient donc, et ils arrivaient à temps, puisque Dominique était encore là, debout!

Un feu de peloton terrible qui éclata comme un coup de foudre à ses oreilles, la fit se retourner. L'officier venait de murmurer:

— Avant tout, réglons cette affaire.

Et, poussant lui-même Dominique contre le mur d'un hangar, il avait commandé le feu. Quand Françoise se tourna, Dominique était par terre, la poitrine trouée de douze balles.

Elle ne pleura pas, elle resta stupide. Ses yeux devinrent fixes, et elle alla s'asseoir sous le hangar, à quelques pas du corps. Elle le regardait, elle avait par moments un geste vague et enfantin de la main. Les Prussiens s'étaient emparés du père Merlier comme d'un otage.

Ce fut un beau combat. Rapidement, l'officier avait posté ses hommes, comprenant qu'il ne pouvait battre en retraite, sans se faire écraser. Autant valait-il vendre chèrement sa vie. Maintenant, c'étaient les Prussiens qui défendaient le moulin, et les Français qui l'attaquaient. La fusillade commença avec une violence inouïe. Pendant une demi-heure, elle ne cessa pas.

Puis, les Français donnèrent l'assaut. Il y eut un furieux combat à l'arme blanche.[29] Sous le ciel couleur de rouille, le coupe-gorge de la vallée s'emplissait de morts. Les larges prairies semblaient farouches, avec leurs grands arbres isolés, leurs rideaux de peupliers qui les tachaient d'ombre. A droite et à gauche, les forêts étaient comme les murailles d'un cirque qui enfermaient les combattants, tandis que les sources, les fontaines et les eaux courantes prenaient des bruits de sanglots, dans la panique de la campagne.

Sous le hangar, Françoise n'avait pas bougé, accroupie en face du corps de Dominique. Le père Merlier venait d'être tué raide par une balle perdue. Alors, comme les Prussiens étaient exterminés et que le moulin brûlait, le capitaine français entra le premier dans la cour. Depuis le commencement de la campagne, c'était l'unique succès qu'il remportait. Aussi, tout enflammé, grandissant sa haute taille, riait-il de son air aimable de beau cavalier. Et, apercevant Françoise imbécile entre les cadavres de son mari et de son père, au milieu des ruines fumantes du moulin, il la salua galamment de son épée, en criant:

— Victoire! victoire!

[29] À la baïonnette.

FRANÇOIS COPPÉE

François Coppée (1842–1908), poète et romancier, naquit à Paris. Il fit ses premières études au Lycée St. Louis mais, pour raison de santé, ne put pas les finir. Son père, qui était fonctionnaire du gouvernement, fut mis à la retraite alors que jeune Coppée avait à peine douze ans. Maintenant les ressources financières se trouvaient très réduites et suffisaient à peine pour supporter la famille. Afin de pouvoir lui porter secours le jeune Coppée accepta un emploi comme commis au ministère de la Guerre. En dehors de ses heures de travail, il poursuivait sa véritable vocation, celle d'écrire de la poésie. Le début de la carrière de ce "poète des humbles" remonte à la publication du *Reliquaire* (1867), collection de poésies reçue favorablement par les critiques. Ensuite, il a écrit *Poèmes modernes* et *le Passant,* drame en un acte et en vers, oeuvres qui ont définitivement établi sa réputation d'homme de lettres. *Le Passant* surtout, interprété par Sarah Bernhardt, a eu un succes éclatant au théâtre de l'Odéon. Parmi ses oeuvres en prose on doit citer *Une Idylle pendant le siège* (1875), *Contes en prose,* et *Contes rapides.* En 1876 il a été décoré de la Légion d'honneur. Le conte, *les Vices du Capitaine,* appartient à cette époque et par sa forte et poignante qualité ce récit nous montre un conteur exquis, d'une observation fine et pénétrante et dont l'âme révèle une profonde pitié pour la souffrance humaine et une grande indulgence pour les faiblesses des hommes. Enfin, grâce à son succès littéraire, Coppée fut nommé conservateur des manuscrits et des documents importants au Théâtre Français. Ensuite, le journal parisien *la Patrie* lui confia la tâche d'écrire des articles sur le théâtre de l'époque. Il a été élu membre de l'Académie française en 1884.

LES VICES DU CAPITAINE

FRANÇOIS COPPÉE

Peu importe le nom de la petite ville de province où le capitaine Mercadier — trente-six ans de services, vingt-deux campagnes, trois blessures — se retira quand il fut mis à la retraite.

Elle était pareille à toutes les petites villes qui sollicitent, sans l'obtenir, un embranchement de chemin de fer; comme si ce n'était pas l'unique distraction des indigènes d'aller tous les jours, à la même heure, sur la place de la Fontaine, voir arriver au grand galop la diligence, avec son bruit joyeux de claquements de fouet et de grelots. Elle comptait trois mille habitants, que la statistique appelait ambitieusement des âmes, et tirait vanité de son titre de chef-lieu de canton. Elle possédait des remparts plantés d'arbres, une jolie rivière pour pêcher à la ligne, et une église de la charmante époque du gothique flamboyant, déshonorée par un affreux Chemin de Croix[1] venu tout droit du quartier Saint-Sulpice.[2] Tous les lundis, elle s'émaillait des grands parapluies bleus et rouges de son marché, et les gens de la campagne y venaient en charrettes et en berlingots; mais, le reste de la semaine, elle se replongeait avec délices dans le silence et dans la solitude qui la rendaient chère à sa population de petits bourgeois.

[1] Suite de quatorze tableaux représentant la souffrance de Jésus-Christ.

[2] Église à Paris. Dans le quartier de Saint-Sulpice se trouvent des magasins où on vend les images employés dans les églises.

Ses rues étaient pavées en têtes de chat;[3] on y apercevait, par les fenêtres des rez-de-chaussée, des tableaux en cheveux[4] et des bouquets de mariées sous un verre, et, par les demi-portes des jardins, des statuettes de Napoléon en coquillages. La principale auberge s'appelait naturellement *l'Écu de France*, 5 et le receveur de l'enregistrement rimait des acrostiches[5] pour les dames de la société.

Le capitaine Mercadier avait choisi cette résidence de retraite par la raison frivole qu'il y avait autrefois vu le jour, et que, dans sa tapageuse enfance, il y avait décroché les 10 enseignes et maçonné les boutons de sonnettes. Pourtant il ne venait retrouver là ni parents, ni amis, ni connaissances, et les souvenirs de son jeune âge ne lui retraçaient que des visages indignés de marchands qui lui montraient le poing du seuil de leur boutique, un catéchisme où on le menaçait de l'enfer, 15 une école où on lui prédisait l'échafaud, et, enfin, son départ pour le régiment, hâté par une malédiction paternelle.

Car ce n'était pas un saint homme que le capitaine. Son ancienne feuille de punitions était noire de jours de salle de police infligés pour actes d'indiscipline, absences aux appels 20 et tapages nocturnes dans les chambrées. Bien des fois on avait dû lui arracher ses galons de caporal et de sergent, et il lui avait fallu tout le hasard et toute la licence de la vie de campagne pour gagner enfin sa première épaulette. Dur et brave soldat, il avait passé presque toute sa vie en Algérie, 25 s'étant engagé dans le temps où nos fantassins portaient le haut képi droit, les buffleteries blanches et la grosse giberne.

[3] *Cobble-stones.*

[4] Des tableaux faits de cheveux.

[5] Voici un acrostiche fait sur Louis XIV:

> L ouis est un héros sans peur et sans reproche;
> O n désire le voir. Aussitôt qu'on l'approche,
> U n sentiment d'amour enflamme tous les cœurs.
> I l ne trouve chez nous que des adorateurs.
> S on image est partout excepté dans ma poche.
>
> (Larousse.)

Il avait eu Lamoricière[6] pour commandant; le duc de Nemours,[6] près duquel il reçut sa première blessure, l'avait décoré, et, quand il était sergent-major, le père Bugeaud[6] l'appelait par son nom et lui tirait les oreilles. Il avait été prisonnier d'Abd-el-Kader,[6] portait les traces d'un coup de 5 yatagan sur la nuque, d'une balle dans l'épaule et d'une autre dans la cuisse; et, malgré l'absinthe, les duels, les dettes de jeu et les juives aux yeux noirs en amande, il avait péniblement conquis, à la pointe de la baïonnette et du sabre, son grade de capitaine au Ier régiment de tirailleurs. 10

Le capitaine Mercadier — trente-six ans de services, vingt-deux campagnes, trois blessures — venait donc d'obtenir sa pension de retraite, pas tout à fait deux mille francs, qui, joints aux deux cent cinquante francs de sa croix,[7] le mettaient dans cet état de misère honorable que l'État réserve à ses 15 anciens serviteurs.

Son entrée dans sa ville natale fut exempte de faste. Il arriva, un matin, sur l'impériale de la diligence, mâchonnant un cigare éteint et déjà lié avec le conducteur, à qui, pendant le trajet, il avait raconté le passage des Portes de Fer;[8] plein 20 d'indulgence du reste pour les distractions de son auditeur, qui l'interrompait souvent par un blasphème ou par l'épithète de carcan adressée à la jument de droite. Quand la voiture s'arrêta, il lança sur le trottoir sa vieille valise, maculée d'étiquettes de chemins de fer, aussi nombreuses que les 25 changements de garnison de son propriétaire; et les oisifs d'alentour furent absolument stupéfaits de voir un homme

[6] Lamoricière, général français, se distingua en Algérie. Le duc de Nemours (1814-1896), second fils du roi Louis-Philippe; Bugeaud, nommé gouverneur de l'Algérie en 1840; Abd-el-Kader, émir arabe, soutint la guerre contre les Français, se rendit enfin au général Lamoricière.

[7] Croix de la Légion d'honneur. Le décoré recevait une pension de 250 francs.

[8] De la forteresse arabe à Constantine, ville d'Algérie.

décoré — chose encore rare en province — offrir le vin blanc au cocher sur le comptoir du prochain cabaret.

Il s'installa sommairement. Dans une maison de faubourg, où mugissaient deux vaches captives et où les poules et les canards passaient et repassaient sous la porte charretière, une chambre meublée était à louer. Précédé d'une maritorne, le capitaine gravit un escalier à grosse rampe de bois, parfumé d'une forte odeur d'étable, et pénétra dans une vaste pièce carrelée que tapissait un papier bizarre, représentant, imprimée en bleu sur fond blanc et répétée à l'infini, l'image de Joseph Poniatowski,[9] à cheval, sautant dans l'Elster. Cette décoration monotone, mais qui rappelait nos gloires militaires, séduisit sans doute le capitaine, car, sans s'inquiéter du peu de confortable des chaises de paille, des meubles de noyer et du petit lit aux rideaux jaunis, il conclut sans hésitation. Un quart d'heure lui suffit pour vider sa malle, pendre ses habits, reléguer dans un coin ses bottes, et orner la muraille d'un trophée composé de trois pipes, d'un sabre et d'une paire de pistolets. Après une visite à l'épicier d'en face, chez lequel il acheta une livre de bougies et une bouteille de rhum, il revint, déposa son emplette sur la cheminée, et promena autour de lui le regard d'un homme très satisfait. Puis, avec la promptitude des camps, il se rasa sans miroir, brossa sa redingote, inclina son chapeau sur l'oreille, et s'alla promener[10] par la ville, en quête d'un café.

Le séjour de l'estaminet était une habitude invétérée chez le capitaine. Il y satisfaisait à la fois les trois vices égaux dans son cœur: le tabac, l'absinthe et les cartes. Sa vie toute entière s'y était écoulée, et il aurait pu dresser, de toutes les villes où il avait garnisonné, un plan par cantines, marchands de tabac à comptoir, cafés et cercles militaires. Il ne se sentait vraiment à son aise qu'une fois assis sur le velours ras d'une

[9] Général polonais (1762-1813), nommé maréchal de France, périt dans les eaux de l'Elster, rivière d'Allemagne.

[10] Alla se promener.

banquette, devant un carré de drap vert près duquel s'amoncellent les chopes et les soucoupes. Son cigare ne lui semblait bon que s'il avait frotté l'allumette sous le marbre de la table, et jamais il n'avait manqué, après avoir attaché son sabre et son képi à la patère et s'être installé en lâchant quelques boutons de sa tunique, de pousser un profond soupir de soulagement et de s'écrier:

— Ça va mieux!

Son premier soin fut donc de rechercher l'établissement qu'il fréquenterait, et, après avoir fait un tour de ville sans rien trouver à sa convenance, il arrêta enfin son regard de connaisseur sur le café Prosper, situé à l'angle de la place du Marché et de la rue de la Paroisse.

Ce n'était pas son idéal. L'extérieur offrait bien quelques détails par trop provinciaux:[11] ce garçon en tablier noir, par exemple, et ces petits ifs dans leurs caisses vertes, et ces tabourets, et ces tables de bois recouvertes de toile cirée. Mais l'intérieur plut au capitaine. Il fut réjoui, dès son entrée, par le bruit du timbre que toucha la grasse et fraîche dame du comptoir, en robe claire, avec un ruban ponceau dans ses cheveux bien pommadés. Il salua galamment cette personne et jugea qu'elle occupait, avec une suffisante majesté, sa place triomphale entre les deux édifices de bols à punch, congrûment couronnés par des billes de billard. Il constata que la salle était gaie, propre, également semée de sable jaune; il en fit le tour, se regarda passer dans les glaces, apprécia les panneaux, où des mousquetaires et des amazones[12] sablaient le champagne dans des paysages pleins de roses trémières, se fit servir, fuma, trouva le divan moelleux et l'absinthe savoureuse, et fut assez indulgent pour ne pas se plaindre des mouches qui se baignaient dans les consommations avec une familiarité toute campagnarde.

Huit jours après, il était devenu un pilier du café Prosper.

[11] *Par trop* signifie beaucoup trop.
[12] Des femmes habillées pour monter à cheval.

On y connut bien vite ses habitudes ponctuelles; on prévint ses désirs, et il ne tarda point à prendre ses repas avec les patrons du lieu. Recrue précieuse pour les habitués, gens terrassés par le terrible ennui de la province et pour qui l'arrivée de ce nouveau venu, passé maître à tous les jeux et racontant assez gaiement ses guerres et ses amours, était une véritable bonne fortune; le capitaine fut lui-même enchanté de rencontrer des humains encore ignorants de son répertoire. Il en avait donc pour six mois à dire ses razzias, ses chasses, ses batailles, la retraite de Constantine,[13] la capture de Bou-Maza,[14] et les réceptions d'officiers avec leur total effrayant de punchs au kirsch.

Faiblesse humaine! Il n'était pas fâché d'être un peu oracle quelque part, lui dont les petits sous-lieutenants, arrivant de Saint-Cyr,[15] fuyaient naguère les trop longues histoires.

Ses auditeurs ordinaires étaient le maître du café, gros sac à bière silencieux et stupide, toujours en manches de veste[16] et remarquable seulement par ses pipes à sujets; l'huissier-priseur, personnage goguenard et vêtu de noir, méprisé pour son habitude peu élégante d'emporter le reste de son sucre; le receveur de l'enregistrement, — celui des acrostiches, — être très doux et d'une constitution faible, qui envoyait aux journaux illustrés la solution des mots carrés[17] et des rébus;[18] et enfin le vétérinaire du canton, le seul qui, en sa qualité d'athée et de démocrate, se permît quelquefois de contredire le capitaine. Ce praticien, homme à favoris touffus et à pince-nez, présidait le comité radical aux époques d'élections, et, lorsque le curé faisait une petite collecte parmi ses dévotes

[13] Ville d'Algérie.
[14] Chef arabe.
[15] L'école spéciale militaire, destinée à former des officiers.
[16] Portant un veste sans manches.
[17] Exemple d'un mot carré: R I S
I L E
S E S
[18] Exemple d'un rébus: G a (j'ai grand appétit: g grand, a petit). (Larousse.)

pour orner son église de quelque horrible statue en plâtre doré et enluminé, dénonçait par une lettre au *Siècle*[19] la cupidité des fils de Loyola.[20]

Le capitaine étant un soir sorti pour aller chercher des cigares, après une discussion politique assez vive, le susdit 5 vétérinaire grommela quelques phrases sourdes et irritées où il était question de «dire son fait», de «traîneur de sabre», et de «couper la figure». Mais, l'objet de ces menaces vagues étant rentré soudain, en sifflant une marche et en faisant le moulinet avec sa canne, l'incident n'eut pas de suites. 10

En somme, le groupe vivait en bonne intelligence et se laissait volontiers présider par le nouvel habitué, dont la tête martiale et la barbiche blanche étaient vraiment assez imposantes; et la petite ville, qui était déjà fière de bien des choses, pouvait l'être aussi de son capitaine en retraite. 15

Le bonheur parfait n'existe pas, et le capitaine Mercadier, qui croyait l'avoir rencontré au café Prosper, dut bientôt revenir de cette illusion.

Le fait est que le lundi, jour de marché, l'estaminet n'était pas tenable. 20

Dès l'aube, il était envahi par les maraîchers, les fermiers, les marchands de cochons, les marchands de volailles; gens à grosse voix, à gros cous rouges, à gros fouet à la main, portant la blouse neuve et la casquette de loutre, concluant leurs affaires autour d'un litre, tapant du pied, frappant du poing, 25 tutoyant le garçon et crevant le billard.

Quand le capitaine arrivait à onze heures pour absorber sa première absinthe, il trouvait tout ce monde déjà gris et commandant des déjeuners considérables. Sa place ordinaire était prise; on le servait lentement et mal. Le timbre du 30 comptoir ne cessait de retentir; le patron et le garçon, la serviette sous le bras, couraient, affolés. Bref, c'était un jour néfaste et qui bouleversait son existence.

[19] Journal parisien.

[20] *Les fils de Loyola*, les Jésuites.

Or, un lundi matin qu'il était resté chez lui, sûr d'avance que le café serait trop bruyant et trop encombré, un doux rayon de soleil d'automne l'engagea à descendre s'asseoir sur le banc de pierre placé à côté de la porte de la maison. Il était là, assez mélancolique et fumant un cigare humide, quand il vit venir du bout de la rue, — c'était une ruelle mal pavée et aboutissant à la campagne, — une demi-douzaine d'oies que chassait devant elle avec une gaule une petite fille de huit ou dix ans.

Le capitaine, en arrêtant son regard distrait sur cette enfant, s'aperçut qu'elle avait une jambe de bois.

Il n'y avait rien de paternel dans le cœur de ce soudard. C'était celui d'un célibataire endurci. Lorsque jadis, dans les rues d'Alger, les petits mendiants arabes le poursuivaient de leurs prières importunes, le capitaine les avait souvent chassés d'un coup de cravache; et les rares fois qu'il avait pénétré dans le ménage nomade d'un camarade marié et père de famille, il était parti en maugréant contre les bambins criards et malpropres qui avaient touché avec leurs mains grasses aux dorures de son uniforme.

Mais la vue de cette infirmité particulière, qui lui rappelait le douloureux spectacle des blessures et des amputations, émut cependant le vieux soldat. Il éprouva presque un serrement de cœur devant cette chétive créature, à peine vêtue d'un jupon en loques et d'une mauvaise chemise, et qui courait bravement derrière ses oies, son pied nu dans la poussière, en boitant sur son pilon mal équarri.

Les volailles, reconnaissant leur domicile, entrèrent dans la cour de la laiterie, et la petite se disposait à les suivre, quand le capitaine l'arrêta par cette question:

— Eh! fillette, comment t'appelles-tu?

— Pierrette, monsieur, pour vous servir, répondit-elle en fixant sur lui ses grands yeux noirs, et en écartant de son front sa chevelure en désordre.

— Tu es donc de la maison? Je ne t'avais pas encore vue.

— Oui-dà, et je vous connais bien, allez! Car je couche sous l'escalier, et vous me réveillez, en rentrant, tous les soirs.

— Vraiment, petiote? Eh bien, on marchera sur ses pointes, à l'avenir. Et quel âge as-tu?

— Neuf ans, monsieur, vienne la Toussaint.[21]

— La patronne d'ici est-elle ta parente?

— Non, monsieur, je suis en service.

— On te donne? . . .

— La soupe et le lit sous l'escalier.

— Et qu'est-ce qui t'a arrangée comme cela, ma pauvre petite?

— Un coup de pied de vache, quand j'avais cinq ans.

— As-tu ton père et ta mère?

L'enfant rougit sous son hâle.

— Je sors des Enfants-Trouvés,[22] dit-elle d'une voix brève.

Puis, ayant gauchement salué, elle rentra dans la maison en claudicant, et le capitaine entendit s'éloigner, sur le pavé de la cour, le bruit sec de la petite jambe de bois.

— Nom de nom! songea-t-il en reprenant machinalement le chemin du café, voilà qui n'est pas réglementaire. Un soldat, du moins, on le flanque aux Invalides,[23] avec l'argent de sa médaille pour s'acheter du tabac. Un officier, on lui colle une perception et il se marie dans sa province. Mais, à cette gamine, une pareille infirmité! Voilà qui n'est pas réglementaire.

Ayant constaté en ces termes l'injustice de la destinée, le capitaine vint jusqu'au seuil de son cher café; mais il y aperçut une telle cohue de blouses bleues, il y entendit un tel brouhaha de gros rires et de carambolages, qu'il rentra chez lui, plein d'humeur.

Sa chambre — c'était peut-être la première fois qu'il y passait plusieurs heures de la journée — lui parut sordide.

[21] À la prochaine fête de Toussaint, le premier novembre.

[22] *Foundlings' Asylum.*

[23] Hôtel des Invalides, situé à Paris, fondé par Louis XIV pour y loger les soldats blessés au service de la France.

Les rideaux du lit avaient le ton d'une pipe culottée, le foyer était jonché de crachats et de bouts de cigares, et on aurait pu écrire son nom dans la poussière qui revêtait tous les meubles. Il contempla quelque temps les murailles où le sublime lancier de Leipsick trouvait cent fois un glorieux trépas; puis, pour se désennuyer, il passa en revue sa garde-robe. Ce fut une lamentable série de poches percées, de chaussettes à jours, de chemises sans bouton.

—Il me faudrait une servante, se dit-il.

Puis il songea à la petite boiteuse.

—Voilà. Je louerais le cabinet voisin. L'hiver vient, et la petite doit geler sous l'escalier. Elle surveillerait mes vêtements, mon linge, nettoierait le casernement. Un brosseur, quoi?

Mais un nuage assombrit ce tableau confortable. Le capitaine se souvenait que l'échéance de son trimestre était encore lointaine, et que sa note prenait des proportions inquiétantes au café Prosper.

—Pas assez riche, rêvait-il en monologuant. Et cependant on me vole là-bas, c'est positif. La pension est beaucoup trop coûteuse, et ce barbu de vétérinaire joue comme feu Bézigue.[24] Voilà huit jours que je paie sa consommation. Qui sait? je ferais peut-être mieux de charger la petite de l'ordinaire. La soupe au café le matin, le pot-au-feu à midi et un rata tous les soirs. Les vivres de campagne, enfin. Ça me connaît.

Décidément, il était tenté. En sortant, il vit justement la maîtresse de la maison, grosse paysanne brutale, et la petite invalide, qui, toutes deux, la fourche à la main, remuaient le fumier dans la cour.

—Sait-elle coudre, savonner, faire la soupe? demanda-t-il brusquement.

—Qui? Pierrette? Pourquoi donc?

[24] Le capitaine Mercadier croit peut-être que le jeu de bézigue a été inventé par un nommé Bézigue. Mais l'origine du jeu et du mot est inconnue.

— Sait-elle un peu de tout cela?

— Dame! elle sort de l'hospice, où l'on apprend à se servir soi-même.

— Dis-moi, fillette, ajouta le capitaine en s'adressant à l'enfant, je ne te fais pas peur. Non, n'est-ce pas? Et vous, la mère, voulez-vous me la céder? J'ai besoin d'une domestique.

— Si vous vous chargez de son entretien.

— Alors, c'est dit. Voilà vingt francs. Qu'elle ait, ce soir, une robe et un soulier. Demain nous arrangerons le reste.

Et, après avoir donné une petite tape amicale sur la joue de Pierrette, le capitaine s'éloigna, enchanté de ce qu'il venait de conclure.

— Il faudra peut-être rogner quelques bocks et quelques absinthes, pensait-il, et se méfier du bézigue du vétérinaire. Mais il n'y a pas à dire, ce sera bien plus réglementaire.

— Capitaine, vous êtes un lâcheur.

Telle fut l'apostrophe dont les cariatides du café Prosper saluèrent désormais les entrées du capitaine de jour en jour plus rares.

Car le pauvre homme n'avait pas prévu toutes les conséquences de sa bonne action. La suppression de l'absinthe matinale avait suffi à couvrir les modestes frais de l'entretien de Pierrette; mais combien n'avait-il pas fallu d'autres réformes pour parer aux dépenses imprévues de son ménage de garçon! Pleine de reconnaissance, la petite fille voulait la prouver par son zèle. Déjà la chambre avait changé d'aspect. Les meubles étaient rangés et astiqués, le foyer décent, le carreau verni, et les araignées ne filaient plus leurs toiles sur les Morts de Poniatowski placées dans les coins. Quand le capitaine revenait, la soupe aux choux l'invitait par son parfum dès l'escalier, et la vue des plats fumants sur la nappe grossière mais blanche, auprès d'une assiette à fleurs et d'un couvert reluisant, achevait de le mettre en appétit. Pierrette profitait alors de la bonne humeur de son maître pour avouer quelque secrète ambition. Il fallait des chenets pour la cheminée, où elle faisait maintenant du feu, un moule pour les gâteaux qu'elle réussirait si bien. Et le capitaine, que la demande de l'enfant faisait sourire et qui se sentait doucement 5 gagner par les voluptés du *at home*, promettait d'y penser, et le lendemain remplaçait ses londrès par des cigares d'un sou, hésitait devant l'offre de cinq points d'écarté, ou se refusait son troisième bock ou son second verre de chartreuse.

Certes, la lutte fut longue; elle fut cruelle. Bien des fois, 10 vers l'heure d'un apéritif interdit par l'économie, quand la soif lui séchait la gorge, le capitaine dut faire un effort héroïque pour retirer sa main déjà posée sur le bec de cane de l'estaminet; bien des fois il erra en rêvant de roi retourné et de quinte et quatorze. Mais presque toujours il rentrait cou- 15 rageusement chez lui; et comme il aimait davantage Pierrette à chaque sacrifice qu'il lui faisait, il l'embrassait mieux ces jours-là. Car il l'embrassait. Ce n'était plus sa servante. Une fois qu'elle se tenait debout près de la table, l'appelant: Monsieur, et toute respectueuse, il n'y put tenir, il lui prit 20 les deux mains et il lui dit avec fureur:

— Embrasse-moi d'abord, et puis assieds-toi et fais-moi le plaisir de me tutoyer, mille tonnerres!

Aujourd'hui c'est fini. La rencontre d'un enfant a sauvé cet homme d'une vieillesse ignominieuse. Il a substitué à ses vieux 25 vices une jeune passion; il adore ce petit être infirme qui sautille autour de lui dans la chambre commode et bien meublée.

Déjà il a appris à lire à Pierrette, et voici que, se rappelant sa calligraphie de sergent-major, il lui trace des exemples 30 d'écriture. Sa plus grande joie, c'est lorsque l'enfant, attentive devant son papier et faisant parfois un pâté qu'elle enlève vivement avec sa langue, est parvenue à copier toutes les lettres d'un interminable adverbe en *ment.* Son inquiétude, c'est de songer qu'il devient vieux et qu'il n'a rien à laisser à son adoptée.

Aussi voilà qu'il est presque avare; il thésaurise; il veut se sevrer de tabac, bien que Pierrette lui bourre sa pipe et la lui allume. Il compte épargner sur son maigre revenu de quoi 5 acheter plus tard un petit fonds de mercerie. C'est là que, lorsqu'il sera mort, elle vivra obscure et paisible, gardant accrochée quelque part, dans l'arrière-boutique, une vieille croix d'honneur qui la fera se souvenir du capitaine.

Tous les jours, il va se promener avec elle sur le rempart. 10 Quelquefois passent par là des gens étrangers à la ville, qui jettent un regard de compassion surprise sur ce vieux soldat épargné par la guerre et sur cette pauvre enfant estropiée; et alors il se sent attendrir — oh! délicieusement, jusqu'aux larmes — quand un de ces passants murmure en s'éloignant: 15

— Pauvre père! sa fille est pourtant jolie!

HONORÉ DE BALZAC

Honoré de Balzac (1799–1850), né à Tours, fit ses premières études chez des religieux à Vendôme. De 1818 à 1821 il étudia à Paris dans l'intention de devenir notaire, mais à l'âge de vingt ans il se promit de tout sacrifier pour satisfaire son ambition de devenir écrivain. Persuadés que leur fils avait du talent, sinon du génie, ses parents lui accordèrent une période de deux ans pour se faire un nom dans le monde littéraire. Malheureusement ses premières oeuvres, quoique nombreuses déjà, étaient médiocres. Il publia, sans succès, une quarantaine d'essais dans divers genres, drames et romans. En 1822 il se lança dans les affaires: il s'associa à un libraire, puis il devint propriétaire d'une imprimerie, mais malheureusement toutes ses entreprises commerciales et industrielles l'amenaient à la banqueroute. Malgré cette calamité, il reprend la plume et à force de travail (il travaillait alors quatorze heures par jour) il écrit *les Chouans,* roman historique et connaît enfin la gloire littéraire. Pendant les vingt ans qui suivront, il publiera quatre-vingt-dix romans et nouvelles, trente contes et cinq pièces de théâtre. Tout ceci forme une série d'ouvrages qu'il appellera *la Comédie humaine*—vaste tableau de la société française de son temps. En plus de son succès littéraire il a enfin le bonheur d'épouser la comtesse Hanska, qu'il aime et avec qui il échange des lettres depuis dix-huit ans. Ce bonheur sera de courte durée. Sa santé est déjà minée par le prodigieux labeur de trente ans et par une longue maladie. Il meurt à l'âge de cinquante ans, quelques mois après son mariage.

Il nous a laissé une oeuvre littéraire robuste et exubérante, pleine d'une vie intense, comme l'a été la vie même de son auteur. *La Comédie humaine* est une peinture vigoreuse et réaliste de la bourgeoisie française et surtout de ses défauts: l'avarice dans *Eugénie Grandet,* l'amour paternel sans modération dans *le Père Goriot* et la jalousie dans *la Cousine Bette,* la passion dominante de la science dans *la Recherche de l'absolu,* l'ambition illimitée dans *César Birotteau, les Illusions perdues,* la manie des collectionneurs dans *le Cousin Pons.* Ce ne sont que les principaux romans de Balzac. Ce vaste tableau de la société, dont il voulait être selon lui "le secrétaire," comprend quarante-sept ouvrages. Mais la totalité de son oeuvre comprend une centaine de romans, des contes, et plusieurs pièces de théâtre. Taine, le célèbre critique, déclare que l'oeuvre de Balzac "est le plus grand magasin (storehouse) de documents que nous ayons sur la nature humaine."

UN ÉPISODE SOUS LA TERREUR

HONORÉ DE BALZAC

Le 22 janvier 1793, vers huit heures du soir, une vieille dame descendait, à Paris, l'éminence rapide qui finit devant l'église Saint-Laurent, dans le faubourg Saint-Martin. Il avait tant neigé pendant toute la journée, que les pas s'entendaient à peine. Les rues étaient désertes. La crainte assez naturelle 5 qu'inspirait le silence s'augmentait de toute la terreur qui faisait alors gémir la France;[1] aussi la vieille dame n'avait-elle encore rencontré personne; sa vue affaiblie depuis longtemps ne lui permettait pas d'ailleurs d'apercevoir dans le lointain, à la lueur des lanternes, quelques passants clairsemés 10 comme des ombres dans l'immense voie de ce faubourg. Elle allait courageusement seule à travers cette solitude, comme si son âge était un talisman qui dût la préserver de tout malheur. Quand elle eut dépassé la rue des Morts, elle crut distinguer le pas lourd et ferme d'un homme qui marchait derrière elle. 15 Elle s'imagina qu'elle n'entendait pas ce bruit pour la première fois; elle s'effraya d'avoir été suivie, et tenta d'aller plus vite encore afin d'atteindre à une boutique assez bien éclairée, espérant pouvoir vérifier à la lumière les soupçons dont elle était saisie. Aussitôt qu'elle se trouva dans le rayon de lueur 20 horizontale qui partait de cette boutique, elle retourna brusquement la tête, et entrevit une forme humaine dans le brouillard;

[1] Allusion à la Terreur (*Reign of Terror*) qui dura depuis le 31 mai 1793 jusqu'au 27 juillet 1794. Pourtant l'action de ce conte commence avant cette époque.

cette indistincte vision lui suffit, elle chancela un moment sous le poids de la terreur dont elle fut accablée, car elle ne douta plus alors qu'elle n'eût été escortée par l'inconnu depuis le premier pas qu'elle avait fait hors de chez elle, et le désir d'échapper à un espion lui prêta des forces. Incapable de raisonner, elle doubla le pas, comme si elle pouvait se soustraire à un homme nécessairement plus agile qu'elle. Après avoir couru pendant quelques minutes, elle parvint à la boutique d'un pâtissier, y entra et tomba, plutôt qu'elle ne s'assit, sur une chaise placée devant le comptoir. Au moment où elle fit crier le loquet de la porte, une jeune femme occupée à broder leva les yeux, reconnut à travers les carreaux du vitrage, la manto de forme antique et de soie violette dans laquelle la vieille dame était enveloppée, et s'empressa d'ouvrir un tiroir comme pour y prendre une chose qu'elle devait lui remettre. Non seulement le geste et la physionomie de la jeune femme exprimèrent le désir de se débarrasser promptement de l'inconnue, comme si c'eût été une de ces personnes qu'on ne voit pas avec plaisir, mais encore elle laissa échapper une expression d'impatience en trouvant le tiroir vide; puis, sans regarder la dame, elle sortit précipitamment du comptoir, alla vers l'arrière-boutique, et appela son mari, qui parut tout à coup.

— Où donc as-tu mis . . . ? lui demanda-t-elle d'un air de mystère en lui désignant la vieille dame par un coup d'œil et sans achever sa phrase.

Quoique le pâtissier ne pût voir que l'immense bonnet de soie noire environné de nœuds en rubans violets qui servait de coiffure à l'inconnue, il disparut après avoir jeté un regard qui semblait dire: — Crois-tu que je vais laisser cela dans ton comptoir? . . . Étonnée du silence et de l'immobilité de la vieille dame, la marchande revint auprès d'elle; et, en la voyant, elle se sentit saisie d'un mouvement de compassion ou peut-être aussi de curiosité. Quoique le teint de cette femme fût naturellement livide comme celui d'une personne vouée à des austérités secrètes, il était facile de reconnaître qu'une émotion récente y répandait une pâleur extraordinaire. Sa coiffure était disposée de manière à cacher ses cheveux, sans doute blanchis par l'âge; car la propreté du collet de sa robe annonçait qu'elle ne portait pas de poudre.[2] Ce manque d'ornement faisait contracter à sa figure une sorte de sévérité religieuse. Ses traits étaient graves et fiers. Autrefois les manières et les habitudes des gens de qualité étaient si différentes de celles des gens appartenant aux autres classes, qu'on devinait facilement une personne noble. Aussi la jeune femme était-elle persuadée que l'inconnue était une *ci-devant*,[3] et qu'elle avait appartenu à la cour.

—Madame?—lui dit-elle involontairement et avec respect en oubliant que ce titre était proscrit.[4]

La vieille dame ne répondit pas. Elle tenait ses yeux fixés sur le vitrage de la boutique, comme si un objet effrayant y eût été dessiné.

—Qu'as-tu, citoyenne? demanda le maître du logis qui reparut aussitôt.

Le citoyen pâtissier tira la dame de sa rêverie en lui tendant une petite boîte de carton couverte en papier bleu.

—Rien, rien, mes amis, répondit-elle d'une voix douce.

Elle leva les yeux sur le pâtissier comme pour lui jeter un regard de remercîment; mais en lui voyant un bonnet rouge[5] sur la tête, elle laissa échapper un cri.

—Ah! . . . vous m'avez trahie? . . .

La jeune femme et son mari répondirent par un geste d'horreur qui fit rougir l'inconnue, soit de les avoir soupçonnés, soit de plaisir.

—Excusez-moi, dit-elle alors avec une douceur enfantine.

[2] Sur les cheveux, selon la mode d'avant la Révolution.

[3] Une aristocrate.

[4] Sous la Révolution les titres de *Monsieur* et *Madame* furent remplacés par *citoyen* et *citoyenne*.

[5] Les révolutionnaires portaient un bonnet rouge.

Puis, tirant un louis d'or de sa poche, elle le présenta au pâtissier: — Voici le prix convenu, ajouta-t-elle.

Il y a une indigence que les indigents savent deviner. Le pâtissier et sa femme se regardèrent et se montrèrent la vieille femme en se communiquant une même pensée. Ce louis d'or devait être le dernier. Les mains de la dame tremblaient en offrant cette pièce, qu'elle contemplait avec douleur et sans avarice; mais elle semblait connaître toute l'étendue du sacrifice. Le jeûne et la misère étaient gravés sur cette figure en traits aussi lisibles que ceux de la peur et des habitudes ascétiques. Il y avait dans ses vêtements des vestiges de magnificence. C'était de la soie usée, une mante propre, quoique passée, des dentelles soigneusement raccommodées; enfin les haillons de l'opulence! Les marchands, placés entre la pitié et l'intérêt, commencèrent par soulager leur conscience en paroles.

— Mais citoyenne, tu parais bien faible.

— Madame aurait-elle besoin de prendre quelque chose? reprit la femme en coupant la parole à son mari.

— Nous avons de bien bon bouillon, dit le pâtissier.

— Il fait si froid, madame aura peut-être été saisie en marchant; mais vous pouvez vous reposer ici et vous chauffer un peu.

— Nous ne sommes pas aussi noirs que le diable, s'écria le pâtissier.

Gagnée par l'accent de bienveillance qui animait les paroles des charitables boutiquiers, la dame avoua qu'elle avait été suivie par un homme, et qu'elle avait peur de revenir seule chez elle.

— Ce n'est que cela? reprit l'homme au bonnet rouge. Attends-moi, citoyenne.

Il donna le louis à sa femme. Puis, mû par cette espèce de reconnaissance qui se glisse dans l'âme d'un marchand quand il reçoit un prix exorbitant d'une marchandise de médiocre valeur, il alla mettre son uniforme, de garde national,[6] prit son chapeau, passa son briquet et reparut sous les armes; mais sa femme avait eu le temps de réfléchir. Comme dans bien d'autres cœurs, la Réflexion ferma la main ouverte de la Bienfaisance. Inquiète et craignant de voir son mari dans quelque mauvaise affaire, la femme du pâtissier essaya de le tirer par le pan de son habit pour l'arrêter; mais, obéissant à un sentiment de charité, le brave homme offrit sur-le-champ à la vieille dame de l'escorter.

— Il paraît que l'homme dont a peur la citoyenne est encore à rôder devant la boutique, dit vivement la jeune femme.

— Je le crains, dit naïvement la dame.

— Si c'était un espion? si c'était une conspiration. N'y va pas, et reprends-lui la boîte . . .

Ces paroles, soufflées à l'oreille du pâtissier par sa femme, glacèrent le courage impromptu dont il était possédé.

— Eh! je m'en vais lui dire deux mots, et vous en débarrasser sur-le-champ, s'écria le pâtissier en ouvrant la porte et sortant avec précipitation.

La vieille dame, passive comme un enfant et presque hébétée, se rassit sur sa chaise. L'honnête marchand ne tarda pas à reparaître; son visage, assez rouge de son naturel et enluminé d'ailleurs par le feu du four, était subitement devenu blême; une si grande frayeur l'agitait que ses jambes tremblaient et que ses yeux ressemblaient à ceux d'un homme ivre.

— Veux-tu nous faire couper le cou, misérable aristocrate? . . . s'écria-t-il avec fureur. Songe à nous montrer les talons, ne reparais jamais ici, et ne compte pas sur moi pour te fournir des éléments de conspiration!

En achevant ces mots, le pâtissier essaya de reprendre à la vieille dame la petite boîte qu'elle avait mise dans une de ses poches. A peine les mains hardies du pâtissier touchèrent-elles ses vêtements, que l'inconnue, préférant se livrer aux dangers de la route sans autre défenseur que Dieu, plutôt que de

[6] Troupe de soldats citoyens.

perdre ce qu'elle venait d'acheter, retrouva l'agilité de sa jeunesse; elle s'élança vers la porte, l'ouvrit brusquement, et disparut aux yeux de la femme et du mari stupéfaits et tremblants. Aussitôt que l'inconnue se trouva dehors, elle se mit à marcher avec vitesse; mais ses forces la trahirent bientôt, car 5 elle entendit l'espion par lequel elle était impitoyablement suivie, faisant crier la neige qu'il pressait de son pas pesant; elle fut obligée de s'arrêter, il s'arrêta; elle n'osait ni lui parler ni le regarder, soit par suite de la peur dont elle était saisie, soit par manque d'intelligence. Elle continua son chemin 10 en allant lentement, l'homme ralentit alors son pas de manière à rester à une distance qui lui permettait de veiller sur elle. L'inconnu semblait être l'ombre même de cette vieille femme. Neuf heures sonnèrent quand le couple silencieux repassa devant l'église de Saint-Laurent. Il est dans la nature de toutes 15 les âmes, même la plus infirme, qu'un sentiment de calme succède à une agitation violente, car, si les sentiments sont infinis, nos organes sont bornés. Aussi l'inconnue, n'éprouvant aucun mal de son prétendu persécuteur, voulut-elle voir en lui un ami secret empressé de la protéger; elle réunit toutes 20 les circonstances qui avaient accompagné les apparitions de l'étranger comme pour trouver des motifs plausibles à cette consolante opinion, et il lui plut alors de reconnaître en lui plutôt de bonnes que de mauvaises intentions. Oubliant l'effroi que cet homme venait d'inspirer au pâtissier, elle avança donc 25 d'un pas ferme dans les régions supérieures du faubourg Saint-Martin. Après une demi-heure de marche, elle parvint à une maison située auprès de l'embranchement formé par la rue principale du faubourg et par celle qui mène à la barrière de Pantin. Cet endroit désolé semblait être l'asile naturel de 30 la misère et du désespoir. L'homme qui s'acharnait à la poursuite de la pauvre créature assez hardie pour traverser nuitamment ses rues silencieuses, parut frappé du spectacle qui s'offrait à ses regards. Il resta pensif, debout et dans une attitude d'hésitation, faiblement éclairé par un réverbère dont 35 la lueur indécise perçait à peine le brouillard. La peur donna des yeux à la vieille femme, qui crut apercevoir quelque chose de sinistre dans les traits de l'inconnu; elle sentit ses terreurs se réveiller, et profita de l'espèce d'incertitude qui arrêtait cet homme pour se glisser dans l'ombre vers la porte de la maison 5 solitaire; elle fit jouer un ressort, et disparut avec une rapidité fantasmagorique. Cette maison isolée ressemblait à une vieille tour que le temps oubliait de détruire. Une faible lumière éclairait les croisées qui coupaient irrégulièrement la mansarde par laquelle ce pauvre édifice était terminé, tandis que le 10 reste de la maison se trouvait dans une obscurité complète. La vieille femme ne monta pas sans peine l'escalier rude et grossier, le long duquel on s'appuyait sur une corde en guise de rampe; elle frappa mystérieusement à la porte du logement qui se trouvait dans la mansarde, et s'assit avec précipitation 15 sur une chaise que lui présenta un vieillard.

— Cachez-vous, cachez-vous! lui dit-elle. Quoique nous ne sortions que bien rarement, nos démarches sont connues, nos pas sont épiés.

— Qu'y a-t-il de nouveau? demanda une autre vieille femme 20 assise auprès du feu.

— L'homme qui rôde autour de la maison depuis hier m'a suivie ce soir.

A ces mots, les trois habitants de ce taudis se regardèrent en laissant paraître sur leurs visages les signes d'une terreur 25 profonde. Le vieillard fut le moins agité des trois, peut-être parce qu'il était le plus en danger. Quand on est sous le poids d'un grand malheur ou sous le joug de la persécution, un homme courageux commence pour ainsi dire par faire le sacrifice de lui-même, il ne considère ses jours que comme 30 autant de victoires remportées sur le Sort. Les regards des deux femmes, attachés sur ce vieillard, laissaient facilement deviner qu'il était l'unique objet de leur vive sollicitude.

— Pourquoi désespérer de Dieu, mes sœurs? dit-il d'une

voix sourde mais onctueuse, nous chantions ses louanges au milieu des cris que poussaient les assassins et les mourants au couvent des Carmes.[7] S'il a voulu que je fusse sauvé de cette boucherie, c'est sans doute pour me réserver à une destinée que je dois accepter sans murmure. Dieu protège les siens, il peut en disposer à son gré. C'est de vous, et non de moi qu'il faut s'occuper.

— Non, dit l'une des deux vieilles femmes, qu'est-ce que notre vie en comparaison de celle d'un prêtre?

— Une fois que je me suis vue hors de l'abbaye de Chelles, je me suis considérée comme morte, s'écria celle des deux religieuses qui n'était pas sortie.

— Voici, reprit celle qui arrivait en tendant la petite boîte au prêtre, voici les hosties. Mais, s'écria-t-elle, j'entends monter les degrés.

A ces mots, tous trois ils se mirent à écouter. Le bruit cessa.

— Ne vous effrayez pas, dit le prêtre, si quelqu'un essaie de parvenir jusqu'à vous. Une personne sur la fidélité de laquelle nous pouvons compter a dû prendre toutes ses mesures pour passer la frontière, et viendra chercher les lettres que j'ai écrites au duc de Langeais et au marquis de Beauséant, afin qu'ils puissent aviser aux moyens de vous arracher à cet affreux pays, à la mort ou à la misère qui vous y attendent.

— Vous ne nous suivez donc pas? s'écrièrent doucement les deux religieuses en manifestant une sorte de désespoir.

— Ma place est là où il y a des victimes, dit le prêtre avec simplicité.

Elles se turent et regardèrent leur hôte avec une sainte admiration.

— Sœur Marthe, dit-il en s'adressant à la religieuse qui était allée chercher les hosties, cet envoyé devra répondre *Fiat voluntas*,[8] au mot *Hosanna*.

[7] Des religieux furent massacrés au couvent des Carmes au mois de septembre, 1792.

[8] Que ta volonté soit faite.

— Il y a quelqu'un dans l'escalier! s'écria l'autre religieuse en ouvrant une cachette pratiquée sous le toit.

Cette fois, il fut facile d'entendre, au milieu du plus profond silence, les pas d'un homme qui faisaient retentir les marches couvertes de callosités produites par de la boue durcie. Le prêtre se coula péniblement dans une espèce d'armoire, et la religieuse jeta quelques hardes sur lui.

— Vous pouvez fermer, sœur Agathe, dit-il d'une voix étouffée.

A peine le prêtre était-il caché, que trois coups frappés sur la porte firent tressaillir les deux saintes filles, qui se consultèrent des yeux sans oser prononcer une seule parole. Devant le danger qu'elles prévoyaient en ce moment elles demeurèrent muettes et passives, ne connaissant d'autre défense que la résignation chrétienne. L'homme qui demandait à entrer interpréta ce silence à sa manière, il ouvrit la porte et se montra tout à coup. Les deux religieuses frémirent en reconnaissant le personnage qui, depuis quelque temps, rôdait autour de leur maison et prenait des informations sur leur compte; elles restèrent immobiles en le contemplant avec une curiosité inquiète, à la manière des enfants sauvages, qui examinent silencieusement les étrangers. Cet homme était de haute taille et gros; mais rien dans sa démarche, dans son air ni dans sa physionomie, n'indiquait un méchant homme. Il imita l'immobilité des religieuses, et promena lentement ses regards sur la chambre où il se trouvait.

Deux nattes de paille, posées sur des planches, servaient de lit aux deux religieuses. Une seule table était au milieu de la chambre, et il y avait dessus un chandelier de cuivre, quelques assiettes, trois couteaux et un pain rond. Le feu de la cheminée était modeste. Quelques morceaux de bois, entassés dans un coin, attestaient d'ailleurs la pauvreté des deux recluses. Les murs, enduits d'une couche de peinture très ancienne, prouvaient le mauvais état de la toiture, où des taches, semblables à des filets bruns, indiquaient les infiltrations des eaux pluviales. Une relique, sans doute sauvée du pillage de l'abbaye de Chelles, ornait le manteau de la cheminée. Trois chaises, deux coffres et une mauvaise commode complétaient l'ameublement de cette pièce. Une porte pratiquée auprès de la cheminée faisait conjecturer qu'il existait une seconde chambre.

L'inventaire de cette cellule fut bientôt fait par le personnage qui s'était introduit sous de si terribles auspices au sein de ce ménage. Un sentiment de commisération se peignit sur sa figure, et il jeta un regard de bienveillance sur les deux filles, au moins aussi embarrassé qu'elles. L'étrange silence dans lequel ils demeurèrent tous trois dura peu, car l'inconnu finit par deviner la faiblesse morale et l'inexpérience des deux pauvres créatures, et il leur dit alors d'une voix qu'il essaya d'adoucir: — Je ne viens point ici en ennemi, citoyennes . . . Il s'arrêta et se reprit pour dire: Mes sœurs, s'il vous arrivait quelque malheur, croyez que je n'y aurais pas contribué. J'ai une grâce à réclamer de vous.

Elles gardèrent toujours le silence.

— Si je vous importunais, si . . . je vous gênais, parlez librement . . . je me retirerais; mais sachez que je vous suis tout dévoué; que, s'il est quelque bon office que je puisse vous rendre, vous pouvez m'employer sans crainte, et que moi seul, peut-être, suis au-dessus de la loi, puisqu'il n'y a plus de roi . . .

Il y avait un tel accent de vérité dans ces paroles, que la sœur Agathe, celle des deux religieuses qui appartenait à la maison de Langeais, et dont les manières semblaient annoncer qu'elle avait autrefois connu l'éclat des fêtes et respiré l'air de la cour, s'empressa d'indiquer une des chaises comme pour prier leur hôte de s'asseoir. L'inconnu manifesta une sorte de joie mêlée de tristesse en comprenant ce geste, et attendit pour prendre place que les deux respectables filles fussent assises.

— Vous avez donné asile, reprit-il, à un vénérable prêtre

non assermenté,[9] qui a miraculeusement échappé aux massacres des Carmes.[10]

— *Hosanna!* . . . dit la sœur Agathe en interrompant l'étranger et le regardant avec une inquiète curiosité.

— Il ne se nomme pas ainsi, je crois, répondit-il. 5

— Mais, monsieur, dit vivement la sœur Marthe, nous n'avons pas de prêtre ici, et . . .

— Il faudrait alors avoir plus de soin et de prévoyance, répliqua doucement l'étranger en avançant le bras vers la table et y prenant un bréviaire. Je ne pense pas que vous sachiez 10 le latin, et . . .

Il ne continua pas, car l'émotion extraordinaire qui se peignit sur les figures des deux pauvres religieuses lui fit craindre d'être allé trop loin, elles étaient tremblantes et leurs yeux s'emplirent de larmes. 15

— Rassurez-vous, leur dit-il d'une voix franche, je sais le nom de votre hôte et les vôtres, et depuis trois jours je suis instruit de votre détresse et de votre dévouement pour le vénérable abbé de . . .

— Chut! dit naïvement sœur Agathe en mettant un doigt sur 20 ses lèvres.

— Vous voyez, mes sœurs, que, si j'avais conçu l'horrible dessein de vous trahir, j'aurais déjà pu l'accomplir plus d'une fois . . .

En entendant ces paroles, le prêtre se dégagea de sa prison 25 et reparut au milieu de la chambre.

— Je ne saurais croire, monsieur, dit-il à l'inconnu, que vous soyez un de nos persécuteurs, et je me fie à vous. Que voulez-vous de moi?

La sainte confiance du prêtre, la noblesse répandue dans 30 tous ses traits auraient désarmé des assassins. Le mystérieux personnage qui était venu animer cette scène de misère et de

[9] Un prêtre qui avait refusé en 1790 de prêter serment à la constitution civile.

[10] Voir note 7, page 282.

résignation contempla pendant un moment le groupe formé par ces trois êtres, puis il prit un ton de confidence, s'adressa au prêtre en ces termes: — Mon père, je venais vous supplier de célébrer une messe mortuaire pour le repos de l'âme . . . d'un . . . d'une personne sacrée[11] et dont le corps ne reposera jamais dans la terre sainte . . . 5

Le prêtre frissonna involontairement. Les deux religieuses, ne comprenant pas encore de qui l'inconnu voulait parler, restèrent le cou tendu, le visage tourné vers les deux interlocuteurs, et dans une attitude de curiosité. L'ecclésiastique 10 examina l'étranger: une anxiété non équivoque était peinte sur sa figure et ses regards exprimaient d'ardentes supplications.

— Eh bien! répondit le prêtre, ce soir, à minuit, revenez, et je serai prêt à célébrer le seul service funèbre que nous 15 puissions offrir en expiation du crime dont vous parlez.

L'inconnu tressaillit, mais une satisfaction tout à la fois douce et grave parut triompher d'une douleur secrète. Après avoir respectueusement salué le prêtre et les deux saintes filles, il disparut en témoignant une sorte de reconnaissance muette 20 qui fut comprise par ces trois âmes généreuses. Environ deux heures après cette scène, l'inconnu revint, frappa discrètement à la porte du grenier, et fut introduit par mademoiselle de Beauséant, qui le conduisit dans la seconde chambre de ce modeste réduit, où tout avait été préparé pour la cérémonie. 25 Entre deux tuyaux de la cheminée, les deux religieuses avaient apporté la vieille commode dont les contours antiques étaient ensevelis sous un magnifique devant d'autel en moire verte. Un grand crucifix d'ébène et d'ivoire attaché sur le mur jaune en faisait ressortir la nudité et attirait nécessairement les 30 regards. Quatre petits cierges fluets que les sœurs avaient réussi à fixer sur cet autel improvisé en les scellant dans de

[11] Par sa réponse le prêtre montre qu'il a compris cette allusion à Louis XVI, exécuté la veille, le 21 janvier. L'inconnu dit «le corps ne reposera jamais dans la terre sainte» parce qu'on fit dévorer le corps dans de la chaux vive (*quicklime*).

la cire à cacheter, jetaient une lueur pâle et mal réfléchie par le mur. Cette faible lumière éclairait à peine le reste de la chambre; mais, en ne donnant son éclat qu'aux choses saintes, elle ressemblait à un rayon tombé du ciel sur cet autel sans ornement. Le carreau était humide. Le toit, qui, des deux côtés, s'abaissait rapidement, comme dans les greniers, avait quelques lézardes par lesquelles passait un vent glacial. Rien n'était moins pompeux, et cependant rien peut-être ne fut plus solennel que cette cérémonie lugubre. Un profond silence, qui aurait permis d'entendre le plus léger cri proféré sur la route d'Allemagne, répandait une sorte de majesté sombre sur cette scène nocturne. Enfin la grandeur de l'action contrastait si fortement avec la pauvreté des choses, qu'il en résultait un sentiment d'effroi religieux. De chaque côté de l'autel, les deux vieilles recluses, agenouillées sur la tuile du plancher sans s'inquiéter de son humidité mortelle, priaient de concert avec le prêtre. L'inconnu vint pieusement s'agenouiller entre les deux religieuses. Mais tout à coup, en apercevant un crêpe au calice et au crucifix (car, n'ayant rien pour annoncer la destination de cette messe funèbre, le prêtre avait mis Dieu lui-même en deuil), il fut assailli d'un souvenir si puissant que des gouttes de sueur se formèrent sur son large front. Les quatre silencieux acteurs de cette scène se regardèrent alors mystérieusement; puis leurs âmes, agissant à l'envi les unes sur les autres, se communiquèrent ainsi leurs sentiments et se confondirent dans une commisération religieuse, il semblait que leur pensée eût évoqué le martyr dont les restes avaient été dévorés par de la chaux vive, et que son ombre fût devant eux dans toute sa royale majesté. Ils célébraient un *obit*[12] sans le corps du défunt. Sous ces tuiles et ces lattes disjointes, quatre chrétiens allaient intercéder auprès de Dieu pour un Roi de France, et faire son convoi sans cercueil. C'était le plus pur de tous les dévouements, un acte étonnant de fidélité accompli sans arrière-pensée. Ce fut sans doute, aux yeux de

[12] Service pour le repos de l'âme d'un mort.

Dieu, comme le verre d'eau qui balance les plus grandes vertus. Toute la Monarchie était là, dans les prières d'un prêtre et de deux pauvres filles; mais peut-être aussi la Révolution était-elle représentée par cet homme dont la figure trahissait trop de remords pour ne pas croire qu'il accomplissait les 5 vœux d'un immense repentir.

Au lieu de prononcer les paroles latines: «*Introibo ad altare Dei,*»[13] etc., le prêtre, par une inspiration divine, regarda les trois assistants qui figuraient la France chrétienne, et leur dit, pour effacer les misères de ce taudis: — Nous allons entrer 10 dans le sanctuaire de Dieu!

A ces paroles jetées avec une onction pénétrante, une sainte frayeur saisit l'assistant et les deux religieuses. Sous les voûtes de Saint-Pierre de Rome, Dieu ne se serait pas montré plus majestueux qu'il le fut alors dans cet asile de l'indigence aux 15 yeux de ces chrétiens: tant il est vrai qu'entre l'homme et lui tout intermédiaire semble inutile, et qu'il ne tire sa grandeur que de lui-même. La ferveur de l'inconnu était vraie. Aussi le sentiment qui unissait les prières de ces quatre serviteurs de Dieu et du Roi fut-il unanime. Les paroles saintes retentis- 20 saient comme une musique céleste au milieu du silence. Il y eut un moment où les pleurs gagnèrent l'inconnu, ce fut au *Pater noster.*[14] Le prêtre y ajouta cette prière latine, qui fut sans doute comprise par l'étranger: *Et remitte scelus regicidis sicut Ludovicus eis remisit semetipse.* (Et pardonnez aux régicides 25 comme Louis XVI leur a pardonné lui-même.)

Les deux religieuses virent deux grosses larmes traçant un chemin humide le long des joues mâles de l'inconnu et tombant sur le plancher. L'office des Morts fut récité. Le *Domine salvum fac regem,*[15] chanté à voix basse, attendrit ces fidèles 30 royalistes qui pensèrent que l'enfant-roi, pour lequel ils sup-

[13] J'entrerai jusqu'à l'autel de Dieu, etc.

[14] Prière latine commençant *Pater noster*: Notre Père qui êtes aux cieux.

[15] Que Dieu sauve le roi.

pliaient en ce moment le Très-Haut, était captif entre les mains de ses ennemis.[16] L'inconnu frissonna en songeant qu'il pouvait encore se commettre un nouveau crime auquel il serait sans doute forcé de participer. Quand le service funèbre fut terminé, le prêtre fit un signe aux deux religieuses, qui se retirèrent. 5 Aussitôt qu'il se trouva seul avec l'inconnu, il alla vers lui d'un air doux et triste; puis il lui dit d'une voix paternelle: — Mon fils, si vous avez trempé vos mains dans le sang du Roi Martyr, confiez-vous à moi. Il n'est pas de faute qui, aux yeux de Dieu, ne soit effacée par un repentir aussi touchant 10 et aussi sincère que le vôtre paraît l'être.

Aux premiers mots prononcés par l'ecclésiastique, l'étranger laissa échapper un mouvement de terreur involontaire; mais il reprit une contenance calme, et regarda avec assurance le prêtre étonné: — Mon père, lui dit-il d'une voix visiblement 15 altérée, nul n'est plus innocent que moi du sang versé . . .

— Je dois vous croire, dit le prêtre . . .

Il fit une pause pendant laquelle il examina derechef son pénitent; puis, persistant à le prendre pour un de ces peureux Conventionnels[17] qui livrèrent une tête inviolable et sacrée 20 afin de conserver la leur, il reprit d'une voix grave: — Songez, mon fils, qu'il ne suffit pas pour être absous de ce grand crime, de n'y avoir pas coopéré. Ceux qui, pouvant défendre le roi, ont laissé leur épée dans le fourreau, auront un compte bien lourd à rendre devant le roi des cieux . . . Oh! oui, ajouta le 25 vieux prêtre en agitant la tête de droite à gauche par un mouvement expressif, oui, bien lourd! . . . car, en restant oisifs, ils sont devenus les complices involontaires de cet épouvantable forfait . . .

— Vous croyez, demanda l'inconnu stupéfait, qu'une partici- 30 pation indirecte sera punie . . . Le soldat qui a été commandé pour former la haie est-il donc coupable? . . .

[16] Allusion à la captivité de Louis XVII. Il mourut en prison à l'âge de dix ans.

[17] Membres de la Convention nationale qui condamnèrent Louis XVI.

Le prêtre demeura indécis. Heureux de l'embarras dans lequel il mettait ce puritain de la royauté en le plaçant entre le dogme de l'obéissance passive qui doit, selon les partisans de la monarchie, dominer les codes militaires, et le dogme tout aussi important qui consacre le respect dû à la personne 5 des rois, l'étranger s'empressa de voir dans l'hésitation du prêtre une solution favorable à des doutes par lesquels il paraissait tourmenté. Puis, pour ne pas laisser le vénérable janséniste réfléchir plus longtemps, il lui dit: — Je rougirais de vous offrir un salaire quelconque du service funéraire que 10 vous venez de célébrer pour le repos de l'âme du roi et pour l'acquit de ma conscience. On ne peut payer une chose inestimable que par une offrande qui soit aussi hors de prix. Daignez-donc accepter, monsieur, le don que je vous fais d'une sainte relique . . . Un jour viendra peut-être où vous en 15 comprendrez la valeur.

En achevant ces mots, l'étranger présentait à l'ecclésiastique une petite boîte extrêmement légère. Le prêtre la prit involontairement pour ainsi dire, car la solennité des paroles de cet homme, le ton qu'il y mit, le respect avec lequel il tenait cette 20 boîte l'avaient plongé dans une profonde surprise. Ils rentrèrent alors dans la pièce où les deux religieuses les attendaient.

— Vous êtes, leur dit l'inconnu, dans une maison dont le propriétaire, Mucius Scævola,[18] ce plâtrier qui habite le premier étage, est célèbre dans la section par son patriotisme; 25 mais il est secrètement attaché aux Bourbons. Jadis il était piqueur de Monseigneur le prince de Conti, et il lui doit sa fortune. En ne sortant pas de chez lui, vous êtes plus en sûreté ici qu'en aucun lieu de la France. Restez-y. Des âmes pieuses veilleront à vos besoins, et vous pourrez attendre sans danger 30 des temps moins mauvais. Dans un an, au 21 janvier . . . (en prononçant ces derniers mots, il ne put dissimuler un

[18] Les noms grecs et romains étaient à la mode pendant la Révolution et la Première République. Ce plâtrier, voulant certifier son patriotisme, a pris le nom du ieune Romain qui sacrifia son bras droit pour son pays.

mouvement involontaire), si vous adoptez ce triste lieu pour asile, je reviendrai célébrer avec vous la messe expiatoire . . .

Il n'acheva pas. Il salua les muets habitants du grenier, jeta un dernier regard sur les symptômes qui déposaient de leur indigence, et il disparut. 5

Pour les deux innocentes religieuses, une semblable aventure avait tout l'intérêt d'un roman; aussi, dès que le vénérable abbé les instruisit du mystérieux présent si solennellement fait par cet homme, la boîte fut-elle placée par elles sur la table, et les trois figures inquiètes, faiblement éclairées par la chandelle, trahirent-elles une indescriptible curiosité. Mademoiselle de Langeais ouvrit la boîte, y trouva un mouchoir de batiste très fine, souillé de sueur; et en le dépliant, ils y reconnurent des taches. 10

— C'est du sang! . . . dit le prêtre. 15

— Il est marqué de la couronne royale! s'écria l'autre sœur.

Les deux sœurs laissèrent tomber la précieuse relique avec horreur. Pour ces deux âmes naïves, le mystère dont s'enveloppait l'étranger devint inexplicable; et quant au prêtre, dès ce jour il ne tenta même pas de se l'expliquer. 20

Les trois prisonniers ne tardèrent pas à s'apercevoir, malgré la Terreur, qu'une main puissante était étendue sur eux. D'abord, ils reçurent du bois et des provisions; puis, les deux religieuses devinèrent qu'une femme était associée à leur protecteur, quand on leur envoya du linge et des vêtements qui pouvaient leur permettre de sortir sans être remarquées par les modes aristocratiques des habits qu'elles avaient été forcées de conserver; enfin Mucius Scævola leur donna deux cartes civiques.[19] Souvent des avis nécessaires à la sûreté du prêtre lui parvinrent par des voies détournées; et il reconnut une telle opportunité dans ces conseils, qu'ils ne pouvaient être 25 30

[19] Le Comité de Salut Public (*Committee of Public Safety*) distribuait des cartes civiques aux républicains. Ces cartes servaient à identifier les patriotes.

donnés que par une personne initiée aux secrets de l'État. Malgré la famine qui pesa sur Paris, les proscrits trouvèrent à la porte de leur taudis des rations de *pain blanc* qui y étaient régulièrement apportées par des mains invisibles; néanmoins ils crurent reconnaître dans Mucius Scævola le mystérieux agent de cette bienfaisance toujours aussi ingénieuse qu'intelligente. Les nobles habitants du grenier ne pouvaient pas douter que leur protecteur ne fût le personnage qui était venu faire célébrer la messe expiatoire dans la nuit du 22 janvier 1793; aussi devint-il l'objet d'un culte tout particulier pour ces trois êtres qui n'espéraient qu'en lui et ne vivaient que par lui. Ils avaient ajouté pour lui des prières spéciales dans leurs prières; soir et matin, ces âmes pieuses formaient des vœux pour son bonheur, pour sa prospérité, pour son salut: elles suppliaient Dieu d'éloigner de lui toutes embûches, de le délivrer de ses ennemis et de lui accorder une vie longue et paisible. Leur reconnaissance étant, pour ainsi dire, renouvelée tous les jours, s'allia nécessairement à un sentiment de curiosité qui devint plus vif de jour en jour. Les circonstances qui avaient accompagné l'apparition de l'étranger étaient l'objet de leurs conversations; ils formaient mille conjectures sur lui, et c'était un bienfait d'un nouveau genre que la distraction dont il était le sujet pour eux. Ils se promettaient bien de ne pas laisser échapper l'étranger à leur amitié le soir où il reviendrait, selon sa promesse, célébrer le triste anniversaire de la mort de Louis XVI. Cette nuit si impatiemment attendue, arriva enfin. A minuit, le bruit des pas pesants de l'inconnu retentit dans le vieil escalier de bois, la chambre avait été parée pour le recevoir, l'autel était dressé. Cette fois, les sœurs ouvrirent la porte d'avance, et toutes deux s'empressèrent d'éclairer l'escalier. Mademoiselle de Langeais descendit même quelques marches pour voir plus tôt son bienfaiteur.

— Venez, lui dit-elle d'une voix émue et affectueuse, venez . . . l'on vous attend.

L'homme leva la tête, jeta un regard sombre sur la religieuse, et ne répondit pas; elle sentit comme un vêtement de glace tombant sur elle, et garda le silence; à son aspect, la reconnaissance et la curiosité expirèrent dans tous les cœurs. Il était peut-être moins froid, moins taciturne, moins terrible qu'il le parut à ces âmes que l'exaltation de leurs sentiments disposait aux épanchements de l'amitié. Les trois pauvres prisonniers, qui comprirent que cet homme voulait rester un étranger pour eux, se résignèrent. Le prêtre crut remarquer sur les lèvres de l'inconnu un sourire promptement réprimé au moment où il s'aperçut des apprêts qui avaient été faits pour le recevoir, il entendit la messe et pria; mais il disparut, après avoir répondu par quelques mots de politesse négative à l'invitation que lui fit mademoiselle de Langeais de partager la petite collation préparée.

Après le 9 thermidor,[20] les religieuses et l'abbé de Marolles purent aller dans Paris, sans y courir le moindre danger. La première sortie du vieux prêtre fut pour un magasin de parfumerie, à l'enseigne de la Reine des Fleurs, tenu par les citoyen et citoyenne Ragon, anciens parfumeurs de la cour, restés fidèles à la famille royale, et dont se servaient les Vendéens[21] pour correspondre avec les princes et le comité royaliste de Paris.

L'abbé, mis comme le voulait cette époque, se trouvait sur le pas de la porte de cette boutique, quand une foule, qui remplissait la rue, l'empêcha de sortir.

— Qu'est-ce? dit-il à madame Ragon.

— Ce n'est rien, reprit-elle, c'est la charrette et le bourreau qui vont à la place Louis XV.[22] Ah! nous l'avons vu bien souvent l'année dernière; mais aujourd'hui, quatre jours après l'anniversaire du 21 janvier, on peut regarder cet affreux cortège sans chagrin.

[20] Le 9 thermidor (27 juillet) Robespierre fut renversé par la Convention. Ce fut la fin de la Terreur.

[21] Les Vendéens (habitants de la Vendée) étaient royalistes.

[22] Place où fut érigée (*erected*) la guillotine, aujourd'hui Place de la Concorde.

— Pourquoi? dit l'abbé, ce n'est pas chrétien, ce que vous dites.

— Eh! c'est l'exécution des complices de Robespierre, ils se sont défendus tant qu'ils ont pu; mais ils vont à leur tour là où ils ont envoyé tant d'innocents. 5

Une foule qui remplissait la rue Saint-Honoré passa comme un flot. Au-dessus des têtes, l'abbé de Marolles, cédant à un mouvement de curiosité, vit debout, sur la charrette, celui qui, trois jours auparavant, écoutait sa messe.

— Qui est-ce? . . . dit-il, celui qui . . . 10

— C'est le bourreau, répondit monsieur Ragon en nommant l'exécuteur des hautes œuvres par son nom monarchique.

— Mon ami! mon ami! cria madame Ragon, monsieur l'abbé se meurt.

Et la vieille dame prit un flacon de vinaigre pour faire 15 revenir le vieux prêtre évanoui.

— Il m'a sans doute donné, dit-il, le mouchoir avec lequel le roi s'est essuyé le front, en allant au martyre . . . Pauvre homme! . . . le couteau d'acier a eu du cœur quand toute la France en manquait! . . . 20

Les parfumeurs crurent que le pauvre prêtre avait le délire.

Paris, janvier 1831.

ERCKMANN-CHATRIAN

Erckmann-Chatrian, nom composé de deux noms de famille, sert à désigner deux écrivains: Emile Erckmann (1822–1899) et Alexandre Chatrian (1826–1890). Ils travaillaient ensemble à produire des contes, des pièces de théâtre, et des romans qui ont joui d'une grande popularité lors de leur publication. Le fait qu'ils sont nés, tous deux, dans la région du nord-est de la France, près de la frontière allemande et qu'ils y passèrent la plus grande partie de leur jeunesse exerça une grande influence sur la formation de leur caractère et donc sur leur oeuvre littéraire en général. Cette collaboration commença en 1847. Leur premier ouvrage, *Histoires et contes fantastiques*, publié en 1849, fut suivi en 1850 par le drame, *Georges*, présenté avec succès au théâtre parisien l'Ambigu-Comique. Ils donnèrent ensuite des ouvrages de grand mérite, fondés sur des épisodes dramatiques des guerres de la République et de l'Empire, dont les meilleurs sont *Madame Thérèse, Waterloo,* et *l'Histoire d'un conscrit de 1813.* Leurs romans, qu'on peut lire encore aujourd'hui avec intérêt, sont inspirés par un vif sentiment patriotique. Nous devons aussi à cette collaboration un roman régional, et qui est probablement leur meilleur roman: *l'Ami Fritz* (1864), dans lequel tous les aspects de la vie en Alsace-Lorraine sont dépeints avec une délicate sentimentalité, un dévouement fidèle à la cause de la France dans ses pénibles rapports avec l'Allemagne. Ces livres, répandus à profusion dans des éditions illustrées, étaient très populaires. A cette époque appartiennent aussi plusieurs volumes de contes, réunis sous les titres, *Contes de la montagne, Contes des bords du Rhin,* et *les Confidences d'un joueur de clarinette.* Comme dans leurs romans, ces contes présentent les légendes et les coutumes alsaciennes. Après les désastres de la guerre franco-allemande, une profonde amertume se trouve exprimée dans leurs écrits, non seulement envers l'ennemi de leur pays, mais surtout envers la guerre en général. En résumé, leur oeuvre littéraire se distingue par sa simplicité, sa faculté descriptive, et son esprit honnêtement démocratique.

LA MONTRE DU DOYEN

ERCKMANN-CHATRIAN

I

Le jour d'avant la Noël 1832, mon ami Wilfrid, sa contrebasse en sautoir,[1] et moi, mon violon sous le bras, nous allions de la Forêt Noire à Heidelberg. Il faisait un temps de neige extraordinaire; aussi loin que s'étendaient nos regards sur l'immense plaine déserte, nous ne découvrions plus de trace de route, de chemin, ni de sentier. La bise sifflait son ariette stridente avec une persistance monotone, et Wilfrid, la visière de sa petite casquette plate rabattue sur le nez, marchait devant moi, fredonnant je ne sais quelle joyeuse chanson. J'emboîtais le pas, ayant de la neige jusqu'aux genoux, et je sentais la mélancolie me gagner insensiblement.

Les hauteurs de Heidelberg commençaient à poindre tout au bout de l'horizon, et nous espérions arriver avant la nuit close, lorsque nous entendîmes un cheval galoper derrière nous. Bientôt le cavalier fut à vingt pas. Il ralentit sa marche, nous observant du coin de l'œil.

Figurez-vous un gros homme roux de barbe et de cheveux, coiffé d'un superbe tricorne, la capote brune, recouverte d'une pelisse de renard flottante, les mains enfoncées dans des gants fourrés remontant jusqu'aux coudes; quelque échevin ou bourgmestre. Bref, un véritable personnage.

[1] Portant sa contre-basse sur le dos à l'aide de deux cordes passant sur la poitrine.

— Hé! hé! mes garçons, fit-il, nous allons à Heidelberg, sans doute, pour faire de la musique?

Wilfrid regarda le voyageur de travers et répondit brusquement: — Cela vous intéresse, monsieur?

— Eh! oui. J'aurais un bon conseil à vous donner. 5

Wilfrid allongea le pas sans répondre, et, de mon côté, je m'aperçus que le voyageur avait exactement la mine d'un gros chat: les oreilles écartées de la tête, les paupières demi-closes, les moustaches ébouriffées, l'air tendre et paterne.

— Mon cher ami, reprit-il en s'adressant à moi, franche- 10 ment, vous feriez bien de reprendre la route d'où vous venez.

— Pourquoi, monsieur?

— L'illustre maëstro Pimenti de Novare vient d'annoncer un grand concert à Heidelberg pour Noël; toute la ville y sera, vous ne gagnerez pas un kreutzer. 15

Mais Wilfrid, se retournant de mauvaise humeur, lui répliqua:

— Nous nous moquons de votre maëstro et de tous les Pimenti du monde. Regardez ce jeune homme, regardez-le bien! Ça n'a pas encore un brin de barbe au menton! Ça n'a jamais 20 joué que dans les petits bouchons[2] de la Forêt Noire pour faire danser les charbonnières. Eh bien! ce petit bonhomme, avec ses longues boucles blondes et ses grands yeux bleus, défie tous vos charlatans italiens; sa main gauche renferme des trésors de mélodie. Sa droite a le plus magnifique coup 25 d'archet que le Seigneur-Dieu daigne accorder parfois aux pauvres mortels.

— Eh! eh! fit l'autre, en vérité?

— C'est comme je vous le dis, s'écria Wilfrid, se remettant à courir en soufflant dans ses doigts rouges. 30

Je crus qu'il voulait se moquer du voyageur, qui nous suivait toujours au petit trot. Nous fîmes ainsi plus d'une demilieue en silence. Tout à coup l'inconnu, d'une voix brusque, nous dit:

[2] Les petites auberges.

— Quoi qu'il en soit de votre mérite, retournez dans la Forêt Noire; nous avons assez de vagabonds à Heidelberg, sans que vous veniez en grossir le nombre. Je vous donne un bon conseil, surtout dans les circonstances présentes. Profitez-en! 5

Wilfrid indigné allait lui répondre, mais il avait pris le galop et traversait déjà la grande avenue de l'Électeur. Une immense file de corbeaux venaient de s'élever dans la plaine, et semblaient suivre le gros homme, en remplissant le ciel de leurs clameurs. 10

Nous arrivâmes à Heidelberg vers sept heures du soir, et nous vîmes, en effet, l'affiche magnifique de Pimenti sur toutes les murailles de la ville: «Grand concerto, solo, etc.»

Dans la soirée même, en parcourant les brasseries, nous rencontrâmes plusieurs musiciens de la Forêt Noire, de vieux 15 camarades qui nous engagèrent dans leur troupe. Il y avait le vieux Brêmer, le violoncelliste; ses deux fils Ludwig et Karl, deux bons seconds violons; Heinrich Siebel, la clarinette; la grande Berthe avec sa harpe; puis Wilfrid et sa contre-basse, et moi comme premier violon. 20

Il fut arrêté que nous irions ensemble, et qu'après la Noël, nous partagerions en frères. Wilfrid avait déjà loué pour nous deux une chambre au sixième étage de la petite auberge du *Pied-de-Mouton*, à quatre kreutzers la nuit. A proprement parler, ce n'était qu'un grenier, mais heureusement il y avait 25 un fourneau de tôle, et nous y fîmes du feu pour nous sécher.

Comme nous étions assis tranquillement à rôtir des marrons et à boire une cruche de vin, voilà que la petite Annette, la fille d'auberge, monte l'escalier quatre à quatre,[3] frappe à la porte, et vient se jeter dans mes bras, toute réjouie. 30

Je connaissais cette jolie petite depuis longtemps, nous étions du même village, et puisqu'il faut tout vous dire, ses yeux pétillants, son air espiègle m'avaient captivé le cœur.

— Je viens causer un instant avec toi, me dit-elle, en s'as-

[3] Monte l'escalier avec une grande vitesse, quatre marches à la fois.

seyant sur un escabeau. Je t'ai vu monter tout à l'heure, et me voilà!

Elle se met alors à babiller, de celui-ci, de celui-là, enfin de tout le village: c'était à peine si j'avais le temps de lui répondre. Nous serions restés là jusqu'au lendemain, si la mère Grédel Dick ne s'était mise à crier dans l'escalier: «Annette! Annette! viendras-tu?»

—Me voilà, madame, me voilà! fit la pauvre enfant, se levant toute surprise. Elle me donna une petite tape sur la joue et s'élança vers la porte; mais au moment de sortir elle s'arrêta:

—Ah! s'écria-t-elle en revenant, j'oubliais de vous dire; avez-vous appris?

—Quoi donc?

—La mort de notre pro-recteur Zâhn!

—Et que nous importe cela?

—Oui, mais prenez garde, si vos papiers ne sont pas en règle. Demain à huit heures, on viendra vous les demander. On arrête tant de monde depuis quinze jours! Le pro-recteur a été assassiné dans la bibliothèque du cloître Saint-Christophe hier soir. La semaine dernière on a pareillement assassiné le vieux Ulmet Elias, de la rue des Juifs! Quelques jours avant, on a tué la vieille Christine Hâas et le marchand d'agates Séligmann, de la rue Durlach! Ainsi, mon pauvre Kasper, fit-elle tendrement, veille bien sur toi, et que tous vos papiers soient en ordre.

Tandis qu'elle parlait, on criait toujours d'en bas: «Annette! Annette! viendras-tu? Oh! la malheureuse, qui me laisse toute seule!» Et les cris des buveurs s'entendaient aussi, demandant du vin, de la bière, du jambon, des saucisses. Il fallut bien partir.

Annette descendit en courant comme elle était venue, et répondant de sa voix douce: «Mon Dieu! . . . Mon Dieu! . . . qu'y a-t-il donc, madame, pour crier de la sorte? . . . Ne croirait-on pas que le feu est dans la maison! . . .»

Wilfrid alla refermer la porte, et, ayant repris sa place, nous nous regardâmes, non sans quelque inquiétude.

— Voilà de singulières nouvelles, dit-il . . . Au moins tes papiers[4] sont-ils en règle?

— Sans doute. 5

Et je lui fis voir mon livret.

— Bon! le mien est là . . . Je l'ai fait viser avant de partir . . . Mais c'est égal, tous ces meurtres ne nous annoncent rien de bon. Je crains que nous ne fassions pas nos affaires ici. Bien des familles sont dans le deuil, et d'ailleurs 10 les ennuis, les inquiétudes.

— Bah! tu vois tout en noir, lui dis-je.

Nous continuâmes à causer de ces événements étranges jusque passé minuit. Le feu de notre petit poêle éclairait tout l'angle du toit, la lucarne avec ses trois vitres fêlées, la pail- 15 lasse étendu sous les bardeaux, les poutres noires s'étayant l'une l'autre. De temps en temps une souris, attirée par la chaleur, glissait comme une flèche le long du mur. On entendait le vent s'engouffrer dans les hautes cheminées et balayer la poussière de neige des gouttières. 20

Tout à coup Wilfrid, ôtant sa veste, s'écria: — Il est temps de dormir. Mets encore une bûche au fourneau et couchons-nous.

— Oui, c'est ce que nous avons de mieux à faire.

Ce disant, je tirai mes bottes, et deux minutes après nous 25 étions étendus sur la paillasse, la couverture tirée jusqu'au menton. Wilfrid ne tarda point à s'endormir. La lumière du petit poêle allait et venait; le vent redoublait au dehors, et tout en rêvant je m'endormis à mon tour comme un bienheureux. 30

Vers deux heures du matin, je fus éveillé par un bruit inexplicable; je crus d'abord que c'était un chat courant sur les gouttières; mais ayant mis l'oreille contre les bardeaux,

[4] Tes papiers d'identité, tes passeports.

mon incertitude ne fut pas longue: quelqu'un marchait sur le toit. Je poussai Wilfrid du coude pour l'éveiller.

—Chut! fit-il en me serrant la main.

J'allais me lever, quand, d'un seul coup, la petite fenêtre fut poussée et s'ouvrit. Une tête pâle, les cheveux roux, les 5 yeux phosphorescents, les joues frémissantes, parut, regardant à l'intérieur. Notre saisissement fut tel que nous n'eûmes pas la force de jeter un cri. L'homme passa une jambe, puis l'autre par la lucarne et descendit dans notre grenier avec tant de prudence que pas un atome ne bruit sous ses pas. 10

Cet homme, large et rond des épaules, court, trapu, la face crispée comme celle d'un tigre à l'affût, n'était autre que le personnage bonasse qui nous avait donné des conseils sur la route de Heidelberg! Malgré le froid excessif, il était en manches de chemise; il ne portait qu'une simple culotte 15 serrée autour des reins, des bas de laine et des souliers à boucles d'argent. Un long couteau taché de sang brillait dans sa main.

Wilfrid et moi nous nous crûmes perdus! Mais lui ne parut pas nous voir dans l'ombre de la mansarde, quoique la flamme 20 se fût ranimée au courant d'air glacial de la lucarne. Il s'accroupit sur un escabeau et se prit à grelotter d'une façon bizarre. Subitement ses yeux, d'un vert jaunâtre, s'arrêtèrent sur moi, ses narines se dilatèrent; il me regarda plus d'une longue minute. Je n'avais plus une goutte de sang dans les 25 veines! Puis, se tournant vers le poêle, il toussa d'une voix rauque sans qu'un seul muscle de sa face tressaillît. Il tira du gousset de sa culotte une grosse montre, fit le geste d'un homme qui regarde l'heure, et, soit distraction ou tout autre motif, il la déposa sur la table. Enfin, se levant comme in- 30 certain, il considéra la lucarne, parut hésiter, et sortit, laissant la porte ouverte.

Je me levai aussitôt pour pousser le verrou, mais déjà les pas de l'homme criaient dans l'escalier à deux étages en dessous. Une curiosité invincible l'emporta sur ma terreur, et, 35 comme je l'entendais ouvrir une fenêtre donnant sur la cour, je m'inclinai vers la lucarne de l'escalier. La cour, de cette hauteur, était profonde comme un puits; un mur, haut de cinquante à soixante pieds, la partageait en deux. Il était couvert de mousse humide. Sa crête partait de la fenêtre que l'assassin venait d'ouvrir, et s'étendait en ligne droite sur le toit d'une vaste et sombre demeure bâtie au revers de la Bergstrasse. Comme la lune brillait entre de grands nuages chargés de neige, je vis tout cela d'un coup d'œil, et je frémis en apercevant l'homme fuir sur la haute muraille, la tête penchée en avant et son long couteau à la main, tandis que le vent soufflait avec des sifflements lugubres. Il gagna le toit en face et disparut dans une lucarne.

Je croyais rêver. Pendant quelques instants je restai là, bouche béante, sous le grésil qui tombait du toit. Enfin, revenant de ma stupeur, je rentrai dans notre réduit et trouvai Wilfrid, qui me regarda tout hagard. Je m'empressai de remettre du bois au fourneau, de passer mes habits et de fermer le verrou.

— Eh bien? demanda mon camarade en se levant.

— Eh bien! lui répondis-je, nous en sommes réchappés! Si cet homme ne nous a pas vus, c'est que Dieu ne veut pas encore notre mort.

— Oui, fit-il, oui! C'est l'un des assassins dont nous parlait Annette. Grand Dieu! quelle figure et quel couteau!

Il retomba sur la paillasse. Moi, je vidai d'un trait ce qui restait de vin dans la cruche, et comme le feu s'était ranimé, que la chaleur se répandait de nouveau dans la chambre, et que le verrou me paraissait solide, je repris courage. Pourtant, la montre était là; l'homme pouvait revenir la chercher! Cette idée nous glaça d'épouvante.

— Qu'allons-nous faire maintenant? dit Wilfrid. Notre plus court serait de reprendre tout de suite le chemin de la Forêt Noire!

— Pourquoi?

— Je n'ai plus envie de jouer de la contre-basse. Arrangez-vous comme vous voudrez.

— Mais pourquoi donc? Qu'est-ce qui nous force à partir? Avons-nous commis un crime?

— Parle bas, fit-il. Rien que ce mot *crime*, si quelqu'un l'entendait, pourrait nous faire pendre. De pauvres diables comme nous servent d'exemples aux autres. On ne regarde pas longtemps s'ils commettent des crimes. Il suffit qu'on trouve cette montre ici.

— Écoute, Wilfrid, lui dis-je, il ne s'agit pas[5] de perdre la tête. Je veux bien croire qu'un crime a été commis ce soir dans notre quartier. Oui, je le crois; c'est même très probable, mais, en pareille circonstance, que doit faire un honnête homme? Au lieu de fuir, il doit aider la justice.

— Et comment l'aider?

— Le plus simple sera de prendre la montre et d'aller la remettre demain au grand bailli, en lui racontant ce qui s'est passé.

— Jamais, je n'oserais toucher cette montre.

— Eh bien! moi, j'irai. Couchons-nous et tâchons de dormir encore s'il est possible.

— Je n'ai plus envie de dormir.

— Alors, causons. Allume ta pipe, attendons le jour, il y a peut-être encore du monde à l'auberge. Si tu veux, nous descendrons.

— J'aime mieux rester ici

— Soit! Et nous reprîmes notre place au coin du feu.

Le lendemain, dès que le jour parut, j'allai prendre la montre sur la table. C'était une montre très belle, à double cadran; l'un marquait les heures, l'autre les minutes. Wilfrid parut plus rassuré.

— Kasper, me dit-il, toute réflexion faite, il convient mieux que j'aille voir le bailli. Tu es trop jeune pour entrer dans

[5] Ce n'est pas le moment de perdre la tête.

de telles affaires. Il paraîtrait bien étrange qu'un homme de mon âge envoyât un enfant.

Il prit la montre, et nous descendîmes du grenier tout méditatifs. En traversant l'allée qui donne sur la rue Saint-Christophe, nous entendîmes le cliquetis des verres et des fourchettes.

— Ma foi, dis-je à Wilfrid, avant de sortir, nous ne ferions pas mal de boire un bon coup. En même temps, je poussai la porte de la salle. Toute notre société était là, les violons, les cors de chasse suspendus à la muraille, la harpe dans un coin. Nous fûmes accueillis par des cris joyeux. On s'empressa de nous faire place à table.

— Hé! disait le vieux Brêmer, bonne journée, camarades. Du vent! de la neige! Toutes les brasseries seront pleines de monde; chaque flocon qui tourbillonne dans l'air est un florin qui nous tombera dans la poche!

Pourtant, la figure pâle du meurtrier passait de temps en temps devant mes yeux et me faisait tressaillir. Je regardais Wilfrid; il était tout méditatif. Enfin, au coup de huit heures, notre troupe allait partir, lorsque la porte s'ouvrit, et trois escogriffes, la face plombée, les yeux brillants comme des rats, suivis de plusieurs autres de la même espèce, se présentèrent sur le seuil. L'un d'eux, un énorme gourdin suspendu au poignet, s'avança en s'écriant: «Vos papiers, messieurs!»

Chacun s'empressa de satisfaire à sa demande. Malheureusement Wilfrid, qui se trouvait debout auprès du poêle, fut pris d'un tremblement subit, et comme l'agent de police suspendait sa lecture pour l'observer d'un regard équivoque, il eut la funeste idée de faire glisser la montre dans sa botte! Mais, avant qu'elle eût atteint sa destination, l'agent de police frappait sur la cuisse de mon camarade et s'écriait d'un ton goguenard: — Hé, hé! il paraît que ceci nous gêne.

Alors Wilfrid tomba en faiblesse; à la grande stupéfaction de tout le monde il s'affaissa sur un banc, pâle comme la mort, et Madoc, le chef de la police, sans gêne, ouvrit son pantalon et en retira la montre avec un méchant éclat de rire. Mais à peine l'eut-il regardée qu'il devint grave, et se tournant vers ses agents:

— Que personne ne sorte! s'écria-t-il d'une voix terrible. Nous tenons la bande. Voici la montre du doyen Daniel Van den Berg. Attention! Les menottes!

Ce cri nous traversa jusqu'à la moelle des os. Moi, nous sentant perdus, je me glissai sous le banc, près du mur, et comme on enchaînait le pauvre vieux Brêmer, ses fils et Wilfrid, qui sanglotaient et protestaient, je sentis une petite main me passer sur le cou, la douce main d'Annette, où j'imprimai mes lèvres pour dernier adieu. Mais elle me prit par l'oreille, m'attira doucement. Je vis la porte du cellier ouverte sous un bout de la table. Je m'y laissai glisser. La porte se referma! Ce fut l'affaire d'une seconde, au milieu de la bagarre.

A peine au fond de mon trou, on trépignait déjà sur la porte; puis tout devint silencieux, mes pauvres camarades étaient partis! La mère Grédel Dick jetait son cri de paon sur le seuil de son allée, disant que l'auberge du *Pied-de-Mouton* était déshonorée.

Je vous laisse à penser les réflexions que je dus faire durant tout un jour, blotti derrière une futaille, les jambes repliées sous moi, songeant que s'il prenait fantaisie à la cabaretière[6] de venir elle-même remplir la cruche, que si la tonne se vidait dans le jour et qu'il fallût en mettre une autre en perce, que le moindre hasard pouvait me perdre. Je me représentais le vieux Brêmer, Wilfrid, et la grande Berthe, déjà pendus au gibet du Harberg, au milieu d'un cercle de corbeaux qui se gobergeaient à leurs dépens — Les cheveux m'en dressaient sur la tête!

Annette, non moins troublée que moi, par excès de prudence, refermait la porte chaque fois qu'elle remontait du cellier — J'entendis la vieille lui crier: «Mais laisse donc cette porte. Es-tu folle de perdre la moitié de ton temps à l'ouvrir?»

[6] Si la cabaretière avait le désir.

Alors, la porte resta entre-bâillée, et du fond de l'ombre, je vis les tables se garnir de nouveaux buveurs; j'entendais des cris, des discussions, des histoires sans fin sur la fameuse bande.

— Oh! les scélérats, disait l'un, grâce au ciel on les tient! Quel fléau pour Heidelberg! On n'osait plus se hasarder dans les rues après dix heures. Enfin, c'est fini, dans quinze jours, tout sera rentré dans l'ordre.

— Voyez-vous ces musiciens de la Forêt Noire, criait un autre. C'est un tas de bandits! ils s'introduisent dans les maisons sous prétexte de faire de la musique. Ils observent les serrures, les coffres, les armoires, les issues, et puis, un beau matin, on apprend que maître un tel a eu la gorge coupée dans son lit, que sa femme a été massacrée, ses enfants égorgés, la maison pillée de fond en comble, qu'on a mis le feu à la grange, ou autre chose dans ce genre. Quels misérables! On devrait les exterminer tous sans miséricorde . . . au moins le pays serait tranquille.

— Toute la ville ira les voir pendre, disait la mère Grédel. Ce sera le plus beau jour de ma vie!

— Savez-vous que sans la montre du doyen Daniel, on n'aurait jamais trouvé leur trace? Hier soir la montre disparaît; ce matin, maître Daniel en donne le signalement à la police; une heure après, Madoc mettait la main sur toute la couvée, hé! hé! hé! Et toute la salle de rire aux éclats.[7]

Cependant la nuit vint. Quelques buveurs seuls restaient encore à table. On avait veillé la nuit précédente; j'entendais la grosse propriétaire qui bâillait et murmurait: «Ah! mon Dieu, quand pourrons-nous aller nous coucher?»

— Allez dormir, madame, dit la douce voix d'Annette, je veillerai bien toute seule jusqu'à ce que ces messieurs s'en aillent.

Quelques ivrognes comprirent cette invitation et se retirèrent; il n'en restait plus qu'un, assoupi en face de sa cruche.

[7] Et la salle se mit à rire d'une manière bruyante.

Le wachtmann, étant venu faire sa ronde, l'éveilla, et je l'entendis sortir à son tour, grognant et trébuchant jusqu'à la porte. «Enfin, me dis-je, le voilà parti! La mère Grédel va dormir, et la petite Annette ne tardera point à me délivrer.»

Dans cette agréable pensée, je détirais déjà mes membres engourdis, quand ces paroles de la grosse cabaretière frappèrent mes oreilles: «Annette, va fermer, et n'oublie pas de mettre la barre. Moi, je descends à la cave.»

— Mais, madame, balbutia la petite, le tonneau n'est pas vide; vous n'avez pas besoin . . .

— Mêle-toi de tes affaires, interrompit la grosse femme, dont la chandelle brillait déjà sur l'escalier.

Je n'eus que le temps de me replier de nouveau derrière la futaille. La vieille, courbée sous la voûte basse du cellier, allait d'une tonne à l'autre et je l'entendais murmurer: «Oh! la coquine, comme elle laisse couler le vin! Attends, je vais t'apprendre à mieux fermer les robinets. A-t-on jamais vu!»

Tout à coup, au moment où je croyais la visite terminée, j'entendis la grosse mère exhaler un soupir, mais un soupir si long, si lugubre, que l'idée me vint aussitôt qu'il se passait quelque chose d'extraordinaire. Je hasardai un œil; et qu'est-ce que je vis? Dame Grédel Dick, la bouche béante, les yeux hors de la tête, contemplant le dessous de la tonne, derrière laquelle je me tenais immobile. Elle venait d'apercevoir un de mes pieds, et s'imaginait sans doute avoir découvert le chef des brigands, caché là pour l'égorger pendant la nuit. Ma résolution fut prompte; je me redressai en murmurant:

— Madame, au nom du ciel! ayez pitié de moi . . .

Mais alors, elle se prit à jeter des cris à vous déchirer les oreilles, tout en grimpant l'escalier aussi vite que le lui permettait son énorme corpulence. Saisi d'une terreur inexprimable, je m'accrochai à sa robe pour la prier à genoux. Mais ce fut pis encore: «Au secours! à l'assassin! oh! ah! mon Dieu! Lâchez-moi. Prenez mon argent. Oh! oh!»

C'était effrayant. J'avais beau lui dire: «Madame, regardez-moi. Je ne suis pas ce que vous pensez.» Bah! elle était folle d'épouvante, elle radotait, elle bégayait, elle piaillait d'un accent si aigu, que si nous n'eussions été sous terre, tout le quartier en eût été éveillé. Dans cette extrémité, ne consultant que ma rage, je lui grimpai sur le dos, et j'atteignis avant elle la porte, que je lui refermai sur le nez, ayant soin d'assujettir le verrou.

Pendant la lutte, la lumière s'était éteinte; dame Grédel restait dans les ténèbres, et sa voix ne s'entendait plus que faiblement, comme dans le lointain. Moi, épuisé, je regardais Annette dont le trouble égalait le mien. Nous n'avions plus la force de nous dire un mot, et nous écoutions ces cris expirants, qui finirent par s'éteindre.

Oh! Kasper, me dit Annette en joignant les mains, que faire, mon Dieu, sauve-toi. On a peut-être entendu. Tu l'as donc tuée? échappe-toi. Je vais t'ouvrir.

En effet, elle leva la barre et je me pris à courir dans la rue, sans même la remercier. Il faisait un temps abominable, pas une étoile au ciel, pas un réverbère allumé. Et le vent, et la neige! Ce n'est qu'après avoir couru au moins une demi-heure, que je m'arrêtai pour reprendre haleine. Et qu'on s'imagine mon épouvante quand, levant les yeux, je me vis juste en face du *Pied-de-Mouton.* Dans ma terreur, j'avais fait le tour du quartier, peut-être trois ou quatre fois de suite.

L'auberge, tout à l'heure déserte, bourdonnait comme une ruche; des lumières couraient d'une fenêtre à l'autre. Elle était sans doute pleine d'agents de police. Alors, malheureux, épuisé par le froid et la faim, ne sachant où trouver un asile, je pris la plus singulière de toutes les résolutions: «Ma foi, me dis-je, autant être pendu que de laisser ses os en plein champ sur la route de la Forêt Noire!»

Et j'entrai dans l'auberge pour me livrer moi-même à la justice. Outre les individus râpés, aux chapeaux déformés, aux triques énormes, que j'avais déjà vus le matin, et qui allaient, venaient, furetaient et s'introduisaient partout, il y avait alors devant une table le grand bailli Zimmer, vêtu de noir, l'air grave, l'œil pénétrant, et le secrétaire Rôth. C'est à peine si l'on fit attention à moi, circonstance qui modifia tout de suite ma résolution. Je m'assis dans l'un des coins de la salle, derrière le grand fourneau de fonte, et je demandai tranquillement une chopine de vin et un plat de choucroute. Annette faillit me trahir. 5

«Ah! mon Dieu, fit-elle, est-ce possible?»

Mais une exclamation de plus ou de moins dans une telle cohue ne signifiait absolument rien. Personne n'y prit garde, et, tout en mangeant du meilleur appétit, j'écoutai l'interrogatoire que subissait dame Grédel, accroupie dans un large fauteuil, les cheveux épars et les yeux encore écarquillés par la peur. 10

— Quel âge paraissait avoir cet homme? lui demanda le bailli. 15

— De quarante à cinquante ans, monsieur. C'était un homme énorme, avec des favoris noirs, ou bruns, je ne sais pas au juste, le nez long, les yeux verts.

— N'avait-il pas quelques signes particuliers, des taches au visage, des cicatrices? 20

— Non . . . je ne me rappelle pas . . . Il n'avait qu'un gros marteau et des pistolets.

— Fort bien. Et que vous a-t-il dit?

— Il m'a prise à la gorge. Heureusement j'ai crié si haut, que la peur l'a saisi, et puis, je me suis défendue avec les ongles. 25

— Rien de plus naturel, de plus légitime, madame. Écrivez, monsieur Rôth. Le sang-froid de cette bonne dame a été vraiment admirable! Ainsi du reste de la déposition. 30

On entendit ensuite Annette, qui déclara simplement avoir été si troublée, qu'elle ne se souvenait de rien.

— Cela suffit, dit le bailli; s'il nous faut d'autres renseignements, nous reviendrons demain.

Tout le monde sortit, et je demandai à la dame Grédel une chambre pour la nuit. Elle n'eut pas le moindre souvenir de m'avoir vu, tant la peur lui avait troublé la cervelle.

— Annette, dit-elle, conduis monsieur à la petite chambre verte du troisième. Moi, je ne tiens plus sur mes jambes. Ah! mon Dieu, mon Dieu! et elle se prit à sangloter. Annette, ayant allumé une chandelle, me conduisit dans la chambre désignée.

Quand je fus seul, après m'être assuré que les fenêtres ne donnaient sur aucun mur et que le verrou fermait bien, je remerciai le Seigneur de m'avoir sauvé dans ces circonstances périlleuses. Puis m'étant couché, je m'endormis profondément.

II

Le lendemain, je m'éveillai vers huit heures. Le temps était humide et terne. En écartant le rideau de mon lit, je remarquai que la neige s'était amoncelée au bord des fenêtres, les vitres en étaient toutes blanches. Je me pris à rêver tristement au sort de mes camarades; ils avaient dû bien souffrir du froid.

Comme je rêvais ainsi, un tumulte étrange s'éleva dehors. Il se rapprochait de l'auberge, et ce n'est pas sans inquiétude que je m'élançai vers une fenêtre, pour juger de ce nouveau péril.

On venait confronter la fameuse bande avec dame Grédel Dick, qui ne pouvait sortir après les terribles émotions de la veille. Mes pauvres compagnons descendaient la rue bourbeuse, entre deux files d'agents de police, et suivis d'une avalanche de gamins, hurlant et sifflant comme de vrais sauvages.

Tout ce monde s'engouffra dans l'allée sombre de l'auberge. Les gardes en expulsèrent les étrangers. On referma la porte, et la foule avide resta dehors, les pieds dans la boue, le nez aplati contre les fenêtres.

Le plus profond silence s'établit alors dans la maison. M'étant habillé, j'entr'ouvris la porte de ma chambre pour écouter et voir s'il ne serait pas possible de reprendre la clef des champs.[8]

J'entendis quelques éclats de voix, des allées et des venues aux étages inférieures, ce qui me convainquit que les issues étaient bien gardées. Ma porte donnait sur le palier, juste en face de la fenêtre que l'homme avait ouverte pour fuir. Je n'y fis d'abord pas attention, mais comme je restais là, tout à coup je m'aperçus que la fenêtre était ouverte, qu'il n'y avait point de neige sur son bord, et, m'étant approché, je vis des nouvelles traces sur le mur. Cette découverte me donna le frisson. L'homme était revenu! Il revenait peut-être toutes les nuits. Quelle révélation!

«Oh! si c'était vrai, me dis-je, si le hasard venait de me livrer le sort de l'assassin, mes pauvres camarades seraient sauvés!» Et je suivis des yeux cette trace, qui se prolongeait avec une netteté surprenante, jusque sur le toit voisin. En ce moment, quelques paroles de l'interrogatoire frappèrent mes oreilles. On venait d'ouvrir la porte de la salle pour renouveler l'air. J'entendis: «Reconnaissez-vous avoir, le 20 de ce mois, participé à l'assassinat d'Ulmet Elias?»

Puis quelques paroles inintelligibles.

— Refermez la porte, Madoc, dit la voix du bailli, madame est souffrante.

Je n'entendis plus rien.

La tête appuyée sur la rampe, une grande résolution se débattait alors en moi. «Je puis sauver mes camarades, me disais-je; Dieu vient de m'indiquer le moyen de les rendre à leurs familles. Si la peur me fait reculer devant un tel devoir, je me jugerai le plus lâche, le plus vil des misérables! Longtemps j'hésitai; mais tout à coup ma résolution fut prise. Je descendis et je pénétrai dans la cuisine.

— N'avez-vous jamais vu cette montre? disait le bailli à dame Grédel; recueillez bien vos souvenirs, madame.

[8] De m'échapper encore une fois.

Sans attendre la réponse, je m'avançai dans la salle et, d'une voix ferme, je répondis:

— Cette montre, monsieur le bailli, je l'ai vue entre les mains de l'assassin lui-même. Je la reconnais, et, quant à l'assassin, je puis vous le livrer ce soir, si vous daignez m'entendre.

Un silence profond s'établit autour de moi; tous les assistants se regardaient l'un l'autre avec stupeur; mes pauvres camarades parurent se ranimer.

— Qui êtes-vous, monsieur? me demanda le bailli, revenu de son émotion.

— Je suis le compagnon de ces infortunés, et je n'en ai pas honte, car tous, monsieur le bailli, tous quoique pauvres, sont d'honnêtes gens. Pas un d'entre eux n'est capable de commettre les crimes qu'on leur impute.

Il y eut un nouveau silence. Le bailli parut se recueillir. Enfin, me regardant d'un œil fixe:

— Où donc prétendez-vous nous livrer l'assassin?

— Ici même, monsieur le bailli, dans cette maison. Et, pour vous convaincre, je ne demande qu'un instant d'audience particulière.

— Voyons, dit-il en se levant. Il fit signe au chef de la police secrète, Madoc, de nous suivre, aux autres de rester. Nous sortîmes.

Je montai rapidement l'escalier. Au troisième, m'arrêtant devant la fenêtre et leur montrant les traces de l'homme imprimées dans la neige:

— Voici les traces de l'assassin, leur dis-je. C'est ici qu'il passe chaque soir. Il est venu hier à deux heures du matin. Il est revenu cette nuit. Il reviendra sans doute ce soir.

Le bailli et Madoc regardèrent les traces quelques instants sans murmurer une parole.

— Et qui vous dit que ce sont les pas du meurtrier? me demanda le chef de la police d'un air de doute.

Alors je leur racontai l'apparition de l'assassin dans notre grenier. Je leur indiquai, au-dessus de nous, la lucarne d'où je l'avais vu fuir au clair de lune. Je leur avouai que le hasard seul m'avait fait découvrir les empreintes de la nuit précédente.

— C'est étrange, murmurait le bailli; ceci modifie beaucoup la situation des accusés. Mais comment nous expliquez-vous la présence du meurtrier dans la cave de l'auberge? 5

— Ce meurtrier, c'était moi, monsieur le bailli! Et je lui racontai simplement ce qui s'était passé la veille, depuis l'arrestation de mes camarades jusqu'à la nuit close, au moment de ma fuite. 10

— Cela suffit, dit-il. Et se tournant vers le chef de la police: Je dois vous avouer, Madoc, que les dépositions de ces ménétriers ne m'ont jamais paru concluantes; elles étaient loin de me confirmer dans l'idée de leur participation aux crimes. D'ailleurs, leurs papiers établissent, pour plusieurs, 15 un alibi très difficile à démentir. Toutefois, jeune homme, malgré la vraisemblance des indices que vous nous donnez, vous resterez en notre pouvoir jusqu'à la vérification du fait. Madoc, ne le perdez pas de vue.

Le bailli descendit alors tout méditatif, et, repliant ses 20 papiers, sans ajouter un mot à l'interrogatoire:

— Qu'on reconduise les accusés à la prison, dit-il, et il sortit suivi de son secrétaire.

Madoc resta seul avec deux agents.

— Madame, dit-il à l'aubergiste, vous garderez le plus grand 25 silence sur ce qui vient de se passer. De plus, vous rendrez à ce brave jeune homme la chambre qu'il occupait avant-hier.

— Nous resterons ici tout le jour et toute la nuit pour vous garder. Vaquez tranquillement à vos affaires, et commencez par nous servir à déjeuner. Jeune homme, vous me ferez 30 l'honneur de déjeuner avec nous?

Nous voilà donc assis en face d'un jambon et d'une cruche de vin du Rhin. Nous passâmes toute l'après-midi à fumer des pipes, à vider des petits verres et des chopes.

Le chef de la police, malgré sa figure plombée et son grand 35 nez en bec d'aigle, était assez bon enfant après boire. Il nous racontait des gaudrioles avec verve et facilité. A chacune de ses paroles, les autres éclataient de rire; moi, je restais morne, silencieux.

— Allons, jeune homme, me disait-il en riant, oubliez la mort de votre respectable grand'mère. Nous sommes tous mortels, que diable! Buvez un coup et chassez ces idées nébuleuses.

D'autres se mêlaient à notre conversation, et le temps s'écoulait ainsi au milieu de la fumée du tabac, du cliquetis des verres et du tintement des canettes.

Mais à neuf heures, tout changea de face. Madoc se leva et dit:

— Ah! çà! procédons à nos petites affaires. Fermez la porte et les volets, et lestement! Quant à vous, madame et mademoiselle, allez vous coucher!

Ces trois hommes tirèrent de leur pantalon des tiges de fer, armées à l'extrémité d'une boule de plomb. Madoc, frappant sur la poche de sa redingote, s'assura qu'un pistolet s'y trouvait. Un instant après, il le sortit pour y mettre une capsule. Enfin, il m'ordonna de les conduire dans mon grenier. Arrivés dans le taudis, où la petite Annette avait eu soin de faire du feu, Madoc, jurant entre ses dents, s'empressa de jeter de l'eau sur le charbon; puis m'indiquant la paillasse: «Si le cœur vous en dit,[9] vous pouvez dormir.» Il s'assit alors avec ses deux acolytes, au fond de la chambre, près du mur, et l'on souffla la lumière.

Le silence, après minuit, devint si profond, qu'on ne se serait guère douté que trois hommes étaient là, l'œil ouvert, attentifs au moindre bruit, comme des chasseurs à l'affût de quelque bête fauve. Les heures s'écoulaient lentement. Je ne dormais pas. J'entendis sonner une heure, deux heures, et rien n'apparaissait!

A trois heures, un des agents de police bougea; je crus

[9] Si le cœur vous dit de le faire, si vous désirez le faire.

que l'homme arrivait, mais tout se tut de nouveau. Je me pris alors à penser que Madoc devait me prendre pour un imposteur, qu'il devait terriblement m'en vouloir, que le lendemain il me maltraiterait, que, bien loin d'avoir servi mes camarades, je serais mis à la chaîne. 5

Après trois heures, le temps me parut extrêmement rapide; j'aurais voulu que la nuit durât toujours, pour conserver au moins une lueur d'espérance.

Comme j'étais ainsi à ressasser les mêmes idées pour la centième fois, tout à coup, sans que j'eusse entendu le moindre 10 bruit, la lucarne s'ouvrit, deux yeux brillèrent à l'ouverture; rien ne remua dans le grenier.

«Les autres se seront endormis,»[10] me dis-je. La tête restait toujours là, attentive. On eût dit que le scélérat se doutait de quelque chose. Oh! que mon cœur galopait, que le sang coulait 15 vite dans mes veines; et pourtant le froid de la peur se répandait sur ma face, je ne respirais plus!

Il se passa bien quelques minutes ainsi; puis, subitement, l'homme parut se décider. Il se glissa dans notre grenier avec la même prudence que la veille. 20

Mais au même instant un cri terrible, un cri bref, vibrant, retentit: «Nous le tenons!» Et toute la maison fut ébranlée de fond en comble; des cris, des trépignements, des clameurs rauques, me glacèrent d'épouvante. L'homme rugissait, les autres respiraient haletants; puis il y eut un choc qui fit 25 craquer le plancher; je n'entendis plus qu'un grincement de dents, un cliquetis de chaînes.

— De la lumière! cria le terrible Madoc; et tandis que le soufre flambait, jetant dans le réduit sa lueur bleuâtre, je distinguai vaguement les agents de police accroupis sur 30 l'homme en manches de chemise: l'un le tenait à la gorge, l'autre lui appuyait les deux genoux sur la poitrine; Madoc lui serrait les poings dans des menottes à faire craquer les os; l'homme semblait inerte; seulement une de ses grosses jambes,

[10] Les autres se sont endormis probablement.

nue depuis le genou jusqu'à la cheville, se relevait de temps en temps et frappait le plancher par un mouvement convulsif.

A peine eus-je allumé la chandelle que les agents de police firent une exclamation étrange:

— Notre doyen! . . . Et tous trois se relevant, je les vis se regarder pâles de terreur.

L'œil de l'assassin bouffi de sang se tourna vers Madoc. Il voulut parler, mais seulement au bout de quelques secondes, je l'entendis murmurer: «Quel rêve! mon Dieu, quel rêve!» Puis il fit un soupir et resta immobile.

Je m'étais approché pour le voir. C'était bien lui, l'homme qui nous avait donné de si bons conseils sur la route de Heidelberg. Peut-être avait-il pressenti que nous serions la cause de sa perte: on a parfois de ces pressentiments terribles! Comme il ne bougeait plus et qu'un filet de sang glissait sur le plancher poudreux, Madoc, revenu de sa surprise, se pencha sur lui et déchira sa chemise; nous vîmes alors qu'il s'était donné un coup de son grand couteau dans le cœur.

— Eh! fit Madoc avec un sourire sinistre, M. le doyen a fait banqueroute à la potence. Il connaissait la bonne place[11] et ne s'est pas manqué! Restez ici, vous autres. Je vais prévenir le bailli. Puis il ramassa son chapeau, tombé pendant la lutte, et sortit sans ajouter un mot.

Le lendemain, vers huit heures, tout Heidelberg apprit la grande nouvelle. Ce fut un événement pour le pays. Daniel Van den Berg, doyen des drapiers, jouissait d'une fortune et d'une considération si bien établies, que beaucoup de gens se refusèrent à croire aux abominables instincts qui le dominaient.

Les uns disaient que le riche doyen était somnambule, et par conséquent irresponsable de ses actions, les autres, qu'il était assassin par amour du sang, n'ayant aucun intérêt sérieux à commettre de tels crimes. Peut-être était-il l'un et l'autre! C'est un fait incontestable que l'être moral, la volonté, l'âme, peu

[11] La place où il fallait frapper un coup fatal.

importe le nom, n'existe pas chez le somnambule. Or, l'animal, abandonné à lui-même, subit naturellement l'impulsion de ses instincts pacifiques ou sanguinaires; et la face ramassée de maître Daniel Van den Berg, sa tête plate, renflée derrière les oreilles, ses longues moustaches hérissées, ses yeux verts, 5 tout prouve qu'il appartenait malheureusement à la famille des chats, race terrible, qui tue pour le plaisir de tuer!

Quoi qu'il en soit, mes compagnons furent rendus à la liberté. Moi, je m'empressai de retourner dans la Forêt Noire, où, depuis cette époque, je remplis les fonctions de chef 10 d'orchestre au bouchon du *Sabre-Vert*. S'il vous arrive de passer par là, et que mon histoire vous ait intéressé, venez me voir; nous viderons deux ou trois bouteilles ensemble, et je vous raconterai certains détails qui vous feront dresser les cheveux sur la tête! 15

L'AUBERGE

GUY DE MAUPASSANT

Pareille à toutes les hôtelleries de bois plantées dans les Hautes-Alpes, au pied des glaciers, dans ces couloirs rocheux et nus qui coupent les sommets blancs des montagnes, l'auberge de Schwarenbach[1] sert de refuge aux voyageurs qui suivent le passage[2] de la Gemmi. 5

Pendant six mois elle reste ouverte, habitée par la famille de Jean Hauser; puis, dès que les neiges s'amoncellent, emplissant le vallon et rendant impraticable la descente sur Loëche, les femmes, le père et les trois fils s'en vont, et laissent pour garder la maison le vieux guide Gaspard Hari avec le jeune guide Ul- 10 rich Kunsi, et Sam le gros chien de montagne.

Les deux hommes et la bête demeurent jusqu'au printemps dans cette prison de neige, n'ayant devant les yeux que la pente immense et blanche du Balmhorn, entouré de sommets pâles et luisants, enfermés, bloqués, ensevelis sous la neige qui monte 15 autour d'eux, enveloppe, étreint, écrase la petite maison, s'amoncelle sur le toit, atteint les fenêtres et mure la porte.

C'était le jour où la famille Hauser allait retourner à Loëche, l'hiver approchant et la descente devenant périlleuse.

[1] L'auberge de Schwarenbach existe aujourd'hui, située sur le col (*pass*) de la Gemmi. La Gemmi est un mont de la chaine de montagnes au nord de la vallée du Rhône en Suisse.

[2] Qui suivent le chemin qui traverse le sommet des montagnes au col de la Gemmi pour descendre jusqu'à Loëche, village situé sur une petite rivière qui se jette dans le Rhône. Aujourd'hui le village s'appelle Loëche-les-Bains.

Trois mulets partirent en avant, chargés de hardes et de bagages et conduits par les trois fils. Puis la mère, Jeanne Hauser, et sa fille Louise montèrent sur un quatrième mulet, et se mirent en route à leur tour.

Le père les suivait accompagné des deux gardiens qui devaient escorter la famille jusqu'au sommet de la descente. 5

Ils contournèrent d'abord le petit lac, gelé maintenant au fond du grand trou de rochers qui s'étend devant l'auberge, puis ils suivirent le vallon clair comme un drap et dominé de tous côtés par des sommets de neige. 10

Une averse de soleil tombait sur ce désert blanc éclatant et glacé, l'allumait d'une flamme aveuglante et froide; aucune vie n'apparaissait dans cet océan des monts; aucun mouvement dans cette solitude démesurée; aucun bruit n'en troublait le profond silence. 15

Peu à peu, le jeune guide Ulrich Kunsi, un grand Suisse aux longues jambes, laissa derrière lui le père Hauser et le vieux Gaspard Hari, pour rejoindre le mulet qui portait les deux femmes.

La plus jeune le regardait venir, semblait l'appeler d'un œil triste. C'était une petite paysanne blonde, dont les joues laiteuses et les cheveux pâles paraissaient décolorés par les longs séjours au milieu des glaces. 20

Quand il eut rejoint la bête qui la portait, il posa la main sur la croupe et ralentit le pas. La mère Hauser se mit à lui parler, énumérant avec des détails infinis toutes les recommandations de l'hivernage. C'était la première fois qu'il restait là-haut, tandis que le vieux Hari avait déjà passé quatorze hivers sous la neige dans l'auberge de Schwarenbach. 25

Ulrich Kunsi écoutait, sans avoir l'air de comprendre, et regardait sans cesse la jeune fille. De temps en temps il répondait: «Oui, madame Hauser.» Mais sa pensée semblait loin et sa figure calme demeurait impassible. 30

Ils atteignirent le lac de Daube, dont la longue surface gelée s'étendait, toute plate, au fond du val. A droite, le Daubenhorn 35 montrait ses rochers noirs dressés à pic[3] auprès des énormes moraines du glacier de Lœmmerm que dominait le Wildstrubel.

Comme ils approchaient du col de la Gemmi, où commence la descente sur Loëche, ils découvrirent tout à coup l'immense horizon des Alpes du Valais dont les séparait la profonde et large vallée du Rhône. 5

C'était, au loin, un peuple de sommets blancs, inégaux, écrasés ou pointus et luisants sous le soleil; le Mischabel avec ses deux cornes, le puissant massif de Wissehorn, le lourd Brunnegghorn, la haute et redoutable pyramide du Cervin, ce 10 tueur d'hommes, et la Dent-Blanche, cette monstrueuse coquette.

Puis, au-dessous d'eux, dans un trou démesuré, au fond d'un abîme effrayant, ils aperçurent Loëche, dont les maisons semblaient des grains de sable jetés dans cette crevasse énorme que finit et que ferme la Gemmi, et qui s'ouvre, là-bas, sur le Rhône. 15

Le mulet s'arrêta au bord du sentier qui va, serpentant, tournant sans cesse et revenant, fantastique et merveilleux, le long de la montagne droite, jusqu'à ce petit village presque invisible, à son pied. Les femmes sautèrent dans la neige.

Les deux vieux les avaient rejoints. 20

— Allons, dit le père Hauser, adieu et bon courage, à l'an prochain, les amis.

Le père Hari répéta: «A l'an prochain.»

Ils s'embrassèrent. Puis Mme Hauser, à son tour, tendit ses joues; et la jeune fille en fit autant. 25

Quand ce fut le tour d'Ulrich Kunsi, il murmura dans l'oreille de Louise: «N'oubliez point ceux d'en haut.» Elle répondit «non» si bas, qu'il devina sans l'entendre.

— Allons, adieu, répéta Jean Hauser, et bonne santé.

Et, passant devant les femmes, il commença à descendre. 30

Ils disparurent bientôt tous les trois au premier détour du chemin.

Et les deux hommes s'en retournèrent vers l'auberge de Schwarenbach.

[3] Qui se lèvent perpendiculairement.

Ils allaient lentement, côte à côte, sans parler. C'était fini, ils resteraient seuls, face à face, quatre ou cinq mois.

Puis Gaspard Hari se mit à raconter sa vie de l'autre hiver. Il était demeuré avec Michel Canol, trop âgé maintenant pour recommencer; car un accident peut arriver pendant cette longue 5 solitude. Ils ne s'étaient pas ennuyés, d'ailleurs; le tout était d'en prendre son parti dès le premier jour; et on finissait par se créer des distractions, des jeux, beaucoup de passe-temps.

Ulrich Kunsi l'écoutait, les yeux baissés, suivant en pensée ceux qui descendaient vers le village par tous les festons de la 10 Gemmi.

Bientôt ils aperçurent l'auberge, à peine visible, si petite, un point noir au pied de la monstrueuse vague de neige.

Quand ils ouvrirent, Sam, le gros chien frisé, se mit à gambader autour d'eux. 15

— Allons, fils, dit le vieux Gaspard, nous n'avons plus de femmes maintenant, il faut préparer le dîner, tu vas éplucher les pommes de terre.

Et tous deux, s'asseyant sur des escabeaux de bois, commencèrent à tremper la soupe.[4] 20

La matinée du lendemain sembla longue à Ulrich Kunsi. Le vieux Hari fumait et crachait dans l'âtre, tandis que le jeune homme regardait par la fenêtre l'éclatante montagne en face de la maison.

Il sortit dans l'après-midi, et refaisant le trajet de la veille, il 25 cherchait sur le sol les traces des sabots du mulet qui avait porté les deux femmes. Puis, quand il fut au col de la Gemmi, il se coucha sur le ventre au bord de l'abîme, et regarda Loëche.

Le village dans son puits de rocher n'était pas encore noyé dans la neige, bien qu'elle vînt tout près de lui, arrêtée net par 30 les forêts de sapins qui protégeaient ses environs. Ses maisons basses ressemblaient de là-haut, à des pavés dans une prairie.

La petite Hauser était là, maintenant, dans une de ces de-

[4] C'est à dire, préparer la soupe en mettant dans de l'eau des légumes et des tranches de pain.

meures grises. Dans laquelle? Ulrich Kunsi se trouvait trop loin pour les distinguer séparément. Comme il aurait voulu descendre, pendant qu'il le pouvait encore!

Mais le soleil avait disparu derrière la grande cime de Wildstrubel; et le jeune homme rentra. Le père Hari fumait. En voyant revenir son compagnon, il lui proposa une partie de cartes; et ils s'assirent en face l'un de l'autre des deux côtés de la table.

Ils jouèrent longtemps, un jeu simple qu'on nomme la brisque, puis, ayant soupé, ils se couchèrent.

Les jours qui suivirent furent pareils au premier: clairs et froids, sans neige nouvelle. Le vieux Gaspard passait ses après-midi à guetter les aigles et les rares oiseaux qui s'aventurent sur ces sommets glacés, tandis que Ulrich retournait régulièrement au col de la Gemmi pour contempler le village. Puis, ils jouaient aux cartes, aux dés, aux dominos, gagnaient et perdaient des petits objets pour intéresser leur partie.

Un matin, Hari, levé le premier, appela son compagnon. Un nuage mouvant, profond et léger, d'écume blanche s'abattait sur eux, autour d'eux, sans bruit, les ensevelissait peu à peu sous un épais et lourd matelas de mousse. Cela dura quatre jours et quatre nuits. Il fallut dégager la porte et les fenêtres, creuser un couloir et tailler des marches pour s'élever sur cette poudre de glace que douze heures de gelée avaient rendue plus dure que le granit des moraines.

Alors, ils vécurent comme des prisonniers, ne s'aventurant plus guère en dehors de leur demeure. Ils s'étaient partagés les besognes qu'ils accomplissaient régulièrement. Ulrich Kunsi se chargeait des nettoyages, des lavages, de tous les soins et de tous les travaux de propreté. C'était lui aussi qui cassait le bois, tandis que Gaspard Hari faisait la cuisine et entretenait le feu. Leurs ouvrages, réguliers et monotones, étaient interrompus par de longues parties de cartes ou de dés. Jamais ils ne se querellaient, étant tous deux calmes et placides. Jamais même ils n'avaient d'impatiences, de mauvaise humeur, ni de paroles aigres, car ils avaient fait provision de résignation pour cet hivernage sur les sommets.

Quelquefois, le vieux Gaspard prenait son fusil et s'en allait à la recherche des chamois; il en tuait de temps en temps. C'était alors fête dans l'auberge de Schwarenbach et grand festin de chair fraîche.

Un matin, il partait ainsi. Le thermomètre du dehors marquait dix-huit au-dessous de glace. Le soleil n'étant pas encore levé, le chasseur espérait surprendre les bêtes aux abords du Wildstrubel.

Ulrich, demeuré seul, resta couché jusqu'à dix heures. Il était d'un naturel dormeur; mais il n'eût point osé[5] s'abandonner ainsi à son penchant en présence du vieux guide toujours ardent et matinal.

Il déjeuna lentemant avec Sam, qui passait aussi ses jours et ses nuits à dormir devant le feu; puis, il se sentit triste, effrayé même de la solitude, et saisi par le besoin de la partie de cartes quotidienne, comme on l'est par le désir d'une habitude invincible.

Alors il sortit pour aller au-devant de son compagnon qui devait rentrer à quatre heures.

La neige avait nivelé toute la profonde vallée, comblant les crevasses, effaçant les deux lacs, capitonnant les rochers; ne faisant plus entre les sommets immenses, qu'une immense cuve blanche régulière, aveuglante et glacée.

Depuis trois semaines, Ulrich n'était pas revenu au bord de l'abîme d'où il regardait le village. Il y voulut retourner avant de gravir les pentes qui conduisaient à Wildstrubel. Loëche maintenant était aussi sous la neige, et les demeures ne se reconnaissaient plus guère, ensevelies sous ce manteau pâle.

Puis, tournant à droite, il gagna le glacier de Lœmmern. Il allait de son pas allongé de montagnard, en frappant de son bâton ferré la neige aussi dure que la pierre. Et il cherchait

[5] Il n'aurait point osé.

avec son œil perçant le petit point noir et mouvant, au loin, sur cette nappe démesurée.

Quand il fut au bord du glacier, il s'arrêta, se demanda si le vieux avait bien pris ce chemin; puis il se mit à longer les moraines d'un pas plus rapide et plus inquiet.

Le jour baissait; les neiges devenaient roses; un vent sec et gelé courait par souffles brusques sur leur surface de cristal. Ulrich poussa un cri d'appel aigu, vibrant, prolongé. La voix s'envola dans le silence de mort où dormaient les montagnes; elle courut au loin, sur les vagues immobiles et profondes d'écume glaciale, comme un cri d'oiseau sur les vagues de la mer; puis elle s'éteignit et rien ne lui répondit.

Il se remit à marcher. Le soleil s'était enfoncé, là-bas, derrière les cimes que les reflets du ciel empourpraient encore; mais les profondeurs de la vallée devenaient grises. Et le jeune homme eut peur tout à coup. Il lui sembla que le silence, le froid, la solitude, la mort hivernale de ces monts entraient en lui, allaient arrêter et geler son sang, raidir ses membres, faire de lui un être immobile et glacé. Et il se mit à courir, s'enfuyant vers sa demeure. Le vieux, pensait-il, était rentré pendant son absence. Il avait pris un autre chemin; il serait assis devant le feu, avec un chamois mort à ses pieds.

Bientôt, il aperçut l'auberge. Aucune fumée n'en sortait. Ulrich courut plus vite, ouvrit la porte. Sam s'élança pour le fêter, mais Gaspard Hari n'était point revenu.

Effaré, Kunsi tournait sur lui-même, comme s'il se fût attendu à découvrir son compagnon caché dans un coin. Puis il ralluma le feu et fit la soupe, espérant toujours voir revenir le vieillard.

De temps en temps, il sortait pour regarder s'il n'apparaissait pas. La nuit était tombée, la nuit blafarde des montagnes, la nuit pâle, la nuit livide qu'éclairait, au bord de l'horizon, un croissant jaune et fin prêt à tomber derrière les sommets.

Puis, le jeune homme rentrait, s'asseyait, se chauffait les pieds et les mains en rêvant aux accidents possibles.

Gaspard avait pu se casser une jambe, tomber dans un trou,

faire un faux pas qui lui avait tordu la cheville. Et il restait étendu dans la neige, saisi, raidi par le froid, l'âme en détresse, perdu, criant peut-être au secours, appelant de toute la force de sa gorge dans le silence de la nuit.

Mais où? La montagne était si vaste, si rude, si périlleuse aux environs, surtout en cette saison, qu'il aurait fallu être dix ou vingt guides et marcher pendant huit jours dans tous les sens pour trouver un homme en cette immensité.

Ulrich Kunsi, cependant, se résolut à partir avec Sam si Gaspard Hari n'était point revenu entre minuit et une heure du matin.

Et il fit ses préparatifs.

Il mit deux jours de vivres dans un sac, prit ses crampons d'acier, roula autour de sa taille une corde longue, mince et forte, vérifia l'état de son bâton ferré et de la hachette qui sert à tailler des degrés dans la glace. Puis il attendit. Le feu brûlait dans la cheminée; le gros chien ronflait sous la clarté de la flamme; l'horloge battait comme un cœur ses coups réguliers dans sa gaine de bois sonore.

Il attendait, l'oreille éveillée aux bruits lointains, frissonnant quand le vent léger frôlait le toit et les murs.

Minuit sonna; il tressaillit. Puis, comme il se sentait frémissant et apeuré, il posa de l'eau sur le feu, afin de boire du café bien chaud avant de se mettre en route.

Quand l'horloge fit tinter une heure, il se dressa, réveilla Sam, ouvrit la porte et s'en alla dans la direction du Wildstrubel. Pendant cinq heures, il monta, escaladant des rochers au moyen de ses crampons, taillant la glace, avançant toujours et parfois hâlant, au bout de sa corde, le chien resté au bas d'un escarpement trop rapide. Il était six heures environ, quand il atteignit un des sommets où le vieux Gaspard venait souvent à la recherche des chamois.

Et il attendit que le jour se levât.

Le ciel pâlissait sur sa tête: et soudain une lueur bizarre, née on ne sait d'où, éclaira brusquement l'immense océan des cimes pâles qui s'étendaient à cent lieues autour de lui. On eût dit que cette clarté vague sortait de la neige elle-même pour se répandre dans l'espace. Peu à peu les sommets lointains les plus hauts devinrent tous d'un rose tendre comme de la chair, et le soleil rouge apparut derrière les lourds géants des Alpes bernoises.

Ulrich Kunsi se mit en route. Il allait comme un chasseur, courbé, épiant des traces, disant au chien: «Cherche, mon gros, cherche.»

Il redescendait la montagne à présent, fouillant de l'œil les gouffres, et parfois appelant, jetant un cri prolongé, mort bien vite dans l'immensité muette. Alors, il collait à terre l'oreille, pour écouter; il croyait distinguer une voix, se mettait à courir, appelait de nouveau, n'entendait plus rien et s'asseyait, épuisé, désespéré. Vers midi, il déjeuna et fit manger Sam, aussi las que lui-même.

Puis il recommença ses recherches.

Quand le soir vint, il marchait encore, ayant parcouru cinquante kilomètres de montagne. Comme il se trouvait trop loin de sa maison pour y rentrer, et trop fatigué pour se traîner plus longtemps, il creusa un trou dans la neige et s'y blottit avec son chien, sous une couverture qu'il avait apportée. Et ils se couchèrent l'un contre l'autre, l'homme et la bête, chauffant leurs corps l'un à l'autre et gelés jusqu'aux moelles cependant.

Ulrich ne dormit guère, l'esprit hanté de visions, les membres secoués de frissons.

Le jour allait paraître quand il se releva. Ses jambes étaient raides comme des barres de fer, son âme faible à le faire crier d'angoisse, son cœur palpitant à le laisser choir d'émotion dès qu'il croyait entendre un bruit quelconque.

Il pensa soudain qu'il allait aussi mourir de froid dans cette solitude, et l'épouvante de cette mort, fouettant son énergie, réveilla sa vigueur.

Il descendait maintenant vers l'auberge, tombant, se relevant, suivi de loin par Sam, qui boitait sur trois pattes.

Ils atteignirent Schwarenbach seulement vers quatre heures

de l'après-midi. La maison était vide. Le jeune homme fit du feu, mangea et s'endormit, tellement abruti qu'il ne pensait plus à rien.

Il dormit longtemps, très longtemps, d'un sommeil invincible. Mais soudain, une voix, un cri, un nom: «Ulrich,» secoua son engourdissement profond et le fit se dresser. Avait-il rêvé? Était-ce un de ces appels bizarres qui traversent les rêves des âmes inquiètes? Non, il l'entendait encore, ce cri vibrant, entré dans son oreille et resté dans sa chair jusqu'au bout de ses doigts nerveux. Certes, on avait crié; on avait appelé: «Ulrich!» Quelqu'un était là, près de la maison. Il n'en pouvait douter. Il ouvrit donc la porte et hurla: «C'est toi, Gaspard!» de toute la puissance de sa gorge.

Rien ne répondit; aucun son, aucun murmure, aucun gémissement, rien. Il faisait nuit. La neige était blême.

Le vent s'était levé, le vent glacé qui brise les pierres et ne laisse rien de vivant sur ces hauteurs abandonnées. Il passait par souffles brusques plus desséchants et plus mortels que le vent de feu du désert. Ulrich, de nouveau, cria: «Gaspard! — Gaspard! — Gaspard!»

Puis il attendit. Tout demeura muet sur la montagne! Alors, une épouvante le secoua jusqu'aux os. D'un bond il rentra dans l'auberge, ferma la porte et poussa les verrous; puis il tomba grelottant sur une chaise, certain qu'il venait d'être appelé par son camarade au moment où il rendait l'esprit.

De cela il était sûr, comme on est sûr de vivre ou de manger du pain. Le vieux Gaspard Hari avait agonisé pendant deux jours et trois nuits quelque part, dans un trou, dans un de ces profonds ravins immaculés dont la blancheur est plus sinistre que les ténèbres des souterrains. Il avait agonisé pendant deux jours et trois nuits, et il venait de mourir tout à l'heure en pensant à son compagnon. Et son âme, à peine libre, s'était envolée vers l'auberge où dormait Ulrich, et elle l'avait appelé de par la vertu[6] mystérieuse et terrible qu'ont les âmes des

[6] *De par la vertu* signifie *par l'ordre de la vertu, au nom de la vertu.* Comparez l'expression légale *de par la loi.*

morts de hanter les vivants. Elle avait crié, cette âme sans voix, dans l'âme accablée du dormeur; elle avait crié son dernier adieu, ou son reproche, ou sa malédiction sur l'homme qui n'avait point assez cherché.

Et Ulrich la sentait là, tout près, derrière le mur, derrière la porte qu'il venait de refermer. Elle rôdait, comme un oiseau de nuit qui frôle de ses plumes une fenêtre éclairée; et le jeune homme éperdu était prêt à hurler d'horreur. Il voulait s'enfuir et n'osait point sortir; il n'osait point et n'oserait plus désormais, car le fantôme resterait là, jour et nuit, autour de l'auberge, tant que le corps du vieux guide n'aurait pas été retrouvé et déposé dans la terre bénie d'un cimetière.

Le jour vint et Kunsi reprit un peu d'assurance au retour brillant du soleil. Il prépara son repas, fit la soupe de son chien, puis il demeura sur une chaise, immobile, le cœur torturé, pensant au vieux couché sur la neige.

Puis, dès que la nuit recouvrit la montagne, des terreurs nouvelles l'assaillirent. Il marchait maintenant dans la cuisine noire, éclairée à peine par la flamme d'une chandelle, il marchait d'un bout à l'autre de la pièce, à grands pas, écoutant, écoutant si le cri effrayant de l'autre nuit n'allait pas encore traverser le silence morne du dehors. Et il se sentait seul, le misérable, comme aucun homme n'avait jamais été seul! Il était seul dans cet immense désert de neige, seul à deux mille mètres au-dessus de la terre habitée, au-dessus des maisons humaines, au-dessus de la vie qui s'agite, bruit[7] et palpite, seul dans le ciel glacé! Une envie folle le tenaillait de se sauver n'importe où, n'importe comment, de descendre à Loëche en se jetant dans l'abîme; mais il n'osait seulement pas ouvrir la porte, sûr que l'autre, le mort, lui barrerait la route, pour ne pas rester seul non plus là-haut.

Vers minuit, las de marcher, accablé d'angoisse et de peur, il s'assoupit enfin sur une chaise, car il redoutait son lit comme on redoute un lieu hanté.

[7] Le présent du verbe *bruire:* to rustle.

Et soudain le cri strident de l'autre soir lui déchira les oreilles, si suraigu qu'Ulrich étendit les bras pour repousser le revenant, et il tomba sur le dos avec son siège.

Sam, réveillé par le bruit, se mit à hurler comme hurlent les chiens effrayés, et il tournait autour du logis cherchant d'où venait le danger. Parvenu près de la porte, il flaira dessous, soufflant et reniflant avec force, le poil hérissé, la queue droite et grognant. 5

Kunsi, éperdu, s'était levé et, tenant par un pied sa chaise, il cria: «N'entre pas, n'entre pas ou je te tue!» Et le chien, excité par cette menace, aboyait avec fureur contre l'invisible ennemi que défiait la voix de son maître. 10

Sam, peu à peu, se calma et revint s'étendre auprès du foyer, mais il demeurait inquiet, la tête levée, les yeux brillants et grondant entre ses crocs. 15

Ulrich, à son tour, reprit ses sens, mais comme il se sentait défaillir de terreur, il alla chercher une bouteille d'eau-de-vie dans le buffet, et il en but, coup sur coup, plusieurs verres. Ses idées devenaient vagues; son courage s'affermissait; une fièvre de feu glissait dans ses veines. 20

Il ne mangea guère le lendemain, se bornant à boire de l'alcool. Et pendant plusieurs jours de suite il vécut; saoul comme une brute. Dès que la pensée de Gaspard Hari lui revenait, il recommençait à boire jusqu'à l'instant où il tombait sur le sol, abattu par l'ivresse. Et il restait là, sur la face, ivre mort, les membres rompus, ronflant, le front par terre. Mais à peine avait-il digéré le liquide affolant et brûlant, que le cri toujours le même «Ulrich!» le réveillait comme une balle qui lui aurait percé le crâne; et il se dressait chancelant encore, étendant les mains pour ne point tomber, appelant Sam à son secours. Et le chien, qui semblait devenir fou comme son maître, se précipitait sur la porte, la grattait de ses griffes, la rongeait de ses longues dents blanches, tandis que le jeune homme, le col renversé, la tête en l'air, avalait à pleines gorgées, comme de l'eau fraîche 25 30 après une course, l'eau-de-vie qui tout à l'heure endormirait de nouveau sa pensée, et son souvenir, et sa terreur éperdue.

En trois semaines, il absorba toute sa provision d'alcool. Mais cette saoulerie continue ne faisait qu'assoupir son épouvante qui se réveilla plus furieuse dès qu'il lui fut impossible de la calmer. 5 L'idée fixe alors, exaspérée par un mois d'ivresse, et grandissant sans cesse dans l'absolue solitude, s'enfonçait en lui à la façon d'une vrille. Il marchait maintenant dans sa demeure ainsi qu'une bête en cage, collant son oreille à la porte pour écouter si l'autre était là, et le défiant, à travers le mur. 10

Puis, dès qu'il sommeillait, vaincu par la fatigue, il entendait la voix qui le faisait bondir sur ses pieds.

Une nuit enfin, pareil aux lâches poussés à bout, il se précipita sur la porte et l'ouvrit pour voir celui qui l'appelait et pour le forcer à se taire. 15

Il reçut en plein visage un souffle d'air froid qui le glaça jusqu'aux os et il referma le battant et poussa les verrous, sans remarquer que Sam s'était élancé dehors. Puis, frémissant, il jeta du bois au feu, et s'assit devant pour se chauffer; mais soudain il tressaillit, quelqu'un grattait le mur en pleurant. 20

Il cria éperdu: «Va-t-en!» Une plainte lui répondit, longue et douloureuse.

Alors tout ce qui lui restait de raison fut emporté par la terreur. Il répétait «Va-t-en» en tournant sur lui-même pour trouver un coin où se cacher. L'autre pleurant toujours, passait 25 le long de la maison en se frottant contre le mur. Ulrich s'élança vers le buffet de chêne plein de vaisselle et de provisions, et, le soulevant avec une force surhumaine, il le traîna jusqu'à la porte, pour s'appuyer d'une barricade. Puis, entassant les uns sur les autres tout ce qui restait de meubles, les matelas, les 30 paillasses, les chaises, il boucha la fenêtre comme on fait lorsqu'un ennemi vous assiège.

Mais celui du dehors poussait maintenant de grands gémissements lugubres auxquels le jeune homme se mit à répondre par des gémissements pareils. 35

Et des jours et des nuits passèrent sans qu'ils cessassent de hurler l'un et l'autre. L'un tournait sans cesse autour de la maison et fouillait la muraille de ses ongles avec tant de force qu'il semblait vouloir la démolir; l'autre, au dedans, suivait tous ses mouvements, courbé, l'oreille collée contre la pierre, et il répondait à tous ses appels par d'épouvantables cris. 5

Un soir, Ulrich n'entendit plus rien, et il s'assit, tellement brisé de fatigue qu'il s'endormit aussitôt.

Il se réveilla sans un souvenir, sans une pensée comme si toute sa tête se fût vidée pendant ce sommeil accablé. Il avait faim, il mangea. 10

. . . .

L'hiver était fini. Le passage de la Gemmi redevenait praticable; et la famille Hauser se mit en route pour rentrer dans son auberge. 15

Dès qu'elles eurent atteint le haut de la montée, les femmes grimpèrent sur leur mulet, et elles parlèrent des deux hommes qu'elles allaient retrouver tout à l'heure.

Elles s'étonnaient que l'un d'eux ne fût pas descendu quelques jours plus tôt, dès que la route était devenue possible, pour donner des nouvelles de leur long hivernage. 20

On aperçut enfin l'auberge encore couverte et capitonnée de neige. La porte et la fenêtre étaient closes; un peu de fumée sortait du toit, ce qui rassura le père Hauser. Mais en approchant, il aperçut, sur le seuil, un squelette d'animal dépecé par les aigles, un grand squelette couché sur le flanc. 25

Tous l'examinèrent. «Ça doit être Sam,» dit la mère. Et elle appela: «Hé, Gaspard.» Un cri répondit à l'intérieur, un cri aigu, qu'on eût dit poussé par une bête. Le père Hauser répéta: «Hé, Gaspard.» Un autre cri pareil au premier se fit entendre. 30

Alors les trois hommes, le père et les deux fils, essayèrent d'ouvrir la porte. Elle résista. Ils prirent dans l'étable vide une longue poutre comme bélier, et la lancèrent à toute volée. Le bois cria, céda, les planches volèrent en morceaux; puis un grand bruit ébranla la maison et ils aperçurent, dedans, derrière 35 le buffet écroulé, un homme debout, avec des cheveux qui lui tombaient aux épaules, une barbe qui lui tombait sur la poitrine, des yeux brillants et des lambeaux d'étoffe sur le corps.

Ils ne le reconnaissaient point, mais Louise Hauser s'écria: «C'est Ulrich, maman.» Et la mère constata que c'était Ulrich, bien que ses cheveux fussent blancs.

Il les laissa venir; il se laissa toucher; mais il ne répondit point aux questions qu'on lui posa; et il fallut le conduire à Loëche où les médecins constatèrent qu'il était fou.

Et personne ne sut jamais ce qu'était devenu son compagnon.

La petite Hauser faillit mourir, cet été-là, d'une maladie de langueur qu'on attribua au froid de la montagne.

ANGELINE OU LA MAISON HANTÉE

ÉMILE ZOLA

I

Il y a près de deux ans, je filais à bicyclette par un chemin désert, du côté d'Orgeval,[1] lorsque la brusque apparition d'une propriété, au bord de la route, me surprit tellement, que je sautai de la machine pour la mieux voir. C'était, sous le ciel gris de novembre, dans le vent froid qui balayait les feuilles mortes, une maison de briques, sans grand caractère, au milieu d'un vaste jardin, planté de vieux arbres. Mais ce qui la rendait extraordinaire, d'une étrangeté farouche qui serrait le cœur, c'était l'affreux abandon dans lequel elle se trouvait. Et, comme un immense écriteau, déteint par les pluies, annonçait que la propriété était à vendre, j'entrai dans le jardin, cédant à une curiosité mêlée d'angoisse et de malaise.

Depuis trente ou quarante ans peut-être, la maison devait être inhabitée. Les briques des corniches et des encadrements, sous les hivers, s'étaient disjointes, envahies de mousses et de lichens. Des lézardes coupaient la façade, pareilles à des rides précoces, sillonnant cette bâtisse solide encore, mais dont on ne prenait plus aucun soin. En bas, les marches du perron, fendues par la gelée, barrées par des orties et par des ronces, étaient là comme un seuil de désolation et de mort. Et, surtout, l'affreuse tristesse venait des fenêtres sans rideaux, nues et glauques, dont

[1] Orgeval est un village à quelques kilomètres à l'ouest de Paris et pas loin de Médan où Zola avait une maison de campagne.

les gamins avaient cassé les vitres à coups de pierre, toutes laissant voir le vide morne des pièces, ainsi que des yeux éteints restés grands ouverts sur un corps sans âme. Puis, à l'entour, le vaste jardin était une dévastation, l'ancien parterre à peine reconnaissable sous la poussée des herbes folles, les allées di- 5 sparues, mangées par les plantes voraces, les bosquets transformés en forêts vierges, une végétation sauvage de cimetière abandonné, dans l'ombre humide des grands arbres séculaires, dont le vent d'automne, ce jour-là, hurlant tristement sa plainte, emportait les dernières feuilles. 10

Longtemps, je m'oubliai là, au milieu de cette plainte désespérée qui sortait des choses, le cœur troublé d'une peur sourde, d'une détresse grandissante, retenu pourtant par une compassion ardente, un besoin de savoir et de sympathiser avec tout ce que je sentais, autour de moi, de misère et de douleur. 15 Et, lorsque je me fus décidé à sortir, ayant aperçu de l'autre côté de la route, à la fourche de deux chemins, une façon d'auberge, une masure où l'on donnait à boire, j'entrai, résolu à faire causer les gens du pays.

Il n'y avait là qu'une vieille femme, qui me servit en geignant 20 un verre de bière. Elle se plaignait d'être établie sur ce chemin écarté, où il ne passait pas deux cyclistes par jour. Elle parlait indéfiniment, contait son histoire, disait qu'elle se nommait la mère Toussaint, qu'elle était venue de Vernon avec son homme pour prendre cette auberge, que d'abord les choses n'avaient pas 25 mal marché, mais que tout allait de mal en pis, depuis qu'elle était veuve. Et, après son flot de paroles, lorsque je me mis à l'interroger sur la propriété voisine, elle devint tout d'un coup circonspecte, me regardant d'un air méfiant, comme si je voulais lui arracher des secrets redoutables. 30

—Ah! Oui, la Sauvagière, la maison hantée, comme on dit dans le pays . . . Moi, je ne sais rien, monsieur. Ce n'est pas de mon temps, il n'y aura que trente ans à Pâques que je suis ici, et ces choses-là remontent à quarante ans bientôt. Quand nous sommes venus, la maison était à peu près dans l'état où 35 vous la voyez . . . Les étés passent, les hivers passent, et rien ne bouge, si ce n'est les pierres qui tombent.

—Mais enfin, demandai-je, pourquoi ne la vend-on pas, puisqu'elle est à vendre?

—Ah! pourquoi? pourquoi? Est-ce que je sais? . . . On dit tant de choses. . . . 5

Sans doute, je finissais par lui inspirer confiance. Puis, elle brûlait de me les répéter, ces choses qu'on disait. Elle me conta, pour commencer, que pas une des filles du village voisin n'aurait osé entrer à la Sauvagière, après le crépuscule, parce 10 que le bruit courait qu'une pauvre âme y revenait la nuit. Et, comme je m'étonnais que, si près de Paris, une pareille histoire pût encore trouver quelque créance, elle haussa les épaules, voulut d'abord faire l'âme forte,[2] laissa voir ensuite sa terreur inavouée. 15

—Il y a pourtant des faits, monsieur. Pourquoi ne vend-on pas? J'en ai vu venir, des acquéreurs, et tous s'en sont allés plus vite qu'ils ne sont venus, jamais on n'en a vu reparaître un seul. Eh bien! ce qui est certain, c'est que, dès qu'un visiteur ose se risquer dans la maison, il s'y passe des choses extraordi- 20 naires: les portes battent, se referment toutes seules avec fracas, comme si un vent terrible soufflait; des cris, des gémissements, des sanglots montent des caves; et, si l'on s'entête, une voix déchirante jette ce cri continu: Angeline! Angeline! Angeline! dans un appel d'une telle douleur, qu'on en a les os glacés . . . 25 Je vous répète que c'est prouvé, personne ne vous dira le contraire.

J'avoue que je commençais à me passionner, pris moi-même d'un petit frisson froid sous la peau.

—Et cette Angeline, qui est-ce donc? 30

—Ah! monsieur, il faudrait tout vous conter. Encore un coup,[3] moi, je ne sais rien.

[2] Elle voulut faire croire qu'elle avait l'âme courageuse, qu'elle n'avait pas peur.

[3] Je répète encore une fois.

Cependant, elle finit par tout me dire. Il y avait quarante ans, vers 1858, au moment où le Second Empire triomphant était en continuelle fête, M. de G . . . , qui occupait une fonction aux Tuileries,[4] perdit sa femme, dont il avait une fillette d'une dizaine d'années, Angeline, un miracle de beauté, vivant portrait de sa mère. Deux ans plus tard, M. de G . . . se remariait, épousait une autre beauté célèbre, veuve d'un général. Et l'on prétendait que, dès ces secondes noces, une atroce jalousie était née entre Angeline et sa belle-mère: l'une frappée au cœur de voir sa mère déjà oubliée, remplacée si vite au foyer par cette étrangère; l'autre, obsédée, affolée d'avoir toujours devant elle ce vivant portrait d'une femme qu'elle craignait de ne pouvoir faire oublier. La Sauvagière appartenait à la nouvelle Mme de G . . . , et là, un soir, en voyant le père embrasser passionnément sa fille, elle aurait, dans sa démence jalouse, frappé[5] l'enfant d'un tel coup, que la pauvre petite serait tombée morte, la nuque brisée. Puis, le reste devenait effroyable: le père éperdu consentant à enterrer lui-même sa fille dans une cave de la maison, pour sauver la meurtrière; le petit corps restant là enfoui durant des années, tandis qu'on disait la fillette chez une tante; les hurlements d'un chien qui s'acharnait à gratter le sol faisant enfin découvrir le crime, dont les Tuileries s'étaient empressées d'étouffer le scandale. Aujourd'hui, M. et Mme de G . . . étaient morts, et Angeline revenait encore chaque nuit, aux appels de la voix lamentable qui l'appelait, de l'au-delà mystérieux des ténèbres.

— Personne ne me démentira, conclut la mère Toussaint. Tout cela est aussi vrai que deux et deux font quatre.

Je l'avais écoutée, effaré, choqué par des invraisemblances, mais conquis cependant par l'étrangeté violente et sombre du drame. Ce M. de G . . . , j'en avais entendu parler, je croyais savoir qu'en effet il s'était remarié et qu'une douleur de famille avait assombri sa vie. Était-ce donc vrai? Quelle histoire tra-

[4] C'est à dire, au gouvernement de Napoléon III, au palais des Tuileries.
[5] Notez le conditionnel de probabilité; elle avait probablement frappé.

gique et attendrissante, toutes les passions humaines remuées, exaspérées jusqu'à la démence, le crime passionnel le plus terrifiant qu'on pût voir, une fillette belle comme le jour, adorée, et tuée par la marâtre, et ensevelie par le père dans un coin de cave! C'était trop beau d'émotion et d'horreur. J'allais questionner encore, discuter. Puis, je me demandai à quoi bon? Pourquoi ne pas emporter, dans sa fleur d'imagination populaire, ce conte effroyable?

Comme je remontais à bicyclette, je jetai un dernier coup d'œil sur la Sauvagière. La nuit tombait, la maison en détresse me regardait de ses fenêtres vides et troubles, pareilles à des yeux de morte, pendant que le vent d'automne se lamentait dans les vieux arbres.

II

Pourquoi cette histoire se fixa-t-elle dans mon crâne, jusqu'à devenir une obsession, un véritable tourment? C'est là un de ces problèmes intellectuels difficiles à résoudre. J'avais beau me dire que de pareilles légendes courent la campagne,[6] que celle-ci ne présentait en somme aucun intérêt direct pour moi. Malgré tout, l'enfant morte me hantait, cette Angeline délicieuse et tragique, qu'une voix éplorée appelait chaque nuit, depuis quarante ans, à travers les pièces vides de la maison abandonnée.

Et, pendant les deux premiers mois de l'hiver, je fis des recherches. Evidemment, si peu[7] qu'une telle disparition, une aventure à ce point dramatique, eût transpiré au dehors, les journaux du temps avaient dû en parler. Je fouillai les collections à la Bibliothèque Nationale, sans rien découvrir, pas une ligne ayant trait[8] à une semblable histoire. Puis, j'interrogeai les contemporains, des hommes des Tuileries: aucun ne put me répondre nettement, je n'obtins que des renseignements contradictoires, si bien que j'avais abandonné tout espoir d'arriver à

[6] Que de pareilles légendes existent souvent dans toutes les régions.
[7] However little.
[8] Au sujet d'une semblable histoire.

la vérité, sans cesser d'être en proie au tourment du mystère, lorsqu'un hasard me mit, un matin, sur une piste nouvelle.

J'allais, toutes les deux ou trois semaines, rendre une visite de bonne confraternité, de tendresse et d'admiration, au vieux poëte V . . . , qui est mort en avril dernier, à près de soixante- 5 dix ans. Depuis de longues années déjà, une paralysie des jambes le tenait cloué sur un fauteuil dans son petit cabinet de travail de la rue d'Assas, dont la fenêtre donnait sur le jardin du Luxembourg. Il achevait là très doucement une vie de rêve, n'ayant vécu que d'imagination, s'étant fait à lui-même l'idéal 10 palais où il avait, loin du réel, aimé et souffert. Qui de nous ne se rappelle son fin visage aimable, ses cheveux blancs aux boucles enfantines, ses pâles yeux bleus qui avaient gardé une innocence de jeunesse? On ne pouvait dire qu'il mentait toujours. Mais la vérité était qu'il inventait sans cesse, de sorte qu'on ne 15 savait jamais au juste où la réalité cessait pour lui, et où commençait le songe. C'était un bien charmant vieillard, depuis longtemps hors de la vie, dont la conversation m'émotionnait souvent comme une révélation discrète et vague de l'inconnu.

Ce jour-là, je causais donc avec lui, près de la fenêtre, dans 20 l'étroite pièce, que chauffait toujours un feu ardent. Dehors, la gelée était terrible, le jardin du Luxembourg s'étendait blanc de neige, déroulant un vaste horizon de candeur immaculée. Et je ne sais comment j'en vins à lui parler de la Sauvagière, de cette histoire qui me préoccupait encore: le père remarié, la marâtre 25 jalouse de la fillette, vivant portrait de sa mère, puis l'ensevelissement au fond de la cave. Il m'avait écouté avec le tranquille sourire qu'il gardait même dans la tristesse. Un silence s'était fait, son pâle regard bleu se perdit au loin, dans l'immensité blanche du Luxembourg, tandis qu'une ombre de reve, émanée 30 de lui, semblait l'entourer d'un frisson léger.

—J'ai beaucoup connu M. de G . . . dit-il lentement. J'ai connu sa première femme, d'une beauté surhumaine; j'ai connu la seconde, non moins prodigieusement belle; et je les ai même passionnément aimées toutes les deux, sans jamais le dire. J'ai 35 connu Angeline, qui était plus belle encore, que tous les hommes auraient adorée à genoux. . . . Mais les choses ne se sont pas tout à fait passées comme vous le dites.

Ce fut pour moi une grosse émotion. Etait-ce donc la vérité inattendue, dont je désespérais? Allais-je tout savoir? D'abord, je ne me méfiai pas, et je lui dis:

—Ah! mon ami, quel service vous me rendrez! Enfin, ma pauvre tête va pouvoir se calmer. Parlez vite, dites-moi tout.

Mais il ne m'écoutait pas, ses regards restaient perdus au loin. Puis il parla d'une voix de songe, comme s'il eût créé les êtres et les choses, au fur et à mesure qu'il les évoquait.

—Angeline était, à douze ans, une âme où tout l'amour de la femme avait déjà fleuri, avec ses emportements de joie et de douleur. Ce fut elle qui tomba éperdument jalouse de l'épouse nouvelle, qu'elle voyait chaque jour aux bras de son père. Elle en souffrait comme d'une trahison affreuse, ce n'était plus sa mère seule que le nouveau couple insultait, c'était elle-même qu'il torturait, dont il déchirait le cœur. Chaque nuit, elle entendait sa mère qui l'appelait de son tombeau; et, une nuit, pour la rejoindre, souffrant trop, mourant de trop d'amour, cette fillette de douze ans s'enfonça un couteau dans le cœur.

Je jetai un cri.

—Grand Dieu! est-ce possible?

—Quelle épouvante et quelle horreur, continua-t-il sans m'entendre, lorsque, le lendemain, M. et Mme de G . . . trouvèrent Angeline dans son petit lit, avec ce couteau jusqu'au manche, en pleine poitrine! Ils étaient à la veille de partir pour l'Italie, il n'y avait même plus là qu'une vieille femme de chambre qui avait élevé l'enfant. Dans leur terreur qu'on pût les accuser d'un crime, ils se firent aider par elle, ils enterrèrent en effet le petit corps, mais en un coin de la serre qui est derrière la maison, au pied d'un oranger géant. Et on l'y trouva, le jour où, les parents morts, la vieille bonne conta cette histoire.

Des doutes m'étaient venus, je l'examinais, pris d'inquiétude, me demandant s'il n'inventait pas.

— Mais, lui demandai-je, croyez-vous donc aussi qu'Angeline puisse revenir chaque nuit, au cri déchirant de la voix mystérieuse qui l'appelle?

Cette fois il me regarda, il se remit à sourire d'un air indulgent. 5

— Revenir, mon ami, eh! tout le monde revient. Pourquoi ne voulez-vous pas[9] que l'âme de la chère petite morte habite encore les lieux où elle a aimé et souffert? Si l'on entend une voix qui l'appelle, c'est que la vie n'a pas encore recommencé pour elle, et elle recommencera, soyez-en sûr, car tout recommence, rien 10 ne se perd, pas plus l'amour que la beauté . . . Angeline! Angeline! Angeline! et elle renaîtra dans le soleil et dans les fleurs.

Décidément, ni la conviction ni le calme ne se faisaient en moi. Mon vieil ami V . . . , le poëte enfant, ne m'avait même apporté que plus de trouble. Il inventait sûrement. Cependant, 15 comme tous les voyants, peut-être devinait-il.

— C'est bien vrai, tout ce que vous me racontez là? osai-je lui demander en riant.

Il s'égaya doucement à son tour.

— Mais, certainement, c'est vrai. Est-ce que tout l'infini n'est 20 pas vrai?

Ce fut la dernière fois que je le vis, ayant dû m'absenter de Paris, quelque temps après. Je le revois encore, avec son regard songeur, perdu sur les nappes blanches du Luxembourg, si tranquille dans la certitude de son rêve sans fin, tandis que moi, le 25 besoin de fixer à jamais la vérité, toujours fuyante, me dévore.

III

Dix-huit mois se passèrent. J'avais dû voyager, de grands soucis et de grandes joies avaient passionné ma vie, dans le coup de tempête qui nous emporte tous à l'inconnu. Mais, toujours, à 30 certaines heures, j'entendais venir de loin et passer en moi le cri désolé: Angeline! Angeline! Angeline! Et je restai tremblant,

[9] Pourquoi n'acceptez-vous pas que . . . pourquoi refusez-vous de croire que. . . .

repris de doute, torturé par le besoin de savoir. Je ne pouvais oublier, il n'est d'autre enfer pour moi que l'incertitude.[10]

Je ne puis dire comment, par une admirable soirée de juin, je me retrouvai à bicyclette dans le chemin écarté de la Sauvagière. Avais-je formellement voulu la revoir? Etait-ce un simple instinct qui m'avait fait quitter la grand'route pour me diriger de ce côté? Il était près de huit heures; mais le ciel, à ces plus longs jours de l'année, rayonnait encore d'un coucher d'astre[11] triomphal, sans un nuage, tout un infini d'or et d'azur. Et quel air léger et délicieux, quelle bonne odeur d'arbres et d'herbages, quelle tendre allégresse dans la paix immense des champs!

Comme la première fois, devant la Sauvagière, la stupeur me fit sauter de machine. J'hésitai un instant, ce n'était plus la même propriété. Une belle grille neuve luisait au soleil couchant, on avait relevé les murs de clôture, et la maison, que je voyais à peine parmi les arbres, me semblait avoir repris une gaîté riante de jeunesse. Était-ce donc la résurrection annoncée? Angeline était-elle revenue à la vie, aux appels de la voix lointaine?

J'étais resté sur la route, saisi, regardant, lorsqu'un pas traînard, près de moi, me fit tressaillir. C'était le mère Toussaint, qui ramenait sa vache d'une luzerne[12] voisine.

— Ils n'ont donc pas eu peur, ceux-là? dis-je, en désignant la maison du geste.

Elle me reconnut, elle arrêta sa bête.

— Ah! monsieur, il y a des gens qui marcheraient sur le bon Dieu. Voici plus d'un an déjà que la propriété a été achetée. Mais c'est un peintre qui a fait ce coup-là, le peintre B . . . , et vous savez, ces artistes, c'est capable de tout.

Puis, elle emmena sa vache, en ajoutant, avec un hochement de tête:

— Enfin, faudra voir comment ça tourne.[13]

Le peintre B . . . , le délicat et ingénieux artiste qui avait

[10] Pour moi il n'y a pas de plus grand tourment que l'incertitude.
[11] D'un coucher de soleil.
[12] D'un champ de luzerne (*alfalfa*).
[13] Comment ça finira.

peint tant d'aimables Parisiennes! Je le connaissais un peu, nous échangions des poignées de main, dans les théâtres, dans les salles d'exposition, partout où l'on se rencontre. Et, brusquement, une irrésistible envie me prit d'entrer, de me confesser à lui, de le supplier de me dire ce qu'il savait de vérité, sur cette 5 Sauvagière dont l'inconnu m'obsédait. Et, sans raisonner, sans m'arrêter à mon costume[14] poussiéreux de cycliste, que l'usage commence à tolérer d'ailleurs, je roulai ma bicyclette jusqu'au tronc moussu d'un vieil arbre. Au tintement clair de la sonnette, dont le ressort battait à la grille,[15] un domestique vint, à qui je 10 remis ma carte, et qui me laissa un instant dans le jardin.

Ma surprise grandit encore, lorsque je jetai un regard autour de moi. On avait réparé la façade, plus de lézardes, plus de briques disjointes; le perron, garni de roses, était redevenu un seuil de bienvenue joyeuse; et les fenêtres vivantes riaient main- 15 tenant, disaient la joie intérieure, derrière la blancheur de leurs rideaux. Puis, c'était le jardin débarrassé de ses orties et de ses ronces, le parterre reparu, comme un grand bouquet odorant, les vieux arbres rajeunis, dans leur paix séculaire, par la pluie d'or d'un soleil printanier. 20

Quand le domestique reparut, il m'introduisit dans un salon, en me disant que monsieur était allé au village voisin, mais qu'il ne tarderait pas à rentrer. J'aurais attendu des heures; je pris patience en examinant d'abord la pièce où je me trouvais, installée luxueusement avec des tapis épais, des rideaux et des 25 portières de cretonne, appareillés au vaste divan et aux fauteuils profonds. Ces tentures étaient même si amples, que je fus étonné de la brusque tombée du jour. Puis, la nuit se fit presque complète. Je ne sais combien de temps je dus rester là, on m'avait oublié, sans même apporter de lampe. Assis dans l'ombre, je 30 m'étais mis à revivre toute l'histoire tragique, m'abandonnant au rêve. Angeline avait-elle été assassinée? s'était-elle enfoncé elle-même un couteau en plein cœur? Et, je l'avoue, dans cette

[14] Sans hésiter à cause de mon costume.

[15] Pour sonner, on tirait un manche (*handle*) attaché par un ressort à la sonnette. Le ressort, avec le manche attaché au bout, battait, se balançait (*was swinging*) devant la grille.

maison hantée, redevenue noire, la peur me prit, une peur qui ne fut qu'un léger malaise, qu'un petit frisson à fleur de peau,[16] puis qui s'exaspéra, qui me glaça tout entier, dans une folie d'épouvante.

D'abord il me sembla que des bruits vagues erraient quelque part. C'était dans les profondeurs des caves sans doute: des plaintes sourdes, des sanglots étouffés, des pas lourds de fantôme. Ensuite, cela monta, se rapprocha, toute la maison obscure me parut se remplir de cette détresse effroyable. Et, tout à coup, le terrible appel retentit: Angeline! Angeline! Angeline! avec une telle force croissante, que je crus en sentir passer le souffle froid sur ma face. Une porte du salon s'ouvrit violemment, Angeline entra, traversa la pièce sans me voir. Je la reconnus, dans le coup de lumière qui était entré avec elle, du vestibule éclairé. C'était bien la petite morte de douze ans, d'une beauté miraculeuse, avec ses admirables cheveux blonds sur les épaules, vêtue de blanc, toute blanche de la terre d'où elle revenait chaque nuit. Elle passa muette, éperdue, disparut par une autre porte, tandis que de nouveau le cri reprenait, plus lointain; Angeline! Angeline! Angeline! Et je restai debout, la sueur au front, dans une horreur qui hérissait tout le poil de mon corps, sous le vent de terreur venu du mystère.

Presque aussitôt, je crois, au moment où le domestique apportait enfin une lampe, j'eus conscience que le peintre B . . . était là et qu'il me serrait la main, en s'excusant de s'être si longtemps fait attendre. Je n'eus pas de faux amour-propre, je lui contai tout de suite mon histoire, encore frémissant. Et avec quel étonnement d'abord il m'écouta, et avec quels bons rires ensuite il s'empressa de me rassurer!

— Vous ignoriez sans doute, mon cher, que je suis un cousin de la seconde Mme de G . . . La pauvre femme! l'accuser de meurtre de cette enfant, qui[17] l'a aimée et qui l'a pleurée autant que le père! Car la seule chose vraie, c'est en effet que la pauvre petite est morte ici, non de sa propre main, grand Dieu! mais

[16] Un petit frisson (*shiver*) à la surface de la peau (*skin*).
[17] *Qui* se rapporte à *la pauvre femme*.

d'une brusque fièvre, dans un tel coup de foudre,[18] que les parents, ayant pris cette maison en horreur, n'ont jamais voulu y revenir. Cela explique qu'elle soit restée inhabitée de leur vivant. Après leur mort, il y a eu d'interminables procès, qui en ont empêche la vente. Je la désirais, je l'ai guettée pendant de longues années, et je vous assure que nous n'y avons encore vu aucun revenant.

Le petit frisson me reprit, je balbutiai:

—Mais Angeline, je viens de la voir, là, à l'instant . . . La voix terrible l'appelait, et elle a passé là, elle a traversé cette pièce.

Il me regardait, effaré, croyant que je perdais la raison. Puis, tout à coup, il éclata de son rire sonore d'homme heureux.

—C'est ma fille que vous venez de voir. Elle a eu justement pour parrain M. de G . . . , qui lui a donné, par une dévotion du souvenir, ce nom d'Angeline; et, sa mère l'ayant sans doute appelée tout à l'heure, elle aura passé[19] par cette pièce.

Lui-même ouvrit une porte, jeta de nouveau l'appel:

—Angeline! Angeline! Angeline!

L'enfant revint, mais vivante, mais vibrante de gaîté. C'était elle, avec sa robe blanche, avec ses admirables cheveux blonds sur les épaules, et si belle, si rayonnante d'espoir, qu'elle était comme tout un printemps qui portait en bouton la promesse d'amour, le long bonheur d'une existence.

Ah! la chère revenante, l'enfant nouvelle qui renaissait de l'enfant morte. La mort était vaincue. Mon vieil ami, le poëte V . . . , ne mentait pas, rien ne se perd, tout recommence, la beauté comme l'amour. La voix des mères les appelle, ces fillettes d'aujourd'hui, ces amoureuses de demain, et elles revivent sous le soleil et parmi les fleurs. C'était de ce réveil de l'enfant que la maison se trouvait hantée, la maison aujourd'hui redevenue jeune et heureuse, dans la joie enfin retrouvée de l'éternelle vie.

[18] Subitement, comme tuée par un coup de foudre (*stroke of lightning*).

[19] Elle a probablement passé. Notez l'emploi de ce temps pour exprimer la probabilité.

TAMANGO

PROSPER MÉRIMÉE

Le capitaine Ledoux était un bon marin. Il avait commencé par être simple matelot, puis il devint aide-timonier. Au combat de Trafalgar[1] il eut la main gauche fracassée par un éclat de bois; il fut amputé,[2] et congédié ensuite avec de bons certificats. Le repos ne lui convenait guère, et, l'occasion de se rembarquer se présentant, il servit, en qualité de second lieutenant, à bord d'un corsaire. L'argent qu'il retira de quelques prises lui permit d'acheter des livres et d'étudier la théorie de la navigation, dont il connaissait déjà parfaitement la pratique. Avec le temps, il devint capitaine d'un lougre corsaire[3] de trois canons et de soixante hommes d'équipage, et les caboteurs de Jersey conservent encore le souvenir de ses exploits. La paix le désola:[4] il avait amassé pendant la guerre une petite fortune, qu'il espérait augmenter aux dépens des Anglais. Force lui fut d'offrir ses services à de pacifiques négociants; et, comme il était connu pour un homme de résolution et d'expérience, on lui confia facilement un navire. Quand la traite des nègres fut défendue,[5] et que, pour s'y livrer, il fallut non seulement tromper la vigilance des douaniers français, ce qui n'était pas très difficile, mais encore, et

[1] Célèbre bataille navale, le 21 octobre 1805, où l'amiral Nelson battit les escadres de France et d'Espagne.
[2] Il subit l'amputation de la main gauche.
[3] Petit bâtiment de guerre à deux mâts.
[4] En 1815, après la défaite de Napoléon.
[5] En 1819, en France.

c'était le plus hasardeux, échapper aux croiseurs anglais, le capitaine Ledoux devint un homme précieux pour les trafiquants de bois d'ébène.[6]

Bien différent de la plupart des marins qui ont langui longtemps comme lui dans les postes subalternes, il n'avait point cette horreur profonde des innovations, et cet esprit de routine qu'ils apportent trop souvent dans les grades supérieurs. Le capitaine Ledoux, au contraire, avait été le premier à recommander à son armateur l'usage des caisses en fer, destinées à contenir et conserver l'eau. A son bord, les menottes et les chaînes dont les bâtiments négriers ont provision, étaient fabriquées d'après un système nouveau, et soigneusement vernies pour les préserver de la rouille. Mais ce qui lui fit le plus d'honneur parmi les marchands d'esclaves, ce fut la construction, qu'il dirigea lui-même, d'un brick destiné à la traite, fin voilier, étroit, long comme un bâtiment de guerre, et cependant capable de contenir un très grand nombre de noirs. Il le nomma *l'Espérance*.[7] Il voulut que les entreponts, étroits et rentrés, n'eussent que trois pieds quatre pouces de haut prétendant que cette dimension permettait aux esclaves de taille raisonable d'être commodément assis; et quel besoin ont-ils de se lever?

— Arrivés aux colonies, disait Ledoux, ils ne resteront que trop sur leurs pieds!

Les noirs, le dos appuyé aux bordages du navire, et disposés sur deux lignes parallèles, laissaient entre leurs pieds un espace vide, qui, dans tous les autres négriers, ne sert qu'à la circulation. Ledoux imagina de placer dans cet intervalle d'autres nègres, couchés perpendiculairement aux premiers. De la sorte, son navire contenait une dizaine de nègres de plus qu'un autre du même tonnage. A la rigueur, on aurait pu en placer davantage; mais il faut avoir de l'humanité, et laisser à un nègre au moins cinq pieds en longueur et deux en largeur pour s'ébattre,

[6] Nom que se donnent eux-mêmes les gens qui font la traite (Note de Mérimée).

[7] Noter le nom du bateau, *l'Espérance*, et de son capitaine, *Ledoux*.

pendant une traversée de six semaines et plus: «Car enfin, disait Ledoux à son armateur pour justifier cette mesure libérale, les nègres, après tout, sont des hommes comme les blancs.»

L'Espérance partit de Nantes un vendredi, comme le remarquèrent depuis des gens superstitieux. Les inspecteurs qui visitèrent scrupuleusement le brick ne découvrirent pas six grandes caisses remplies de chaînes, de menottes, et de ces fers que l'on nomme, je ne sais pourquoi, *barres de justice*. Ils ne furent point étonnés non plus de l'énorme provision d'eau que devait porter *l'Espérance*, qui, d'après ses papiers, n'allait qu'au Sénégal pour y faire le commerce de bois et d'ivoire. La traversée n'est pas longue, il est vrai, mais enfin le trop de précautions ne peut nuire. Si l'on était surpris par un calme, que deviendrait-on sans eau?

L'Espérance partit donc un vendredi, bien gréée et bien équipée de tout. Ledoux aurait voulu peut-être des mâts un peu plus solides; cependant, tant qu'il commanda le bâtiment, il n'eut point à s'en plaindre. Sa traversée fut heureuse et rapide jusqu'à la côte d'Afrique. Il mouilla dans la rivière de Joale (je crois) dans un moment où les croiseurs anglais[8] ne surveillaient point cette partie de la côte. Des courtiers du pays vinrent aussitôt à bord. Le moment était on ne peut plus favorable; Tamango, guerrier fameux et vendeur d'hommes, venait de conduire à la côte une grande quantité d'esclaves, et il s'en défaisait à bon marché, en homme qui se sent la force et les moyens d'approvisionner promptement la place, aussitôt que les objets de son commerce y deviennent rares.

Le capitaine Ledoux se fit descendre sur le rivage, et fit sa visite à Tamango. Il le trouva dans une case en paille qu'on lui avait élevée à la hâte, accompagné de ses deux femmes et de quelques sous-marchands et conducteurs d'esclaves. Tamango s'était paré pour recevoir le capitaine blanc. Il était vêtu d'un

[8] Les croiseurs anglais qui avaient mission de s'opposer au trafic des nègres.

vieil habit d'uniforme bleu, ayant encore les galons de caporal; mais sur chaque épaule pendaient deux épaulettes d'or attachées au même bouton, et ballottant, l'une par devant, l'autre par derrière. Comme il n'avait pas de chemise, et que[9] l'habit était un peu court pour un homme de sa taille, on remarquait entre les revers blancs de l'habit et son caleçon de toile une bande considérable de peau noire qui ressemblait à une large ceinture. Un grand sabre de cavalerie était suspendu à son côté au moyen d'une corde, et il tenait à la main un beau fusil à deux coups, de fabrique anglaise. Ainsi équipé, le guerrier africain croyait surpasser en élégance le petit-maître le plus accompli de Paris ou de Londres.

Le capitaine Ledoux le considéra quelque temps en silence, tandis que Tamango, se redressant à la manière d'un grenadier qui passe à la revue devant un général étranger, jouissait de l'impression qu'il croyait produire sur le blanc. Ledoux, après l'avoir examiné en connaisseur, se tourna vers son second, et lui dit:

— Voilà un gaillard que je vendrais au moins mille écus, rendu sain et sans avaries à la Martinique.

On s'assit, et un matelot qui savait un peu la langue yolofe servit d'interprète. Les premiers compliments de politesse échangés, un mousse apporta un panier de bouteilles d'eau-de-vie; on but, et le capitaine, pour mettre Tamango en belle humeur, lui fit présent d'une jolie poire à poudre en cuivre, ornée du portrait de Napoléon en relief. Le présent accepté avec la reconnaissance convenable, on sortit de la case, on s'assit à l'ombre en face des bouteilles d'eau-de-vie, et Tamango donna le signal de faire venir les esclaves qu'il avait à vendre.

Ils parurent sur une longue file, le corps courbé par la fatigue et la frayeur, chacun ayant le cou pris dans une fourche longue de plus de six pieds, dont les deux pointes étaient réunies vers la nuque par une barre de bois. Quand il faut se mettre en marche un des conducteurs prend sur son épaule le

[9] Ici *que* a le sens de *comme* qu'il remplace.

manche de la fourche du premier esclave; celui-ci se charge de la fourche de l'homme qui le suit immédiatement; le second porte la fourche du troisième esclave, et ainsi des autres. S'agit-il de faire halte, le chef de file enfonce en terre le bout pointu du manche de sa fourche, et toute la colonne s'arrête. On juge facilement qu'il ne faut pas penser à s'échapper à la course, quand on porte attaché au cou un gros bâton de six pieds de longueur.

A chaque esclave mâle ou femelle qui passait devant lui, le capitaine haussait les épaules, trouvait les hommes chétifs, les femmes trop vieilles ou trop jeunes et se plaignait de l'abâtardissement de la race noire.

— Tout dégénère, disait-il; autrefois c'était bien différent. Les femmes avaient cinq pieds six pouces de haut, et quatre hommes auraient tourné seuls le cabestan d'une frégate, pour lever la maîtresse ancre.

Cependant, tout en critiquant, il faisait un premier choix des noirs les plus robustes et les plus beaux. Ceux-là, il pouvait les payer au prix ordinaire; mais, pour le reste, il demandait une forte diminution. Tamango, de son côté, défendait ses intérêts, vantait sa marchandise, parlait de la rareté des hommes et des périls de la traite. Il conclut en demandant un prix, je ne sais lequel, pour les esclaves que le capitaine blanc voulait charger à son bord.

Aussitôt que l'interprète eut traduit en français la proposition de Tamango, Ledoux manqua de tomber à la renverse, de surprise et d'indignation; puis, murmurant quelques jurements affreux, il se leva comme pour rompre tout marché avec un homme aussi déraisonnable. Alors Tamango le retint; il parvint avec peine à le faire rasseoir. Une nouvelle bouteille fut débouchée, et la discussion recommença. Ce fut le tour du noir à trouver folles et extravagantes les propositions du blanc. On cria, on disputa longtemps, on but prodigieusement d'eau-de-vie; mais l'eau-de-vie produisait un effet bien différent sur les deux parties contractantes. Plus le Français buvait, plus il réduisait ses offres; plus l'Africain buvait, plus il cédait de ses prétentions. De la sorte, à la fin du panier,[10] on tomba d'accord. De mauvaises cotonnades, de la poudre, des pierres à feu, trois barriques d'eau-de-vie, cinquante fusils mal raccommodés furent donnés en échange de cent soixante esclaves. Le capitaine, pour ratifier le traité, frappa dans la main du noir plus qu'à moitié ivre, et aussitôt les esclaves furent remis aux matelots français, qui se hâtèrent de leur ôter leurs fourches de bois pour leur donner des carcans et des menottes en fer; ce qui montre bien la supériorité de la civilisation européenne.

Restait[11] encore une trentaine d'esclaves: c'étaient des enfants, des vieillards, des femmes infirmes. Le navire était plein.

Tamango, qui ne savait que faire de ce rebut, offrit au capitaine de les lui vendre pour une bouteille d'eau-de-vie la pièce. L'offre était séduisante. Ledoux se souvint qu'à la représentation des *Vêpres Siciliennes*[12] à Nantes, il avait vu bon nombre de gens gros et gras entrer dans un parterre déjà plein, et parvenir cependant à s'y asseoir, en vertu de la compressibilité des corps humains. Il prit les vingt plus sveltes des trente esclaves.

Alors Tamango ne demanda plus qu'un verre d'eau-de-vie pour chacun des dix restants. Ledoux réfléchit que les enfants ne payent et n'occupent que demi-place dans les voitures publiques. Il prit donc trois enfants; mais il déclara qu'il ne voulait plus se charger d'un seul noir. Tamango, voyant qu'il lui restait encore sept esclaves sur les bras, saisit son fusil et coucha en joue une femme qui venait la première: c'était la mère des trois enfants.

— Achète, dit-il au blanc, ou je la tue; un petit verre d'eau-de-vie ou je tire.

— Et que diable veux-tu que j'en fasse? répondit Ledoux.

[10] Lorsque le panier de bouteilles fut vide.

[11] Pour *il restait.*

[12] Tragédie de Casimir Delavigne, représentée en 1819 avec un grand succès.

Tamango fit feu, et l'esclave tomba morte à terre.

— Allons, à un autre! s'écria Tamango en visant un vieillard tout cassé: un verre d'eau-de-vie, ou bien . . .

Une de ses femmes lui détourna le bras, et le coup partit au hasard. Elle venait de reconnaître dans le vieillard que son mari allait tuer un *guiriot* ou magicien, qui lui avait prédit qu'elle serait reine.

Tamango, que l'eau-de-vie avait rendu furieux, ne se posséda plus en voyant qu'on s'opposait à ses volontés. Il frappa rudement sa femme de la crosse de son fusil; puis se tournant vers Ledoux:

— Tiens, dit-il, je te donne cette femme.

Elle était jolie. Ledoux la regarda en souriant, puis il la prit par la main:

— Je trouverai bien où la mettre, dit-il.

L'interprète était un homme humain. Il donna une tabatière de carton à Tamango, et lui demanda les six esclaves restants. Il les délivra de leurs fourches, et leur permit de s'en aller où bon leur semblerait. Aussitôt ils se sauvèrent, qui deçà, qui delà, fort embarrassés de retourner dans leur pays à deux cents lieues de la côte.

Cependant le capitaine dit adieu à Tamango et s'occupa de faire au plus vite embarquer sa cargaison. Il n'était pas prudent de rester longtemps en rivière; les croiseurs pouvaient reparaître, et il voulait appareiller le lendemain. Pour Tamango, il se coucha sur l'herbe, à l'ombre, et dormit pour cuver son eau-de-vie.

Quand il se réveilla, le vaisseau était déjà sous voiles et descendait la rivière. Tamango, la tête encore embarrassée de la débauche de la veille, demanda sa femme Ayché. On lui répondit qu'elle avait eu le malheur de lui déplaire, et qu'il l'avait donnée en présent au capitaine blanc, lequel l'avait emmenée à son bord. A cette nouvelle, Tamango stupéfait se frappa la tête, puis il prit son fusil, et, comme la rivière faisait plusieurs détours avant de se décharger dans la mer, il courut, par le chemin le plus direct à une petite anse, éloignée de l'embouchure d'une demi-lieue. Là, il espérait trouver un canot avec lequel il pourrait joindre le brick, dont les sinuosités de la rivière devaient retarder la marche. Il ne se trompait pas; en effet, il eut le temps de se jeter dans un canot et de joindre le négrier.

Ledoux fut surpris de le voir, mais encore plus de l'entendre redemander sa femme.

— Bien donné ne se reprend plus,[13] répondit-il.

Et il lui tourna le dos.

Le noir insista, offrant de rendre une partie des objets qu'il avait reçus en échange des esclaves. Le capitaine se mit à rire; dit qu'Ayché était une très bonne femme, et qu'il voulait la garder. Alors le pauvre Tamango versa un torrent de larmes, et poussa des cris de douleur aussi aigus que ceux d'un malheureux qui subit une opération chirurgicale. Tantôt il se roulait sur le pont en appelant sa chère Ayché; tantôt il se frappait la tête contre les planches, comme pour se tuer. Toujours impassible, le capitaine, en lui montrant le rivage, lui faisait signe qu'il était temps pour lui de s'en aller; mais Tamango persistait. Il offrit jusqu'à ses épaulettes d'or, son fusil et son sabre. Tout fut inutile.

Pendant ce débat, le lieutenant de *l'Espérance* dit au capitaine:

— Il nous est mort cette nuit trois esclaves, nous avons de la place. Pourquoi ne prendrions-nous pas ce vigoureux coquin, qui vaut mieux à lui seul que les trois morts?

Ledoux fit réflexion que Tamango se vendrait bien mille écus; que ce voyage, qui s'annonçait comme très profitable pour lui, serait probablement son dernier; qu'enfin sa fortune étant faite, et lui renonçant au commerce d'esclaves, peu lui importait de laisser à la côte de Guinée[14] une bonne ou une mauvaise réputation. D'ailleurs, le rivage était désert, et le

[13] Ce qui a été donné ne se reprend plus.

[14] Nom donné à une partie de la côte occidentale de l'Afrique.

guerrier africain entièrement à sa merci. Il ne s'agissait plus que de lui enlever ses armes; car il eût été[15] dangereux de mettre la main sur lui pendant qu'il les avait encore en sa possession. Ledoux lui demanda donc son fusil, comme pour l'examiner et s'assurer s'il valait bien autant que la belle Ayché. En faisant jouer les ressorts, il eut soin de laisser tomber la poudre de l'amorce. Le lieutenant de son côté maniait le sabre; et, Tamango se trouvant ainsi désarmé, deux vigoureux matelots se jetèrent sur lui, le renversèrent sur le dos, et se mirent en devoir de le garrotter. La résistance du noir fut héroïque. Revenu de sa première surprise, et malgré le désavantage de sa position il lutta longtemps contre les deux matelots. Grâce à sa force prodigieuse, il parvint à se relever. D'un coup de poing, il terrassa l'homme qui le tenait au collet; il laissa un morceau de son habit entre les mains de l'autre matelot, et s'élança comme un furieux sur le lieutenant pour lui arracher son sabre. Celui-ci l'en frappa à la tête, et lui fit une blessure large, mais peu profonde. Tamango tomba une seconde fois. Aussitôt on lui lia fortement les pieds et les mains. Tandis qu'il se défendait, il poussait des cris de rage, et s'agitait comme un sanglier pris dans des toiles; mais, lorsqu'il vit que toute résistance était inutile, il ferma les yeux et ne fit plus aucun mouvement. Sa respiration forte et précipitée prouvait seule qu'il était encore vivant.

— Parbleu! s'écria le capitaine Ledoux, les noirs qu'il a vendus vont rire de bon cœur en le voyant esclave à son tour. C'est pour le coup qu'ils verront bien qu'il y a une Providence.

Cependant le pauvre Tamango perdait tout son sang. Le charitable interprète qui, la veille, avait sauvé la vie à six esclaves, s'approcha de lui, banda sa blessure et lui adressa quelques paroles de consolation. Ce qu'il put lui dire, je l'ignore, le noir restait immobile, ainsi qu'un cadavre. Il fallut que deux matelots le portassent comme un paquet dans l'entrepont, à la place qui lui était destinée. Pendant deux

[15] Il aurait été dangereux.

jours, il ne voulut ni boire ni manger; à peine lui vit-on ouvrir les yeux. Ses compagnons de captivité, autrefois ses prisonniers, le virent paraître au milieu d'eux avec un étonnement stupide. Telle était la crainte qu'il leur inspirait encore, que pas un seul n'osa insulter à la misère de celui qui avait causé la leur.

Favorisé par un bon vent de terre, le vaisseau s'éloignait rapidement de la côte d'Afrique. Déjà sans inquiétude au sujet de la croisière anglaise, le capitaine ne pensait plus qu'aux énormes bénéfices qui l'attendaient dans les colonies vers lesquelles il se dirigeait. Son bois d'ébène se maintenait sans avaries. Point de maladies contagieuses. Douze nègres seulement, et des plus faibles, étaient morts de chaleur: c'était bagatelle. Afin que sa cargaison humaine souffrît le moins possible des fatigues de la traversée, il avait l'attention de faire monter tous les jours ses esclaves sur le pont. Tour à tour un tiers de ces malheureux avait une heure pour faire sa provision d'air de toute la journée. Une partie de l'équipage les surveillait, armée jusqu'aux dents, de peur de révolte; d'ailleurs. on avait soin de ne jamais ôter entièrement leurs fers. Quelquefois un matelot qui savait jouer du violon les régalait d'un concert. Il était alors curieux de voir toutes ces figures noires se tourner vers le musicien, perdre par degrés leur expression de désespoir stupide, rire d'un gros rire et battre des mains quand leurs chaînes le leur permettaient. — L'exercice est nécessaire à la santé; aussi l'une des salutaires pratiques du capitaine Ledoux, c'était de faire souvent danser ses esclaves, comme on fait piaffer des chevaux embarqués pour une longue traversée.

— Allons, mes enfants, dansez, amusez-vous, disait le capitaine d'une voix de tonnerre, en faisant claquer un énorme fouet de poste.

Et aussitôt les pauvres noirs sautaient et dansaient.

Quelque temps la blessure de Tamango le retint sous les écoutilles. Il parut enfin sur le pont; et d'abord, relevant la tête avec fierté au milieu de la foule craintive des esclaves, il jeta un coup d'œil triste, mais calme, sur l'immense étendue d'eau qui environnait le navire, puis il se coucha, ou plutôt se laissa tomber sur les planches du tillac, sans prendre même le soin d'arranger ses fers de manière qu'ils lui fussent moins incommodes. Ledoux, assis au gaillard d'arrière, fumait tranquillement sa pipe. Près de lui, Ayché, sans fers, vêtue d'une robe élégante de cotonnade bleue, les pieds chaussés de jolies pantoufles de maroquin, portant à la main un plateau chargé de liqueurs, se tenait prête à lui verser à boire. Il était évident qu'elle remplissait de hautes fonctions auprès du capitaine. Un noir, qui détestait Tamango, lui fit signe de regarder de ce côté. Tamango tourna la tête, l'aperçut, poussa un cri; et, se levant avec impétuosité, courut vers le gaillard d'arrière avant que les matelots de garde eussent pu s'opposer à une infraction aussi énorme de toute discipline navale:

— Ayché, cria-t-il d'une voix foudroyante, et Ayché poussa un cri de terreur; crois-tu que dans le pays des blancs il n'y ait point de MAMA-JUMBO?

Déjà des matelots accouraient le bâton levé; mais Tamango, les bras croisés, et comme insensible, retournait tranquillement à sa place, tandis qu'Ayché, fondant en larmes, semblait pétrifiée par ces mystérieuses paroles.

L'interprète expliqua ce qu'était ce terrible Mama-Jumbo, dont le nom seul produisait tant d'horreur.

— C'est le Croquemitaine des nègres, dit-il. Quand un mari a peur que sa femme ne fasse ce que font bien des femmes en France comme en Afrique, il la menace du Mama-Jumbo. Moi, qui vous parle, j'ai vu le Mama-Jumbo, et j'ai compris la ruse; mais les noirs . . . comme c'est simple, cela[16] ne comprend rien. — Figurez-vous qu'un soir, pendant que les femmes s'amusaient à danser, voilà que, d'un petit bois bien touffu et bien sombre, on entend une musique étrange, sans que l'on vît personne pour la faire; tous les musiciens étaient cachés dans le bois. Il y avait des flûtes de roseau, des tambourins de

[16] *Ce* et *cela* se rapportent aux noirs et ajoutent une idée de mépris.

bois, et des guitares faites avec des moitiés de calebasses. Tout cela jouait un air à porter le diable en terre. Les femmes n'ont pas plus tôt entendu cet air-là, qu'elles se mettent à trembler, elles veulent se sauver, mais les maris les retiennent: elles savaient bien ce qui leur pendait à l'oreille.[17] Tout à coup sort du bois une grande figure blanche, haute comme notre mât de perroquet, avec une tête grosse comme un boisseau, des yeux larges comme des écubiers et une gueule comme celle du diable, avec du feu dedans. Cela marchait lentement, lentement; et cela n'alla pas plus loin qu'à demi-encablure du bois. Les femmes criaient:

— Voilà Mama-Jumbo!

Elles braillaient comme des vendeuses d'huîtres. Alors les maris leur disaient:

— Allons, coquines, dites-nous si vous avez été sages; si vous mentez, Mama-Jumbo est là pour vous manger toutes crues. Il y en avait qui étaient assez simples pour avouer, et alors les maris les battaient comme plâtre.

— Et qu'était-ce donc que cette figure blanche, ce Mama-Jumbo? demanda le capitaine.

— Eh bien, c'était un farceur affublé d'un grand drap blanc, portant, au lieu de tête, une citrouille creusée et garnie d'une chandelle allumée au bout d'un grand bâton. Cela n'est pas plus malin, et il ne faut pas de grands frais d'esprit pour attraper les noirs. Avec tout cela, c'est une bonne invention que[18] le Mama-Jumbo, et je voudrais que ma femme y crût.

— Pour la mienne, dit Ledoux, si elle n'a pas peur de Mama-Jumbo, elle a peur de Martin-Bâton; et elle sait de reste comment je l'arrangerais si elle me jouait quelque tour. Nous ne sommes pas endurants dans la famille des Ledoux, et, quoique je n'aie qu'un poignet, il manie encore assez bien une garcette. Quant à votre drôle là-bas, qui parle du Mama-Jumbo, dites-

[17] Ce qui les menaçait.

[18] *Que* sert à expliquer ce qui est une bonne invention. On pourrait dire *le Mama-Jumbo est une bonne invention.*

lui qu'il se tienne bien et qu'il ne fasse pas peur à la petite mère que voici, ou je lui ferai si bien ratisser l'échine, que son cuir, de noir, deviendra rouge comme un rosbif cru.

A ces mots, le capitaine descendit dans sa chambre, fit venir Ayché et tâcha de la consoler: mais ni les caresses, ni les coups mêmes, car on perd patience à la fin, ne purent rendre traitable la belle négresse; des flots de larmes coulaient de ses yeux. Le capitaine remonta sur le pont, de mauvaise humeur, et querella l'officier de quart sur la manœuvre qu'il commandait dans le moment.

La nuit, lorsque presque tout l'équipage dormait d'un profond sommeil, les hommes de garde entendirent d'abord un chant grave, solennel, lugubre, qui partait de l'entrepont, puis un cri de femme horriblement aigu. Aussitôt après, la grosse voix de Ledoux jurant et menaçant, et le bruit de son terrible fouet, retentirent dans tout le bâtiment. Un instant après, tout rentra dans le silence. Le lendemain, Tamango parut sur le pont la figure meurtrie, mais l'air aussi fier, aussi résolu qu'auparavant.

A peine Ayché l'eut-elle aperçu, que, quittant le gaillard d'arrière où elle était assise à côté du capitaine, elle courut avec rapidité vers Tamango, s'agenouilla devant lui, et lui dit avec un accent de désespoir concentré:

— Pardonne-moi, Tamango, pardonne-moi!

Tamango la regarda fixement pendant une minute; puis, remarquant que l'interprète était éloigné:

— Une lime! dit-il.

Et il se coucha sur le tillac en tournant le dos à Ayché. Le capitaine la réprimanda vertement, lui donna même quelques soufflets, et lui défendit de parler à son ex-mari; mais il était loin de soupçonner le sens des courtes paroles qu'ils avaient échangées, et il ne fit aucune question à ce sujet.

Cependant Tamango, renfermé avec les autres esclaves, les exhortait jour et nuit à tenter un effort généreux pour recouvrer leur liberté. Il leur parlait du petit nombre des blancs, et leur faisait remarquer la négligence toujours croissante de leurs gardiens; puis, sans s'expliquer nettement, il disait qu'il saurait les ramener dans leur pays, vantait son savoir dans les sciences occultes, dont les noirs sont fort entichés, et menaçait de la vengeance du diable ceux qui se refuseraient de l'aider 5 dans son entreprise. Dans ses harangues, il ne se servait que du dialecte des Peuls,[19] qu'entendaient la plupart des esclaves, mais que l'interprète ne comprenait pas. La réputation de l'orateur, l'habitude qu'avaient les esclaves de le craindre et de lui obéir, vinrent merveilleusement au secours de son éloquence, 10 et les noirs le pressèrent de fixer un jour pour leur délivrance, bien avant que lui-même se crût en état de l'effectuer. Il répondait vaguement aux conjurés que le temps n'était pas venu, et que le diable, qui lui apparaissait en songe, ne l'avait pas encore averti, mais qu'ils eussent à se tenir prêts au premier 15 signal. Cependant il ne négligeait aucune occasion de faire des expériences sur la vigilance de ses gardiens. Une fois, un matelot, laissant son fusil appuyé contre les plats-bords, s'amusait à regarder une troupe de poissons volants qui suivaient le vaisseau; Tamango prit le fusil et se mit à le manier, 20 imitant avec des gestes grotesques les mouvements qu'il avait vu faire à des matelots qui faisaient l'exercice. On lui retira le fusil au bout d'un instant; mais il avait appris qu'il pourrait toucher une arme sans éveiller immédiatement le soupçon; et, quand le temps viendrait de s'en servir, bien hardi celui 25 qui voudrait la lui arracher des mains.

Un jour, Ayché lui jeta un biscuit en lui faisant un signe que lui seul comprit. Le biscuit contenait une petite lime: c'était de cet instrument que dépendait la réussite du complot. D'abord Tamango se garda bien de montrer la lime à ses 30 compagnons; mais, lorsque la nuit fut venue, il se mit à murmurer des paroles inintelligibles qu'il accompagnait de gestes bizarres. Par degrés, il s'anima jusqu'à pousser des cris. A entendre les intonations variées de sa voix, on eût dit qu'il

[19] Peuple de sang arabe et nègre en Afrique-Occidentale française.

était engagé dans une conversation animée avec une personne invisible. Tous les esclaves tremblaient, ne doutant pas que le diable ne fût en ce moment même au milieu d'eux. Tamango mit fin à cette scène en poussant un cri de joie.

— Camarades, s'écria-t-il, l'esprit que j'ai conjuré vient enfin de m'accorder ce qu'il m'avait promis et je tiens dans mes mains l'instrument de notre délivrance. Maintenant il ne vous faut plus qu'un peu de courage pour vous faire libres.

Il fit toucher la lime à ses voisins, et la fourbe, toute grossière qu'elle était, trouva créance auprès d'hommes encore plus grossiers.

Après une longue attente vint le grand jour de vengeance et de liberté. Les conjurés, liés entre eux par un serment solennel, avaient arrêté leur plan après une mûre délibération. Les plus déterminés, ayant Tamango à leur tête, lorsqu'ils monteraient à leur tour sur le pont, devaient s'emparer des armes de leurs gardiens; quelques autres iraient à la chambre du capitaine pour y prendre les fusils qui s'y trouvaient. Ceux qui seraient parvenus à limer leurs fers devaient commencer l'attaque; mais, malgré le travail opiniâtre de plusieurs nuits, le plus grand nombre des esclaves était encore incapable de prendre une part énergique à l'action. Aussi trois noirs robustes avaient la charge de tuer l'homme qui portait dans sa poche la clef des fers, et d'aller aussitôt délivrer leurs compagnons enchaînés.

Ce jour-là, le capitaine Ledoux était d'une humeur charmante; contre sa coutume, il fit grâce à un mousse qui avait mérité le fouet. Il complimenta l'officier de quart sur sa manœuvre, déclara à l'équipage qu'il était content, et lui annonça, qu'à la Martinique, où ils arriveraient dans peu, chaque homme recevrait une gratification. Tous les matelots, entretenant de si agréables idées, faisaient déjà dans leur tête l'emploi de cette gratification. Ils pensaient à l'eau-de-vie et aux femmes de couleur de la Martinique, lorsqu'on fit monter sur le pont Tamango et les autres conjurés.

Ils avaient eu soin de limer leurs fers de manière qu'ils ne parussent pas être coupés, et que le moindre effort suffît cependant pour les rompre. D'ailleurs, ils les faisaient si bien résonner qu'à les entendre on eût dit qu'ils en portaient un double poids. Après avoir humé l'air quelque temps, ils se prirent tous par la main et se mirent à danser pendant que Tamango entonnait le chant guerrier de sa famille, qu'il chantait autrefois avant d'aller au combat. Quand la danse eut duré quelque temps, Tamango, comme épuisé de fatigue, se coucha tout de son long aux pieds d'un matelot qui s'appuyait nonchalamment contre les plats-bords du navire; tous les conjurés en firent autant. De la sorte, chaque matelot était entouré de plusieurs noirs.

Tout à coup Tamango, qui venait doucement de rompre ses fers, pousse un grand cri, qui devait servir de signal, tire violemment par les jambes le matelot qui se trouvait près de lui, le culbute, et, lui mettant le pied sur le ventre, lui arrache son fusil, et s'en sert pour tuer l'officier de quart. En même temps, chaque matelot de garde est assailli, désarmé et aussitôt égorgé. De toutes parts, un cri de guerre s'élève. Le contre-maître, qui avait la clef des fers, succombe un des premiers. Alors une foule de noirs inondent le tillac. Ceux qui ne peuvent trouver d'armes saisissent les barres du cabestan ou les rames de la chaloupe. Dès ce moment, l'équipage européen fut perdu. Cependant quelques matelots firent tête sur le gaillard d'arrière; mais ils manquaient d'armes et de résolution. Ledoux était encore vivant et n'avait rien perdu de son courage. S'apercevant que Tamango était l'âme de la conjuration, il espéra que, s'il pouvait le tuer, il aurait bon marché de ses complices. Il s'élança donc à sa rencontre le sabre à la main en l'appelant à grands cris. Aussitôt Tamango se précipita sur lui. Il tenait un fusil par le bout du canon et s'en servait comme d'une massue. Les deux chefs se joignirent sur un des passavants, ce passage étroit qui communique du gaillard d'avant à l'arrière. Tamango frappa le premier. Par un léger mouvement de corps, le blanc évita le coup. La crosse, tombant avec force sur les planches, se brisa, et le contrecoup fut si violent, que le fusil échappa des mains de Tamango. Il était sans défense, et Ledoux, avec un sourire de joie diabolique, levait le bras et allait le percer; mais Tamango était aussi agile que les panthères de son pays. Il s'élança dans les bras de son adversaire, et lui saisit la main dont il tenait son sabre. L'un s'efforce de retenir son arme, l'autre de l'arracher. Dans cette lutte furieuse, ils tombent tous les deux; mais l'Africain avait le dessous. Alors, sans se décourager, Tamango, étreignant son adversaire de toute sa force, le mordit à la gorge avec tant de violence, que le sang jaillit comme sous la dent d'un lion. Le sabre échappa de la main défaillante du capitaine. Tamango s'en saisit; puis, se relevant, la bouche sanglante, et poussant un cri de triomphe, il perça de coups redoublés son ennemi déjà demi-mort.

La victoire n'était plus douteuse. Le peu de matelots qui restaient essayèrent d'implorer la pitié des révoltés; mais tous, jusqu'à l'interprète, qui ne leur avait jamais fait de mal, furent impitoyablement massacrés. Le lieutenant mourut avec gloire. Il s'était retiré à l'arrière, auprès d'un de ces petits canons qui tournent sur un pivot, et que l'on charge de mitraille. De la main gauche, il dirigea la pièce, et, de la droite, armé d'un sabre, il se défendit si bien qu'il attira autour de lui une foule de noirs. Alors, pressant la détente du canon, il fit au milieu de cette masse serrée une large rue pavée de morts et de mourants. Un instant après, il fut mis en pièces.

Lorsque le cadavre du dernier blanc, déchiqueté et coupé par morceaux, eut été jeté à la mer, les noirs, rassasiés de vengeance, levèrent les yeux vers les voiles du navire, qui, toujours enflées par un vent frais, semblaient obéir encore à leurs oppresseurs et mener les vainqueurs, malgrés leur triomphe, dans la terre de l'esclavage.

— Rien n'est donc fait, pensèrent-ils avec tristesse; et ce

grand fétiche des blancs voudra-t-il nous ramener dans notre pays, nous qui avons versé le sang de ses maîtres?

Quelques-uns dirent que Tamango saurait le faire obéir. Aussitôt on appelle Tamango à grands cris.

Il ne se pressait pas de se montrer. On le trouva dans la chambre de poupe, debout, une main appuyée sur le sabre sanglant du capitaine; l'autre, il la tendait d'un air distrait à sa femme Ayché, qui la baisait à genoux devant lui. La joie d'avoir vaincu ne diminuait pas une sombre inquiétude qui se trahissait dans toute sa contenance. Moins grossier que les autres, il sentait mieux la difficulté de sa position.

Il parut enfin sur le tillac, affectant un calme qu'il n'éprouvait pas. Pressé par cent voix confuses de diriger la course du vaisseau, il s'approcha du gouvernail à pas lents, comme pour retarder un peu le moment qui allait, pour lui-même et pour les autres, décider de l'étendue de son pouvoir.

Dans tout le vaisseau, il n'y avait pas un noir, si stupide qu'il fût, qui n'eût remarqué l'influence qu'une certaine roue et la boîte placée en face exerçaient sur les mouvements du navire; mais, dans ce mécanisme, il y avait toujours pour eux un grand mystère. Tamango examina la boussole pendant longtemps en remuant les lèvres, comme s'il lisait les caractères qu'il y voyait tracés; puis il portait la main à son front, et prenait l'attitude pensive d'un homme qui fait un calcul de tête. Tous les noirs l'entouraient, la bouche béante, les yeux démesurément ouverts, suivant avec anxiété le moindre de ses gestes. Enfin, avec ce mélange de crainte et de confiance que l'ignorance donne, il imprima un violent mouvement à la roue du gouvernail.

Comme un généreux coursier qui se cabre sous l'éperon d'un cavalier imprudent, le beau brick *l'Espérance* bondit sur la vague à cette manœuvre inouïe. On eût dit qu'indigné il voulait s'engloutir avec son pilote ignorant. Le rapport nécessaire entre la direction des voiles et celle du gouvernail étant brusquement rompu, le vaisseau s'inclina avec tant de violence, qu'on eût dit qu'il allait s'abîmer. Ses longues vergues plongèrent dans la mer. Plusieurs hommes furent renversés; quelques-uns tombèrent par-dessus le bord. Bientôt le vaisseau se releva fièrement contre la lame, comme pour lutter encore une fois avec la destruction. Le vent redoubla d'efforts, et tout d'un coup, avec un bruit horrible, tombèrent les deux mâts, cassés à quelques pieds du pont, couvrant le tillac de débris et comme d'un lourd filet de cordages.

Les nègres épouvantés fuyaient sous les écoutilles en poussant des cris de terreur; mais, comme le vent ne trouvait plus de prise, le vaisseau se releva et se laissa doucement ballotter par les flots. Alors les plus hardis des noirs remontèrent sur le tillac et le débarrassèrent des débris qui l'obstruaient. Tamango restait immobile, le coude appuyé sur l'habitacle et se cachant le visage sur son bras replié. Ayché était auprès de lui, mais n'osait lui adresser la parole. Peu à peu les noirs s'approchèrent; un murmure s'éleva, qui bientôt se changea en un orage de reproches et d'injures.

— Perfide! imposteur! s'écriaient-ils, c'est toi qui as causé tous nos maux, c'est toi qui nous as vendus aux blancs, c'est toi qui nous as contraints de nous révolter contre eux. Tu nous avais vanté ton savoir, tu nous avais promis de nous ramener dans notre pays. Nous t'avons cru, insensés que nous étions! et voilà que nous avons manqué de périr tous parce que tu as offensé le fétiche des blancs.

Tamango releva fièrement la tête, et les noirs qui l'entouraient reculèrent intimidés. Il ramassa deux fusils, fit signe à sa femme de le suivre, traversa la foule, qui s'ouvrit devant lui, et se dirigea vers l'avant du vaisseau. Là, il se fit comme un rempart avec des tonneaux vides et des planches; puis il s'assit au milieu de cette espèce de retranchement, d'où sortaient menaçantes les baïonnettes de ses deux fusils. On le laissa tranquille. Parmi les révoltés, les uns pleuraient; d'autres, levant les mains au ciel, invoquaient leurs fétiches et ceux des blancs; ceux-ci, à genoux devant la boussole, dont ils admiraient le mouvement continuel, la suppliaient de les ramener dans leur pays; ceux-là se couchaient sur le tillac dans un morne abattement. Au milieu de ces désespérés, qu'on se représente des femmes et des enfants hurlant d'effroi, et une vingtaine de blessés implorant des secours que personne ne 5 pensait à leur donner.

Tout à coup un nègre paraît sur le tillac: son visage est radieux. Il annonce qu'il vient de découvrir l'endroit où les blancs gardent leur eau-de-vie; sa joie et sa contenance prouvent assez qu'il vient d'en faire l'essai. Cette nouvelle suspend 10 un instant les cris de ces malheureux. Ils courent à la cambuse et se gorgent de liqueur. Une heure après, on les eût vus sauter et rire sur le pont, se livrant à toutes les extravagances de l'ivresse la plus brutale. Leurs danses et leurs chants étaient accompagnés des gémissements et des sanglots des blessés. 15 Ainsi se passa le reste du jour et toute la nuit.

Le matin, au réveil, nouveau désespoir. Pendant la nuit, un grand nombre de blessés étaient morts. Le vaisseau flottait entouré de cadavres. La mer était grosse et le ciel brumeux. On tint conseil. Quelques apprentis dans l'art magique, qui 20 n'avaient point osé parler de leur savoir-faire devant Tamango, offrirent tour à tour leurs services. On essaya plusieurs conjurations puissantes. A chaque tentative inutile, le découragement augmentait. Enfin on reparla de Tamango, qui n'était pas encore sorti de son retranchement. Après tout, c'était le plus 25 savant d'entre eux, et lui seul pouvait les tirer de la situation horrible où il les avait placés. Un vieillard s'approcha de lui, porteur de propositions de paix. Il le pria de venir donner son avis; mais Tamango, inflexible, fut sourd à ses prières. La nuit, au milieu du désordre, il avait fait sa provision de 30 biscuits et de chair salée. Il paraissait déterminé à vivre seul dans sa retraite.

L'eau-de-vie restait. Au moins elle fait oublier et la mer, et l'esclavage, et la mort prochaine. On dort, on rêve de l'Afrique, on voit des forêts de gommiers, des cases couvertes en paille, des baobabs[20] dont l'ombre couvre tout un village. L'orgie de la veille recommença. De la sorte se passèrent plusieurs jours. Crier, pleurer, s'arracher les cheveux, puis s'enivrer et dormir, telle était leur vie. Plusieurs moururent à 5 force de boire; quelques-uns se jetèrent à la mer, ou se poignardèrent.

Un matin, Tamango sortit de son fort et s'avança jusqu'auprès du tronçon du grand mât.

— Esclaves, dit-il, l'Esprit m'est apparu en songe et m'a 10 révélé les moyens de vous tirer d'ici pour vous ramener dans votre pays. Votre ingratitude mériterait que je vous abandonnasse; mais j'ai pitié de ces femmes et de ces enfants qui crient. Je vous pardonne: écoutez-moi.

Tous les noirs baissèrent la tête avec respect et se serrèrent 15 autour de lui.

— Les blancs, poursuivit Tamango, connaissent seuls les paroles puissantes qui font remuer ces grandes maisons de bois; mais nous pouvons diriger à notre gré ces barques légères qui ressemblent à celles de notre pays. 20

Il montrait la chaloupe et les autres embarcations du brick.

— Remplissons-les de vivres, montons dedans, et ramons dans la direction du vent; mon maître et le vôtre le fera souffler vers notre pays.

On le crut. Jamais projet ne fut plus insensé. Ignorant 25 l'usage de la boussole, et sous un ciel inconnu, il ne pouvait qu'errer à l'aventure. D'après ses idées, il s'imaginait qu'en ramant tout droit devant lui, il trouverait à la fin quelque terre habitée par les noirs, car les noirs possèdent la terre, et les blancs vivent sur leurs vaisseaux. C'est ce qu'il avait 30 entendu dire à sa mère.

Tout fut bientôt prêt pour l'embarquement; mais la chaloupe avec un canot seulement se trouva en état de servir. C'était

[20] Arbre africain gigantesque.

trop peu pour contenir environ quatre-vingts nègres encore vivants. Il fallut abandonner tous les blessés et les malades. La plupart demandèrent qu'on les tuât avant de se séparer d'eux.

Les deux embarcations, mises à flot avec des peines infinies et chargées outre mesure, quittèrent le vaisseau par une mer clapoteuse, qui menaçait à chaque instant de les engloutir. Le canot s'éloigna le premier. Tamango avec Ayché avait pris place dans la chaloupe, qui beaucoup plus lourde et plus chargée, demeurait considérablement en arrière. On entendait encore les cris plaintifs de quelques malheureux abandonnés à bord du brick, quand une vague assez forte prit la chaloupe en travers et l'emplit d'eau. En moins d'une minute, elle coula. Le canot vit leur désastre, et ses rameurs doublèrent d'efforts, de peur d'avoir à recueillir quelques naufragés. Presque tous ceux qui montaient la chaloupe furent noyés. Une douzaine seulement put regagner le vaisseau. De ce nombre étaient Tamango et Ayché. Quand le soleil se coucha, ils virent disparaître le canot derrière l'horizon; mais ce qu'il devint, on l'ignore.

Pourquoi fatiguerais-je le lecteur par la description dégoutante des tortures de la faim? Vingt personnes environ sur un espace étroit, tantôt ballottées par une mer orageuse, tantôt brûlées par un soleil ardent, se disputent tous les jours les faibles restes de leurs provisions. Chaque morceau de biscuit coûte un combat, et le faible meurt, non parce que le fort le tue, mais parce qu'il le laisse mourir. Au bout de quelques jours, il ne resta plus de vivant à bord du brick *l'Espérance* que Tamango et Ayché.

. . . . .

Une nuit, la mer était agitée, le vent soufflait avec violence, et l'obscurité était si grande, que de la poupe on ne pouvait voir la proue du navire. Ayché était couchée sur un matelas dans la chambre du capitaine, et Tamango était assis à ses pieds. Tous les deux gardaient le silence depuis longtemps.

— Tamango, s'écria enfin Ayché, tout ce que tu souffres tu le souffres à cause de moi . . .

— Je ne souffre pas, répondit-il brusquement. Et il jeta sur le matelas, à côté de sa femme, la moitié d'un biscuit qui lui restait.

— Garde-le pour toi, dit-elle en repoussant doucement le biscuit; je n'ai plus faim. D'ailleurs, pourquoi manger? Mon heure n'est-elle pas venue?

Tamango se leva sans répondre, monta en chancelant sur le tillac et s'assit au pied d'un mât rompu. La tête penchée sur sa poitrine, il sifflait l'air de sa famille. Tout à coup un grand cri se fit entendre au-dessus du bruit du vent de la mer; une lumière parut. Il entendit d'autres cris, et un gros vaisseau noir glissa rapidement auprès du sien; si près, que les vergues passèrent au-dessus de sa tête. Il ne vit que deux figures éclairées par une lanterne suspendue à un mât. Ces gens poussèrent encore un cri, et aussitôt leur navire, emporté par le vent, disparut dans l'obscurité. Sans doutes les hommes de garde avaient aperçu le vaisseau naufragé; mais le gros temps empêchait de virer de bord. Un instant après, Tamango vit la flamme d'un canon et entendit le bruit de l'explosion; puis il vit la flamme d'un autre canon, mais il n'entendit aucun bruit; puis il ne vit plus rien. Le lendemain, pas une voile ne paraissait à l'horizon. Tamango se recoucha sur son matelas et ferma les yeux. Sa femme Ayché était morte cette nuit-là.

. . . . .

Je ne sais combien de temps après une frégate anglaise, *la Bellone*, aperçut un bâtiment démâté et en apparence abandonné de son équipage. Une chaloupe, l'ayant abordé, y trouva une négresse morte et un nègre si décharné et si maigre, qu'il ressemblait à une momie. Il était sans connaissance, mais avait encore un souffle de vie. Le chirurgien s'en empara, lui donna des soins, et quand *le Bellone* aborda à Kingston,[21] Tamango était en parfaite santé. On lui demanda son histoire. Il dit ce qu'il en savait. Les planteurs de l'île voulaient qu'on le pendît comme un nègre rebelle; mais le gouverneur, qui était un homme humain, s'intéressa à lui, trouvant son cas justifiable, 5 puisque, après tout, il n'avait fait qu'user du droit légitime de défense; et puis ceux qu'il avait tués n'étaient que des Français. On le traita comme on traite les nègres pris à bord d'un vaisseau négrier que l'on confisque. On lui donna la liberté, c'est-à-dire qu'on le fit travailler pour le gouverne- 10 ment; mais il avait six sous par jour et la nourriture. C'était un fort bel homme. Le colonel du 75ᵉ le vit et le prit pour en faire un cymbalier dans la musique de son régiment. Il apprit un peu d'anglais; mais il ne parlait guère. En revanche, il buvait avec excès du rhum et du tafia. — Il mourut à l'hôpital 15 d'une inflammation de poitrine.

[21] Capitale et port de l'île de la Jamaïque (Jamaica) qui appartient à l'Angleterre.

JEAN RICHEPIN

Jean Richepin (1849–1926), poète, romancier, et auteur dramatique, est né en Algérie, où son père servait comme médecin dans l'armée. Sans doute sous l'influence de son père, le jeune Richepin décida de se préparer pour la médecine. Ensuite, il entra à l'Ecole Normale Supérieure à Paris, où il se spécialisa en littérature jusqu'au début de la guerre franco-allemande, en 1870. La guerre finie, il eut plusieurs emplois: comme acteur, comme matelot, et comme manoeuvre (laborer) au déchargement des navires. Enfin, le journalisme l'attira et, à partir de ce moment il consacra son temps et donna toute son énergie à la carrière d'écrivain. Son premier succès, le volume de poésies portant le titre *la Chanson des Gueux* (1876), faisait l'éloge des vagabonds et des révoltés qui méprisaient la société et ses lois, en vivant dans la débauche. Scandalisé par ce manque total de vertu civique, le gouvernement municipal censura cet ouvrage et punit Richepin d'un mois de prison et l'obligea à payer une forte amende (fine). Les oeuvres en vers qui ont suivi ce premier succès scandaleux, *les Caresses, les Blasphèmes,* et *la Mer,* portent encore la marque de sa personnalité robuste, indépendante et hardie. Son premier roman, écrit alors qu'il était en prison, *les Morts bizarres,* représente aussi le côté brutal et grossier de la vie, mais les romans qu'il publie par la suite, *la Glu, les Grandes Amoureuses,* et surtout *Miarka,* marquent un changement dans son attitude envers la vie par une peinture simple, une psychologie plus profonde, et une tendance plus idéaliste. Enfin, il s'est distingué comme auteur dramatique avec *Nana Sahib,* pièce dans laquelle il joua lui-même un rôle avec Sarah Bernhardt. Ses autres pièces aussi, *Monsieur Scapin, Par le glaive,* et *le Chemineau,* furent présentées avec succès à la Comédie-Française dont il était devenu directeur. A la fin de sa vie il reçut le plus grand honneur qui puisse échoir à un écrivain, celui d'être élu membre de l'Académie française.

VIEILLE BADERNE

JEAN RICHEPIN

—Oh! non, non, celui-là, inutile d'insister! Lui et ses semblables, il n'en faut plus, sous aucun prétexte. Sans doute ils ont rendu des services, dans le temps. Mais ce n'est pas une raison pour les éterniser à la préfecture.

—Cependant, sa grande mémoire des physionomies, ses bons conseils . . . 5

—Eh! ses soi-disant bons conseils, voilà précisement ce dont je veux nous priver. Oui, je sais, les traditions! C'est notre perte, les traditions. Nous avons besoin d'hommes jeunes, actifs, inventifs. La presse nous reproche nos routines, et la presse 10 n'a pas tort. Eh bien! votre Lejars, c'est le plus bel échantillon de l'ancienne école, le répertoire de toutes les routines. Ça[1] croit encore aux déguisements, par exemple. Le genre Vidocq,[2] alors, pourquoi pas? Non, non, ces gens-là, avec moi, fini. A la retraite! J'en ai assez, des vieilles badernes. 15

Et sur ces mots du nouveau préfet de police (un avocat, un réformateur), malgré tous les efforts du chef de la Sûreté,[3] on avait *fendu l'oreille*[4] au brigadier Lejars.

[1] Cet imbécile. *Ça* est dérogatoire, exprime le mépris.

[2] Pourquoi ne pas reprendre les méthodes de Vidocq? Vidocq (1775–1857), célèbre aventurier, arrêté comme malfaiteur, s'échappa de la prison et offrit ses services au chef de police. Nommé chef de la Sûreté, il se distingua, réussit a faire arrêter plusieurs criminels fameux. En 1827, il démissionna (*resigned*) et fit publier ses Mémoires.

[3] La Sûreté (la police de la Sûreté) a de la ressemblance avec notre FBI.

[4] On avait mis Lejars à la retraite. *Fendre l'oreille* est de l'argot mili-

Certes, il l'avait un peu dure à présent, l'oreille, et c'est pourquoi, depuis deux ans déjà, on ne l'employait plus guère que dans les bureaux et aux confrontations du *petit Parquet.*[5] Mais, tout de même, il n'y était pas inutile. D'autre part, on devait bien avoir quelque considération pour ses trente années de bons 5 services, et surtout pour certaines de ses campagnes, demeurées légendaires, véritables modèles de patience, d'ingéniosité et de hardiesse. Il ne demandait, au reste, qu'à leur donner une suite; et s'il ne le faisait pas, c'est qu'on ne lui en fournissait plus l'occasion, le reléguant à des besognes sédentaires. De quoi donc 10 pouvait-on se plaindre? Qu'il aimât à conseiller ses collègues plus jeunes? Mais ceux-ci d'eux-mêmes le consultaient, et ne s'en trouvaient pas mal.[6] Cela d'ailleurs prouvait qu'il avait la passion de son métier. Oui, peut-être il l'avait trop. Passé maître dans l'art de se grimer, de se *camoufler*, comme on dit là-bas,[7] il 15 avait pris en vieillissant l'innocente manie de *se faire des têtes*[8] sans aucune nécessité, par habitude, par plaisir en quelque sorte. Mais c'était là un léger ridicule qui ne gênait personne et qui ne l'empêchait pas de remplir son devoir. Ce qui en résultait de pire, c'est qu'on l'en plaisantait un peu parmi les agents, sans 20 méchanceté toutefois, sans atteinte même au respect qu'on avait pour lui. Et quand on le taquinait là-dessus, il répondait de fort bonne humeur:

—Eh! oui, je me fais des têtes. C'est pour m'entretenir la main.[9] 25

Aussi fut-ce un désespoir pour le père Lejars, quand on lui

taire. On marquait en leur fendant l'oreille les chevaux de cavalerie trop vieux pour servir.

[5] Le petit Parquet est une division de la police. Là, chaque jour, paraissent tous les individus arrêtés par la police. On employait le père Lejars pour identifier parmi les arrêtés un criminel échappé ou habituel.

[6] Ne le regrettaient pas.

[7] C'est à dire, à la préfecture de police.

[8] Se déguiser.

[9] Pour me donner de la pratique, pour ne pas oublier les méthodes de se déguiser.

apprit qu'il ne faisait plus partie de la brigade de Sûreté. Cela le frappa comme une injustice et comme un outrage.

La perte de sa position, au point de vue pécuniaire, le touchait peu. Sobre, habitué à vivre de ses maigres appointements, et même à économiser sur ce pauvre budget, ses économies et sa pension de retraite lui suffisaient outre mesure. Il n'eut pas, à cet egard, le moindre chagrin.

Ce qui le peinait, ce qui le révoltait, c'est qu'on le mît au rancart comme s'il n'était plus bon à rien. Et dans quels termes! Car on lui avait répété les paroles méprisantes du préfet. Le réformateur, du reste, ne s'en cachait pas. Il disait tout haut ses intentions, ses motifs, sa haine de la routine, son amour du nouveau. C'était le mot d'ordre de la préfecture. Il n'y était question que de *chambardement.* Tout le monde savait que la mise à la retraite du père Lejars serait suivie de plusieurs autres, et que le patron ne voulait plus de *vieilles badernes.*

Vieille baderne, lui, Lejars! Lui qui avait su dépister et prendre le fameux Crusier, dit le Rouge, dit le comte de Montarley, dit l'abbé Rostaing, cette espèce de Rocambole réel! Vieille baderne, lui qui était entré tout seul dans le garni de la bande à Gendret, et qui avait reçu là deux coups de couteau, et qui de ses mains sanglantes avait terrassé et ligoté ce terrible cheval-de-retour[10] surnommé à bon droit la *Mort-des-cognes!*[11] Vieille baderne, lui qui, déguisé en homme du monde (oui, en homme du monde, ce qu'il y a de plus difficile), avait fait pincer la main dans le sac l'ancien notaire Heurtevelle, devenu chef d'une colossale agence de chantage! Vieille baderne, lui qui chaque jour encore au petit Parquet, reconnaissait tout de suite des figures disparues depuis dix ans de la circulation! Vieille baderne, lui, Lejars, le père Lejars! Ah! c'était trop fort!

Rompu à la discipline et au respect hiérarchique, il n'osait traiter son supérieur, le préfet, le grand chef, de polisson. Mais

[10] Criminel habituel.

[11] Death-to-cops. *Cogne* est un mot d'argot pour *policier* ou *gendarme.*

dans son âme et conscience, voilà ce qu'il en pensait. Et il souffrait de se taire, non seulement à cause de son amour-propre blessé, mais aussi et surtout à cause de sa chère police, qu'il voyait désormais désorganisée et allant à vau-l'eau, puisqu'elle tombait entre les mains d'un paltoquet pour qui le père Lejars était une vieille baderne. Tout ce qu'il se permit de dire, en manière de récrimination, ce fut:

—Les escarpes vont avoir beau temps, au jour d'aujourd'hui.

Et comme le chef de la Sûreté, très amicalement, le consolait de son mieux en lui parlant avec éloges de sa belle carrière:

—Elle n'est pas finie, ajouta-t-il avec amertune. J'ai encore bon pied bon œil, et je prouverai à M. le préfet que je ne suis pas une vieille baderne.

—Comment cela?

—C'est mon affaire.

On comprit ce qu'il voulait dire, quelques jours après, à l'occasion d'un crime assez mystérieux. En même temps que le rapport officiel de l'agent chargé d'en suivre la piste, on reçut à la préfecture un rapport privé du père Lejars. Il avait opéré pour son compte, et envoyait les résultats de son enquête. Ils se trouvèrent être justes, mais inutiles; car un autre agent, un jeune homme de la nouvelle promotion, excité par le désir de se distinguer pour ses débuts, faisait arrêter le coupable avant qu'on eût pu se servir des rapports. Le père Lejars fut très affecté de ce contretemps, tout en rendant justice, d'ailleurs, à l'activité de son rival.

Il eut moins de chance encore dans une autre expédition. Réduit à ses propres ressources, dénué des renseignements concentrés à la préfecture, il s'égara et perdit du temps en recherches oiseuses, et ce coup-ci l'on n'eut pas même à lui couper l'herbe sous le pied.[12]

Une troisième fois il fut tout à fait malheureux. Le jeune agent, qui décidément était de première force, piqué au jeu par

[12] On n'était pas obligé de faire vite pour trouver la solution avant lui.

cette concurrence, se fit un malin et déloyal plaisir de le lancer sur une fausse voie, si bien que le vétéran se blousa comme un conscrit.

On en fit des gorges chaudes[13] à la préfecture, où le personnel nouveau ne lui était plus sympathique. Le préfet lui-même, que l'obstination du bonhomme amusait, n'eut pas la générosite de cacher le petit contentement qu'il éprouvait à le voir déconfit. Quant au débutant, tout fier de ses coups d'essai qui étaient des coups de maître, il triompha bruyamment; et renchérissant encore sur les théories du patron, il disait à qui voulait l'entendre:

—Eh bien! enfoncé, le vieux jeu! Enfoncées, les vieilles badernes!

Le père Lejars, qui avait gardé des accointances avec quelques agents, apprit tout cela, et son dépit en fut violent. Ainsi, non seulement il ne pouvait prendre sur le préfet la revanche qu'il s'était promise; mais, en outre, dans ce duel malencontreux, il risquait de perdre son antique renommée. Un blanc-bec lui damait le pion![14] Et tout le monde en riait! Et les exploits de jadis ne comptaient plus pour rien, bafoués pêle-mêle avec les insuccès présents! On avait donc eu raison de le renvoyer et de l'appeler vieille baderne!

La blessure de son amour-propre fut avivée encore par la lecture des journaux. Le préfet de police avait quelques chroniqueurs à sa dévotion, et ils ne manquèrent pas de louer complaisamment les brillants débuts de l'administration nouvelle, non sans dauber sur l'ancienne. Les feuilles mêmes, qui n'étaient pas inféodées au parti politique du préfet, ne purent s'empêcher de rendre justice à ses efforts, à ses réformes, aux bons résultats qu'il en tirait, et surtout à la déférence qu'il avait manifestée envers les critiques unanimes de la presse contre la routine de ses prédécesseurs. Tout cela parut au père Lejars une campagne à son détriment personnel. Il n'était pas loin de penser que tout Paris s'occupait de sa déconfiture. Un reporter ayant eu vent

[13] On en rit beaucoup.
[14] Un jeune nouveau le surpassait, triomphait de lui.

des dernières histoires et en ayant fait un récit plaisant, ce fut le coup de grâce pour le pauvre retraité, qui se crut décidément l'objet de la risée universelle, et qui en tomba malade.

Le chef de la Sûreté le tenait en vieille affection, et vint le voir. Il le trouva couché, vieille, jaune de bile. 5

—Voyons, lui dit-il, mon vieux père Lejars, vous n'êtes pas raisonnable, que diable! En voilà une idée, de vous manger les sangs comme ça![15] Au lieu de vivre tranquille, avec votre petite pension et la conscience d'avoir toujours bien fait votre devoir. Vous devriez être heureux, cependant. 10

—Non, non, répondit le père Lejars. Je ne serai pas heureux, tant que je n'aurai pas prouvé . . .

—Eh! qu'est-ce que vous voulez prouver, mon brave, sans aides, sans ressources? Vous avez beau être le père Lejars, vous ne pouvez pas à vous seul être plus fort que toute la préfecture. 15 C'est un enfantillage. Vous qui êtes un homme sensé, réflechissez un peu.

—Je ne réflechis qu'à une chose: c'est qu'on m'a traité de vieille baderne.

—On a eu tort, c'est certain. Un mot malheureux! Mais il 20 n'y a pas de quoi empoisonner votre vieillesse. Tous les braves gens de la préfecture, et moi le premier, et M. le préfet lui-même, soyez-en sûr, nous savons bien ce que vous êtes, et qu'il n'y a jamais eu de meilleur serviteur que vous, plus loyal, plus brave, plus expert. 25

—N'empêche qu'on m'a fendu l'oreille.

—Dame! chacun son tour. Le mien viendra aussi!

—Mais il y a fendre l'oreille et fendre l'oreille. Je sais ce qu'on dit dans les bureaux, allez; et dans la presse, donc! Ce n'est pas seulement M. le préfet, c'est tout le monde à présent qui 30 me traite de vieille baderne.

—Voyons, vous vous butez sur un mot, père Lejars.

—Possible, J'en aurai le cœur net.[16]

[15] D'éprouver de grandes angoisses, de vous inquiéter comme ça.
[16] J'arriverai à savoir exactement, à être bien renseigné.

—En quoi faisant? En continuant vos enquêtes privées. Ça ne vous réussit pourtant guère. Encore une fois, vous ne disposez pas des moyens nécessaires pour ça. Vous perdrez votre temps et vos peines. Et voulez-vous que je vous dise une chose, moi, entre nous, en ami? Eh bien! en continuant, vous compromettrez la bonne opinion qu'on a de vous, voilà tout ce que vous y gagnerez. Et en même temps ça nous retombera sur le nez,[17] à nous, les policiers de l'ancienne école. Est-ce là votre but, père Lejars?

—Non, bien sûr. Et si je croyais une chose pareille . . .

—Croyez-la, mon ami. Ce que je vous dis est la vérité. Seul contre la préfecture, vous ne pouvez faire que des gaffes, et c'est nous tous qui en supporterons les conséquences, nous qui vous aimons, les vieux de là-bas.

—C'est tout de même exact, fit le père Lejars d'un air résigné. Je n'avais pas pense à ça. Pardonnez-moi. Je me tiendrai tranquille.

—A la bonne heure! Vous voilà raisonnable. Allons, mon brave, ne vous faites plus de bile[18] avec toutes ces folies-là. Soignez-vous et prenez bonne mine. C'est encore ça qui embêtera le plus vos ennemis.

—Je tâcherai, conclut le père Lejars, je tâcherai. Je ne vous demande qu'une chose en retour, une seule, un espoir qui me donnera le courage de bien me porter.

—Tout ce que vous voudrez, mon ami, si c'est possible.

—Eh bien! voilà. Au cas où il y aurait une affaire dont on ne viendrait pas à bout, une affaire *classée*, dont personne ne s'occuperait plus, je vous demande de me la confier, en service auxiliaire, pour me faire une distraction.

—Oh! ça, j'en parlerai à M. le préfet; je ne pense pas que cela souffre de difficulté.[19] Ça lui sera même un moyen de ré-

[17] Tout le blâme retombera sur nous.
[18] Ne vous inquiétez plus.
[19] Que cela sera très difficile.

parer son mot malheureux. Vous pouvez considérer la chose comme entendue.

Et le père Lejars, ragaillardi par cette promesse, se reprit en effet à vivre.

Très peu de temps après, le chef de la Sûreté le revit, encore jaune, fort amaigri, comme un homme toujours consumé par une idée fixe, mais non plus abattu et désespéré. Il semblait rajeuni, au contraire, vert, droit, d'aplomb, énergique.

— Vous voyez, dit-il, je suis prêt à la besogne. N'est-ce pas que je n'ai pas trop l'air d'une vieille baderne?

Mais il disait cela sans amertume apparente, et plutôt d'un ton bonhomme, presque en souriant.

Par malheur, le chef de la Sûreté et lui, ils avaient compté sans la jalousie toujours en éveil du jeune policier protégé par la préfet, et sans l'hostilité du préfet lui-même. Oui, ce haut fonctionnaire, qui avait pris d'abord en plaisantant l'obstination du père Lejars, avait maintenant la mesquinerie d'en vouloir au vieux retraité. Quelques operations moins heureuses avaient suscité des reproches dans la presse, où l'on avait dit que les fameuses réformes, annoncées à si grand fracas, ne produisaient pas les monts et merveilles promis. Le jeune policier, circonvenant le préfet, lui avait insinué qu'il y avait là un retour offensif du parti de la routine. Le père Lejars en avait été rendu responsable. On devait donc payer sa rancune de la même monnaie. Et deux ou trois affaires *classées*, sur lesquelles il avait déjà jeté son dévolu, ne lui furent pas confiées comme il l'espérait. Décidément, on ne voulait pas de lui, même à titre auxiliaire! Il n'avait donc plus aucun moyen, aucun, de prendre sa revanche. Vieille baderne il était jugé, et condamné à mourir irrévocablement vieille baderne.

Il faut croire qu'à la longue il s'y était résigné; car deux mois se passèrent sans qu'il fît de nouvelles offres de service. Seul, le chef de la Sûreté savait que ce silence ne cachait pas un renoncement. Il avait rencontré un jour le père Lejars, plus jaune et plus maigre que jamais, miné de fièvre, mais, plus que jamais aussi, résolu à terminer sa carrière par un coup d'éclat.

—J'attendrai, avait dit le vieillard. Il se présentera bien une occasion où la préfecture n'aura rien, absolument rien, aucun atout dans son jeu. Et alors j'engagerai la partie à chances égales. Et nous verrons. 5

—Ah! fit le chef de la Sûreté, je vous reconnais bien là, père Lejars. Tous les hommes de l'ancienne école, nous sommes comme ça. Une fois sur une piste, sur une idée, nous ne démordons pas.

—Non, répondit le vieux policier, nous ne démordons pas. 10 Et c'est pour ça que j'aurai le dernier, voyez-vous. Je suis de la race des bouledogues, moi.

Mais le bonhomme s'en faisait accroire,[20] sans doute, ou bien il attendait une trop belle occasion. Toujours est-il qu'une année entière s'écoula sans qu'on eût de ses nouvelles. La préfecture 15 continuait son train-train, tantot faisant bonne chasse, tantôt demeurant bredouille,[21] louée par les journaux du parti ministériel, dénigrée par les autres, en somme, malgré les réformes, ne donnant ni plus ni moins de satisfactions que ses devancières. Quant au père Lejars, il y était oublié maintenant, 20 ou à peu près. On avait bien trop d'autres chats à fouetter, pour s'occuper de ce disparu. On songeait surtout au prochain changement de ministère, qui allait probablement entraîner la chute du préfet, et par suite amener un nouveau *chambardement* dans les bureaux. Il n'y avait qu'une chance de salut pour tout 25 le monde, pour le préfet comme pour ses protégés: c'était quelque grosse affaire qu'on mènerait tambour battant,[22] et qui démontrerait la nécessité de garder l'administration actuelle.

A point nommé,[23] il en surgit deux, d'affaires. Et vraiment admirables. 30

[20] Mais le bonhomme se trompait sur ses capacités, se présumait trop de lui-même.

[21] Restant sans succès, ne réussissant pas.

[22] Vivement, sans délai.

[23] Enfin au bon moment.

—Une veine! pensa le préfet.

—Ma foi! dit son protégé, on les aurait commandées exprès, qu'on n'aurait pas eu mieux.

La presse, en effet, était en ébullition; le public se passionnait; il y avait double mystère; et, de ce double mystère, la police était sûre de trouver rapidement la solution. Elle avait les signalements exacts des deux malfaiteurs, et n'était en retard que de quelques heures sur leurs pistes.

On se rappelle ces deux crimes, commis la même nuit: un sous-secrétaire d'Etat assassiné en chemin de fer, entre Etampes et Orléans, et une femme galante égorgée chez elle, rue du Rocher. Ce dernier meurtre ne faisait grand bruit, d'ailleurs, qu'à cause de la coïncidence. Les commentaires roulaient surtout à propos de l'autre. On faisait mille suppositions. Pour la femme galante, il ne s'agissait que d'un vulgaire assassinat suivi de vol. Mais pour le sous-secrétaire d'Etat c'était toute une autre histoire. Ici, pas de vol, sinon un vol de papiers. Quels papiers? Papiers de famille ou papiers politiques? On ne savait. Les hypothèses allaient leur train, et les plus saugrenues trouvaient créance. Mais, en tout cas, il n'y avait qu'une voix pour réclamer de la police le mot si impatiemment attendu par la curiosité universelle. Or le bruit courait que le préfet avait dit:

—Nous dénouerons les deux énigmes à la fois.

Et les imaginations s'emballaient, combinant dans un étrange méli-mélo les deux affaires, comme si elles n'en faisaient qu'une. La préfecture laissait clabauder et inventer, sûre que son triomphe n'en serait que plus éclatant.

Car ce triomphe était sûr. Comment ne pas retrouver les deux assassins avec tous les renseignements qu'on avait? L'un, celui du sous-secrétaire d'Etat, rentré à Paris après son crime, y avait été revu le lendemain même. L'autre, celui de la femme galante, était un habitué des Folies-Bergère.[24] Celui-ci, plus de vingt

[24] Théâtre à Paris où l'on présente des spectacles de musique et de danse.

femmes, appelées en témoignage, l'avaient reconnu tout de suite à son signalement: un Brésilien, court, trapu, à la barbe et aux cheveux frisés, au teint olivâtre et remarquable par une balafre blanche qu'il avait à la joue droite. Il avait soupé avec Pauline Grédel, la victime, deux jours encore avant la fatale nuit, et elle s'était vantée, la veille même du crime, d'avoir rendez-vous avec lui pour le lendemain. Il n'y avait donc pas d'erreur possible à son égard. L'assassin du sous-secrétaire d'Etat n'était pas si aisément dépistable. Pourtant, l'employé de chemin de fer l'avait parfaitement considéré au départ, à cause de ses allures inquiètes; et une famille de trois personnes montée à Orléans dans le wagon qu'il quittait, se le rappelait fort bien. Ces quatre témoins s'accordaient à le décrire ainsi: assez grand, distingué, bien mis, coiffé d'un chapeau à haute forme, les favoris roux, les yeux légèrement louches. Et c'était bien ce même individu qui avait été aperçu le lendemain, venant louer au Vaudeville[25] deux fauteuils d'orchestre, qu'il n'avait d'ailleurs pas occupés le soir, la presse à ce moment ayant déjà raconté le crime. Avec tant de détails si précis, les coupables pouvaient-ils échapper à tous les limiers mis à leurs trousses, et le triomphe n'était-il pas certain?

Il fallut rabattre de cette confiance, la préfecture fut obligée de l'avouer au bout de quelques jours. On avait bien retrouvé le domicile du Brésilien; mais l'homme n'y était plus. Quant à l'autre, aucune réapparition nouvelle. Les pistes étaient perdues.

Ce fut un déchaînement de colère dans la presse et dans le public, et d'autant plus grand que la préfecture avait déjà chanté victoire. Le chef de la Sûreté fut menacé d'être admis, avant terme, à faire valoir ses droits à la retraite. Le protégé du préfet fut sacrifié et, sans autre forme de procès, réintégré comme simple agent dans sa brigade. Le préfet lui-même de-

[25] Le Vaudeville est un théâtre à Paris.

vint la fable des échotiers[26] et la tête-de-turc[27] des journaux à caricatures; et, s'il ne donna pas sa démission, c'est que son parti politique le forçait à rester en place jusqu'au changement de ministère.

—Ah! monsieur le préfet, lui dit le chef de la Sûreté, tout cela ne serait peut-être pas arrivé, si nous avions encore nos bons agents d'autrefois!

—Quels agents, quels, monsieur? répondit aigrement le préfet. Votre père Lejars, peut-être?

—Eh! monsieur le préfet, pourquoi pas? Il avait du bon, voyez-vous, le père Lejars. Il s'est tiré à son honneur d'affaires plus mystérieuses que celle-ci. Notre nouveau personnel est zélé, sans doute; mais enfin, nos hommes ne possèdent plus . . .

—Les traditions, n'est-ce pas? C'est les traditions que vous voulez dire? Et vous croyez qu'avec les traditions et le père Lejars . . .

—On pourrait au moins essayer, monsieur le préfet. C'est un bon et fidèle serviteur, qui ne demanderait, j'en suis sûr, qu'à servir encore, ne fût-ce que pour l'honneur du métier. Quelquefois, vous savez, ces vieux routiers-là! . . . Sans compter que si le père Lejars nous trouvait un joint,[28] eh! ma foi, ce serait dans notre intérêt à tous, monsieur le préfet, à tous.

—Au fait, vous avez peut-être raison. Faites-le venir.

—Il est dans mon cabinet, monsieur le préfet. Il m'avait demandé à vous voir. Mais je n'osais pas . . .

—Est-ce qu'il sait quelque chose?

—Il prétend que oui, monsieur le préfet.

—Ah! vite, vite, amenez-le.

Le père Lejars fut introduit. Il avait un air vainqueur qui froissa le fonctionnaire. Mais quoi? Le chef de la Sûreté avait dit le mot de la situation: le père Lejars pouvait les sauver tous.

[26] Des journalistes chargés d'écrire les échos, les petites nouvelles sans importance.

[27] Le but des moqueries.

[28] Si le père Lejars trouvait la meilleure manière, un moyen subtil, de découvrir le criminel.

Le préfet fit donc bonne mine. C'était déjà la revanche pour le vieillard.

—Oui, dit le préfet, accentuant encore cette revanche, oui, nous avons besoin de vous. Les intérêts de la police avant toute chose, monsieur Lejars. C'est à votre dévouement pour eux que j'en appelle. Il paraît que, de votre côté, vous avez été plus heureux que nous?

—Je le crois, monsieur le préfet, répondit le père Lejars.

—Vous tenez une piste?

—Je tiens les deux.

—Comment! vous savez où sont les deux coupables!

—Il n'y en a qu'un, monsieur le préfet.

—Vous dites?

—Je dis qu'il n'y en a qu'un.

Malgré le ton convaincu et grave du vieux policier, le préfet ne put s'empêcher de sourire.

—Mais, fit-il avec une intonation méprisante, vous n'avez donc pas lu les journaux, au moins? Vous ne connaissez donc pas les signalements?

—Mille excuses, monsieur le préfet, je les connais. Mais je vous ferai observer que j'ai arrêté jadis le fameux Crusier, qui en avait cinq, lui, de signalements.

—D'accord, monsieur, d'accord.[29] Mais ce Crusier était un bandit de profession. Ici, nous avons à faire à un criminel du monde, à une vengeance privée. Je parle de l'assassinat du sous-secrétaire d'Etat naturellement. L'autre . . .

—L'autre a été commis pour dépister du premier, monsieur le préfet. C'est, je vous le répète, le même homme . . .

—Comment! La même nuit, à la même heure!

—Pardon! le train retour d'Orléans arrive à Paris à deux heures trente et une minutes. L'assassinat de la fille Grédel a été exécuté vers les quatre heures du matin. Je demanderai à monsieur le chef de la Sûreté, qui s'y connaît, si un homme comme Crusier n'aurait pas eu le temps, en une heure et demie,

[29] Je suis d'accord avec vous.

d'aller de la gare d'Orléans à la rue du Rocher, et de se *décamoufler* et *recamoufler* en route.

Le "*que s'y connait*" et les mots d'argot de la fin avaient été dits d'une façon nettement blessante, montrant bien le peu de cas que le père Lejars faisait de son interlocuteur. Le préfet 5 n'en put supporter davantage. D'ailleurs, l'idée du vieux policier lui semblait si folle, si bête, qu'il ne sentait plus le besoin de le ménager. Evidemment le bonhomme radotait, repris par sa manie de grime et de déguisement, plus infatué que jamais de ses théories à la Vidocq. 10

—Eh bien! moi, monsieur, riposta rageusement le préfet, moi qui ne m'y connais pas, je prétends que vous dites des balivernes, et que j'ai bien tort de perdre mon temps à les écouter, et que j'ai eu raison, mille fois raison, le jour où je me suis privé de vos services. 15

Le chef de la Sûreté entraîna dehors le père Lejars, blême de honte et de colère. Il tâchait de le calmer, de le consoler; mais, au fond, il pensait comme le préfet, que le vieillard en était au radotage. Quelle apparence y avait-il, je vous demande un peu, que l'assassin du sous-secrétaire d'Etat, cet assassin par ven- 20 geance, cet homme du monde, fût un bandit comparable à Crusier? Et quelle aberration, de vouloir que cet homme et le meurtrier de la fille Grédel fussent un seul individu! Oui, le père Lejars avait perdu la tête. Pauvre vieux! Et, tout en le reconduisant, le chef de la Sûreté essaya de le lui faire entendre. 25

—Alors, vous non plus, dit le père Lejars, vous non plus, vous ne me croyez pas?

—Dame, voyons! c'est de la fantaisie.

—Alors, pour vous aussi, pour tout le monde à présent, je suis une vieille baderne! 30

Et le père Lejars s'en alla.

Deux semaines plus tard, le ministère était renversé, et le préfet de police tombait aussi, mais lui, en même temps, dans le ridicule, poursuivi par les brocards de toute la presse, y compris celle de son parti; car personne ne lui pardonnait ses célèbres 35 réformes si piteusement avortées, et son dernier fiasco devenu légendaire.

Le jour même de sa déconfiture, il reçut comme fiche de consolation la lettre suivante:

Monsieur,

Si jamais, ce qui est douteux, on vous renomme préfet de police, souvenez-vous que les traditions sont les traditions, que la vieille routine est encore ce qu'on a trouvé de mieux, et que le grime et le déguisement sont l'*a b c* de la police. Oui, monsieur, c'est un seul et même homme qui a commis les deux assassinats que vos jeunes gens ont laissés impunis. Cet homme connaissait l'art des Crusier et des Vidocq. Cet homme est, à l'heure présente, entre mes mains. Et puisque la police, désorganisée par vous, n'est plus capable d'arrêter de semblables criminels, je vais moi-même en débarrasser la société. On trouvera ses deux costumes, ses deux perruques, et son cadavre chez moi, où je ferai dans un instant sauter la cervelle à cette vieille baderne.

Lejars.

EXERCICES

LA PARURE

A. *Questionnaire*

1. Pourquoi cette jeune fille a-t-elle épousé un petit commis?
2. De quoi souffrait-elle?
3. Quand elle s'asseyait pour dîner, à quoi songeait-elle?
4. Allait-elle souvent voir sa camarade de couvent?
5. Que tenait le mari à la main un soir en rentrant?
6. Qu'y avait-il dans l'enveloppe?
7. Était-elle heureuse d'avoir l'invitation?
8. Qu'a dit son mari pour lui faire apprécier l'invitation?
9. Pourquoi ne voulait-elle pas l'accepter?
10. Que voulait-elle qu'il fît de la carte?
11. Qu'a-t-on décidé enfin de faire?
12. Pourquoi semblait-elle triste comme le jour de la fête approchait?
13. Qu'est-ce que le mari a suggéré?
14. Qu'a fait Madame Loisel le lendemain?
15. Racontez sa visite chez son amie.
16. Pourquoi Mme Loisel a-t-elle eu un succès le soir de la fête?
17. Comment dansait-elle?
18. Que faisait son mari?
19. Pourquoi ne voulait-elle pas attendre un fiacre devant la porte?
20. Racontez la scène où elle s'aperçoit qu'elle a perdu le collier.
21. Racontez tout ce que Loisel a fait pour retrouver le collier.
22. Qu'a-t-elle écrit à son amie? Pourquoi?
23. Qu'a-t-elle fait pour remplacer le bijou?
24. Comment Loisel a-t-il pu payer la rivière nouvelle?
25. Racontez ce qui s'est passé quand Mme Loisel reporta la parure à son amie.
26. Racontez ce qu'elle a fait pour payer l'argent que son mari avait emprunté.

27. Combien de temps a-t-il fallu?
28. Racontez ce qui s'est passé lorsque Mme Loisel a revu son amie dix ans après.
29. Mme Forestier aurait-elle pu réparer la perte des Loisel? Comment?

B. *Remplacer les tirets par un pronom interrogatif ou par une forme de* quel, *suivant le cas:*

1. ______ a-t-elle épousé?
2. De ______ souffrait-elle?
3. ______ elle aurait voulu faire? (______ aurait-elle voulu faire?)
4. ______ invitation a-t-elle reçue?
5. ______ a été la réponse de Mathilde?
6. ______ (what) l'empêche d'aller au bal?
7. ______ des bijoux a-t-elle choisi?
8. Dans ______ découvrit-elle la rivière?
9. ______ des dames était la plus jolie?
10. ______ remarqua-t-elle en ôtant ses vêtements?
11. ______ était le numéro du fiacre?
12. A ______ a-t-il emprunté de l'argent?
13. ______ serait-il arrivé si elle n'avait pas perdu la parure?
14. ______ elle a expliqué à son amie? ______ a-t-elle expliqué?
15. ______ pense-t-elle en revoyant son amie?

C. (a) *Traduire:*

1. Je ne sais rien de meilleur que cela.
2. Que veux-tu que je porte?
3. Qu'avez-vous?
4. Tu pourrais acheter quelque chose de très simple.
5. Il n'avait pas l'air de s'amuser.
6. Elle aimerait mieux ne pas aller.
7. Elle poussa un cri de joie.
8. Elle pensait à cette soirée d'autrefois.
9. Voilà dix ans que nous la payons.
10. Elle aurait pu avoir besoin du collier.

(b) *Traduire en français:*

1. She preferred something very simple.
2. He knew of nothing prettier than a bouquet of flowers.
3. For five years he has wanted to buy a gun.

4. What is the matter with you? You seem to be think ing of something sad.
5. What do you expect me to read?

LA CONFESSION

A. *Questionnaire*

1. Quel âge avait Marguerite de Thérelles?
2. Où se trouvait-elle au début du conte?
3. Qui était près d'elle?
4. Qui attendait-on?
5. Décrivez l'appartement.
6. Racontez l'incident tragique de la vie passée de la sœur ainée.
7. Que fit Suzanne lorsque son fiancé mourut?
8. Que fit Marguerite?
9. Comment les deux sœurs vécurent-elles après?
10. Quels étaient les signes de la douleur de Marguerite?
11. Qui entra bientôt dans la chambre?
12. Comment le prêtre prépara-t-il les deux sœurs pour la confession?
13. Dans quelles circonstances Marguerite vit-elle Henry pour la première fois?
14. Quel âge avait-elle?
15. Henry venait-il souvent chez les Thérelles?
16. Que faisait Suzanne pour lui?
17. Comment les mangeait-il?
18. Que se disait Marguerite comme le moment du mariage approchait?
19. Racontez ce qu'elle vit un soir.
20. Qu'est-ce qu'elle avait vu le jardinier préparer?
21. Racontez comment elle tua Henry.
22. Comment avait-elle souffert depuis la mort d'Henry?
23. Racontez ce qui se passa après que Marguerite se tut.

B. *Pronoms Personnels. Remplacer les mots en italiques par des pronoms personnels et faire les changements nécessaires:*

1. Suzanne était plus âgée que *sa sœur.*
2. Il y avait *des fioles* sur les meubles.
3. On citait *l'histoire* au loin.
4. Suzanne avait été aimée de *Henry.*
5. Marguerite vint le dire *à sa sœur.*
6. Elle refusa beaucoup *d'offres de mariage.*

7. On entendait *des pas dans l'escalier.*
8. Le prêtre se tourna vers *les deux sœurs.*
9. Est-ce que tu te rappelles *Henry?*
10. Il venait apporter *une nouvelle à papa.*
11. Tu lui faisais *des gâteaux.*
12. *Henry* et *Suzanne* se promenaient souvent.
13. Marguerite marchait derrière *Henry et Suzanne.*
14. Suzanne pensait souvent à *Henry.*
15. J'avais vu *le jardinier* préparer *des boulettes.*
16. J'ai pris chez *maman* une *petite bouteille.*
17. J'ai caché *le verre dans ma poche.*
18. Il a mangé trois *gâteaux.*
19. Je ne quitterai plus *ma sœur.*
20. Suzanne a pardonné *à Marguerite sa jalousie.*

C. *Étudier ces idiotismes et s'en servir en traduisant les phrases anglaises:*

tenir parole, avoir—ans, non plus, depuis + expression of time used with present or imperfect, se mettre à, avoir peur, penser à, venir de, tout à coup, tout d'un coup.

1. For a long time she had been waiting for this moment.
2. She began to talk slowly.
3. She thought of her fiancé.
4. He has just left. He had just left.
5. Suddenly they heard steps on the stairway.
6. She has been ill for twenty years.
7. Marguerite kept her promise and never married.
8. I shall never marry, nor shall you.
9. All of a sudden I began to hate him.
10. Suzanne was eighteen years old and Marguerite was twelve.

L'AVENTURE DE WALTER SCHNAFFS

A. *Questionnaire*

1. A quelle époque l'action de ce conte se passe-t-elle?
2. Pourquoi Walter Schnaffs n'aimait-il pas la vie militaire?
3. Que savez-vous de ses goûts, de son humeur, de son caractère?
4. Pourquoi haïssait-il les baïonnettes?
5. Quelles étaient ses pensées parfois la nuit?

6. Comment se sentait-il au commencement des batailles?
7. Où est la Normandie?
8. Racontez l'attaque des francs-tireurs le jour où Walter Schnaffs a été envoyé en reconnaissance.
9. Pourquoi n'a-t-il pas couru?
10. Qu'a-t-il fait?
11. Que pensait le soldat comme la nuit venait?
12. Qu'est-ce qui l'empêchait de rester dans le ravin?
13. Quelle résolution a-t-il prise?
14. Au moment où il allait exécuter son projet, quelles pensées lui sont venues?
15. Que feraient les francs-tireurs si Walter Schnaffs les rencontrait?
16. Racontez comment il a passé la première nuit dans le fossé.
17. Quelles pensées lui sont venues quand il s'est réveillé?
18. Quelle idée lui a paru la plus pratique?
19. Qu'est-ce qui l'a fait sortir enfin de sa cachette?
20. Où est-il allé en quittant le fossé?
21. Racontez ce qui s'est passé dans le château lorsque Walter Schnaffs a apparu à la fenêtre.
22. Racontez comment on l'a fait prisonnier enfin?
23. Qu'est-ce que le colonel a écrit sur son agenda?
24. Qu'a fait Walter Schnaffs quand on l'a enfermé dans la prison? Pourquoi?
25. Comment le gouvernement français a-t-il récompensé la bravoure du colonel?

B. *Remplacer les tirets par le pronom relatif convenable:*

1. Tout ce ______ est doux dans l'existence disparaît avec la vie.
2. Sa famille était pauvre malgré les dettes ______ il avait contractées.
3. Il se couchait à côté des camarades ______ ronflaient.
4. Le trou dans ______ il s'est jeté était profond.
5. Il ôta son casque ______ la pointe le pouvait trahir.
6. Les Français bondirent dans la cuisine ______ reposait Walter Schnaffs.
7. Il lui manquait l'énergie ______ il avait besoin pour supporter la vie militaire.
8. Les paysans tenaient des fourches avec ______ ils l'auraient tué.

9. Le château ______ il regardait était grand.
10. Il a mangé tout ce ______ on avait laissé sur la table.

C. *Emploi idiomatique du complément indirect remplaçant un adjectif possessif. Traduire ces phrases en anglais:*
1. Il avait songé que toute l'armée lui passerait sur le corps.
2. Des ronces aiguës lui déchirèrent la face et les mains.
3. Des frissons lui couraient sur la peau.
4. Un grand corbeau lui piquait les yeux.
5. Cinquante soldats lui posèrent sur la poitrine cinquante fusils chargés.
6. Un gros militaire lui planta son pied sur le ventre.
7. On lui lia les mains et les pieds.

D. *Étudier ces expressions idiomatiques:*
1. battre en retraite
2. il se mit en route
3. courir des dangers
4. son estomac lui faisait mal
5. histoire de rire
6. un lapin faillit faire s'enfuir Walter Schnaffs
7. des frissons lui couraient sur la peau
8. rester entre les mains
9. hors de combat
10. n'en pouvoir plus

LA FICELLE

A. *Questionnaire*
1. Pourquoi les paysans allaient-ils vers le village?
2. Décrivez la marche des paysans.
3. Qu'est-ce que quelques uns amenaient au marché?
4. Comment leurs femmes les aidaient-elles?
5. Comment marchaient-elles?
6. Que portaient-elles?
7. Faites une courte description de la place de Goderville.
8. Qu'est-ce que Maître Hauchecorne remarqua comme il se dirigeait vers la place?
9. Que pensa-t-il?
10. Que fit-il?
11. Qui remarqua-t-il après avoir ramassé la corde?

12. Est-ce que Malandain était ami de Maître Hauchecorne?
13. Quel fut le sentiment de Maître Hauchecorne lorsqu'il s'aperçut que son ennemi le regardait?
14. Que fit-il alors?
15. Lorsque l'angélus sonna midi que firent les paysans sur la place?
16. Décrivez ce qui se passait chez Maître Jourdain avant le roulement du tambour?
17. Que fit-on en entendant rouler le tambour?
18. Qu'est-ce que le crieur annonça?
19. Comme on finissait le café, qui entra dans l'auberge?
20. Que voulait-il?
21. Où mena-t-il Maître Hauchecorne?
22. Qu'est-ce que le maire apprit à Hauchecorne?
23. Comment Hauchecorne expliqua-t-il l'accusation contre lui?
24. Que se passa-t-il quand Maître Hauchecorne fut confronté avec Malandain?
25. Qu'est-ce que Hauchecorne raconta lorsqu'on l'interrogea à sa sortie de la mairie?
26. Comment passa-t-il le soir?
27. Est-ce que le portefeuille fut retrouvé? Comment?
28. Que fit Hauchecorne en apprenant qu'on avait trouvé le portefeuille?
29. Quelle était l'attitude de ceux qui écoutaient son histoire?
30. Que comprit-il enfin?
31. Quel fut le résultat des rires et des moqueries des paysans?
32. Combien de temps vécut-il après avoir ramassé la ficelle?
33. Comment mourut-il?

B. *Former des questions pour les réponses suivantes en employant les mots entre parenthèses:*

1. Les paysannes marchaient d'un pas court et vif. (Comment?)
2. Maître Hauchecorne se baissa pour ramasser un bout de ficelle? (Pourquoi?)
3. Le bourrelier connaît Maître Hauchecorne depuis vingt ans. (Depuis quand?)

4. Peu à peu les paysans s'en allèrent vers les auberges. (Où?)
5. Le portefeuille contenait cinq cents francs. (Combien?)
6. On a offert vingt francs de récompense. (Combien?)
7. Le brigadier parut sur le seuil comme Maître Hauchecorne finissait son café. (Quand?)
8. Le brigadier a conduit Maître Hauchecorne à la mairie. (Où?)
9. Le pauvre paysan a retiré de sa poche une ficelle. (Qu'est-ce que? qui est-ce qui? d'où?)
10. Un valet de ferme rendit la bourse le lendemain vers une heure. (A quelle heure?)

C. *Traduire les phrases suivantes:*

1. Les paysans et leurs femmes s'en venaient vers le bourg.
2. Il venait de ramasser la ficelle quand il aperçut le bourrelier qui le regardait.
3. Il fit semblant de chercher encore par terre quelque chose.
4. Il s'en alla vers le marché.
5. Les paysans étaient perplexes, toujours dans la crainte d'être mis dedans.
6. Il eut beau protester, personne ne le crut.
7. Ne sachant que faire, il se mit à conter son histoire.
8. On avait l'air de plaisanter en l'écoutant.
9. Quand la nuit vint, il se mit en route avec trois voisins.
10. Il dépérissait à vue d'œil.

LES PRISONNIERS

A. *Questionnaire*

1. Quand se passe l'action de ce conte? Dans quelle région de la France?
2. Quel temps faisait-il?
3. Qu'est-ce que c'est qu'une maison forestière?
4. Que faisait la jeune femme devant la maison?
5. Que lui a-t-on crié de l'intérieur de la maison?
6. De quelle manière a-t-elle fermé la maison?
7. Qu'est-ce que sa mère craignait?
8. Où était le mari de la jeune femme?

9. Comment les habitants de la ville prochaine s'étaient-ils préparés pour résister aux Prussiens?
10. Où était le père ce soir?
11. Que voulait-il annoncer au commandant à Rethel?
12. Était-il parti seul?
13. Quel conseil avait-il donné aux femmes avant de partir?
14. A quelle heure rentrera le pére?
15. Qu'est-ce que la jeune femme a entendu comme elle accrochait sa marmite?
16. Qu'a fait Berthine avant d'ouvrir la porte?
17. Qui était à la porte?
18. Que voulaient-ils?
19. Comment la jeune femme a-t-elle préparé la soupe?
20. Que faisait la mère cependant?
21. Quel bruit a-t-on entendu?
22. Qu'a fait le sous-officier allemand?
23. Pourquoi la forestière est-elle descendue à la cave?
24. Quand Berthine a reparu, quel changement d'expression aurait-on pu remarquer chez elle?
25. Où se sont couchés les soldats?
26. Où les femmes se sont-elles couchées?
27. Qu'est-ce qui a réveillé les soldats?
28. Racontez comment la jeune femme a enfermé les soldats dans la cave.
29. Qu'est-ce que les Prussiens ont fait quand ils ont deviné la ruse?
30. Racontez ce que la jeune femme a fait lorsqu'elle a entendu s'approcher son père.
31. Pendant la deuxième absence du père qu'est-ce que les Prussiens ont fait?
32. Quand le commandant est arrivé avec ses hommes, comment les a-t-il disposés?
33. Comment les soldats-citoyens se sont-ils amusés en attendant que les Prussiens se rendent?
34. Racontez ce qui est arrivé au boulanger Maloison.
35. Racontez comment on a forcé les Prussiens à se rendre.
36. Comment sont-ils retournés à Rethel?
37. Quel a été le résultat de cette affaire pour le commandant? pour le boulanger?

B. *Remplacer l'infinitif entre parenthèses par le participe passé:*

1. La jeune femme est (rentrer) après avoir (finir) de couper le bois.
2. Sa mère, une vieille que l'âge avait (rendre) craintive, filait auprès du feu.
3. La famille avait (refuser) de quitter sa demeure forestière.
4. Les jeunes hommes du village étaient (partir) à l'armée.
5. Les Prussiens ne s'étaient pas (montrer) près du village.
6. Les habitants de Rethel s'étaient (illustrer) par des défenses héroïques.
7. En entendant marcher dans le bois, la jeune femme s'est (souvenir) des Prussiens qui étaient (venir) la veille.
8. Elle a (ouvrir) la porte et les a (laisser) entrer.
9. La mère s'est (asseoir) et s'est (remettre) à filer.
10. La jeune femme était (descendre) à la cave.
11. Les Prussiens avaient (finir) de manger et s'étaient (endormir).
12. Elle s'est (rappeler) ce que son père lui avait (dire).
13. Elle les a (faire) descendre dans la cave.
14. Les Prussiens qu'elle avait (enfermer) commençaient à deviner sa ruse.
15. Une voix qu'elle a (pouvoir) reconnaître a répondu.
16. Les soldats se sont (frapper) les épaules à grands coups de bras pour avoir moins froid.
17. Les Prussiens s'agitaient. On les a (entendre) remuer les barriques.
18. Enfin les Prussiens se sont (rendre).
19. Ils furent (saisir) et (garrotter).
20. Le boulanger a (avoir) la médaille militaire pour blessure (recevoir) devant l'ennemi.

C. *Expliquer l'accord des participes passés dans les phrases suivantes:*

1. Ils s'étaient endormis.
2. Elles s'étaient parlé.
3. Ils avaient fini de manger.
4. La jeune femme, descendue dans la cave, écoutait.
5. Elle s'est levée.
6. Elle était ressortie.

7. Une détonation a retenti.
8. La trappe qu'elle a voulu fermer.
9. L'eau qu'on a fait pomper.
10. Ils furent saisis.

MADEMOISELLE PERLE

I

A. *Questionnaire*

1. Quelle est la date du jour des Rois?
2. Depuis quand l'ami des Chantal connaît-il M. Chantal?
3. Où demeurent les Chantal?
4. Connaissent-ils bien la vie parisienne?
5. Que signifie *aller aux grandes provisions?*
6. Quelle inspection Mlle Perle fait-elle avant d'aller aux provisions?
7. Pourquoi Mme Chantal se livre-t-elle à de longues discussions avec Mlle Perle?
8. Comment fait-on le voyage le jour des achats?
9. Pourquoi ne fait-on pas le voyage à pied?
10. Combien de temps passe-t-on à faire des achats?
11. Quelle est l'opinion des Chantal de la partie de Paris où ils font leurs achats?
12. Quand les jeunes filles vont-elles au théâtre?
13. Pourquoi l'ami de Chantal ne faisait-il pas la cour à une des demoiselles Chantal?
14. Traduisez: "On a presque peur d'être inconvenant en les saluant, tant on les sent immaculées."
15. Le père Chantal mène-t-il une vie active?
16. L'ami des Chantal leur fait-il visite souvent?

B. *Prononciation. Prononcer à haute voix les mots suivants:*

o—côte, rôle; chose, poser; Yvetot, piano, gros; émotion, potion; chaud, beaucoup.

ɔ—possède, province, comme, connaissent, note, accord, homard.

II

A. *Traduire en anglais:*

1. Tout cela est de la mauvaise graine pour plus tard.
2. Aussi, fus-je stupéfait en sentant dans une bouchée

de brioche quelque chose de très dur qui faillit me casser une dent.

3. L'idée de mariage rôde sans cesse dans toutes les maisons à grandes filles et prend toutes les formes, tous les déguisements, tous les moyens.
4. Quant à elle, la pauvre vieille fille, elle avait perdu toute contenance; elle tremblait, effarée, et balbutiait: "Mais non . . . mais non . . . mais non . . . pas moi . . . je vous en prie . . . pas moi . . . je vous en prie . . ."
5. Jamais je n'avais pris garde à Mlle Perle.
6. C'était une grande personne maigre qui s'efforçait de rester inaperçue, mais qui n'était pas insignifiante.
7. Elle n'était point ridicule, tant elle portait en elle de grâce simple.
8. Mais on eût dit qu'elle n'osait pas sourire!
9. Je tendis mon verre à la reine, en portant sa santé avec un compliment bien tourné.

B. *Prononciation. Prononcer à haute voix les mots suivants:*

e—année, été; mes, dîner, chez, pied (*e* devant une consonne final muet, à l'exception de *t*); effet, efface, essentiel; ôtai, chanterai.

ɛ—fête, être; père, fève; met, complet; reste, cette, personne, cerceaux (dans une syllabe fermée); reine, pleine; laine, chaise; oreille, bouteille.

ə—seconde, demoiselle, regard, ce, me, porcelaine (se trouve toujours dans une syllabe ouverte).

Chercher à la page 56 d'autres mots qui contiennent les sons e, ɛ et ə. Former des règles pour la prononciation de la lettre e.

III

A. *Étude de vocabulaire:*

1. Trouver aux pages 60 et 61 vingt mots français qui ont des analogues en anglais. Est-ce que chacun de ces mots peut se traduire par le mot analogue anglais?
2. Choisir aux pages 62 et 63 vingt mots et donner un dérivé de chaque mot choisi.

B. *Prononciation. Prononcer à haute voix les mots suivants:*

ø—feu, queue, peux, ceux, généreux (final in pronunciation); généreuse, nombreuse, feutre, meute (before *z* or *t*).

œ—heure, demeure, seule, veulent, bœuf, cœur (before a pronounced consonant other than *z* or *t*); orgueil, accueil, cueille (*ue* before *il*).

Chercher dans la division III d'autres mots qui contiennent les sons ø et œ.

IV

A. *Questionnaire*

1. Où M. Chantal racontait-il cette histoire de Mlle Perle?
2. Comment Mlle Perle était-elle à 18 ans?
3. Pourquoi ne s'était-elle pas mariée?
4. Quelle pensée secrète de M. Chantal l'ami devina-t-il?
5. M. Chantal nia-t-il avoir aimé Mlle Perle?
6. Quelle fut sa réaction lorsque l'ami devina son secret?
7. Que raconta-t-il pour cacher qu'il avait pleuré?
8. Qu'est-ce que l'ami dit tout bas à Mlle Perle?
9. Que fit celle-ci?
10. Pourquoi l'ami avait-il voulu révéler à Mlle Perle le secret de M. Chantal?

B. *Prononciation. Prononcer à haute voix les mots suivants:*

y—tut, sur, surgir, pointus, minute.

ɥ—lui, puis, tuer, nuage, appuyé (*y* devant une voyelle devient *ɥ*).

u—rouge, sourde, boule, ou, vous, voulu.

ω—oui, louis (*u* devant une voyelle devient *ω*); moi, soin, soir, fois.

Chercher dans la division IV d'autres mots qui contiennent les sons y, ɥ, u, et ω.

LA CHEVRE DE MONSIEUR SEGUIN

A. *Questionnaire*

1. Que savez-vous de Gringoire, le poète à qui Daudet a dédié ce conte?
2. Qu'est-ce qu'on offre au poète?
3. Pourquoi refuse-t-il?

4. Qu'est-ce que Daudet pense lui faire observer en lui contant cette histoire?
5. Comment M. Seguin perdait-il ses chèvres?
6. Pourquoi ne pouvait-il pas les retenir?
7. Quel soin a-t-il eu en achetant la septième?
8. Où a-t-il mis sa chèvre?
9. Que pensait M. Seguin en voyant sa chèvre brouter l'herbe?
10. Que se dit la chèvre un jour en regardant la montagne?
11. M. Seguin savait-il ce que voulait sa chèvre?
12. Qu'a dit M. Seguin pour retenir Blanquette?
13. Qu'a-t-il fait pour l'empêcher de le quitter?
14. Comment est-elle sortie?
15. Racontez comment elle a joui de sa liberté dans la montagne.
16. Qu'a-t-elle pensé en apercevant en bas la maison de M. Seguin?
17. Comment a-t-elle été reçue par les chamois?
18. Quand il a fait nuit, qu'a-t-elle entendu de près? de loin?
19. Espérait-elle tuer le loup?
20. Qu'a-t-elle fait lorsque les premières lueurs ont paru dans l'horizon?

B. *Noter la prononciation de la lettre* i *devant une voyelle:*

aviez (*avje*), manière (*manjɛ:r*), chantions, rien, mieux, septième, officier, derrière, pension, hier, pied, milieu.

Trouver dix autres mots qui contiennent ce son.

Noter la prononciation de ll *et de* l *final précédés de i:*

fille (*fi:j*) sillon (*sijɔ̃*), famille; tressaillit (*trɛsaji*), paille, bataille; feuille (*fœ:j*), fauteuil, seuil, cueillait, accueil, orgueil; oreille (*ɔrɛ:j*), meilleur, bouteille, vieille; brouillard (*bruja:r*), mouille, grenouille.

*Noter les mots suivants où l'*l *n'est pas mouillé:*

ville, tranquille, mille, illégal, illustrer, illisible.

C. *Traduire ces phrases:*

1. Vous avez eu l'aplomb de refuser.
2. Est-ce que tu n'as pas honte à la fin?
3. Vous prétendez rester libre à votre guise.
4. Elle voulait à tout prix la liberté.
5. Il a mangé de si bon cœur que j'étais ravi.

6. M. Seguin s'est trompé.
7. Les chèvres, il leur faut du large.
8. Ça ne fait rien, je vais t'enfermer de peur que tu ne rompes ta corde.
9. Les fleurs sentaient bon tant qu'elles pouvaient.
10. De se voir si haut perchée, elle se croyait aussi grande que le monde.
11. Elle pensa qu'elle ne pouvait plus se faire à cette vie.
12. En entendant les clochettes d'un troupeau, elle se sentit l'âme toute triste.

Sans regarder les modèles français, retraduire votre traduction anglaise en français.

LES DEUX AUBERGES

A. *Questionnaire*

1. Où se passe l'action de ce conte? En quelle saison?
2. Faites une description de la première auberge.
3. Qu'est ce qu'on pouvait entendre à l'intérieur de cette auberge?
4. Décrivez l'intérieur de l'auberge d'en face.
5. Dans laquelle des deux auberges Daudet est-il entré?
6. Qui a-t-il vu à l'intérieur?
7. Comment a-t-on accueilli Daudet?
8. Pourquoi avait-il préféré cette auberge?
9. Est-ce que l'hôtesse a servi vite? Pourquoi pas?
10. Où est-elle allée après avoir servi Daudet?
11. Qu'a fait l'auteur tout en buvant?
12. Pourquoi le monde aimait-il mieux l'autre auberge?
13. De quelle manière le conducteur de la diligence aidait-il l'autre hôtesse?
14. Que faisait l'hôtesse tout en parlant à l'auteur?
15. Pourquoi était-elle préoccupée?
16. Comment s'expliquait-elle la conduite de son mari?

B. *Prononcer ces groupes de mots:*

a. (*a*) hâte, âge, âme, lâche; pas, repas, bas, fracas; crevasse, passe; écrase, embrase; vibration, notation.
b. (*a*) chaque, tache, cigale, dégage, appelle, regarde, partir, cela, marcha; femme, solennel, prudemment.

Étudier les modèles précédents et former des règles pour l'orthographe du son *a*. La prononciation de la lettre a varie beaucoup.

C. *Étudier ces expressions idiomatiques:* de chaque côté, se dégager de, à perte de vue, quelque chose de, d'un côté, en face, tout à coup, de temps en temps, aimer mieux, au contraire.

Traduire en français, en se servant des expressions précédentes:

1. The large white house stood out from the others.
2. As far as one could see there were olive trees.
3. There were white houses on each side of the road.
4. From time to time she looked at the house across the street.
5. There was something sad about her face.
6. Suddenly the door of the inn across the street opened.
7. On the other hand, she preferred not to serve anything.

LE CURÉ DE CUCUGNAN

A. *Questionnaire*

1. Où Daudet a-t-il trouvé ce conte?
2. Qui était l'abbé Martin?
3. Était-il parfaitement heureux à Cucugnan?
4. Quelle prière faisait-il toujours?
5. Où s'est-il trouvé dans son rêve?
6. Que voulait-il savoir?
7. Quelle a été la réponse de Saint Pierre?
8. Que pensait l'abbé Martin en entendant cette réponse?
9. Qu'a dit Saint Pierre pour le consoler?
10. Qu'a-t-il donné à l'abbé pour l'aider à faire le voyage au purgatoire?
11. Comment l'abbé pourrait-il trouver la porte?
12. Qu'a-t-il vu en route?
13. Qui a-t-il vu en entrant au purgatoire?
14. Quelle a été la réponse de l'ange?
15. Pourquoi l'abbé a-t-il pensé au coq en apprenant qu'il n'y avait pas de Cucugnanais en purgatoire?
16. Décrivez le sentier que l'abbé a suivi ensuite.
17. S'est-il brûlé les pieds?
18. Qu'a-t-il vu à gauche du sentier?
19. Racontez ce qu'il a vu et entendu.
20. Comment a-t-il été reçu à cette porte?
21. Quelle réponse a-t-on fait à sa question?
22. Quel effet ce récit du curé a-t-il produit sur l'auditoire?

23. Comment le curé s'y prendra-t-il pour sauver les Cucugnanais?
24. Quel ordre va-t-il suivre?
25. Qui confessera-t-il samedi?
26. Racontez le deuxième rêve de l'abbé Martin.

B. *Prononcer les mots suivants:*

a. ange, range, sandales, tournant, demande, champ, chambre; tendez, envers, sentier, temps, emporte, embaumait, embrasser.
b. long, sont, mensonge, conte, confession, sombre, tromper, tomber.
c. main, pain, sainte, faim; feint, plein, atteint; rien, vient, contient, le sien; fin, vingt, tint, cinquante, quinze, impossible, timbre, cymbale.
d. un, lundi, quelqu'un, parfum.

Quel est l'orthographe des symboles *ã, õ, ẽ, œ̃?*

Noter ces mots qui ne contiennent pas de voyelle nasalisée: comme, mannes, inévitable, inoubliable, inné, inutile, pleine, saine, sienne, tiennent, brune, une, dauphine, achemine, jardinier. En chercher d'autres.

C. *Donner un dérivé des mots suivants:*

adorer, servir, misère, consoler, siffler, curieux, feuille, chanter, sale, mur, compagnon, clair, grand.

L'ÉLIXIR DU RÉVÉREND PÈRE GAUCHER

A. *Questionnaire*

1. Qui raconta cette histoire à Daudet? A quel propos?
2. Où se trouvaient-ils à ce moment?
3. Quelle était la condition des Pères blancs vingt ans auparavant?
4. Pourquoi les cloches étaient-elles silencieuses?
5. Pourquoi l'abbé marchait-il la tête basse, à la procession de la Fête-Dieu?
6. Qui était le frère Gaucher?
7. Racontez ce que vous savez de lui.
8. Quel effet son entrée dans la salle du chapitre produisit-elle?
9. Comment comptait-il aider les Pères blancs?
10. Que décida le chapitre après avoir écouté le projet du frère Gaucher?
11. Quelle était la condition des Pères blancs au bout de six mois?

12. Riait-on toujours des rusticités du Père Gaucher? Qu'est-ce qui montre l'estime que les Péres avaient pour lui?
13. Quelles pensées rendaient le Père Gaucher orgueilleux?
14. Décrivez l'arrivée du Père Gaucher un soir à l'église pendant l'office.
15. Quel accident arriva à cette occasion?
16. Comment le Père Gaucher s'excusa-t-il le lendemain?
17. Était-il nécessaire que le Père Gaucher essayât l'élixir sur lui-même?
18. Quel conseil le prieur donna-t-il?
19. Est-ce que le Père Gaucher suivit ce conseil? Pourquoi pas?
20. Parlez du commerce de l'élixir pendant ce temps.
21. Pourquoi le Père Gaucher demanda-t-il à reprendre ses vaches?
22. Quel moyen le prieur trouve-t-il de tout arranger?
23. Le Père Gaucher consent-il à retourner à son laboratoire?
24. Pourquoi le curé qui racontait cette histoire à Daudet s'arrêta-t-il au milieu de la chanson?

B. *Prononcer ces groupes de mots:*

a. Gaucher, gouverne, Bégon, figurez, Augustin, guère, égayait, élégant, gouttes; grand, gros, église, maigre, degré, grise, dégringolait, longue, orgue.

b. (symbole phonétique *ʒ*) léger (*leʒe*), obliger, pigeon, argent, ouvrage, gigantesque, gilet, girondin, gymnase.

c. gn (symbole *ɲ*) signer, monseigneur, vigne, montagnes, compagnie, soigneuse.

D'après les exemples précédents, formez des règles pour la prononciation de la lettre g.

d. g muet: long, longtemps, doigt, vingt, bourg, Strasbourg.

e. j (symbole *ʒ*) toujours, je, juge, déjà, jolis, jardin, jusqu'à ce que, jeune, joie.

C. *Noter les expressions idiomatiques suivantes:*

à force de, être question de, au petit jour, avoir beau faire quelque chose, faire envie, de jour en jour, par-ci par-là, se douter de, il y avoir (to be the trouble), à tue-tête, creuser la tête.

Traduire les phrases suivantes employant les expressions précédentes:

1. He suspected what the trouble was.
2. At break of day Father Gaucher was on his knees.
3. By dint of racking his brain, he remembered the recipe.
4. The church service lost a bit here and there.
5. The twenty-first drop tempted him.
6. The abbey became richer from day to day.
7. No matter if he did count the drops he always took more than twenty.
8. He sang at the top of his voice.

LA MULE DU PAPE

A. *Questionnaire*

1. Que dit-on en Provence quand on parle d'un homme rancunier?
2. Le joueur de fifre savait-il l'origine du proverbe?
3. Où est allé Daudet chercher l'origine du proverbe?
4. Faites une description de cette bibliothèque.
5. Parlez de la vie à Avignon du temps des Papes.
6. Comment le peuple s'amusait-il?
7. Quelle était la première passion du Pape?
8. Où allait-il tous les dimanches?
9. Que faisait-il en y arrivant?
10. Décrivez son retour au palais.
11. Qu'est-ce que le Pape aimait le plus au monde après sa vigne?
12. Comment soignait-il la mule chaque soir?
13. Est-ce que la mule était estimée dans la ville? Pourquoi?
14. Qui était Tistet Védène?
15. Racontez comment il a gagné la faveur du Pape.
16. Comment le Pape a-t-il favorisé Tistet?
17. Est-ce que la mule en était contente? Pourquoi?
18. Racontez comment Tistet et ses amis tourmentaient la mule.
19. Est-ce que la mule se fâchait?
20. Racontez le plus vilain tour que Tistet lui a joué.
21. Que pensait le Pape en voyant sa mule dans le clocheton?
22. Décrivez la descente de la mule.
23. Quelle idée consolait la pauvre mule?
24. Pourquoi ne s'est-elle pas vengée le lendemain?

25. Décrivez la vie de la mule après le départ de Tistet.
26. De quoi souffrait-elle?
27. Que faisait-elle lorsqu'on prononçait le nom de Tistet devant elle?
28. Quand Tistet est-il revenu à Avignon? Pourquoi?
29. Comment Tistet a-t-il pu avoir ce qu'il désirait?
30. Comment la mule se préparait-elle pour la cérémonie?
31. Comment Tistet était-il vêtu le jour de l'ordination?
32. Quel effet a-t-il fait quand il a paru au milieu de l'assemblée?
33. Où était la mule à ce moment?
34. Qu'a fait Tistet en passant près d'elle?
35. Dites comment la mule s'est vengée enfin.

B. *Prononciation. Prononcer à haute voix les groupes suivants:*

La lettre *c*—celui, cigales, cymbales, lices, ciseleur, ancienne, prince; française, provençal, garçon, façon, reçu; discours, coup, rancunier, vécu, cantique, cardinaux, cru, dictons, avec, tic tac, boucler, clair; cherche, sèche, cloche, château, coucher.

Après avoir étudié les exemples précédentes, former des règles pour la prononciation de la lettre c.

C muet— franc, banc, blanc, flanc, tronc, je vaincs, un cric, clerc, estomac, porc, tabac.

C. *Traduire les phrases suivantes:*

1. Francet connaît son légendaire provençal sur le bout du doigt.
2. Le conte en est joli quoiqu'un peu naïf.
3. C'est un vrai pape d'Yvetot, avec quelque chose de fin dans le rire.
4. Il marquait le pas de la danse avec sa barrette, ce qui faisat dire à tout le monde: "Ah! le brave Pape!"
5. Il faut dire aussi que la bête en valait la peine.
6. Quelle brave mule que vous avez là! Laissez un peu que je la regarde!
7. Tistet ne s'en tint pas là.
8. On n'est pour rien la mule du Pape.
9. Les enfants avaient beau faire, elle ne se fâchait pas.
10. Son sabot lui démangeait, et vraiment il y avait bien de quoi.

11. Il y a que votre mule est montée dans le clocheton.
12. La malheureuse bête n'en dormit pas de la nuit.

D. *Composition:* La mule raconte ses souffrances causées par Tistet.

MATEO FALCONE

A. *Questionnaire*

1. Où se passe l'action de ce conte?
2. Qui habite le maquis?
3. Comment le laboureur corse fertilise-t-il son champ?
4. Expliquez comment le maquis se forme.
5. De quoi a-t-on besoin pour vivre dans le maquis?
6. Où se trouvait la maison de Mateo Falcone?
7. De quoi Mateo Falcone vivait-il?
8. Parlez de son habileté au tir au fusil.
9. Citez un trait d'adresse qui montre son habileté au tir.
10. De quelle réputation jouissait-il?
11. Quel incident de sa vie passée contait-on?
12. Combien d'enfants avait-il?
13. Quel âge avait le fils?
14. Où est allé Mateo un jour avec sa femme?
15. Pourquoi le fils ne les a-t-il pas accompagnés?
16. Qu'est-ce que Fortunato a entendu quelques heures après le départ de son père?
17. Qu'a-t-il vu bientôt?
18. Qui était cet homme?
19. Qu'a-t-il demandé à Fortunato?
20. L'enfant avait-il peur des menaces du bandit? Pourquoi pas?
21. Qu'est-ce que le bandit lui a offert?
22. Racontez comment il a caché le bandit.
23. Qu'est-ce que l'adjudant demanda à Fortunato?
24. Comment Fortunato répondait-il aux menaces de l'adjudant?
25. Qu'a fait l'adjudant enfin pour faire parler l'enfant?
26. Comment Fortunato a-t-il indiqué où était le bandit?
27. Pourquoi Gianetto ne pouvait-il pas se tenir debout?
28. Qu'a pensé Mateo en voyant les soldats devant sa maison?
29. Dites comment il s'est préparé à se défendre.
30. Comment le soldat s'est-il approché de lui?
31. Qu'est-ce qu'il a appris à Mateo?

32. Qu'a fait le bandit quand il a vu Mateo avec Gamba?
33. Qu'est-ce que Fortunato a fait en voyant arriver son père?
34. Comment a-t-on reporté le bandit à la ville?
35. Qu'a fait Mateo en voyant la montre de son fils?
36. Quelle résolution Mateo avait-il prise?

B. *Le verbe* devoir. *Traduire ces phrases:*

1. Mérimée a dû voyager en Corse.
2. Nous devons regarder la carte de Corse.
3. Les bergers ont dû connaître Mateo Falcone.
4. Lorsqu'on éteignit la chandelle, Mateo devait percer le transparent.
5. Mateo a dû avoir cinquante ans.
6. Fortunato devait rester pour garder la maison.
7. Fortunato aurait dû cacher le bandit.
8. Si vous êtes le fils de Mateo, vous devriez me cacher.
9. Vous me devrez cinq francs.
10. Vous avez dû voir passer un homme.
11. Tout garçon doit avoir une montre.
12. Pendant que Mateo tirait un fusil, sa femme devait charger l'autre.
13. Il n'aurait pas dû trahir le bandit.
14. On lui devra de l'argent.
15. Nous devons partir à six heures.
16. Vous devriez quitter la maison à cinq heures.
17. Giuseppa a dû savoir ce qui se passait dans l'âme de son mari.
18. Il devait venir mais il ne pouvait pas.
19. Vous auriez dû me le dire.
20. Nous devrions lui écrire.

C. *Traduire en français:*

1. He ought to buy the book.
2. You must have seen him.
3. We are to be there before six.
4. I ought to have left earlier.
5. You will owe me ten francs, for you owe me five now.
6. He was to bring me the book.
7. You ought not to have gone.
8. We must leave very soon.
9. He must be here for I see his hat.
10. We ought to leave tomorrow.

LA SAINT-NICOLAS

I

A. *Questionnaire*

1. Qu'est-ce que le garçon de bureau demande au sous-directeur?
2. Décrivez M. Boinville, le sous-directeur.
3. Qu'est-ce que le garçon de bureau lui donne?
4. Est-ce que M. Boinville renvoie la dame sans la voir?
5. Comment reçoit-il la visiteuse?
6. Qu'est-ce qu'elle est venue demander?
7. Le sous-directeur croit-il qu'on aidera la dame? Pourquoi?
8. Que savez-vous de la famille de la dame?
9. Si la dame reçoit une pension pourquoi est-elle si pauvre?
10. Qu'est-ce que M. Boinville remarque pendant le récit de la dame?
11. Qu'est-ce qu'il promet à la dame?
12. Expliquez pourquoi il s'est montré si indulgent envers elle?
13. A quoi pense M. Boinville après le départ de la dame?
14. Quel âge a-t-il?
15. Quand a-t-il quitté son pays?
16. Racontez son premier et unique amour.
17. Quelle décision fait-il sur l'affaire Blouet?

B. *Remplacer l'infinitif entre parenthèses par la forme convenable du subjonctif ou de l'indicatif suivant le cas:*

1. Le garçon de bureau ne laisse pas entrer la dame sans que M. Boinville le (permettre).
2. Elle voulait qu'on lui (accorder) un secours.
3. Il regrettait qu'on ne (pouvoir) rien pour elle.
4. Il pensait qu'elle (être) lorraine.
5. C'est dommage qu'elle (engager) son titre de pension.
6. Elle a donné son adresse pour qu'il lui (écrire).
7. Il était bien content qu'elle (venir, had come).
8. Son cœur lui avait parlé une fois avant qu'il (avoir) vingt ans.
9. Il resta devant la fenêtre jusqu'à ce que le garçon de bureau (venir) lui apporter le dossier.
10. Il est bien probable qu'il (approuver) la demande.

II

A. *Questionnaire*

1. Quand le secours fut accordé à Mme Blouet, quelle idée vint à M. Boinville?
2. Quelle somme fut accordée à la dame?
3. Vers quelle heure arriva-t-il chez Mme Blouet?
4. Pourquoi fut-il étonné quand la porte du logis Blouet s'ouvrit?
5. Décrivez la personne qui lui ouvrit la porte.
6. Pourquoi la veuve dit-elle: Un bonheur n'arrive jamais seul?
7. Quelle fête préparaient-elles?
8. Pourquoi Boinville devint-il plus expansif quand on énuméra les mets du dîner?
9. De quoi Claudette et sa grand'mère parlaient-elles un peu à l'écart?
10. Où dînait Boinville d'habitude?
11. Pendant que la grand'mère préparait le tôt-fait, que faisait Claudette?
12. Après le diner que fit la grand'mère?
13. De quoi parlaient Claudette et Boinville?
14. Quelle hallucination eut Boinville tout à coup?
15. Comment Boinville prit-il congé?

B. *Remplacer l'infinitif entre parenthèses par la forme convenable du subjonctif ou de l'indicatif, suivant le cas:*

1. Quoiqu'on (être) au commencement de décembre, le temps (être) doux.
2. M. Boinville est heureux que le secours (être) accordé.
3. Il cherchait une rue qui (mener) vers la rue de la Santé.
4. Il voulait que le jardinier le (guider).
5. Elle espérait que sa petite fille (passer) bien ses examens.
6. Il ne savait pas qu'on (compter) fêter la Saint-Nicolas.
7. Elles seront très heureuses s'il (vouloir) goûter le tôt-fait.
8. Il lui sembla qu'il (reculer) de vingt ans en arrière.
9. Il semblait que la rue (être) un désert.
10. Il a fallu que Mme Blouet le (conduire) jusqu'en bas.

III

A. *Vocabulaire. Soulignez les mots anglais qui traduisent les mots français:*

1. éclairé: cleared, enlightened, lightning, glare.
2. reprises: mistakes, contempt, times, reprieve.
3. dossier: document, file, dorsal, docile.
4. voltiger: flutter, fly, sparkle, electrify.
5. morne: brilliant, mourn for, morning, dismal.
6. railleusement: jestingly, wailfully, recovery, mockingly.
7. ronfler: swell, snore, enlarge, wave.
8. grisonnant: resonant, getting grey, resounding, grateful.
9. désarroi: disloyal, disorder, confusing, kingly.
10. empressement: impress, pressure, imprint, eagerness.
11. chance: chance, luck, opportunity, change.
12. témoigner: show, timid, monk, second.
13. reconnaissance: encounter, grateful, recognize, gratitude.
14. poitrine: weight, breast, poignant, touching.
15. interdit: speechless, interpolate, say, stammer.
16. accoudé: welcome, accord, agreed, leaning on one's elbows.
17. maussade: bad, cruel, mossy, sullen.
18. frissonner: grill, frisk, shudder, frying.
19. tarder: be long, late, tardy, postpone.
20. s'épanouir: brighten up, diminish, sponge, to listen.
21. tressaillir: trellis, trestle, tress, tremble.
22. effarouché: fierce, fearful, startled, awful.
23. éclat: brilliance, burst, clap, eclipse.
24. hardi: hardy, hard, bold, zounds.
25. effrayer: fray, frighten, clear up, defray.

B. *Traduire:*

1. He wished he could go to see them.
2. He regretted he hadn't married.
3. She was glad she had received her appointment.
4. He didn't think he would surprise her.
5. He wishes he could speak without emotion.

C. *Expressions idiomatiques tirées de la Saint-Nicolas. Traduire en anglais:*

1. Les frais de maladie m'ont mise à sec.
2. Je m'en étais douté à votre accent.
3. Ne vous êtes-vous pas trompé, monsieur?
4. Il s'est donné la peine de regarder.
5. Je ne m'attendais guère à l'honneur de vous voir.
6. Voilà bien vingt ans que je n'ai entendu prononcer ce nom.
7. Il observait la jeune fille à la dérobée.
8. On lui dit de mettre le couvert.
9. La grand'mère ne tarda pas à s'assoupir.
10. Il lui sembla qu'il avait reculé de vingt ans en arrière.
11. Il était temps de prendre congé.
12. Ce jour-là il ne tenait pas en place.
13. M. Boinville ne pouvait plus s'y méprendre.
14. Mme Blouet arriva sur ces entrefaites.

L'ATTAQUE DU MOULIN

I

A. *Questionnaire*

1. Pourquoi le père Merlier avait-il invité des amis?
2. Quels préparatifs avait-il faits?
3. Où se trouvait le moulin du père Merlier?
4. Décrivez la roue du moulin.
5. Pourquoi le père Merlier n'avait-il pas changé la roue?
6. Quelle était la position du père Merlier dans le village?
7. Comment s'était-il enrichi?
8. Pourquoi l'avait-on choisi pour maire?
9. Quel âge avait sa fille?
10. Décrivez-la.
11. Comment venait-elle de scandaliser la contrée?
12. Qui était Dominique?
13. Pourquoi était-il venu en France?
14. Pourquoi y restait-il?
15. Que faisait-il?
16. Quelle réputation avait-il?
17. Que fit le père Merlier quand Françoise lui annonça sa décision d'épouser Dominique?
18. Comment Dominique avait-il pu courtiser Françoise?

19. Pourquoi le père Merlier accepta-t-il enfin Dominique?
20. Quelle preuve le père Merlier eut-il bientôt d'avoir bien choisi?
21. Qu'est-ce que le père Merlier annonça aux amis qu'il avait invités?
22. De quoi parlait-on pendant la fête?
23. Pourquoi le père Merlier ne s'effrayait-il pas à la pensée de la guerre?

B. *Remplacer l'infinitif (s'il y a lieu) par la forme convenable du verbe.*

On pense quel coup de massue le père Merlier reçut, ce jour-là! Il ne (dire) rien, selon son habitude. Il (avoir) son visage réfléchi; seulement, sa gaieté intérieure ne (luire) plus dans ses yeux. On (se bouder) pendant une semaine. Françoise, elle aussi, (être) toute grave. Ce qui (tourmenter) le père Merlier, c' (être) de (savoir) comment ce gredin de braconnier (avoir) (pouvoir) (ensorceler) sa fille. Jamais Dominique n' (être) (venir) au moulin. Le meunier (guetter) et il (apercevoir) le galant, de l'autre côté de la Morelle, (coucher) dans l'herbe et (feindre) de (dormir). Françoise, de sa chambre, (pouvoir) le voir. La chose (être) claire, ils (avoir) (devoir) s'aimer, en se (faire) les doux yeux par-dessus la roue du moulin.

C. *Traduire ces phrases:*

1. On devait fiancer ce jour-là Françoise avec Dominique.
2. Les femmes à trois lieues à la ronde le regardaient avec les yeux luisants, tant il avait bon air.
3. Ce moulin était une vraie gaieté.
4. Des fenêtres s'ouvraient, percées irrégulièrement.
5. On lui donnait quelque chose comme quatre-vingt mille francs.
6. Il aurait pu se reposer, mais il se serait trop ennuyé.
7. Elle venait d'avoir dix-huit ans.
8. Elle devenait toute potelée avec l'âge, elle devait finir par être ronde et friande comme une caille.
9. Ils avaient dû s'aimer en se faisant les doux yeux pardessus la roue du moulin.
10. On n'entendait plus, de loin en loin, que le chant de quelque coq éveillé trop tôt.

II

A. *Terminer les phrases suivantes:*

1. Les habitants de Rocreuse attendaient les Prussiens depuis ——
2. La nuit précédente ils avaient entendu un grand bruit d'hommes sur la route; c'était ——
3. Le capitaine français examina le moulin parce que ——
4. Le meunier n'ouvrit pas la bouche pour se plaindre car ——
5. Quand le capitaine demanda pourquoi Dominique n'était pas à l'armée, celui-ci répondit ——
6. Lorsque les premiers coups de feu retentirent, les Français ne pouvaient pas voir l'ennemi parce que ——
7. Le premier mort était ——
8. Un Prussien sortit brusquement de derrière un arbre et tomba à la renverse parce que ——
9. Le capitaine n'espérait pas battre les Prussiens mais il voulait ——
10. Pour arriver au moulin, les Prussiens seraient obligés de ——
11. Le capitaine français laissa s'approcher les Prussiens et quand ils furent une cinquantaine dans la prairie, il ——
12. Lorsque Dominique vit que Françoise était blessée il ——
13. Les Français tinrent le moulin pendant ——
14. Quand les Prussiens envahirent la cour du moulin, ils virent ——
15. Un officier Prussien dit à Dominique que ——

B. *Remplacer l'infinitif, s'il y a lieu, par la forme convenable du verbe:*

Dominique avait supplié Françoise de (se retirer), mais elle voulait (rester) avec lui; elle s'était (asseoir) derrière une grande armoire de chêne, qui la (protéger). Une balle pourtant (arriver) dans l'armoire, dont les flancs (rendre) un son grave. Alors, Dominique (se placer) devant Françoise. Il n' (avoir) pas encore (tirer), il (tenir) son fusil à la main, ne (pouvoir) approcher des fenêtres dont les soldats (tenir) toute la largeur. A chaque décharge, le plancher (tressaillir).

Attention, (crier) tout d'un coup le capitaine.

Il (venir) de voir (sortir) du bois toute une masse sombre. Aussitôt (s'ouvrir) un formidable feu de peloton. Ce (être) comme une trombe qui (passer) sur le moulin. Un autre volet (partir), et par l'ouverture de la fenêtre, les balles (entrer). Deux soldats (rouler) sur le carreau. L'un ne (remuer) plus; on le (pousser) contre le mur, parce qu'il (encombrer). L'autre (se tordre) en (demander) qu'on (l'achever); mais on ne l' (écouter) point, les balles (entrer) toujours, chacun (se garer) et (tachait) de trouver une meurtrière pour (riposter).

C. *Étudier ces expressions idiomatiques:*

faire chaud, finir par+l'infinitif, être en retard, s'occuper de, à la renverse, de nouveau, venait de, se passer, jeter un coup d'œil, se douter de.

Traduire en français:

1. I thought it would be hot.
2. She was very late.
3. The soldier fell over backwards.
4. They were trying again to cross the river.
5. The captain was paying attention to Françoise as if he had forgotten what was happening.
6. He glanced at the young Belgian.
7. After trying for several hours they finally crossed the river.
8. The French army had just left but the Prussians didn't suspect it.

III

A. *Questionnaire*

1. Quelle était la règle de l'état-major allemand concernant les citoyens combattants?
2. Pourquoi Dominique ne nia-t-il pas avoir tiré sur les Prussiens?
3. Quelle punition l'officier allemand ordonna-t-il pour Dominique?
4. Où emmena-t-on le prisonnier?
5. Qu'est-ce que l'officier apprit en examinant Françoise?
6. Où était le père Merlier à ce moment?
7. Pourquoi l'officier ne fit-il pas exécuter Dominique le même jour?

8. Quel service demandait-il au prisonnier?
9. Dans quelle pièce enferma-t-on Dominique?
10. Que remarqua Françoise lorsqu'elle ouvrit sa fenêtre?
11. Quel moment attendit-elle?
12. Comment Françoise comptait-elle sortir de sa chambre?
13. Pourquoi les Prussiens n'avaient-ils pas remarqué l'échelle?
14. Pourquoi faillit-elle perdre son courage?
15. Comment surmonta-t-elle la difficulté?
16. Quel plan avait-elle fait pour la fuite de Dominique?
17. Quel bruit effraya les deux pendant qu'ils se parlaient?
18. Quels bruits Françoise entendit-elle après que Dominique la quitta?

B. *Étudier et expliquer chaque emploi du subjonctif dans le chapitre III.*
Remplacer l'infinitif entre parenthèses par le subjonctif ou l'indicatif, suivant le cas:
1. Il parlait bien le français bien qu'il (être) Prussien.
2. L'officier allemand avait commandé que tout paysan pris les armes à la main (être) fusillé.
3. Françoise craignait qu'on ne (tuer) Dominique.
4. Il demanda qu'on (amener) le maire.
5. Son père pense que la roue (être) en danger.
6. L'officier (vouloir) que Dominique les (conduire) à travers le bois.
7. Françoise sera contente qu'il (refuser—has refused) de le faire.
8. Le capitaine ne croit pas que Dominique (être) Belge.
9. Le mécanisme avait été modifié de sorte que l'échelle (disparaître) sous les lierres.
10. Elle lui a donné un couteau afin qu'il (pouvoir) se défendre.

IV

A. *Questionnaire*
1. Qu'est-ce que Françoise a vu en descendant dans la cour?
2. Qu'est-ce que l'officier a dit au père Merlier?
3. Avec quel arme le mort avait-il été tué?
4. Le père Merlier pensait-il que le couteau les aiderait dans leurs recherches?
5. Que faisait Françoise cependant?

6. Quelles étaient ses pensées?
7. Quelle nouvelle les soldats ont-ils apportée à ce moment?
8. Pourquoi l'officier a-t-il renoncé à l'idée de chercher Dominique dans le bois?
9. Comment l'officier a-t-il menacé le père Merlier?
10. Qu'a fait Françoise en voyant qu'on allait fusiller son père?
11. A quelle condition l'officier consentirait-il à libérer le père?
12. Où est allée Françoise lorsqu'on eut enfermé son père?
13. Qu'a-t-elle vu après avoir traversé la rivière?
14. Après avoir trouvé Dominique, est-ce que Françoise lui a expliqué pourquoi elle était venue dans la forêt?
15. A quel moment l'a-t-elle quitté?
16. Quand l'officier a vu Françoise revenir sans Dominique, qu'a-t-il décidé de faire?
17. Qu'est-ce qui a empêché l'exécution du père?
18. Comment Dominique avait-il appris la vraie situation?

B. *Remplacer l'infinitif entre parenthèses par l'indicatif ou le subjonctif, selon le cas:*

1. Le vieillard répondit sans qu'un muscle de sa face (bouger).
2. Elle pensait que le mort (laisser) là-bas, en Allemagne, quelque amoureuse qui (aller) le pleurer.
3. Le père (craindre) que sa fille ne (trahir) sa complicité.
4. Françoise est heureuse que Dominique (s'échapper—will escape, has escaped).
5. Comment voulez-vous que nous (trouver) un homme là-dedans?
6. Il ne croyait pas qu'on (pouvoir—could, had been able to) trouver Dominique.
7. Il fut nécessaire que son père (remplacer) Dominique.
8. Dominique revint pour qu'on ne (fusiller) père Merlier.
9. Il a fallu que le père Bontemps lui (dire) la vérité.
10. On fusilla Dominique avant que les Français (donner) l'assaut.

V

A. *Vocabulaire. Soulignez la traduction du mot français:*

1. nuage: nuance, swim, storm, cloud.
2. le sort: exit, fate, departure, sort.

3. orage: cloud, oracle, storm, orange.
4. les instances: urging, instants, minutes, positions.
5. s'écouler: to cool off, to crumble, to pass away, to chill.
6. veille: day before, old woman, waking, reveille.
7. tandis que: during, since, because, whereas.
8. sentiers: feelings, sentinels, odors, paths.
9. lâcheté: slipping, falling, cowardly act, leash.
10. affolée: full of, crazed with fright, foolish, folly.
11. tonnerre: thunder, tonnage, tuneful, toll.
12. lourde: heavy, deaf, loutish, lower.
13. retentir: withhold, draw back, hold again, resound.
14. étreinte: estranged, embrace, strained, narrow.
15. foudre: thunder, powder, foolish act, fearful.
16. régler: ruler, rule, settle, regular.
17. s'emparer de: to peel away, to escape from, to seize, to fill.
18. trouée: filled, truant, pierced, torn.
19. accroupie: crouched, hastened, grouped, welcome.
20. taille: be quiet, thicket, tail, figure.

LES VICES DU CAPITAINE

A. *Questionnaire*

1. Combien de temps le capitaine Mercadier avait-il servi quand il fut mis à la retraite?
2. Décrivez la petite ville où il se retira.
3. Pourquoi avait-il choisi cette ville comme résidence de retraite?
4. Où avait-il passé sa vie militaire?
5. Quelles aventures y avait-il eues?
6. Décrivez son arrivée dans la ville.
7. Quel fut son premier soin après s'être installé dans sa chambre?
8. Quels étaient ses trois vices?
9. Comment amusait-il les autres habitués du café?
10. Racontez ce que vous savez du vétérinaire de la petite ville.
11. Qu'est-ce qui empêchait le bonheur parfait du capitaine?
12. Qu'est-ce qui lui arriva un lundi matin?
13. Qu'est-ce que le capitaine aperçut en regardant la petite fille?

14. Pourquoi fut-il ému?
15. Qui était la petite fille?
16. Quel âge avait-elle?
17. Quel accident lui était arrivé?
18. Comment l'idée est-elle venue au capitaine de prendre la boiteuse comme domestique?
19. Comment arrangea-t-il l'affaire?
20. De quelle manière comptait-il payer les frais d'une domestique?
21. Quelles réformes la petite fille fit-elle?
22. Quel moment choisissait-elle pour demander ce qu'elle voulait?
23. Racontez les divers sacrifices que le capitaine fit.
24. Que compte-t-il laisser à sa fille adoptée?
25. Qu'est-ce qui lui cause une joie immense quelquefois comme il se promène avec elle?

B. *Mettre l'infinitif entre parenthèses à la forme convenable du subjonctif, s'il y a lieu:*

1. Il n'est pas nécessaire qu'on (nommer) la petite ville.
2. Il fallait que le capitaine (attendre) longtemps pour gagner ses épaulettes.
3. Avant qu'il ne (être) capitaine, on lui avait infligé des punitions.
4. Après que le capitaine (s'installer) l'épicier vint le voir.
5. Le tabac est le seul vice qu'on lui (connaître).
6. Il a fallu que le capitaine (trouver) un bon café.
7. Il faudra que le capitaine (se méfier) du bézigue du vétérinaire.
8. Il voulait que Pierrette (apprendre) à écrire.
9. Il a ordonné qu'on (apporter) des chenets pour la cheminée.
10. Il est très heureux qu'elle (pouvoir) acheter un petit fonds de mercerie.

C. *Traduire en anglais:*

1. Le capitaine se retira quand il fut mis à la retraite.
2. Il lui avait fallu tout le hasard de la vie de campagne, pour gagner ses épaulettes.
3. Le capitaine s'inquiétait du confortable des meubles.
4. Une fois assis dans un café il se sentit à son aise.
5. Il fit le tour de la ville sans rien trouver à sa convenance.

6. Le capitaine dut revenir de cette illusion.
7. Il arrêta son regard distrait sur l'enfant.
8. Voilà huit jours que je paie ce qu'il boit.
9. Mais il n'y a pas à dire, ce sera plus réglementaire.
10. Il compte épargner de quoi acheter une petite boutique.

UN ÉPISODE SOUS LA TERREUR

A. *Questionnaire*

1. A quelle époque se passe l'action de ce conte? A quelle heure?
2. Où marchait la vieille dame?
3. Qu'est-ce qu'elle entendit derrière elle?
4. Que tenta-t-elle de faire?
5. Que pensa-t-elle en entrevoyant une forme humaine?
6. Où entra-t-elle pour échapper à l'espion?
7. Que fit la femme du pâtissier en voyant la vieille dame?
8. Pourquoi appela-t-elle son mari?
9. Qu'est-ce que le pâtissier apporta bientôt à la dame?
10. Que pensa la dame lorsqu'elle aperçut le bonnet rouge du pâtissier?
11. Qu'est-ce que la manière et les vêtements de la dame indiquaient aux marchands?
12. Qu'est-ce que le pâtissier offrit de faire pour elle?
13. Expliquez la cause de la grande frayeur du pâtissier.
14. Que fit la dame lorsqu'il voulut reprendre la boîte?
15. Est-ce que l'inconnu cessa de suivre la dame?
16. Où demeurait-elle? Avec qui?
17. Qui est-ce que le prêtre attendait?
18. Comment reconnaîtrait-on l'envoyé?
19. Que fit le prêtre lorsqu'on entendit un pas dans l'escalier?
20. Est-ce que les femmes ouvrirent la porte lorsqu'on frappa?
21. Qui l'inconnu cherchait-il?
22. Pourquoi la sœur Agathe dit-elle "*Hosanna*" à l'inconnu?
23. Que pensa l'inconnu lorsque la sœur lui dit "*Hosanna*"?
24. Pourquoi le prêtre sortit-il de l'armoire où il se cachait?

25. Qu'est-ce que l'inconnu voulait demander au prêtre?
26. Comment le prêtre s'explique-t-il ce désir de l'inconnu?
27. Quel service funéraire voulait-il faire célébrer?
28. Qu'est-ce que l'inconnu offre au prêtre à la fin du service?
29. Quelle bonne nouvelle l'inconnu annonça-t-il aux religieuses avant de partir?
30. Que trouva-t-on dans la boîte?
31. Quand revirent-ils l'inconnu?
32. Que vit le prêtre un jour comme il sortait d'une parfumerie?
33. Qui était l'inconnu?
34. Quel mouchoir avait-il donné au prêtre?

B. *Emploi de l'imparfait et du passé simple. Mettre les infinitifs entre parenthèses à l'imparfait ou au passé simple, suivant le cas:*

Il (être) huit heures du soir. Une vieille dame (descendre) la rue vers l'église Saint-Laurent. Il (neiger) et la rue (être) déserte. Comme elle (s'approcher) de la rue des Morts, elle (croire) entendre le pas d'un homme qui (marcher) derrière elle. Elle (s'effrayer), (essayer) d'aller plus vite, (retourner) brusquement la tête et (voir) une forme humaine. Elle (commencer) à courir, (arriver) devant une pâtisserie et y (entrer). La pâtissière qui (broder) près d'une fenêtre (reconnaître) la dame, (se lever), (appeler) son mari et (aller) ouvrir un tiroir. L'homme (s'approcher) et (regarder) les vêtements de la dame. Elle (porter) une vieille mante, sa coiffure (cacher) ses cheveux, sa robe (annoncer) qu'elle ne (porter) pas de poudre. On (deviner) facilement une personne noble.

Le pâtissier lui (tendre) une petite boîte. Elle (tirer) de sa poche un louis d'or. Le pâtissier et sa femme (se regarder). Ce louis d'or (devoir) être le dernier.

C. *May, might, could, would, should. Traduire en français les phrases suivantes:*

1. He said he would leave at five.
2. He could arrive before six tomorrow.
3. I could not come yesterday.
4. He might be at his home. Have you been there?
5. May I go to town?
6. I told him he might go to town.

7. You would have read the book.
8. He would have liked to go.
9. We could have gone with him.
10. I should have been glad to go.
11. He told me that you couldn't go.
12. I could not go yesterday. I could go next week.
13. Could she be sick? I don't see her.
14. She may come later. She might come later.
15. Could you find the book you wanted yesterday?

LA MONTRE DU DOYEN

(Exercises designed for collateral reading)

I

Compléter les phrases suivantes:

1. L'action de cette histoire se passa au mois de ______, de l'an ______, dans l'ouest de ______.
2. Il faisait froid et la terre était couverte de ______.
3. Kasper et Wilfrid gagnaient leur vie comme ______; celui-ci jouait de ______, celui-là jouait de ______.
4. Comme ils marchaient vers Heidelberg, ils entendirent derrière eux ______.
5. Le cavalier, un gros homme aux cheveux ______, demanda aux garçons s'ils ______.
6. Il leur conseilla de ______ parce que ______.
7. Au lieu d'accepter le conseil de l'inconnu, Wilfrid et Kasper continuèrent ______.
8. Les deux jeunes gens louèrent une chambre au ______ étage, avec un ______ où ils firent du feu.
9. Annette leur dit qu'on viendrait demander leurs papiers parce que ______.
10. Annette les quitta bientôt puisque ______.
11. Vers deux heures Kasper fut réveillé par ______.
12. Un homme entra dans leur chambre par ______.
13. Kasper reconnut ______; c'était ______.
14. L'homme tenait dans sa main ______.
15. Il déposa sur la table ______ et sortit par la ______.
16. Kasper se leva, regarda par la lucarne et vit ______.
17. L'homme traversa une haute muraille et entra dans ______.

18. Le lendemain matin Wilfrid prit la montre avec l'intention de ______.
19. Pendant que les deux musiciens étaient dans la salle à manger, trois agents de police entrèrent et demandèrent ______.
20. Wilfrid eut l'idée de faire glisser la montre ______.
21. Pendant qu'on arrêtait les musiciens, ______ aida Kasper à glisser dans ______.
22. Annette laissa la porte du cellier ouverte parce que ______.
23. Avant de se coucher, ______ descendit dans la cave et découvrit Kasper derrière ______.
24. Mais, Kasper s'échappa et enferma dame Grédel dans ______.
25. Il courut dans la rue et une demi-heure après il ______.
26. Il apprit bientôt que dame Grédel ne l'avait pas reconnu parce que ______.
27. On lui donna une chambre au ______ étage et il s'endormit après s'être assuré que ______.

II

Souligner le numéro des phrases fausses:

1. Le lendemain Kasper pensa que ses camarades avaient dû bien souffrir du froid pendant la nuit.
2. Des agents de police amenèrent ses camarades à l'auberge pour les confronter avec dame Grédel.
3. En voyant de nouvelles traces sur le mur, Kasper pensa que l'assassin était revenu à l'auberge.
4. Kasper descendit dans la rue pour se sauver.
5. Il n'a pas promis au bailli de lui livrer l'assassin.
6. Kasper croyait que l'assassin reviendrait à l'auberge au soir.
7. Après avoir écouté la déposition de Kasper, le bailli libéra tout de suite les prisonniers.
8. Kasper déjeuna avec ses camarades ce jour-là.
9. Vers neuf heures les agents de police montèrent dans la chambre de Kasper.
10. Puisqu'il faisait froid, le chef de la police, Madoc, voulait un bon feu dans le grenier où ils attendaient l'assassin.
11. Kasper s'endormit pendant que les agents de police attendaient l'assassin.
12. Ils attendirent plus de six heures.

13. Quand l'assassin entra par la lucarne, les agents de police le saisirent et lui passèrent des menottes.
14. Madoc connaissait déjà l'assassin.
15. Lorsque l'assassin essaya de s'échapper, Madoc le tua avec un couteau.
16. Le doyen était somnambule et il dormait lorsqu'il entra dans le grenier.
17. Le doyen jouissait d'une grande fortune et d'une bonne réputation.
18. Les musiciens furent rendus à la liberté.
19. Quinze jours après Kasper et Annette se marièrent.

L'AUBERGE

(Exercises designed for collateral reading)

A. *Questionnaire*

1. Où est situé l'auberge?
2. Quels voyageurs reçoit-on à l'auberge?
3. Pourquoi l'auberge ne reste-t-elle ouverte que six mois?
4. Où va la famille Hauser pour passer l'hiver?
5. Qui reste à l'auberge pendant l'hiver?
6. Est-ce que ces deux personnes avaient déjà passé l'hiver à l'auberge?
7. Quelles actions d'Ulrich et de la fille Hauser révèlent leurs sentiments?
8. Qu'est-ce qui indique qu'Ulrich pensait à la fille après le départ de la famille?
9. Comment les deux qui restaient à l'auberge s'amusaient-ils?
10. Comment se partageaient-ils les besognes de tous les jours?
11. Lequel des deux allait parfois à la chasse de chamois?
12. Après que Gaspard est parti à la chasse, comment Ulrich a-t-il passé la journée?
13. Lorsque Gaspard n'était pas rentré vers minuit, qu'a fait Ulrich?
14. Combien de temps a-t-il passé à chercher Gaspard?
15. Rentré à l'auberge, qu'est-ce qu'il a fait?
16. Qu'a-t-il entendu pendant son sommeil?
17. Comment a-t-il interprété les cris ou les appels imaginaires?

18. Pourquoi l'âme de Gaspard criait-elle sa malédiction sur Ulrich?
19. Pourquoi ne pouvait-il pas espérer faire cesser les cris?
20. Qu'a-t-il fait pour calmer les terreurs qu'il sentait?
21. Comment Sam, le chien, est-il sorti?
22. Que pensait Ulrich en entendant le grattement à la porte et aux murs?
23. Qu'est-ce que c'était?
24. Au printemps lorsque la famille est revenue à l'auberge, qu'a-t-on vu devant la porte?
25. Quel était l'état d'Ulrich?
26. Qu'est devenue la fille Hauser?

B. *Expressions idiomatiques et constructions difficiles:*

1. Dès que les neiges s'amoncellent emplissant le vallon, le père et les trois fils s'en vont.
2. Une averse de soleil tombait sur ce désert blanc; aucun bruit n'en troublait le silence.
3. La mère tendit ses joues; la jeune fille en fit autant.
4. Le tout était d'en prendre son parti dès le premier jour.
5. Comme il aurait voulu descendre pendant qu'il le pouvait encore.
6. Il sortit pour aller au-devant de son compagnon qui devait rentrait bientôt.
7. Une épouvante le secoua jusqu'aux os.
8. Il était certain qu'il venait d'être appelé.
9. Une envie folle le tenaillait de se sauver n'importe où.
10. Tout ce qui lui reste de raison fut emporté par la terreur.
11. La petite Hauser faillit mourir.

ANGELINE

(Exercises designed for collateral reading)

A. *Questionnaire*

1. A quelle occasion l'auteur a-t-il remarqué pour la première fois la maison abandonnée?
2. Qu'est-ce qui rendait la maison extraordinaire?
3. Qu'est-ce qui indiquait l'état abandonné de la maison?
4. Quels sentiments l'auteur a-t-il éprouvés en regardant la maison?

5. A qui s'est-il adressé pour se renseigner?
6. Selon la mère Toussaint, pourquoi n'avait-on pas pu vendre la maison?
7. Quelle histoire lui a-t-on racontée au sujet de la maison?
8. Où l'auteur croyait-il pouvoir trouver d'autres renseignements?
9. Qu'a-t-il pu trouver à la bibliothèque?
10. Pourquoi avait-il abandonné tout espoir d'avoir des renseignements précis?
11. Qui a pu un jour lui parler de la famille qui avait habité la maison?
12. Comment l'histoire du poète différait-elle de celle de la mère Toussaint?
13. Le poète croyait-il que la fille revenait chaque nuit à la maison?
14. Après combien de mois l'auteur a-t-il revu la maison?
15. Quel en était l'état?
16. Qui l'avait achetée?
17. Qu'est-ce que l'auteur a décidé de faire?
18. Qu'est-ce qui s'est passé pendant qu'il attendait dans le salon?
19. Comment le peintre a-t-il enfin expliqué le mystère?

B. *Expressions idiomatiques et constructions difficiles:*

1. C'était trop beau d'émotion et d'horreur.
2. Je me demandai à quoi bon.
3. Selon la mère Toussaint, elle aurait frappé l'enfant.
4. J'avais beau me dire que de pareilles légendes courent la campagne, cette histoire me hantait.
5. Si peu qu'une telle disparition eût transpiré au dehors, les journaux avaient dû en parler.
6. Je ne sais pas comment j'en vins à lui parler de la maison.
7. Il parla comme s'il eût crée les êtres au fur et à mesure qu'il les évoquait.
8. Je ne le revis plus, ayant dû m'absenter de Paris quelque temps après.
9. Il n'est d'autre enfer pour moi que l'incertitude.
10. Il ne tardera pas à rentrer.
11. Il me serra la main en s'excusant de s'être fait attendre.

12. Sa mère l'ayant appelée tout à l'heure, elle aura passé par cette pièce.
13. La peur me prit, une peur qui ne fut qu'un petit frisson à fleur de peau.

C. *Vocabulaire. Trouver dans le paragraphe 1 une traduction anglaise de chaque mot du paragraphe 2.*

1. twilight, ghost, worry, whine, fierce, madness, freeze, get rid of, persist in, tremble, be eager, marriage, faded, search through, century old, sob, handle, drive crazy, track, to tear, groan, obsess.
2. farouche, la gelée, déteint, geigner, le crépuscule, s'entêter, les noces, le revenant, s'empresser, débarrasser, souci, tressaillir, séculaire, déchirer, le manche, la piste, fouiller, affoler, obséder, la démence, le sanglot, le gémissement.

TAMANGO

(Exercises designed for collateral reading)

A. *Souligner le numéro de chaque phrase qui est fausse:*

1. Le capitaine avait perdu la main droite.
2. Après la guerre il fut forcé d'offrir ses services pour la traite des nègres.
3. Il fit construire un voilier destiné à la traite.
4. Il voulut que les nègres fussent commodément installés dans son bateau.
5. Les papiers de Ledoux indiquaient aux inspecteurs le vrai but de son voyage.
6. Ledoux arriva à la côte d'Afrique au moment où Tamango vendait des esclaves.
7. Tamango était très fier de ses vêtements.
8. En voyant Tamango, Ledoux pensa au prix qu'un tel gaillard rapporterait.
9. Ledoux admira les esclaves que Tamango fit passer devant lui.
10. Il accepta la première proposition de Tamango.
11. L'eau-de-vie produisit sur Tamango l'effet que le Français désirait.
12. Ledoux acheta tous les esclaves que Tamango lui montra.
13. Tamango fit tuer tous ceux que Ledoux n'acheta pas.

14. Le chef noir donna une de ses femmes à l'interprète.
15. Tamango voulut reprendre sa femme qu'il avait donnée au Français.
16. Ledoux s'empara de Tamango par la ruse.
17. Ses compagnons de captivité insultèrent Tamango.
18. Les nègres passèrent une grande partie du jour à danser sur le pont.
19. Ayché se moqua de Mama-Jumbo.
20. Ledoux fouetta Tamango pour avoir effrayé Ayché.
21. L'interprète comprit que Tamango excitait les noirs à la révolte.
22. Tamango fit croire aux noirs que le diable l'aidait.
23. Tamango révéla aux noirs qu'Ayché lui avait donné une lime.
24. Ledoux espérait vaincre facilement les révoltés s'il pouvait tuer Tamango.
25. Ledoux blessa Tamango gravement.
26. Les noirs sauvèrent l'interprète parce qu'il ne leur avait pas fait de mal.
27. Les noirs pensèrent que Tamango pourrait les ramener dans leur pays.
28. Ils ne perdirent jamais confiance dans leur chef, Tamango.
29. Tamango croyait que le vent leur indiquerait la bonne direction.
30. Ceux du canot essayèrent de sauver ceux de la chaloupe coulée.
31. Tamango et Ayché se disputèrent le dernier biscuit.
32. Tamango fut enfin vendu comme esclave.
33. Le colonel admira la taille de Tamango et lui donna une place dans la musique du régiment.

B. *Traduire ces expressions idiomatiques:*

1. force être à quelqu'un
2. avoir besoin de
3. venir de+infinitif
4. se défaire de
5. à la hâte
6. plus il buvait, plus il cédait
7. se tromper
8. tantôt il pleurait, tantôt il criait
9. valoir mieux

10. s'agir de
11. pousser un cri
12. mettre fin à
13. se servir de
14. avoir bon marché de
15. manquer de+infinitif
16. il se fit comme un rempart
17. s'emparer de

VIEILLE BADERNE

(Exercises designed for collateral reading)

A. *Questionnaire*

1. Pourquoi le nouveau préfet de police voulait-il mettre à la retraite le père Lejars?
2. Quels mérites du père Lejars le chef de la Sûreté a-t-il cités?
3. Comment employait-on le père Lejars depuis deux ans? Pourquoi?
4. Quelle manie avait-il pris en vieillissant?
5. Quelle était l'attitude des jeunes agents envers lui?
6. Quelle a été sa réaction en apprenant qu'on l'avait mis à la retraite?
7. Pourquoi ne regrettait-il pas surtout la perte de ses appointements?
8. Quel mot du préfet de police le révoltait?
9. Citez trois succès du père Lejars lesquels étaient restés légendaires à la Sûreté.
10. Pourquoi n'osait-il pas protester la décision du préfet?
11. Quelle était son opinion secrète du nouveau préfet?
12. Comment son ami le chef de la Sûreté voulait-il le consoler?
13. Quelle résolution le père Lejars avait-il prise?
14. Comment voulait-il prouver qu'il n'était pas une vieille baderne?
15. Pourquoi n'a-t-il pas réussi la première fois?
16. Quelle était la cause de son insuccès la troisième fois?
17. Quelle en était la réaction à la préfecture?
18. Quel parti la presse a-t-elle pris dans l'affaire?
19. Quelle a été la conviction du père Lejars en lisant les journaux?
20. Comment sa santé en souffrait-elle?

21. Comment le chef de la Sûreté a-t-il pu enfin décider le père Lejars à cesser ses enquêtes et à se tenir tranquille?
22. Qu'est-ce que le père Lejars a demandé en retour à son ami?
23. Pourquoi le chef de la Sûreté n'a-t-il pas pu tenir sa promesse?
24. Comment s'explique le plaisir de tous ceux à la préfecture quand on apprit les nouvelles des deux crimes?
25. Quels étaient les deux crimes?
26. Pourquoi la police était-elle sûre de trouver vite la solution du double mystère?
27. Quels signalements avait-on de l'assassin du sous-secrétaire?
28. Quels renseignements donnait-on au sujet de l'autre assassin?
29. Racontez la réaction de la presse quand la police ne trouvait pas les criminels.
30. Pourquoi le préfet a-t-il reçu Lejars dans son cabinet?
31. Comment Lejars a-t-il fâché le préfet?
32. Quelle opinion le chef de la Sûreté avait-il maintenant des idées du père Lejars?
33. A votre avis, est-ce que Lejars a vraiment commis les deux crimes? Ou bien est-il possible que Lejars ait voulu faire croire que c'était lui, le criminel, et insister jusqu'à la mort sur l'utilité des déguisements, des vieilles traditions? A-t-il trouvé ce moyen de prendre sa revanche et de prouver qu'il n'était pas une vieille baderne?

B. *Expressions idiomatiques:*
1. Il ne demandait qu'à leur donner une suite.
2. Les jeunes le consultaient et ne s'en trouvaient pas mal.
3. On le mit au rancart comme s'il n'était plus bon à rien.
4. Le préfet ne s'en cachait pas.
5. Il n'osait traiter son chef de polisson.
6. On n'eut pas meme à lui couper l'herbe sous le pied.
7. Tant que je ne l'ai pas prouvé, je ne serai pas heureux.
8. Vous avez beau être le père Lejars, vous ne pouvez pas être plus fort que toute la préfecture.

9. Il n'y a pas de quoi empoisonner votre vieillesse.
10. Vous vous butez sur un mot.
11. Vous ne pouvez faire que des gaffes.
12. Il avait jeté son dévolu sur deux ou trois affaires.
13. C'est pour ça que j'aurai le dernier.
14. On dirait que le préfet de police les aurait commandés exprès, ces deux crimes.
15. J'ai eu raison le jour où je me suis privé de vos services.
16. La vieille routine est ce qu'on a trouvé de mieux.
17. Je ferai sauter la cervelle à cette vieille baderne.

VOCABULAIRE

ABBREVIATIONS: *adj.* adjective; *adv.* adverb; *f.* feminine; *m.* masculine; *milit.* military; *n.* noun; *nav.* naval; *part.* participle; *pl.* plural; *prep.* preposition; *prov.* provincial.

A

à to, into, at, in, on, upon, about, by, for, after, from
s'abaisser to fall, stoop, incline to power
abandonner to forsake, desert, leave, give up; **s'—à** to give oneself up to
abâtardissement *m.* degeneracy
abattement *m.* despondency
abattre to bring down
s'abattre to fall, alight
abattu cast down, dejected
abbaye *f.* monastery
abbé *m.* abbé, priest
abeille *f.* bee
abîme *m.* abyss, hell
s'abîmer to sink, lose one's self
aboiement *m.* barking
abord *m.* landing, arrival, approach; **tout d'—** at first, from the very first
aborder to arrive at, land; to come near, accost
aboutir to end
aboyer to bark
abréger to shorten
abreuvoir *m.* watering-place, watering-trough
abri *m.* shelter; **à l'— de** safe from
abrutir to stupefy
absinthe *f.* absinth (aromatic French liqueur)
absolution *f.* absolution, acquittal
absorbé absorbed, engrossed
absoudre to absolve
abuser to impose on, use too freely, take advantage
acajou *m.* mahogany
accablant oppressive
accabler to crush, overwhelm
accéléré accelerated; **au pas —** in double quick time
accentuer to accent, emphasize
accès *m.* attack
accointance *f.* acquaintance, connection
accompagner to accompany
accompli faultless
accomplir to accomplish
accord *m.* agreement; **tomber d'—** to come to an agreement; **se mettre d'—** to come to an agreement; **être d'—** to agree
accorder to grant, give; **s'—** to agree, concur
s'accouder to lean on one's elbow
accourir to run up, come running
accoutumer to accustom
accrocher to hang up
s'accrocher to cling to
accroire. See **faire.**
accroupi squat, cowering, crouching
s'accroupir to crouch
accueil *m.* reception
accueillir to receive
acharné desperate, obstinate, intense
acharnement *m.* blind fury
s'acharner to persist in
achat *m.* purchase, purchasing
acheter to purchase, buy

achever to finish, put the finishing touch to, end, kill
acier *m.* steel
acolyte *m.* acolyte, companion
acquéreur *m.* buyer, purchaser
acquit *m.* discharge, repose; **par — de conscience** to ease one's conscience
acrostiche *m.* acrostic
actuellement at the present time, now
admettre to allow
admirer to admire, wonder at
adossé covered or protected by
adosser to lean with the back against a thing
adoucir to soften
adresse *f.* skill; address
affaiblir to enfeeble, make indistinct
s'affaiblir to grow weak
affaire *f.* affair, matter, business; **avoir — à** to have to deal with; **faire ses —s** to succeed; **se faire son —** to kill one's self
affairé busy, bustling
s'affaisser to sink down
affamé famished
affecter to pretend, feign
affectueux, -euse affectionate
affermir to strengthen; **s'—** to grow stronger
affiche *f.* placard
affilé sharp
affirmer to affirm, assert, declare
affliger to afflict
s'affliger to grieve
affolé distracted, frantic
affoler to madden
affreux, -euse frightful
affronter to face
affubler to wrap up, dress up
affût *m.* watch; **être à l'—** in ambush
afin de in order to; **afin que** in order that
âgé aged, elderly
agenda *m.* memorandum book
s'agenouiller to kneel down
agir to act, operate; **s'—** to be in question
agiter to make rough, wave, shake, disturb, disquiet
s'agiter to be agitated, stir, struggle; **s'— dans l'eau** to bubble, move
agonie *f.* the pangs of death
agonisant *m.* a dying person
agoniser to be at the point of death, agonize
agrandir to enlarge, open wide
ahurissement *m.* bewilderment
aï! ay! oh! ouch!
aide *f.* help; *m.* assistant
aider to help
aïeul *m.* grandfather
aigle *m.* eagle
aigre sour, harsh
aigu, aiguë acute, piercing
aiguille *f.* hand of a clock
aiguiser to sharpen
aile *f.* wing; nostril
ailleurs elsewhere; **d'—** besides
aimable amiable, agreeable
aimer to love, like
aîné elder
ainsi so, thus, in this (that) way
air *m.* air, look, appearance, countenance, tune; **des —s entendus** knowing glances
aisance *f.* affluence
aise *f.* ease; **à l'—, à son —** at one's ease
aisé easy
aisément readily
ajouter to add
ajuster to adjust, tune (instruments)
alambic *m.* still
alcool *m.* alcohol
alentour round about; **d'—** neighboring
alerte *f.* alarm
algébriste *m.* algebraist
Alger *m.* Algiers
aliénation *f.* alienation; **— mentale** mental derangement
aliéné *m.* lunatic, insane person
aligner to present in line
aliment *m.* food
s'aliter to take to one's bed
allée *f.* alley, passage, entry; going

allégresse *f.* joy
Allemagne *f.* Germany
allemand *m.* German
allemande *f.* allemande, a dance
aller to go, be; **allons** come now; **comment cela va-t-il?** how are you? **y —** to go at or go to (a thing); **allez!** *and* **va!** indeed! to be sure! I can tell you! **s'en—** to go away
s'allier to unite
allonger to lengthen, stretch out
allumer to light, excite
allumette *f.* match
allure *f.* looks
alors then; **— que** when
alouette *f.* lark
alourdi drowsy
altération *f.* change, weakening
altérer to change
amadou *m.* tinder; **babines d'—** red lips
amaigrir to make thin, emaciate
amande *f.* almond
amandier *m.* almond-tree
amant *m.* lover
amarrer to tie
amas *m.* mass, heap
amasser to accumulate
amazone *f.* amazon, woman in riding-habit
ambitieusement ambitiously
amble *m.* canter
âme *f.* soul, mind
amener to bring, lead
amer bitter
amertume *f.* bitterness
ameublement *m.* set of furniture
à l'amiable amicably
ami *m. f.* friend, dear
amical friendly
amicalement in a friendly manner
amiral *m.* admiral
amitié *f.* friendship, affection
amollir to soften
s'amonceler to be piled up
amorce *f.* (percussion) cap
amour *m.* love, love-affair; **— propre** self love, vanity
amoureux *m.* **-euse** *f.* lover, sweetheart
amputer to amputate
amuser to amuse
s'amuser to amuse oneself
an *m.* year
analogue similar
anglais, -e English
angle *m.* angle, corner
ancien, -ne ancient, old (one), former
ancien *m.* elder
ancre *f.* anchor
âne *m.* donkey
anéantir to annihilate, dumbfound
ange *m.* angel
angoisse *f.* anguish, great distress
animer to animate
année *f.* year
anneau *m.* ring
annoncer to announce, proclaim, promise
s'annoncer to manifest itself; **s'— bien** to be promising
annoter to annotate
anse *f.* little bay, cove
antichambre *f.* antechamber
anxiété *f.* anxiety, horror
anxieux, -euse anxious
août *m.* August
s'apaiser to grow quiet
apercevoir to perceive, discover; **s'—** to perceive, observe
apéritif *m.* appetizer (drink)
apétissant appetizing
apeuré alarmed
aplatir to flatten
aplomb *m.* cheek, impudence; equilibrium; **— solide** firm footing; **d'—** upright
apostrophe *f.* reproach
apparaître to appear
appareiller to get under way, match
apparence *f.* appearance; **en —** apparently
apparition *f.* sudden appearing
appartenir to belong
appel *m.* roll-call, call
appeler to call in, out, up, or down, summon; **s'—** to be called, to be named
appétit *m.* appetite

applaudir to applaud
appliquer to apply
s'appliquer to apply a thing to oneself
appointements *m. pl.* salary, pay
apporter to bring
apprécier to value, appreciate
apprendre to learn, hear of; teach, tell
apprenti *m.* apprentice, novice
apprentissage *m.* apprenticeship
apprêt *m.* preparation
s'apprêter to prepare one's self
approcher to bring forward; to approach
approvisionner to stock
appui *m.* sill; **mur d'—** window sill
appuyer to prop up, support; lean, rest, press
après after; afterwards; **d'—** according to
après-dîner *m.* afternoon
après-midi *m. f.* afternoon
aquilin hooked
araignée *f.* spider
arbre *m.* tree
arbrisseau *m.* shrub
arbuste *m.* bush
archet *m.* bow, fiddle-stick
archivieux very old
ardemment ardently
ardent hot
ardoise *f.* slate
arête *f.* fish-bone
argent *m.* money, cash
argenterie *f.* silver, silver-plate
argentier *m.* treasurer
argot *m.* slang; jargon
aride dry, sterile
ariette *f.* arietta
armateur *m.* ship-owner
arme *f.* arm, weapon, coat of arms; **— à feu** firearms; **à l'— blanche** with sword and bayonet
armée *f.* army
armer to arm, equip; to load, to cock (a gun)
armoire *f.* cupboard, clothes-press; **— à glace** wardrobe
aromate *m.* sweet-smelling substance
arome *m.* flavor, aroma
arpenter to pace up and down
arracher to tear off, break off; snatch from; **s'— les cheveux** to tear one's hair
arranger to fix, arrange, ill-treat
s'arranger to contrive; **arrangez-vous** do as best you can
arrestation *f.* arrest
arrêter to arrest, stop, seize; resolve upon; **s'—** to pause, stop
arrière behind; **— amertume** bitter aftertaste; **à l'—** aft; **en —** to the rear, backwards; **— de moi** get out of my sight
arrière-boutique *f.* back shop
arrière-pensée *f.* mental reservation, secret thought
arrivage *m.* arrival
arrivée *f.* arrival
arriver to come, arrive, happen; reach; succeed; **arrive que pourra** (*prov.*) happen what may; **en — à** to reach the point of
arrondir to round out, extend
ascétique ascetic, severe
asile *m.* asylum, refuge
assaillir to assault, assail, attack
assassin *m.* murderer; **à l'—!** murder!
assassinat *m.* assassination, murder
assassiner to assassinate
assaut *m.* assault; **donner l'—** to charge
assavoir to know
asseoir to seat; **s'—** to sit, take a seat
assermenter to swear in
assez enough; tolerably, passably, rather
assidûment constantly
assiéger to besiege
assiette *f.* plate
assiettée *f.* plateful
assistance *f.* audience
assistant *m.* beholder, spectator
assister to attend, witness, assist
associer to associate
assombrir to darken

assoupir to make drowsy; **s'—** to drowse
assoupissement *m.* drowsiness
assourdir to deafen
assujettir to fasten
assujettissant binding, restricting
assurance *f.* boldness, confidence
assurer to assure, assert; **s'—** to make sure of, ascertain
astiquer to polish
athée *m.* atheist
atout *m.* trump, trump-card
âtre *m.* fireplace, hearth
atroce atrocious
atrocité cruelty
s'attabler to sit down to table
attaché *m.* attaché; **— de cabinet** cabinet officer
attacher to fasten, attach, secure; to engage, bind, interest
attaquer to attack
atteindre to reach, affect
atteinte *f.* reach, damage
attendre to wait; **s'—** to expect
attendrir to soften, touch; **s'—** to be moved
attendrissement *m.* tenderness
attente *f.* waiting
atténuer to lessen
atterrer to deject, overwhelm
attester to certify, vouch (for)
attirer to attract, draw; **s'—** to incur
attraper to catch, receive; to trick, deceive
attribuer to impute (a thing to anyone)
aube *f.* the dawn; alb (priest's garment)
aubépine *f.* hawthorn
auberge *f.* inn, tavern
aubergiste *m.* innkeeper
aucun none, not any
audace *f.* audacity
au-dessus above
audience *f.* hearing
auditeur *m.* hearer
auditoire *m.* congregation
auge *f.* trough
augmenter to increase
aujourd'hui to-day
aumône *f.* alms; **faire l'—** to give alms
auparavant before
auprès near, by, close by, near to, close to
auréole *f.* halo
aurore *f.* dawn
aussi also, therefore, so, as, and so
aussitôt at once; **— que** as soon as
autant as much, as well; **ils en firent —** they did likewise
d'autant plus so much the more
autel *m.* altar; **maître —** high altar
auteur *m. f.* author
automne *m.* autumn
autour round about; around
autre other, next, last; **l'— hiver** last winter
autre another, other; **les uns . . . les —s** some . . . the others; **nous —s** as for us
autrefois formerly; **d'—** bygone; **l'—** the past
autrement otherwise
autrui *m. pl.* other people
auvent *m.* shutter
avaler to swallow
avance *f.* advance, start; **d'—** beforehand; **par —** in anticipation
avancement *m.* progress, rise
avancer to advance, put forward
avant *m.* bow (of a ship)
avant *prep.* before; **— tout** first of all
avant *adv.* forward; **d'—** before; **en —!** forward! **en — de** before, in front of
avant-garde *f.* vanguard
avant-hier the day before yesterday
avant que before; **bien — —** long before
avant-veille *f.* two days before
avare avaricious
avarie *f.* damage; **sans —** without mishap
Avé Maria *m.* Hail Mary
avenant pleasing

avenir *m.* future
aventure *f.* adventure; **à l'—** at random; **par —** by chance
s'aventurer to venture
averse *f.* shower; (fig.) flood
averti informed
avertir to give notice
aveu *m.* avowal
aveuglant blinding
à l'aveuglette groping in the dark
avide greedy, eager
avidement eagerly
avis *m.* opinion, advice, warning
aviser to consider; **y —** to notify
s'aviser to think of
aviver to revive
avocat *m.* advocate, lawyer, attorney; **— général** solicitor-general
avoine *f.* oats
avoir to have; **— quelque chose** to have something the matter with one; **qu'as-tu?** what is the matter with you? **qu'y a-t-il donc?** what's the matter then? **qu'est-ce qu'il y a?** what's up? what's the matter? **il y a** there is, there are; **qu'y a-t-il pour votre service?** what can I do for you? **il y a** ago
avorter to miscarry, fail
avoué *m.* attorney
avouer to admit, confess
avril *m.* April
azuré azure, blue

B

babil *m.* chatter
babiller to chatter
babine *f.* lip
baccalauréat *m.* bachelor's degree
baderne *f.* worn-out person, old fogy
badigeonner to whitewash
bafouer to flout
bagarre *f.* scuffle, brawl
bagatelle *f.* trifle, mere nothing
bah! nonsense!
bahut *m.* chest
se baigner to bathe
baigneur *m.* **-euse** *f.* bather
bâiller to yawn; **tout bâillant** yawning wide open
bailli *m.* bailiff (formerly a representative of the royal power in a province)
bain *m.* bath
baïonnette *f.* bayonet
baiser to kiss
baiser *m.* kiss
baisser to lower, be on the decline; **le jour baisse** night is coming on
bal *m.* ball, dance
balai *m.* broom
balancer to outweigh; to waft, swing
se balancer to wave, flutter
balancier *m.* pendulum
balayer to sweep
balbutier to lisp, stammer
balcon *m.* balcony
baleine *f.* whale
baliverne *f.* nonsense
ballant dangling
balle *f.* bullet
ballon *m.* balloon
ballotter to toss about, dangle
balourd dull
bambin *m.* baby, brat
banal common
banc *m.* bench
bande *f.* strip; gang; ray, streak
bander to bind up
bandit *m.* outlaw, vagabond, bandit, ruffian
bandoulière *f.* shoulder-belt; **en —** slung over the shoulder
bannière *f.* banner
banqueroute *f.* bankruptcy
banquette *f.* bench
baobab *m.* baobab (huge African tree)
baptiser to baptize
baraque *f.* barracks, shed, booth
barbe *f.* beard
barbes de dentelle *f. pl.* piece of lace
barbiche *f.* billy-goat beard, goatee
barbouiller to daub, besmear
barbu bearded

bardeau *m.* shingle (board)
barque *f.* boat
barquette *f.* kind of cake
barre *f.* bar, stripe; **jouer aux —s** to play prisoners' base
barreau *m.* bar, legal profession
barrer to bar, mark
barrette *f.* cap, cardinal's cap
barricader to barricade
barrière *f.* toll gate
barrique *f.* hogshead
bas, -se *adj.* low
bas *adv.* down; **en —** below, downstairs; **là —** over there; **mettre —** to lay down
bas *m.* bottom, lower part
bas *m.* stocking
bassesse *f.* mean or sordid action
bassin *m.* pond
bassine *f.* deep, wide pan
bât *m.* pack-saddle
bataille *f.* battle
bataillon *m.* battalion
bâtarde, porte — house door
bateau *m.* boat
bâtiment *m.* building, ship
bâtir to build
bâtisse *f.* building
batiste *f.* cambric
bâton *m.* stick, staff, cudgel, cane
battant *m.* one section of a double door
battant beating; **par une pluie —e** in pelting rain
battement *m.* beating
battre to beat, clap, thrash; roam (over); **— comme platre** to beat to a jelly; **— des mains** to applaud
se battre to fight, struggle
battue *f.* hunt; **quelle —!** what a jaunt!
bavard talkative, babbling
béant wide open, large, agape
béat blissful
beau, bel, belle beautiful, handsome, noble; **de plus belle** with renewed ardor; **avoir beau faire quelque chose** to do a thing in vain
beau-frère *m.* brother-in-law
beau-père *m.* father-in-law
beaucoup a good deal, many, much
beauté *f.* beauty
bec *m.* beak; lamp; **— de cane** door latch
bêche *f.* spade
bedaine *f.* paunch
bégayer to stammer
belge *m. f.* Belgian
Belgique Belgium
belle-sœur *f.* sister-in-law
belligérant engaged in war
bénéfice *m.* profit
bénit hallowed; **de l'eau —e** holy-water
bénitier *m.* holy-water basin
béquille *f.* crutch
bercail *m.* sheepfold
berceau *m.* cradle
berger *m.* shepherd
bergerette *f.* little shepherdess
berlingot *m.* single-seated carriage
besace *f.* wallet
besicles *f. pl.* spectacles
bézigue *m.* besique (a card game)
besogne *f.* work, task, job
besoin *m.* need; **avoir — de** to need; **au —** in case of need; **s'il en était —** if it should be necessary
bête *f.* beast, dumb creature; **faire la —** to play the fool
bête silly
beuglement *m.* lowing
beurre *m.* butter
biais *m.* slant; **de —** diagonally
bibelot *m.* trinket, ornament
bibliothécaire *m.* librarian
bibliothèque *f.* library
bidet *m.* nag
bien *m.* welfare; estate, property; **un homme de —** an honest, virtuous man
bien *adv.* well, right, comfortable, good-looking, much, indeed, very, many; **— que** though, although; **eh —** well; **ou —** or else; **c'est —** very well; **voilà qui est —** that is fine
bien-aimé well-beloved

bien-être *m.* welfare, comfort
bienfaisance *f.* bounty
bienfaisant beneficent, bountiful
bienfait *m.* benefit, favor
bienfaiteur *m.* **-rice** *f.* benefactor (benefactress)
bien-fonds *m.* landed property
bienheureux, -euse happy, blessed
bientôt soon, shortly
bienveillance *f.* benevolence
bienveillant benevolent
bienvenue *f.* welcome
bière *f.* beer
bijou *m.* jewel
bijoutier *m.* jeweler
bile *f.* worry, bile
billard *m.* billiards, billiard table, billiard room
bille *f.* billiard ball
billet *m.* bill, promissory note
bique *f.* she-goat
bise *f.* north wind
bizarre fantastical, strange
blafard pallid, leaden
blaguer to make fun of
blanc, -che white
blanc *m.* chalk
blancheur *f.* whiteness
blanchir to whiten
blasphème *m.* blasphemy
blasphémer to blaspheme
blé *m.* wheat
blême pale
blesser to wound
blessure *f.* wound, cut
bleu blue
bleuâtre bluish
bloquer to block up, fill up
se blottir to crouch, nestle
blouse *f.* pocket (of a billiard table), blouse
blouser to pocket; **se —** to blunder
bock *m.* glass of beer
boeuf *m.* ox
boire to drink; **— un coup** have a drink
bois *m.* wood, forest, timber; **battre le —** (hunting term) to go through the woods in search of game
boisé wooded
boisseau *m.* bushel (basket)
boisson *f.* drink, beverage
boîte *f.* box, can, case (of a watch)
boiter to limp, hobble
boiteux, -euse *n. and adj.* lame person; lame
bol *m.* bowl
bon, -ne good, kind, right, fine; **à quoi —?** what is the use?
bonasse silly, good-natured
bond *m.* jump, leap
bondir to bound, leap
bonheur *m.* happiness, good luck
bonjour *m.* good morning
bonne *f.* maid, servant
bonnet *m.* cap
bonté *f.* goodness, kindness
bord *m.* side, edge, brim; (*nav.*) board; **à son —** aboard his ship
bordage *m.* side planks above the deck
border to edge, border
borné limited, shallow, narrow-minded
borner to limit
bosquet *m.* grove
botte *f.* boot, hoof
bottelée *f.* small bundle
bouc *m.* goat
bouche *f.* mouth
bouchée *f.* mouthful
boucher to stop (up), obstruct
boucher *m.* butcher
boucherie *f.* massacre
bouchon *m.* cork, tavern
boucle *f.* buckle, curl
boucler to buckle
se bouder to be cool towards each other
boue *f.* mud
boueux, -euse muddy
bouffée *f.* puff, gust
bouffette *f.* rosette
bouffi swollen
bougeoir *m.* candlestick
bouger to stir, budge
bougie *f.* candle
bouillant boiling
bouillie *f.* pulp

bouillon *m.* broth
boulanger *m.* baker
boule *f.* ball
boulette *f.* little ball
bouleverser to agitate, upset
bouquet *m.* bunch, cluster, bouquet, aroma
bourbeux, -euse muddy
bourdonnement *m.* buzzing
bourdonner to buzz, hum
bourg *m.* town
bourgeois middle-class, belonging to or becoming a citizen (as title of respect) "Boss," "Sir"
bourgmestre *m.* burgomaster
bourre *f.* wad
bourreau *m.* executioner
bourrelier *m.* harness-maker
bourrer to stuff
boursouflure *f.* swelling, raised part
bousculade *f.* jostling
boussole *f.* sea compass
bout *m.* end, extremity, tip, top; **être à — de force** to be spent, exhausted; **savoir sur le — du doigt** to have at one's finger-tips
bouteille *f.* bottle
boutique *f.* shop
boutiquier *m.* shopkeeper
bouton *m.* button, bud
boutonné reserved
bouvier *m.* cowherd
braconnier *m.* poacher
brailler to bawl, scream
braise *f.* embers
brancard *m.* stretcher, shaft (of a cart)
branchage *m.* branches
branche *f.* branch
branle *m.* motion
bras *m.* arm
brasserie *f.* beer-garden, saloon
brave brave, worthy, fine, good; **mon —** my good fellow
braver to dare
bref, -ève brief, short, curt
bref in short
brésilien *m.* **-ne** *f.* Brazilian
breton, -ne *adj. and n. m. f.* of Brittany, a native of Brittany
bréviaire *m.* prayer book
brick *m.* brig
brièvement briefly
brigadier *m.* sergeant (of police)
briller to shine
brin *m.* blade, sprig, bit
brioche *f.* bun, cake
brique *f.* brick
briquet *m.* short sabre
briser to break, break to pieces; **se —** to be broken to pieces
brisque *f.* a card game
bristol *m.* cardboard
broc *m.* large jug
brocard *m.* taunt, gibe
broche *f.* spit
broder to embroider
brosser to brush
brosseur *m.* (*milit.*) an officer's servant
brouette *f.* wheelbarrow
brouhaha *m.* hubbub
brouillard *m.* fog, mist
brouiller to embroil
se brouiller to fall out with any one; **se — avec la justice** to fall foul of the law
broussailles *f. pl.* brushwood
brouter to browse, graze
broyer to beat small
bruire to rustle, sound
bruit *m.* noise; fame, rumor
brûlé *m.* smell of something burning
brûler to burn; to be eager
brume *f.* fog, mist
brumeux, -euse foggy
brun brown, dark
brusque sudden, unexpected
brusquement hastily, gruffly, suddenly
brutalement brutally, rudely
brutaliser to bully
bruyamment noisily
bruyant noisy
bruyère *f.* heather
bûche *f.* block of wood
bûcheron *m.* **-ne** *f.* woodcutter
buffleterie *f.* belts, straps, etc. (of a soldier)
buis *m.* boxwood
buissières *f. pl.* box-grove

buisson *m.* bush
bureau *m.* writing-table; office, government office
bureaucratie *f.* bureaucracy
burette *f.* cruet, flagon
burin *m.* engraving-tool
but *m.* goal, object, purpose
buter to prop, buttress; **se —** to grow obstinate
buveur *m.* **-euse** *f.* drinker

C

çà here; **— et là** here and there
çà now!
ça (*for* **cela**) that; (*fam.*) he, she, it, they
cabaret *m.* tavern
cabaretier *m.* **-ère** *f.* tavernkeeper
cabestan *m.* capstan
cabinet *m.* study, cabinet, little room
caboteur *m.* coaster
se cabrer to rear (of horses)
cabri *m.* young kid
cabriolet *m.* cab
cacher to hide, conceal; **je ne m'en cache pas** I make no secret of it
cacheter to seal
cachette *f.* hiding-place
cachot *m.* dungeon
cadavre *m.* dead body
cadeau *m.* gift
cadencé rhythmic
cadette *f.* younger sister
cadran *m.* dial, face (of timepiece)
cadre *m.* frame
café *m.* coffee; coffee house
cahot *m.* jolt
cahoter to jolt
caille *f.* quail
caillou *m.* pebble
caisse *f.* case, box
calcul *m.* calculation, reckoning; **— de tête** mental calculation
cale *f.* prop
calebasse *f.* calabash, gourd
caleçon *m.* drawers
calepin *m.* note-book
caler to wedge up
calice *m.* chalice, communion-cup
calligraphie *f.* penmanship
callosité *f.* callosity (thick, hardened place, as on the skin)
calme quiet, calm, still, unruffled, composed
calorifère *m.* hot-air furnace
camail *m.* cape
camarade *m. f.* comrade, mate
cambuse *f.* (*nav.*) storeroom
camionnage *m.* carting
campagnard countrified
campagnard *m.* countryman
campagne *f.* country, countryside; (*mil.*) campaign
campanule *f.* bell-flower
camper to encamp
camp-volant *m.* flying camp
canard *m.* duck
cancan *m.* scandal, gossip
candeur *f.* purity
candide open, simple, sincere
canette *f.* beer mug
canne *f.* cane
canon *m.* cannon, barrel (of a gun)
canot *m.* ship's-boat, canoe
cantine *f.* canteen
cantique *m.* song, hymn
canton *m.* district
cape *f.* cloak with a hood
capiteux, -euse heady, strong (like strong wine)
capitonner to upholster, cover
capituler to surrender
caporal *m.* corporal
capote *f.* great-coat, hood
capsule *f.* percussion cap (of firearms)
captif *m.* **-ve** *f.* captive
captiver to captivate
capuche *or* **capuchon** *m.* monk's hood
Capucin *m.* capuchin friar (member of the Franciscan monastic order)
car for, because
carabine *f.* rifle; **— de jardin** small rifle
caractère *m.* character, type, letter

carambolage *m.* carom-shot (one ball hitting the two others, in billiards)
carcan *m.* iron collar; "nag"
carcasse *f.* framework
carchera cartridge belt (Corsican)
caresser to caress, stroke
cargaison *f.* cargo
cariatide *f.* pillar
carilloner to chime
Carme *m.* Carmelite friar (member of a monastic order)
Carmélite (of a) Carmelite nun
carnassier *m.* carniverous animal
carré *m.* square, bed (square, of flowers, etc.)
carré square
carreau *m.* floor; pane (of glass)
carreler to pave (a floor) with square tiles
carrer to square
carrière *f.* career
carriole *f.* cart, wretched carriage
carte *f.* card, playing card
carton *m.* pasteboard
cartouche *f.* cartridge
cas *m.* case; **en tous —** in any case, at all events
case *f.* cabin; pigeon-hole
caserne *f.* barracks
casernement *m.* quartering in barracks, quarters
casque *m.* helmet
casqué helmeted
casquette *f.* cap
casser to break, wear out, cut
casserole *f.* saucepan
cauchemar *m.* nightmare
causer to cause
causer to talk, chat
causerie *f.* chat
cavalier *m.* horseman, cavalier
cave *f.* cellar
caveau *m.* small cellar
céder to give up, yield
ceindre to surround
ceinture *f.* belt
ceinturon *m.* sword-belt
célèbre famous
célébrer to observe, conduct, sing, solemnize
céleste celestial
cellier *m.* cellar
cellule *f.* cell
celui, celle *pl.* **ceux, celles** he, she, they, those; the one
cendre *f.* ashes
cent hundred
centième hundredth
cépée *f.* tuft of shoots from the same stump
cependant meanwhile, however
cerceau *m.* hoop
cercle *m.* club, circle, ring
cercueil *m.* coffin
cerf *m.* deer
cerise *f.* cherry
cerner to surround
certain certain, sure; *pl.* some
certes most certainly
certificat *m.* testimonial
cerveau *m.* brain
cervelle *f.* brains
cesse *f.* ceasing
cesser to cease
chacun each, each one, every one
chagrin *m.* sorrow, trouble, concern
chagriner to grieve, vex
chair *f.* flesh, meat, skin; **avoir la — de poule** to shudder
chaire *f.* pulpit, armchair
chaise *f.* chair
châle *m.* shawl
chaleur *f.* heat, warmth
chaloupe *f.* long boat
chalumeau *m.* glass tube for measuring liquids
chamarrer to cover, load
chambardement *m.* great change, upheaval
chambre *f.* room
chambrée *f.* barrack-room
chambrière *f.* chamber-maid
chamois *m.* chamois, wild goat
champ *m.* field; **sur le —** at once
champagne *m.* champagne, sparkling wine
chance *f.* chance, luck, good luck
chanceler to stagger, totter
Chandeleur *f.* Candlemas-day (Feb. 2)
chandelier *m.* candlestick

chandelle *f.* candle
changeant changeable, fickle
changement *m.* change
chanoine *m.* canon, dignitary of the church
chanson *f.* song
chant *m.* song
chantage *m.* blackmail
chanter to sing
chantonner to hum
chapelet *m.* chaplet, rosary, necklace
chapeau *m.* hat
chaperon *m.* hood
chapitre *m.* chapter (assembly of priests)
chaque each, every
char à bancs *m.* cart, wagon
charbon *m.* coal, embers
charbonnière *f.* charcoal burner's wife
charge *f.* order, care, task; **femme de —** housekeeper
chargé loaded, laden, in charge of
charger to load, entrust; **se —** to undertake, take charge (of)
charlatan *m.* quack
charlatanisme *m.* quackery
charmant delightful, charming
charnel, -le sensual
charnière *f.* hinge
charretier, -ère *adj.* for carts
charrette *f.* cart
charrue *f.* plow
chartreuse *f.* chartreuse (cordial)
chasse *f.* hunt, hunting
chasser to hunt, turn out, drive forward, discharge, drive away
chasseur *m.* hunter
chastement chastely, virtuously
chasuble *f.* chasuble (the outer vestment worn by a priest)
chat *m.* cat
châtaigne *f.* chestnut
châtaignier *m.* chestnut-tree
châtain chestnut, nut-brown
château *m.* castle, mansion
chatouillement *m.* tickling
chatte *f.* she-cat
chaud hot, warm
chaudement warmly, cordially
chauffer to warm
chausser to put on (shoes, boots, stockings)
chausses *f. pl.* breeches
chaussette *f.* sock
chauve bald
chaux vive *f.* quicklime
chef *m.* head, chief
chef-lieu *m.* chief town
chemin *m.* way, road, path; **— de fer** railway
cheminée *f.* chimney, fire-place
cheminer to walk
chemise *f.* shirt, chemise; envelope
chêne *m.* oak
chenet *m.* andiron
cher, chère dear, beloved; (*adv.*) dear, dearly
chercher to seek, look for, endeavor; **aller —** to go for
chèrement dearly, at a high price
chéri dearest, darling
chérir to cherish
chétif, -ve puny, delicate
cheval *m.* horse; **à — sur** thoroughly familiar with
chevalier *m.* cavalier
chevelure *f.* hair, head of hair
cheveu *m.* hair
cheville *f.* ankle
chèvre *f.* she-goat
chevrette *f.* little goat
chevreuil *m.* roebuck
chevrotine *f.* buckshot
chez at, in into *or* to the house of; in the country of
chic *m.* smart, stylish
chiffre *m.* figure
chirurgical surgical
chirurgien *m.* surgeon
choc *m.* clashing, clinking, crash
chœur *m.* choir; **enfant de —** choir boy; **en —** in chorus
choir to fall
choisir to choose
choix *m.* choice
chope *f.* large beer-glass
chopine *f.* pint
choquer to shock
chose *f.* thing, event
chou *m.* cabbage
choucroute *f.* sauerkraut

chouette *f.* screech-owl
chrétien, -ne *n.* and *adj.* Christian; **en —** as a Christian
chronique *f.* chronicle
chroniqueur *m.* chronicler
chuchotement *m.* whispering
chuchoter to whisper
chut hush!
chute *f.* fall, waterfall
ci here; **par- — par-là** here and there; **un — -devant** an ex-noble
cicatrice *f.* scar
ciel *m.* the sky, paradise; **à — ouvert** exposed to the air
cierge *m.* church candle
cigale *f.* grasshopper
cilice *m.* hair-cloth
cime *f.* top, peak
cinq five
cinquante fifty
cinquantaine *f.* some fifty
circulation *f.* passing to and fro
cire *f.* wax; **— à cacheter** sealing wax
ciré waxed; **toile —** oilcloth
circonspect cautious
circonstance *f.* circumstance
circonvenir to impose upon, over-reach, get round
cirque *m.* amphitheatre
ciseler to chisel, carve
ciseleur *m.* carver
citadelle *f.* fortress
citadin *adj.* of the city
cité *f.* city
citer to cite, mention
citoyen *m.* **-ne** *f.* citizen
citre *f.* kind of watermelon (in provençal dialect)
citrouille *f.* pumpkin, gourd
civière *f.* sling, stretcher
civique civic
clabauder to bark furiously, babble, clamor, gossip
clair light, bright, luminous, clear, pale
clair *m.* light
clairement plainly
clairière *f.* clearing
clairsemé few, scarce
clameur *f.* clamor, outcry
clapotement *m.* splashing
clapoter to splash
clapoteux, -se choppy
claquement *m.* cracking
claquer to crack, chatter
clarté *f.* light
claudicant limping
clef *f.* key
clerc *m.* clerk; scholar
clergé *m.* clergy
clientèle *f.* clients
clignement *m.* wink
cligner to wink
clin *m.* wink; **en un — d'œil** in the twinkling of an eye
cliquetis *m.* clatter, rattling
cliquettes *f.* clappers
cloche *f.* bell
clocher *m.* steeple, church-tower
clocheton *m.* bell-turret
clochette *f.* small bell
cloître *m.* cloister, monastery
clopin-clopant limpingly
clopiner to limp
clore to close
clos closed; **la nuit —e** nightfall
clos *m.* field
clôture *f.* enclosure
clouer to nail, rivet
cocher *m.* coachman
cochon *m.* pig, dirty rascal
cœur *m.* heart, courage, spirit; **retourner le —** to make sick at heart; **faire gros —** to sadden; **de bon —** heartily; **donner du — au ventre** to restore one's courage; **se mettre le — à l'envers** to get all upset
coffre *m.* chest, coffer
coffret *m.* casket
se cogner to hit, fight
cohue *f.* mob
coiffe *f.* head-dress
coiffer to wear (on the head), dress the hair
coiffure *f.* headdress
coin *m.* corner, spot
col *m.* neck, collar; pass
colère *f.* anger; **se mettre en —** to get angry

colimaçon *m.* snail; **escalier en —** spiral staircase
collation *f.* light repast
collecte *f.* collection (of money)
collègue *m.* colleague
coller to stick, place; give; fit tight
collet *m.* collar
collier *m.* necklace
colline *f.* hill
colombe *f.* dove
colombier *m.* pigeon-house
colonne *f.* column
colonnette *f.* little column
colorer to color
combattre to strive against, oppose
combien how much, to what extent; how many
comble *m.* last, finishing touch, top; **de fond en —** from top to bottom; **mettre le — à** to complete
combler to fill up
commandant *m.* commander
commande *f.* order
commander to command, order
comment how, what? why, indeed!
commenter to comment on
commerçant *m.* tradesman
commerce *m.* intercourse; **faire le — de** to trade in
commère *f.* gossip
commettre to commit, perpetrate
commis *m.* clerk
commode comfortable, easy
commode *f.* chest of drawers
commodément comfortably; **être —** to be comfortable
communauté *f.* community
commune *f.* township
communiquer to communicate
compagne *f.* companion
compagnie *f.* company; flock; **— de petites voitures** cab company; **tenir — à quelqu'un** to keep any one company; **— franche** independent company
compère *m.* pal, confederate
se complaire to delight in
complaisance *f.* kindness, complacency
complaisamment obligingly
complet, ète complete, whole, entire
complice *m. f. and adj.* accomplice
complicité *f.* complicity
complies *f. pl.* compline (last prayer of the day)
compliqué complicated
complot *m.* plot
composer to compose, form
comprendre to comprehend, include, understand
compromettre to commit, compromise
compte *m.* account, reckoning; **se rendre — de** to get a clear idea of; **sur leur —** in regard to them
compter to count, number, reckon, intend
comptoir *m.* counter, bar (of a public house)
compulser to examine
comtat *m.* county
concentré intense
concert *m.* harmony, concert, unanimity; **de —** in unison
concevoir to conceive
concierge *m. f.* door-keeper, janitor
concluant conclusive
conclure to conclude, decide
concours *m.* competition
concurremment jointly, together
concurrence *f.* competition
condamner to condemn
conducteur *m.* **-rice** *f.* driver
conduire to conduct, lead, guide, accompany, drive
conduit *m.* pipe
conduite *f.* conduct
confection *f.* making up, preparation
confesser to admit, hear in confession, confess
confiance *f.* confidence
confier to intrust
se confier to unbosom one's self
confirmer to confirm

confisquer to confiscate
confiture *f.* jam
confondre to confound, mix
se confondre to mingle; **se — en** to make all sorts of or no end of
confortable *m.* comfort
confraternité *f.* fellowship
confrérie *f.* brotherhood
confronter to confront
confus confused, embarrassed
confusion *f.* trouble, embarrassment
congé *m.* leave; **prendre —** to take one's leave
congédier to discharge
congrûment properly
conjecturer to conjecture, surmise
conjuration *f.* conspiracy; magic spell, charm
conjuré *m.* conspirator
connaissance *f.* knowledge, acquaintance, consciousness
connaisseur *m.* **-euse** *f.* connoisseur
connaître to know, understand, be acquainted with; attribute; **ça me connaît** I know all about that
se connaître à to be an expert in
connu well-known, famous
conque *f.* conch, sea-shell
conquérir to obtain
conquis conquered
consacrer to sanctify
conscience *f.* consciousness, perception, conscience
consciencieusement conscientiously
conscrit *m.* recruit, greenhorn
conseil *m.* counsel, advice
conseiller to advise, recommend
consentement *m.* consent
consentir to consent
conséquence *f.* consequence; **en —** accordingly
par conséquent consequently
conserve *f.* preserve
conserver to preserve, keep
considérable important, well-known, copious
considérablement considerably
considérer to consider, examine
consigne *f.* orders
consister to be composed of
consoler to comfort
consommation *f.* drink, beverage
conspiration *f.* conspiracy
constater to ascertain, verify, state
constellé studded
consterner to dismay
constituer constitute, make
construction *f.* structure
construire to construct, to build
se consumer to decay, waste away
conte *m.* story, falsehood
contempler to contemplate, view
contenance *f.* countenance, air, bearing
contenir to contain, hold
content content, glad, happy, satisfied
contenter to content, satisfy; **se —** to content oneself
contenu *m.* contents
conter to tell, relate
contigu, -ë adjoining
continu, -e continuous
continuer to continue
contour *m.* outline
contourner to go round, wind round
contractant contracting; **partie —e** contracting party
contracter to contract, assume
contraindre to compel
contrarier to annoy
contrat *m.* contract
contre against, contrary to, close by; **pour et —** for and against
contre-basse *f.* bass-viol
contre-coup *m.* rebound
contredire to contradict
contrée *f.* region
contremaître *m.* first mate, foreman
contretemps *m.* untoward accident; **à —** at the wrong place
contrevent *m.* window-shutter
contribuer to contribute
contusionner to bruise
convaincre to convince
convaincu convinced

convenable suitable
convenance *f.* propriety, convenience; **à sa —** to his liking
convenir to agree, suit, be suitable
convention *f.* agreement; convention
converser to converse
convive *m. f.* guest
convoi *m.* funeral; (*milit., nav.*) convoy
convoiter to covet
convoitise *f.* eager desire
convulser to convulse
convulsif, -ve convulsive
coopérer to co-operate
copeau *m.* shaving (of wood, metal)
copie *f.* copy; **faire de la —** to transcribe, copy (manuscripts, etc.)
copier to copy
coq *m.* cock, rooster
coque *f.* ribbon; **bonnet à —** cap with ribbon ties
coquet, -te coquettish, pretty, stylish
coquillage *m.* shells, shell-work
coquin, -e rascally
coquin *m.* rascal, rogue
coquine *f.* hussy
cor *m.* horn
corbeau *m.* crow
corde *f.* rope
cordon *m.* string
corne *f.* horn
corniche *f.* cornice
cornu horned
cornue *f.* retort (chemist's instrument used for distilling)
corps *m.* body; **— d'armée** army corps; **— de logis** main building; **prendre du —** to grow stout
correct correct, formal, "proper"
corriger to correct, overcome
corsage *m.* waist
corse *m. f. and adj.* Corsican
cortège *m.* procession
costume *m.* uniform
côte *f.* hill, sea-coast; **— à —** side by side
côté *m.* side; **de l'autre —** on the other side; **du — de** in the vicinity of, in the direction of; **de ce —** in this (or that) direction; **de son —** for his (or her) part; **d'un autre —** on the hand; **de —** sideways
coteau *m.* little hill
cotonnade *f.* cotton cloth
cou *m.* neck
couche *f.* bed; coat
coucher to put to bed, set, lodge, sleep; **— de soleil** sunset
coucou *m.* cuckoo
coude *m.* elbow, bend
coudoiement *m.* jostling
coudre to sew
couler to flow, pour, trickle, go down, sink down
se couler to slip, creep
couleur *f.* color
coulisse *f.* side-scene, wing (of a theatre)
couloir *m.* passage, corridor
coulpe *f.* sin, fault; **faire sa —** to make a confession
coup *m.* blow, thump, knock, occasion, stroke; clap (of thunder); shot, report (of fire-arms); sip; **pour le —** for once; **tout d'un —** at once, all at once; **— d'œil** glance; **— de feu** shot; **— sur —** one after the other; **— de théâtre** unexpected event; **boire un grand —** to take a good drink; **en — de vent** like a whirlwind
coupable guilty
coupe *f.* cup, bowl
coupé *m.* cab
coupe-gorge *m.* cut-throat place
couper to cut
cour *f.* court (of a prince); courtship, courtyard; **être bien en —** to be in favor; **faire la — à** to court, make love to
courageux, -euse courageous
courant *m.* current, course
courber to bow down
coureuse *f.* idler, vagabond
courir to run, prevail
couronne *f.* crown

couronné crowned
courrier *m.* courier, mail
cours *m.* course, stream
course *f.* course, race; **s'échapper à la —** escape by running
coursier *m.* steed
court short, scanty; **couper —** to put an end to
courtier *m.* agent
courtiser to make love to
couteau *m.* knife
coûter to cost, be painful; **coûte que coûte** at any price
coûteux, -euse costly
coutume *f.* custom, habit
coutumier, -ère accustomed
couvée *f.* brood, covey
couvent *m.* convent
couvert *m.* dinner things, cover, a spoon, knife, and fork, place (at table)
couvert covered; **à —** under cover, secure
couverture *f.* blanket
couvrir to cover, defray
crachat *m.* expectoration
cracher to spit
craie *f.* chalk
craindre to fear
crainte *f.* fear
craintif, -ve timid, cowardly
crampon *m.* crampon
se cramponner to cling, lay hold
crâne *m.* cranium
craquer to creak, crackle
cravache *f.* riding-whip
cravate *f.* neck-tie
crayeux, -euse chalky
crayon *m.* pencil
créance *f.* credence, belief
crécelle *f.* rattle
credo *m.* creed
créer to create
crème *f.* cream
crêpe *m.* crape
crépitement *m.* crackling
crépu curly
crépuscule *m.* twilight
crête *f.* comb of a cock or hen; crest, top
cretonne *f.* cretonne
creuser to dig, hollow out, furrow
se creuser to become hollow; **se — la tête** to rack one's brain
creux *m.* hollow, pit
creux, -euse hollow, empty
crevasse *f.* crevasse, cleft
crevasser to line, furrow
crever to burst, break, split, tear
cri *m.* cry, scream
criard crying, urgent, shrill
cribler to riddle
cric *m.* lifting jack, winch
crier to scream, cry out, proclaim
crieur *m.* crier
crise *f.* fit, attack
crispation *f.* contraction
crisper to contract, convulse
cristal *m.* glass
Cristi (mild oath)
critiquer to criticise
croc *m.* fang
croire to believe, think
croisée *f.* window
croiser to cross
croiseur *m.* cruiser
croisière *f.* cruising squadron
croissant *m.* crescent; **le dernier —** the moon in its last quarter
croissant growing
croix *f.* cross mark, cross
Croquemitaine *m.* bugbear, specter, "bogey man"
croquer to crunch, eat hastily
crosse *f.* (of bishops) crosier; (of muskets) butt-end
crosser to beat
crotte *f.* mud
crouler to crumble
croupe *f.* crupper, buttocks
croyable believable
cru *m.* growth; **vin du —** wine of the country
cru raw, uncooked; alive
cruauté *f.* cruelty
cruche *f.* jug
cruel, -le cruel
cuculle *f.* cowl
cueillir to pluck, gather
cuiller *or* **cuillère** *f.* spoon
cuir *m.* leather, skin, hide
cuire to cook

cuisine *f.* kitchen
cuisse *f.* thigh
cuit cooked
cuivre *m.* copper, brass; **— rouge** copper
cuivré copper-colored
cul *m.* rump, tail
culbuter to overthrow, upset
cullotte *f.* breeches
culotter to color
culte *m.* worship, adoration
cultivateur *m.* **-rice** *f.* farmer
curé *m.* priest
curieux, -euse curious, inquisitive, rare
curiosité *f.* inquisitiveness
cuver; — son vin to sleep one's self sober
cuvette *f.* wash-basin
cygne *m.* swan
cymbalier *m.* cymbal-player
cytise *m.* laburnum (plant)

D

dague *f.* dagger
daigner to deign
daim *m.* deer
dalle *f.* flag-stone
dame *f.* lady
dame well!
damné *m.* soul damned
se damner to damn one's self
dangereux, -euse dangerous
datte *f.* date
dauber to jeer
davantage more, further, longer
dé *m.* die (*pl.* dice)
débâcle *f.* breaking up (of the ice)
débarrasser to clear, rid, free
débat *m.* discussion
débattre to debate, to discuss
se débattre to struggle, be debated
débauche *f.* debauchery
débaucher to debauch
déblayer to clear
déborder to overflow
déboucher to uncork; to come out
debout upright, standing
déboutonner to unbutton
débris *m.* wreckage, rubbish, broken bits of wood
début *m.* beginning, start
débutant *m.* beginner
deçà here, on this side; **qui — qui delà** some one way some another
décembre *m.* December
déception *f.* disappointment
décharge *f.* (*mil.*) volley
décharger to unload, empty
décharner to emaciate
déchiqueter to mangle, cut in pieces
déchirement *m.* ripping sound
déchirer to split, tear (open)
décidément decidedly
décider to determine, persuade
se décider to make up one's mind, hang in the balance
déclassé outcast
décliner to decline, refuse
décolorer to discolor
déconfit nonplussed, discomfited
déconfiture *f.* discomfiture, failure
décorer to decorate, confer a medal on
découragement *m.* despondency
se décourager to be discouraged
découvert uncovered, open
découverte *f.* discovery
découvrir to discover, uncover
décrire to describe
décrocher to unhook, take down
dédaigner to disdain
dedans within; **en —** on the inside; **(là-) —** in it; **mettre quelqu'un —** to take any one in, cheat
se dédire to retract what has been said
dédorer to ungild
défaillant faltering
défaillir to faint
défaire to rid one's self
défaut *m.* defect, fault, flaw; **en —** at fault
défendre to defend, forbid, prohibit
défenseur *m.* defender

défier to challenge
défiler to march, walk
déformé deformed, shapeless
défraîchi faded
défrayer to supply, carry on
défunt deceased, dead
dégager to free, produce
se dégager to extricate, stand out
se dégeler to thaw
dégénérer to degenerate
dégourdi quick, alert
dégoûtant disgusting
dégoutter to trickle
degré *m.* step, stair, rung; degree
dégringoler to jump down
déguenillé tattered, ragged
déguisement *m.* disguise
déguster to taste, sip
dehors outside, out, out of doors
déjà already
déjeuner *m.* lunch
déjeuner to breakfast; lunch
delà beyond; **au —** further on
délasser to refresh, relax
délibérer to deliberate
délicatesse *f.* considerateness, deftness
délices *f. pl.* delight
délicieux, -euse delicious, delightful
délier to unbind, untie
délire *m.* delirium
délivrer to deliver, release
déloger to dislodge
demain tomorrow
demande *f.* question, request, petition, order
demander to ask
se demander to wonder
démanger to itch
démanteler to dismantle
démarche *f.* step, action
démâter to dismast
démêlé *m.* strife, contention
démêler to disentangle
déménagement *m.* change of residence; **voiture de —** moving van
démence *f.* insanity
se démener to make a great fuss
démentir to refute
démesuré enormous, excessive
démesurément excessively (wide)
demeure *f.* dwelling
demeurer to live, remain
demi half; **à — voix** in an undertone
demi half; **à — fou** half mad
demi-encablure *f.* (*nav.*) half cable's length
demi-jour *m.* twilight
demi-porte *f.* half-door, low gate
démodé old-fashioned
demoiselle *f.* young lady
démolir to demolish
démordre to let go, give up
dénaturer to deface, misrepresent
denier *m.* old French copper coin
dénigrer to disparage, run down
dénoncer to denounce
dénoûment *or* **dénouement** *m.* catastrophe, ending
dénouer to untie, solve
dent *f.* tooth; **à belles —s** heartily
dentelé notched, jagged
dentelle *f.* (piece of) lace, lacework
dénuer to deprive
déparer to disfigure
départ *m.* departure
dépasser to go beyond
dépayser to send from home
dépecer to cut up
se dépêcher to make haste
dépendre to be dependent; **— de** to depend on
dépens *m.* expense
dépense *f.* larder, pantry; expenditure
dépérir to waste away
se dépeupler to become empty
dépister to hunt out, put off the track
dépit *m.* vexation
déplaire to offend
déplier to unfold
déployer to display
déposer to lay down, place, put; give evidence
déposition *f.* testimony
dépouillé stripped

depuis since, from, for, after
déraisonnable unreasonable
déraisonner to talk irrationally
déranger to disturb
derechef anew
dernier, -ère last, highest; **ce —** the latter
dérobé stolen; **à la —e** by stealth
dérouler to unroll
déroute *f.* rout, ruin, disorder, flight
derrière behind; **par —** from the rear
derrière *m.* hind-quarters; tail-board (of a cart)
dès from, as early as; **— lors** from that time; **— que** as soon as
désappointer to disappoint
désarmer to disarm
désarroi *m.* disorder, confusion
désavantage *m.* disadvantage
desceller to unseal, loosen
descendre to descend, go down, come down, alight; to take down, kill
descente *f.* descent
se désennuyer to divert one's self
désert solitary, deserted
désert *m.* solitude
désespéré hopeless, desperate, disheartened
désespérément desperately
désespérer to despair
désespoir *m.* despair, grief
déshonorer to dishonor
désigner to designate
désintéressement *m.* disinterestedness
désolant distressing
désolé disconsolate, desolate
désoler to make disconsolate; **se désoler** to grieve
désordre *m.* disorder, riot
désormais henceforth
dessécher to dry, dry up, parch
dessein *m.* plan, purpose
desservir to serve, administer; clear the table
dessin *m.* design
dessiner to draw, sketch
se dessiner to be visible
dessous *m.* lower part; **avoir le —** to have the worst of it; **au — de** below; **en — de** below; **là- —** there
dessus over, above, thereon; **par- —** above, over; **ils lui tireraient —** they would fire on him
dessus *m.* upper hand
destin *m.* fate
destinée *f.* fate, destiny
destiner to intend
détachement *m.* squad, detachment (*milit.*)
détacher to loosen, untie; give (a blow); **se —** to come undone
détaler to scamper away
déteindre to fade
dételer to unharness
se détendre to relax
détente *f.* trigger
détirer to stretch
détonation *f.* report
détour *m.* turning, detour
détourné indirect
détourner to turn away, turn aside
détresse *f.* distress
détromper to undeceive
détruire to destroy
dette *f.* debt
deuil *m.* mourning
devancier, -ière *m. f.* predecessor
devant before, in front of; **par —** in front; **courir au — de** to run to meet
devenir to become
dévêtir to undress
dévier to slant
deviner to devine, guess, understand, sense the truth
deviser to chat, talk
devoir *m.* duty; **se mettre en —** to set about
devoir to owe, must; be certain to, destined to; ought, must
se devoir to owe one's self; **ça se doit** that is the right (proper) thing to do
dévolu *m.* claim; **jeter son — sur** to set one's heart upon

dévorer to devour
dévot *m.* **-e** *f.* devout person
dévouement *m.* devotion
dévouer to devote
diable *m.* devil; **se donner au —** to be in despair; **diable!** the devil; **que —** what the devil
diamant *m.* diamond
diantre *m.* the deuce
dictée *f.* dictation
dicton *m.* saying, byword
dieu God
difficile difficult
difficulté *f.* difficulty
digitale *f.* foxglove, digitalis (medicinal plant)
digne worthy
dignement worthily
se dilater to dilate
diligence *f.* stagecoach
dimanche *m.* Sunday
diminuer to diminish
diminution *f.* reduction
dinde *f.* turkey-hen
dîner *m.* dinner
dîner to dine
dîneur *m.* diner
diplomatie *f.* diplomacy
dire to say, call; **pour ainsi —** so to speak; **il n'y a pas à —** there is no denying it; **c'est dit** agreed! all right; **— son fait à quelqu'un** to tell a person what is thought of him
direction *f.* management
diriger to direct, manage; **se —** to go
discipline *f.* scourge; discipline
discours *m.* speech, talk
discret, -ète discreet
discrètement cautiously
discrétion *f.* discreetness
discuter to discuss, argue
disette *f.* scarcity (of food)
disjoindre to disjoin
disparaître to disappear, vanish
dispenser to exempt
disperser to scatter
disposer to place, arrange; to dispose of
se disposer to get ready, be about to
disposition *f.* tendency, inclination; **prendre des —s** to make arrangements
disputer to argue
se disputer to contend for
dissimuler to conceal
se dissiper to vanish
distance *f.* distance; **à —** at a distance
distillerie *f.* distillery
distingué distinguished
distinguer to distinguish, take notice of
distraction *f.* inattention; diversion
distraire to divert, distract
distrait absent-minded
dit surnamed
divagation *f.* rambling
divan *m.* sofa
divers different
divin, -e divine
diviser to divide
dix ten
dizaine *f.* some ten
docile submissive, manageable
dogme *m.* dogma, doctrine
doigt *m.* finger
dolent doleful
dom *m.* dom, don (title in monastic orders)
domestique *m.* servant
dominant dominating
dominer to look over; to govern, prevail over
dompter to subdue
don *m.* gift
donc therefore, then, so
donner to give, present with, attribute; to look out
donneur *m.* **-euse** *f.* giver
dont whose, of whom, from whom, of which, from which, in which
doré gilded, golden
dorénavant henceforth
dormeur *m.* **-euse** *f.* sleeper, sleepy
dormir to sleep
dorure *f.* gilt
dos *m.* back
dossier *m.* file of papers

dot *f.* dowry
douanier *m.* custom-house officer
doubler to double; **— le pas** to go faster
doucement mildly, softly, gently, slowly
doucettement gently, without effort
douceur *f.* sweetness, softness, gentleness
douche *f.* shower-bath
douer to endow
douleur *f.* pain, sorrow, affliction
douloureux, -euse painful, afflicting
doute *m.* doubt, misgiving
douter to doubt, question
se douter to suspect
douteux, -euse doubtful
douve *f.* stave
doux, -ce sweet, gentle, pleasant, peaceful; unfermented; **faire les yeux —** to cast amorous glances
douzaine *f.* dozen
douze twelve
doyen *m.* dean
dragon *m.* dragoon
drame *m.* drama, tragedy
drap *m.* cloth, sheet
draper to cover with cloth, drape
se draper to wrap one's self up
drapier *m.* **-ère** *f.* clothier
dresser to raise, set up, arrange, stand, make, draw up (a report)
se dresser to stand on end (of the hair), stand erect, rise (up)
droit *m.* right, claim
droit *adj.* right, straight, direct, upright; **tout —** straight ahead
droite *f.* right-hand side
drôle comical, strange, queer
drôle *m.* rogue, rascal
dû *part.* (of **devoir**) due
duc *m.* duke
dur hard, tough; dull; **à la —e** hardily, roughly
durant during
durcir to harden
durer to last, continue

E

eau *f.* water; **— bénite** holy water; **aux —x** at the watering-place; **à grande —** with plenty of water; **— -de-vie** brandy; **tout en —** in a bath of perspiration
s'ébattre to take one's pleasure or ease
ébaubi amazed
ébaucher to sketch, make (incompletely)
ébène *f.* ebony
éblouir to dazzle
éblouissant dazzling
ébouriffé ruffled
ébranler to shake, shatter, destroy
s'ébranler to get under way, start out
ébullition *f.* boiling
écaille *f.* shell
écarlate *f.* scarlet
écarquiller to dilate, open wide
écart *m.* swerving, digression; **à l'—** aside
écarté *m.* ecarté (a card game); *adj.* out of the way
écarter to remove, put aside, push aside, spread apart, stick out
s'écarter to swerve, lean aside
échafaud *m.* scaffold
échange *m.* exchange
échanger to exchange
échantillon *m.* specimen
échapper to escape, avoid
s'échapper to escape
écharpe *f.* scarf
échasse *f.* stilt
s'échauffer to become warm
échéance *f.* falling due, payment date
échelle *f.* ladder
échelon *m.* rung
s'échelonner to be placed at regular intervals
échevin *m.* alderman
échine *f.* spine, back
échoir to happen
éclabousser to splash
éclaboussure *f.* splash

éclairé lighted, enlightened, judicious
éclairer to illuminate; (*milit.*) to reconnoiter
s'éclairer to become clear
éclaireur *m.* scout
éclat *m.* splinter; radiancy; noise, burst, peal
éclatant striking, loud, shrill
éclater to burst (forth), ring out; **— de rire** to burst out laughing
éclore to open, begin
écluse *f.* dam, mill-gate
école *f.* school
économe economical, thrifty
économie *f.* economy; (*pl.*) savings
écorce *f.* shell
écorcher to rub, take off the skin
s'écorcher to tear off one's skin
s'écouler to pass
écouter to listen to
écoutille *f.* hatchway
écraser to crush, overwhelm, lie heavily upon
(s)écrier to cry out, exclaim
écrin *m.* jewel-box or case
écrire to write
écriteau *m.* signboard
écriture *f.* handwriting; *pl.* accounts; **l'Ecriture sainte** the Holy Scriptures
écrivain *m.* writer, author
(s)écrouler to collapse
écu *m.* crown (worth 3 to 5 francs); money
écubier *m.* (*nav.*) hawse-hole
écuelle *f.* bowl
écume *f.* froth, foam
écumoire *f.* skimmer
écurie *f.* stable
édifier to edify, instruct
effacer to efface
s'effacer to disappear
effaré scared, bewildered
effarement *m.* bewilderment, terror
effaroucher to scare, startle
effectivement in fact
effectuer to accomplish
effet *m.* effect, result; **en effet** indeed; **faire l'—** to give the impression
effeuiller to strip of leaves
effilé sharp
effleurer to touch, graze
s'efforcer to try, strive
effranger to fray, fringe
effrayer to frighten; **s'—** to be frightened
effroi *m.* fright, terror, awe
effronté shameless
effrontément shamelessly, brazenly
effroyable frightful
effusion *f.* pouring, overflowing
égal equal; **c'est —** never mind, just the same
égaler to equal
également equally, uniformly
égard *m.* regard, respect
égarer to bewilder
s'égarer to stray, ramble
égayer to enliven, divert, make cheerful
église *f.* church
égoïsme *m.* egotism, selfishness
égorger to cut the throat of, kill
s'égoutter to drop
s'égrener to fall apart, disintegrate
eh well!
élan *m.* start, outburst
s'élancer to rush
s'élargir to widen, spread out
élever to raise, erect, bring up
s'élever to arise, be started, grow louder
élire to elect, choose
éloge *m.* praise
éloigné distant
éloigner to remove; **s'—** to go away, recede
émailler to embellish
émaner to emanate
s'emballer to run away
emballeur *m.* packer
embarcation *f.* small boat
embarquement *m.* embarkation
embarquer to embark, take on board
embarras *m.* perplexity

embarrasser to embarrass, hamper, clog, puzzle
embaumer to smell very sweet
embêter to annoy, rile
emboîter to fit in; **— le pas** to lock step, follow closely
embouchure *f.* mouth (of a river)
embranchement *m.* branching fork, branch-road
embrasé glowing, burning
embrasser to embrace, clasp, kiss; undertake
embrasure *f.* recess, niche, alcove
embrouiller to confuse, confound
embûche *f.* snare
embuscade *f.* ambush
émeraude *f.* emerald
émerger to emerge
émerveiller to astonish
émettre to utter
émietter to crumble, break fragments from
éminence *f.* hill, rising ground
emmener to take (away), lead away
émotionner to move, disturb
émouvoir to agitate, touch
s'émouvoir to be stirred up
empanacher to plume, beplume
empaqueter to pack up
s'emparer to take possession of, seize
empêcher to prevent
empeser to starch
emphase *f.* emphasis
empire *m.* reign, dominion, command
emplette *f.* purchase
emplir to fill
s'emplir to fill oneself
emploi *m.* employment; **faire un bon — de** to make a good use of
employé *m.* clerk
employer to use
empoigner to seize, take into custody
empoisonner to poison, embitter
emportement *m.* passion, frenzy
emporter to carry away, take away, sweep away; **l'— sur** to get the better of
empourprer to make purple
empreinte *f.* foot print
empressé eager
empressement *m.* eagerness
s'empresser to hasten
emprunter to borrow
ému, -e moved, affected, stirred by emotion
en in, to, into, at, like, at, in the form of
encadré framed
encadrement *m.* frame
encens *m.* incense
enchaîner to bind in chains
enchantement *m.* magic
enchanter to enchant
encoignure *f.* corner
encombré filled
encombrement *m.* mass, quantity
encombrer to obstruct, encumber, be in the way, throng
encore still, again, moreover, besides; another; yet; **— une fois** once more; **— que** although
encorné provided with horns
encourager to encourage
encre *f.* ink
endormi asleep, drowsy
endormir to lull asleep, send to sleep
s'endormir to go to sleep
endroit *m.* place, spot
enduire to coat
endurant patient, tolerant
endurcir to harden
énergie *f.* energy
énergique energetic
énerver to enervate
enfance *f.* childhood
enfant *m.* child; **bon —** good fellow; **— d'amour** love-child (illegitimate child); **Enfant-Dieu** Christ-child
enfantillage *m.* childishness
enfantin childish, boyish
enfer *m.* hell
enfermer to shut up, lock up; **s'—** to shut oneself up
enfiévré feverish

enfin at last, finally, at length, after all
enflammé flushed, excited, illumined
enfler to swell
enfoncement *m.* recess, corner
enfoncer to sink, thrust, push in or down, upset
s'enfoncer to break down, plunge; penetrate, sink
enfoui hidden
s'enfuir to run away, take flight
engagement *m.* engagement, contract
engager to pawn, pledge; engage, induce, hire
s'engager to enlist
engloutir to swallow, devour
s'engloutir to be swallowed
s'engouffrer to be ingulfed; crowd
engourdi benumbed
s'engourdir to get benumbed, become dull
engourdissement *m.* numbness
s'enhardir to grow bold
s'enivrer to get intoxicated
enjamber to step over
enjôleur *m.*, **-euse** *f.* wheedler, a wheedling, enticing woman
enjoué sprightly
enlacer to interweave
enlèvement *m.* carrying off, removal
enlever to remove, carry out, perform, take away
enluminer to color, flush
enluminure *f.* colored print
ennui *m.* vexation, boredom
ennuyer to annoy
s'ennuyer to be bored
énorme enormous, huge
s'enquérir to ask
enquête *f.* investigation
enragé furious, determined
enragé *m.* madman
enrager to be enraged, enrage
enrégimenter to enroll
s'enrichir to grow rich
enroué hoarse
enseigne *f.* sign, sign-board
enseignement *m.* teaching profession, instruction
ensemble together
ensevelir to shroud, bury
ensevelissement *m.* burial
ensoleillé bathed in sunshine
ensorceler to bewitch
ensuite then, afterwards
entamer to cut, graze
entasser to pile up, hoard up
entendre to hear, understand; — dire to hear (said); à — judging from
s'entendre to come to an agreement
enténébrer to wrap in darkness
enterrer to bury
s'entêter to be stubborn or obstinate
entiché infatuated
entier, -ère whole
entièrement entirely, wholly
entonner to begin to sing
entour *m.* environs; à l'— around
entourer to surround, encircle
entrailles *f. pl.* intestines
entrain *m.* spirit, animation
entraîner to drag away, cause
s'entraîner to train oneself
entre between, among, in
entre-bâillé ajar, half open
entrecoupé broken (of words)
entreé *f.* entrance
entrefaites *f. pl.* interval; sur ces — meanwhile
entremets *m.* side-dish; pastry
entrepont *m.* between decks
entreprise *f.* undertaking
entretenir to entertain, maintain
entretien *m.* maintenance; conversation
entrevoir to catch a glimpse of
entr'ouvert partly open
entr'ouvrir to half-open
énumérer to reckon
envahir to penetrate, invade, over-run, possess
envahisseur *m.* invader; *adj.* invading
envelopper to wrap up, surround
envers *m.* wrong side

à l'envi in emulation of one another
envie *f.* desire, longing; **faire —** to be tempting; **avoir — de** to have a mind to
envier to envy, long for
environ about, nearly
environner to surround
environs *m. pl.* neighborhood
s'envoler to issue, fly (up), speed
envoyé *m.* envoy
envoyer to send
s'épanouir to brighten up
épargner to spare, economize
s'épargner to spare one's self
épars scattered, disheveled
épais, -sse thick, dense
epaisseur *f.* thickness, depth
épaissir to thicken, increase
épanchement *m.* overflowing, effusion
épaule *f.* shoulder
épauler to bring one's gun to the shoulder, to aim
épaulette *f.* shoulder-strap, epaulette
épée *f.* sword
éperdu distracted, bewildered, wild
éperdument wildly
éperon *m.* spur
épi *m.* ear of corn
épicier *m.* grocer
épiderme *m.* epidermis
épier to watch (for), be a spy upon
épingle *f.* pin, scarf-pin
épingler to pin
éploré weeping
éplucher to peel
éponge *f.* sponge
éponger to mop
époque *f.* period, time, epoch
épouse *f.* wife
épouser to marry
épousseter to dust, wipe off the dust
épouvantable frightful, tremendous
épouvante *f.* terror
épouvanter to terrify
s'éprendre to fall in love with
éprouver to test; to feel, experience
éprouvette *f.* test-tube
épuiser to exhaust
équarrir to square
équerre *f.* square rule; **en —** forming a right angle
équilibre *m.* balance; **mettre en —** to poise
équipage *m.* crew
équiper to equip
équivoque ambiguous, doubtful
éraflure *f.* slight scratch
ermite *m.* hermit
errer to wander, stray
erreur *f.* mistake
escabeau *m.* stool
escadre *f.* squadron, fleet
escalader to scale
escalier *m.* flight of stairs
escarboucle *f.* carbuncle (precious stone)
escarpe *m.* assassin
escarpement *m.* escarpment, slope
esclavage *m.* slavery
esclave *m. f.* slave
escogriffe *m.* ungainly fellow
escopette *f.* carbine
escorter to accompany
espace *m.* space
Espagne *f.* Spain
espèce *f.* species, kind, sort
espérance *f.* hope, confidence, expectation
espérer to hope, hope for
espiègle roguish
espion *m.* **-ne** *f.* spy
espoir *m.* hope
esprit *m.* spirit, ghost; mind, wit
essai *m.* beginning, trial; **faire l'— de** to make a trial of, sample
essayer to try, attempt, try on
essouflé out of breath
essuyer to wipe
est *m.* east
estaminet *m.* café; smoking room
estimer to esteem
estomac *m.* stomach
estropié crippled
étable *f.* stable

établir to establish; to draw up (an account); **s'établir** to set up in business
établissement *m.* establishment
étage *m.* story, floor; **premier —** first floor (above the ground floor)
étain *m.* pewter
étaler to spread out
étang *m.* pond
état *m.* state, condition, position, calling, profession; **hors d'— de** unable to; **l'— major** staff
étayer to prop, to support
été *m.* summer
éteindre to extinguish, obliterate
s'éteindre to be extinguished, die out, become dull, expressionless
éteint extinguished, faint
étendre to spread out, extend; **s'—** to stretch oneself out, reach
étendu stretched (out), extended
étendue *f.* extent, expanse, size
éterniser to perpetuate
éternuer to sneeze
étincelant sparkling
étinceler to sparkle
étincelle *f.* spark
étique emaciated
étiqueteur *m.* labeler, one who does labeling
étiquette *f.* label
étoffe *f.* stuff, cloth
étoile *f.* star; **— polaire** polar star
étoilé starry
étonnant astonishing
étonné astonished
étonnement *m.* astonishment, wonder
étonner to astonish; **s'—** to be astonished
étouffer to suffocate, choke, smother, suppress; to be choked
étourdi *m.* rattle-headed fellow
étourneau *m.* starling (bird)
étrangement terribly
étranger, -ère foreign, strange
étranger, -ère *m. f.* foreigner, stranger
étrangeté *f.* strangeness
étrangler to strangle, choke
s'étrangler to choke
être to be, exist; **— à** belongs to; **y — pour beaucoup** to have a great deal to do with it; **nous y sommes** here we are; **j'en suis là** I have come to that
être *m.* being, creature
éteindre to clasp
étreinte *f.* embrace, clasp
étrenne *f. pl.* New Year's gift
étriqué scanty
étroit narrow
étudier to study, watch
évaluer to estimate
évangile *m.* Gospel
évanoui unconscious; vanished
s'évanouir to faint
évasé bell-shaped
évasion *f.* escape
éveil *m.* awakening; **en —** on the watch
éveillé awake, intelligent
éveiller to awake
événement *m.* event
éventrer to break open
évêque *m.* bishop
évidemment evidently
éviter to avoid, evade
évoquer to evoke, call up
exactement exactly, accurately
exalté exalted, excitable, easily moved
s'exalter to become excited
examiner to examine, survey, ponder
exaspéré enraged, intensified
s'exaspérer to become enraged
excès *m.* excess
s'exclamer to exclaim
s'excuser to excuse one's self, apologize
exécuter to carry out
exécuteur *m.* executioner; **— des hautes œuvres** executioner
exemplaire *m.* copy (books, etc.)
exercer to drill, exert, practice; **s'—** to train oneself
exercice *m.* exercise; **faire l'—** to drill
exhaler to give forth
s'exhaler to be emitted

exiger to require, to demand
exorcisé *m.* a person from whom evil spirits are being driven
expédient *m.* compromise
expérience *f.* experiment; experience; **faire une —** to make an experiment
expiatoire expiatory
expirer to expire, die away
explication *f.* explanation
expliquer to explain
s'expliquer to explain one's self, be accounted for
explorer to explore
explosion *f.* explosion, report, shot
exposer to expose, explain
exprès precise, on purpose
exprimer to express
expulser to expel, drive out
exquis exquisite, delicious
extase *f.* ecstasy, trance
exténuer to weaken
exterminer to annihilate
extravagance *f.* wildness
extravagant wild
extrêmement exceedingly
extrême-onction *f.* extreme unction

F

fabliau *m.* amusing story, story in verse
fabrique *f.* making, fabrication
fabriquer to manufacture, make, forge
face *f.* face, look; **en — de** opposite to
fâché angry, sorry
fâcher to vex
se fâcher to be or get angry
fâcheux, -euse vexatious
facile easy
facilement easily, readily
facilité *f.* ease, fluency
façon *f.* manner, way; **à la — de** after the manner of
facture *f.* bill
faculté *f.* power
fade insipid, tasteless
fagot *m.* bundle
faible weak, faint, small (of number)
faiblement dimly
faiblesse *f.* weakness; **tomber en —** to swoon away
faïence *f.* porcelain
faillir to fail, to just fail, to come near, be on the point of; **il a failli tomber** he nearly fell
faim *f.* hunger; **avoir —** to be hungry
fainéantise *f.* laziness
faire to make, do, cause; perform; take; commit; to arrange; **faire accroire** to make one believe; **cela ne fait rien** that makes no difference
se faire to become, accustom one's self to; begin; follow; **se — vieux** to be getting old
fait *m.* fact, occurrence; **— d'armes** feat of arms; **si —** yes, yes indeed; **dire son — à quelqu'un** to tell a person what is thought of him
falloir to be necessary, need
famé famed; **bien —** of good repute
fameux, -euse famous, notorious, first-rate, precious
familial of the family
familiarité *f.* familiarity
familier, -ère familiar
familièrement familiarly
famille *f.* family; **en —** at home
fané faded, withered
fanfare *f.* flourish of trumpets
fanfaron *m.* blustering
fantaisie *f.* fancy, fantasy
fantasmagorique fantasmal
fantassin *m.* foot-soldier
fantastique fantastic
fantôme *m.* phantom, ghost
farandole *f.* farandole (dance of southern France)
farce comical, amusing
farceur *m.* practical joker
fardeau *m.* load, weight
farine *f.* flour
farouche wild, shy
fatalité *f.* fatality
fatigue *f.* fatigue, weariness

fatiguer to fatigue, tire
faubourg *m.* suburb
fauchage *m.* mowing
faucher to mow down
faute *f.* fault; **— de** for want of
fauteuil *m.* arm-chair, stall
fauve wild
fauvette *f.* warbler
faux *f.* scythe
faux, -sse out of tune, false, imitation
faveur *f.* favor, goodwill
favori *m.* whisker
favoriser to favor
fée *f.* fairy
féerie *f.* fairy-land
feindre to pretend
fêlé cracked
femelle *f. and adj.* female
femme *f.* woman; **prendre —** to take a wife
fendiller to crack
fendre to split, open wide
se fendre to split
fenêtre *f.* window
fente *f.* slit, opening, crevice, crack
féodal feudal
fer *m.* iron; **—s** chains
ferme *f.* farm
ferme steady, resolute
fermement firmly
fermer to close, shut
fermeture *f.* fastening
fermier *m.* farmer
féroce ferocious
ferré tipped with iron
ferrer to shoe (a horse)
ferrure *f.* iron-work
fertiliser to fertilize
ferveur *f.* fervor
feston *m.* scallop
fête *f.* festival; festivity, feast, merrymaking; **faire —** to welcome
Fête-Dieu *f.* Corpus-Christi
fêter to celebrate, lionize, welcome
fétiche *m.* fetish, charm
feu *m.* fire
feu the late, deceased
feuille *f.* leaf, newspaper; **— de punitions** guardhouse record
feuillet *m.* leaf (of a book)
feuilleter to turn over (pages), peruse
fève *f.* bean, kidney-bean
février *m.* February
fiacre *m.* cab
fiancer to betroth
ficeler to bind
ficelle *f.* string
fiche *f.* slip, file, reference note
fidèle faithful
se fier to put one's trust in
fier, -ère proud, remarkable
fierté *f.* pride
fièvre *f.* fever; **les —s** malaria
fiévreux, -euse feverish
fifre *m.* fife; fifer
figuier *m.* fig-tree
figure *f.* form, shape, face
figurer to represent; to figure, to appear
se figurer to imagine
fil *m.* thread, string; **— de la Vierge** gossamer
file *f.* row, file, flock
filer to spin; to clear out, ride, run; **— son chemin** to hurry along
filet *m.* streak, streamlet, net-work
fille *f.* girl, daughter; spinster; **petite-—** grand-daughter
fillette *f.* lass, young girl
fils *m.* son, young friend
filtrer to filter
fin *f.* end, close; **à la —** in the end, finally; **mettre — à** to stop, put an end to
fin fine, delicate, shrewd, keen, sharp, savory
finalement finally
finauderie *f.* craftiness
finesse *f.* artifice, trick; refinement
fini *m.* finish
finir to end, finish
fiole *f.* vial
fixe staring, fixed
fixement steadily
fixer to fix, fasten, determine, appoint

flacon *m.* flask
flagellant *m.* whipping
flairer to smell
flambée *f.* blaze
flamber to blaze
flamboyant flaming; **gothique —** flamboyant Gothic (architecture characterized by flamelike curves)
flamboyer to flame, shine
flamme *f.* flame
flanc *m.* side; **se battre les —s** to exert one's self
flanquer to flank; throw; give or deal a blow
fléau *m.* scourge, plague
flèche *f.* arrow
flegmatiquement calmly, coldly
flegme *m.* indifference
fleur *f.* flower, blossom; **— de farine** best flour; **yeux à — de tête** goggle or prominent eyes
fleurer to smell, exhale
fleurir to bloom; to ornament with flowers
fleuve *m.* river
flocon *m.* flake, puff
flot *m.* wave, stream, flood; **mettre à —** to set afloat
flotter to float, wave, flutter
fluet, -te slender
fluxion *f.* inflammation
foi *f.* faith, belief; **être de bonne —** to be sincere
foin *m.* hay
foire *f.* fair (market)
fois *f.* time; **tout à la —** at a time, at the same time, together
folie *f.* madness, folly, foolish thing
follement madly
follet, -te downy, silky
fonction *f.* duty, office
fonctionnaire *m.* functionary
fond *m.* bottom, depth, background; lowland; rear; **au —** at heart
fonder to found, establish
fonds *m.* business; stock in trade; **— de mercerie** drygoods business
fondre to melt, rush, fall; **— en larmes** to burst into tears
fontaine *f.* fountain, spring
fonte *f.* cast-iron
force *f.* strength, might, skill; **à — de** by dint of; **— lui fut de** he was compelled to
forcé forced
forcer to force, compel
forestier, -ère forest, ranger
forêt *f.* forest
forfait *m.* crime
formé formed
formellement expressly
formidable formidable, tremendous, powerful
fort strong, robust, vigorous; outrageous, shocking
fort very, very much, loudly
fortement strongly, forcibly
forteresse *f.* fortress
fortifier to strengthen
fossé *m.* ditch
fossette *f.* dimple
fou, fol *m.* **folle** *f.* madman, jester; *adj.* wild, mad, insane, foolish
foudre *f.* lightning; **coup de —** clap of thunder
foudroyant terrible, thundering
fouet *m.* whip
fouetter to whip
fouiller to search
fouine *f.* martin, weasel
foule *f.* crowd
fouler to tread
four *m.* oven
fourbe *f.* imposture
fourbir to polish
fourche *f.* fork, pitchfork
fourchette *f.* fork
fourmi *f.* ant
fourneau *m.* stove
fournée *f.* a batch
fournir to furnish, supply, give
fourré *m.* thicket
fourré furred, thick, dense
fourreau *m.* scabbard
fourrer to thrust
se fourrer to thrust one's self
fourrure *f.* fur
foyer *m.* hearthstone; *pl.* home

fracas *m.* noise, din
fracasser to shatter
fraîcheur *f.* coolness, freshness
fraîchir to get cool
frais, -îche cool, fresh, rosy; **la — îche** the cool of the afternoon; **faire —** to be cool (of weather)
frais *m.* coolness; mettre **au —** to put to cool
frais *m. pl.* expenses; **faire ses —** to cover one's expenses; **— d'esprit** expense of wit
franc, -che free, frank, sincere, honest, independent
français French; **à la —e** in the French fashion
franchement frankly
franchir to leap, clear, cross
franc-tireur *m.* sharp-shooter
frange *f.* fringe
frapper to strike, hit, surprise, beat, stamp; to knock
frayeur *f.* fright
fredonner to hum
frégate *f.* frigate
frêle frail
frémir to tremble, quiver, vibrate, rustle
frémissant quivering
frémissement *m.* vibration, murmuring
frénétique frantic
fréquenter to frequent, keep company with
frère *m.* brother, friar, monk
friand dainty
friper to rumple
fripon *m.* rascal
frisé curly
friser to curl
frison *m.* curl
frisotter to be curled
frisson *m.* shudder, thrill, rustling; **avoir le —** to have the shivers
frissonner to shudder, tremble
frivole frivolous, trifling
froid cold
froidement coldly, coolly
froideur *f.* coolness
froissement *m.* clashing
froisser to offend
frôlement *m.* rustling
frôler to touch slightly in passing, brush past
fromage *m.* cheese
froment *m.* wheat
front *m.* forehead, brow
frontière *f.* frontier
frotter to rub, scratch
fructifier to bear fruit, thrive
fruitier, -ère fruit-bearing
fruitier *m.* fruit dealer
fuir to flee, shun
fuite *f.* flight
fumé smoked
fumée *f.* smoke, vapor
fumer to smoke, steam; to manure; **— un champ** to dung a field
fumerie *f.* smoking bout
fumier *m.* manure, dung-heap
funèbre funeral
funéraire funeral
funeste disastrous
fur *m.* **au — et à mesure** gradually, as fast (as)
furet *m.* ferret
fureter to rummage
fureur *f.* fury
furie *f.* fury, frenzy
furieux, -euse furious, mad; **furieux** *n.* madman
fusil *m.* gun; **— à deux coups** double-barreled gun; **flanquer un coup de —** to take a shot
fusillade *f.* shooting
fusiller to shoot
futaie *f.* forest trees
futaille *f.* small cask
fuyant fleeing

G

gaffe *f.* blunder
gage *m.* wages
gagner to gain, earn, get, win, prevail upon; reach, arrive at; overcome
gai gay, lively
gaiement or **gaîment** cheerfully, gayly

gaieté or **gaîté** *f.* gayety, delight; **être en —** merry, tipsy
gaillard *m.* fellow
gaillard *m.* castle; **— d'arrière** quarter-deck; **— d'avant** forecastle
gaillardement briskly, efficiently
gaillardet hearty (*fam.*)
gaine *f.* case
galamment courteously
galant gallant, courteous; **femme —e** prostitute
galant *m.* suitor
galanterie *f.* compliment
galère *f.* galley (large boat)
galerie *f.* gallery, railing (around the roof of a cab to hold parcels)
galette *f.* broad thin cake
galon *m.* petty officers' stripes, chevron
galoper to gallop
galopin *m.* young scoundrel
gambader to skip, romp
gamin *m.* urchin
gamine *f.* little girl
gant *m.* glove
garance *f.* madder-root (used in making red dyes)
garcette *f.* cat-o'-nine-tails, rope's end
garçon *m.* boy; bachelor; waiter
garçonnet *m.* little boy
garde *f.* guard; **prendre —** to pay attention, notice; **tomber en —** to take a defensive position; **matelot de —** sailor on watch; **se tenir sur ses —s** to be upon one's guard
garde *m.* keeper, warden, attendant
garde-nationale *f.* militia
garder to keep, take care of, guard; **— à vue** not to lose sight of
se garder to take care not to
garde-robe *f.* wardrobe
se garer to seek shelter, seek cover
gargarisme *m.* gargling
garnement *m.* good-for-nothing fellow
garni *m.* lodging house
garnir to provide, adorn
se garnir to fill
garnison *f.* garrison
garnisonner to live in a garrison
garrotter to bind
gars *m.* lad
gâteau *m.* cake
gâter to spoil
gauche left; awkward
gaudriole *f.* coarse joke
gaule *f.* switch
gavotte *f.* gavotte (kind of dance)
gaz *m.* gas
gazon *m.* grass
géant gigantic
geignant moaning
gelée frost
geler to freeze
gelinotte *f.* grouse
gémir to groan, moan
gémissement *m.* groan
gênant embarrassing
gendarmerie *f.* police
gendre *m.* son-in-law
gêne *f.* embarrassment, pecuniary difficulty; **sans —** familiar
gêner to trouble, inconvenience
généreux, -euse generous; courageous, noble
genêt *m.* broom (plant)
génie *m.* genius
genou *m.* knee; **être à —x** on his (her, their) knees
genre *m.* kind, sort
gens *m.* people; **jeunes —** young men, young people
gentil, -le pretty, nice, amiable
gentilhomme *m.* gentleman, nobleman
gentillesse *f.* prettiness, charm
gentiment prettily
gerbe *f.* sheaf
gerbier *m.* corn-stack
gerfaut *m.* gerfalcon, bird of prey
gésir to lie
geste *m.* gesture, action
giberne *f.* cartridge-box
gigantesque gigantic
gigot *m.* leg of mutton
gilet *m.* waistcoat, vest
giron *m.* lap

girouette *f.* weathervane
glace *f.* ice, looking-glass
glacé frozen
glacer to freeze, chill, overpower, paralyze
glacial icy
glacier *m.* glacier
glaçon *m.* icicle
glaner to glean
glaneur *m.* **-euse** *f.* gleaner
glapissant screeching
glauque pale sea-green
glisser to slip, glide, slide
gloire *f.* glory
glorieux, -euse glorious; conceited, proud
glouglou *m.* gurgling
gobelet *m.* goblet, metal cup
se goberger to enjoy one's self
goguenard jeering, jovial
gommier *m.* gum-tree
gonfler to swell, puff up
gorge *f.* throat, neck
se gorger to gorge one's self
gorgée *f.* draught, gulp
gosier *m.* throat
gouffre *m.* chasm
gourde *f.* flask, canteen
gourdin *m.* cudgel
gourmand greedy
gourmandise *f.* greediness
gousset *m.* pocket
goût *m.* taste
goûter to taste; approve of, enjoy
goutte *f.* drop
gouttière *f.* gutter
gouvernail *m.* helm
gouverne *f.* guidance
gouverner to govern
gouvernement *m.* government
gouverneur *m.* governor
grâce *f.* grave, favor; pardon, mercy; charm; *pl.* thanks; **— à** thanks to; **faire — à quelqu'un** to pardon any one
gracieux, -euse graceful
grade *m.* rank
grain *m.* bit, particle
graine *f.* seed, berry
graisse *f.* fat
grand great, large, tall, grown-up; **le — air** the open air; **pas —'chose** not much; **—'route** highway
grandeur *f.* grandeur
grandir to grow (up), lengthen, increase
grand'mère *f.* grandmother
grand-père *m.* grandfather
grange *f.* barn
grappe *f.* cluster
gras, -se fat, plump, greasy, oily
gras *m.* fleshy part
gratification *f.* bonus
gratis free of cost
gratter to scratch, scrape
grave grave, serious, solemn
gravé engraved
gravir to climb
gravité *f.* gravity, dignity
gré *m.* pleasure, inclination; **bon — mal —** willing or unwilling; **savoir —, bon —** to be thankful to
grec *m.* Greek (language)
gredin *m.* villain, scamp
gréer to rig
greffier *m.* registrar, recorder
grêle shrill
grelot *m.* little bell
grelotter to shiver
grenier *m.* garret
grès *m.* sandstone
grésil *m.* sleet
griffe *f.* claw
grille *f.* gate
griller to roast, toast
grimer to make up
grimpant climbing
grimper to climb (up)
grincement *m.* gnashing
gris, -e gray, tipsy
grisâtre grayish
griser to intoxicate, make tipsy
grisonnant getting gray
grogner to grumble
grommeler to grumble, mutter
gros, -se large, big, bulky; loud, rich; rough, stormy, hard
gros *m.* main body (of an army)
grossier, -ère coarse, rude, uncivilized

grossir to increase
gué *m.* ford; **passer une rivière à —** to ford a river
guère but little, hardly; **ne . . . — kue** hardly anything but
guérir to cure
guérison *f.* recovery
guerre *f.* war
guerrier warrior
guetter to watch for, match
gueule *f.* mouth, jaws
gueusard *m.* scoundrel
gueux, -euse wretched
gueux *m.* **-euse** *f.* rascal
guider to guide
guillotiner to behead
guimpe *f.* chemisette; **corsage à —** high-necked waist
guirlande *f.* wreath
guise *f.* manner, fancy; **en — de** by way of; **à ta —** according to your wishes, fancy

H

habile clever
habileté *f.* skill
s'habiller to dress one's self
habit *m.* apparel, coat; *pl.* clothes
habitacle *m.* binnacle (case for ship's compass)
habiter to inhabit, live in, live
habitude *f.* habit, custom; **d'—** usual
habitué *m.* frequenter, customer
habituer to accustom
s'habituer to accustom one's self
hache *f.* ax
hachette *f.* hatchet
haie *f.* hedge; **former** (or **faire**) **la haie** to stand in line
haillon *m.* rag, tatters
haine *f.* hatred
haïr to hate
hâle *m.* tanned complexion
haleine *f.* breath, wind; **reprendre —** to recover one's breath
haler to haul up, to tow
haletant panting
haleter to gasp
hallebarde *f.* halberd
halluciné hallucinated
halte *f.* halt, stop; **faire —** to halt
hangar *m.* outhouse, shed
hanneton *m.* may-bug
hanter to haunt
harceler to torment
hardes *f. pl.* clothes
hardi bold, daring, fearless, impudent
hardiment boldly
haricot *m.* kidney-bean
harnacher to harness; decorate
hasard *m.* chance, risk, danger; **au —** at random; **par —** by chance; **coup de —** stroke of luck
hasarder to risk
se hasarder to venture (forth)
hasardeux, -euse dangerous
hâte *f.* haste; **à la —** in haste
hâter to hasten
se hâter to make haste
haussement *m.* shrugging
hausser to raise; **— les épaules** to shrug one's shoulders
se hausser to raise one's self, stand upon tip-toe
haut high, tall, loud; **en —** above; **tout —** aloud; **— en couleur** of a ruddy complexion; **regarder d'un peu —** to look down upon anyone
haut *m.* height, top
haute lice *f.* tapestry (hangings)
hauteur *f.* height, hill
hé! hey! I say!
hébéter to stun, stupefy
hein! hey!
hélas alas!
herbage *m.* grass, pasture ground
herbe *f.* herb, grass, weed
hercule *m.* Hercules
hérisser to bristle, make stand on end
hériter to inherit
héritier *m.* **-ère** *f.* heir, heiress
héroïquement heroically
hésiter to hesitate
heure *f.* hour, o'clock, time; **de bonne —** early; **tout à l'—** by and by, presently, not long

ago; **à la bonne —** well done! fine!
heureusement fortunately
heureux, -se happy, fortunate, successful
heurt *m.* shock
heurter to run up against, strike against
hier yesterday
hiérarchie *f.* class, rank; **une femme de —** a woman who holds to class distinctions
hiérarchique hierarchical
hirondelle *f.* swallow
se hisser to lift one's self up
histoire *f.* history, story, affair; **pas d'—s** no long rigmaroles; **— de** merely for the sake of
historiette *f.* little story
hiver *m.* winter
hivernage *m.* wintering, winter season
hivernal wintry
hochement *m.* wagging (of the head)
hocher to shake
hola! hello!
hollandais Dutch
homard *m.* lobster
homme *m.* man; **— de tête** intelligent man
honnête honest, upright
honnêtement uprightly, courteously
honnêteté *f.* integrity, courtesy, kindness
honneur *m.* honor; **faire — à** to do credit to, meet bills
honte *f.* shame
honteux, -euse ashamed, bashful
hop! up! away!
hôpital *m.* hospital
hoquet *m.* hiccup
horloge *f.* clock
horreur *f.* horror, dread
hors out, outside; **— de combat** disabled
hospice *m.* children's asylum
hostie *f.* host, consecrated wafer
hôte *m.* host, guest
hôtel *m.* hotel, inn; **hotel du ministère** administration building
hôtesse *f.* hostess, landlady (of an inn)
hou! hou! imitation of the cry of a wolf
houppelande *f.* overcoat
houx *m.* holly
huche *f.* pan; **— au pain** bread-box
huile *f.* oil
huiler to oil
huis *m.* door
huissier *m.* door-keeper; **—-priseur** appraiser
huit eight
huître *f.* oyster
humain human, benevolent
humain *m.* human being
humanité *f.* compassion
humer to inhale
humeur *f.* humor, disposition, mood; ill-humor
humiliant humiliating
humilier to humiliate
hurlement *m.* howling, shriek
hurler to howl, scream

I

ibis *m.* ibis (bird)
idée *f.* idea, notion
if *m.* yew (tree)
ignorer not to know, to be unacquainted with; **ne rien —** to know all about
île *f.* island
illimité unlimited
illuminé illuminated
illustre illustrious
illustrer to illustrate
s'illustrer to become famous
image *f.* picture
imaginer to contrive
s'imaginer to imagine, think
imiter to imitate
immaculé immaculate, spotless
immense immense, huge, boundless
immobile motionless
immodéré excessive, violent
impassible impassive
impatiemment eagerly
impatienter to make impatient

impériale *f.* top
impitoyablement pitilessly, unrelentingly
implorer to call upon, beg
importer to be important, matter; **n'importe** never mind; **qu'importe?** what does it matter? **peu lui importe** it matters little to him
importun tiresome
importuner to incommode
imposant imposing, commanding
imposteur *m.* impostor
impotent infirm
imprégner to impregnate
imprévu unforeseen
imprimer to print; give (motion)
improviser to improvise
impulsion *f.* impetus
imputer to attribute, ascribe to
inaperçu unperceived
inattendu unexpected
inavoué unconfessed
incertitude *f.* uncertainty
incliner to incline, to tilt
s'incliner to bow, stoop, dip, tilt
incommode uncomfortable
inconnu unknown; unknown person, stranger
incontinent at once
inconvenant improper
incorporer to incorporate
incrédule incredulous
incroyable incredible
indécis undecided, faint
indéfiniment indefinitely
indescriptible indescribable
indice *m.* indication, clue
indicible inexpressible
indiffiérent unconcerned; **je ne lui suis pas —** she is interested in me
indigence *f.* poverty
indigène *m. f.* native
indigent poor person
indigne unworthy
indigné indignant
indigner to render indignant
indiquer to indicate, point out
indiscret, -ète indiscreet
individu *m.* individual
indulgence *f.* pardon, indulgence
inébranlable immovable
inégal unequal
inégalité *f.* inequality
inestimable inestimable, priceless
inexploré unexplored
inexprimable inexpressible
infailliblement without fail
infâme infamous, base
infatuer to infatuate
inféoder to attach oneself (to)
inférieur lower
infini infinite, numberless
infini *m.* infinite; **à l'—** endlessly
infirme frail
infirmier *m.*, **-ère** *f.* hospital-attendant
infliger to impose
informer to inform
infortuné unfortunate, unhappy, ill-fated, wretched person
infuser to steep
ingénieux, -euse ingenious, clever
ingénument candidly
ingrat ungrateful person
inintelligible unintelligible
initier to initiate, admit
injure *f.* insult
injurier to insult
inné innate, inborn
innocemment innocently
innommable nameless, nondescript
inonder to overrun
inouï extraordinary
inquiet, -ète uneasy, anxious
inquiétant alarming
inquiéter to make uneasy; **s'—** to worry, alarm oneself
inquiétude *f.* anxiety
insaisissable imperceptible
inscrire to inscribe, set down
insensé *n. and adj.* fool, foolish
insensible imperceptible
insensiblement by degrees
insigne *m.* insignia
insignifiant insignificant
insinuer to insinuate
insomnie *f.* sleeplessness
inspection *f.* inspection; **passer l'—** to go over, inspect
inspirer to inspire

instamment urgently
instance *f.* entreaty
instinctivement instinctively
instruire to inform
instruit informed; **très —** well educated
à l'insu unknown to; **à son —** unknown to him
s'insurger to revolt, rebel
intelligence *f.* intellect, understanding; **en bonne —** on good terms
intention *f.* intention, purpose; **à votre —** for your sake
intercéder to intercede
interdire to prohibit
interdit prohibited; dumfounded
intéresser to interest; **s'—** to take an interest (à, in)
intérêt *m.* interest, selfishness
intérieur *m.* inside, interior
interlocuteur *m.* speaker
intermédiaire *m.* intermediary
interminable endless
interne *m.* medical student in a hospital
interprète *m.* interpreter
interpréter to interpret
interrogatoire *m.* examination
interroger to question
interrompre to interrupt
intime intimate
intimider to frighten
s'intimider to be nervous
intrigant *m.* intriguer, schemer
intrigué puzzled
introduire to bring in
s'introduire to gain admittance, intrude
inutile useless, of no use, unnecessary
inutilité *f.* uselessness, futility
invalide *m.* *f.* invalid, cripple
inventaire *m.* inventory
inventer to invent
inventeur *m.* inventor
invétéré inveterate
inviolable inviolate, unprofaned
involontaire involuntary
invoquer to call upon
invraisemblance *f.* improbability
iris *m.* iris
irrégulier, -ère irregular
irrésistiblement irresistibly
irrévérencieux, -euse irreverent
irrévocablement irrevocably
irriter to irritate
isolé isolated, solitary
issue *f.* way out, exit
ivoire *m.* ivory
ivre drunk
ivresse *f.* drunkenness; rapture
ivrogne *m.* drunkard

J

jadis of old, formerly
jaillir to spout out
jais *m.* jet
jalousie *f.* jealousy
jaloux, -ouse jealous
jamais never, ever; **à —** forever
jambe *f.* leg
jambon *m.* ham
janséniste *m.* Jansenist (member of the Jansenist sect, austere Catholic group)
janvier *m.* January
jaquette *f.* jacket
jardin *m.* garden
jardinet *m.* small garden
jardinier *m.* gardener
jarre *f.* jar, jug
jaser to chatter
jatte *f.* bowl
jaunâtre yellowish
jaune yellow
jaunir to turn yellow
jeter to throw, cast, hurl, emit, utter
jeu *m.* game, gambling; performance
jeudi *m.* Thursday
(à) jeun fasting; **j'étais encore à —** I had not eaten (lunched) yet
jeune young
jeûne *m.* fasting
jeunesse *f.* youth, youth people
joaillier *m.* jeweler
joie *f.* joy
joindre to join, unite
joint joined, clasped, added
joli pretty, pleasing, nice, fine

jonché strewed
jongler to juggle
joue *f.* cheek; **coucher** (or **mettre**) **en —** to aim at
jouer to play, operate; imitate
joueur *m.* player
joug *m.* yoke, bondage
jouir to enjoy, revel in; possess
joujou *m.* plaything, toy
jour *m.* day, daylight, opening; **voir le —** to be born; **faire —** to be daylight; **petit —** morning twilight; **il fait —** it is daylight; **le —** in the daytime; **à —** open, in open work, full of holes
journal *m.* newspaper
journée *f.* day
joyeux, -euse joyful, merry
juge *m.* judge; **— d'instruction** police magistrate
juger to judge, believe, determine
juif *m.*, **-ive** *f.* Jew, Jewess
juillet *m.* July
jument *f.* mare
jupe *f.* petticoat, skirt
jupon *m.* skirt
jurement *m.* oath, swearing
jurer to swear, vow, blaspheme; to clash, not to match (of colors)
juron *m.* oath
jus *m.* juice, gravy
jusque till, until, as far as; **— là** till then, up to that point
juste just, equitable, exactly; **au —** exactly
justement precisely, exactly, just then, as it happens, by chance, at the right time
justice *f.* justice, courts of justice
justifier to justify
juvénile youthful

K

képi *m.* military cap
kilomètre *m.* kilometer (one thousand meters, about six-tenths of a mile); **à deux —s** two kilometers away
Kirsch *m.* cherry brandy
kreutzer *m.* kreutzer (German coin)

L

là there, here, then (of time); **—-bas** over there, down there; **—-haut** above, up there; **—-dessus** thereupon; **par —-dessus** over it all; **par —** there
laboratoire *m.* laboratory
laboureur *m.* husbandman
lâche cowardly
lâcher to undo, let go, fire
lâcheté *f.* cowardice, base action
lâcheur *m.* "quitter"
lacune *f.* gap, deficiency
lai lay (member of a monastic order though not a priest)
laid ugly, plain
laideur *f.* ugliness
laine *f.* wool
laisser to leave, quit, allow, permit
lait *m.* milk
laiterie *f.* dairy farm
laitière *f.* milch (cow), (goat)
laiteux, -se milky, milk-white
lambeau *m.* rag, tatter
lambrusque *f.* wild vine
lame *f.* billow
se lamenter to lament
lancer to throw
lancier *m.* lancer
lange *m.* swaddling-clothes (*pl.*)
langue *f.* tongue, language
langueur *f.* debility, weakness; **maladie de —** lingering disease
languir to languish, pine away, pine for
lapidaire *m.* lapidary (connoisseur of precious stones)
lapin *m.* rabbit
lard *m.* bacon
large *m.* breadth, space
large broad, wide, big, generous, free, easy, grand
largeur *f.* width
larme *f.* tear
larmoyant weeping

laryngite *f.* laryngitis
las, -se tired
se lasser to grow tired
latte *f.* lath
laurier *m.* laurel
lavage *m.* washing
lavande *f.* lavender
laver to wash
lécher to lick
lecteur *m.*, **-rice** *f.* reader
lecture *f.* reading, perusal
légendaire *m.* legendary
léger, -ère light, nimble, carefree, slight
légume *m.* vegetable
lendemain *m.* next day, day after
lent slow
lequel, laquelle, lesquels, lesquelles who, whom, which, that; which one?
lésion *f.* injury
lessive *f.* washing; **couler la —** to put clothes to soak
lesté ballasted
lestement briskly, quickly, lightly
levant *m.* East; **au jour —** at dawn
levée *f.* levying, call to arms; rising
lever to lift, lift up, raise; **se —** to rise, get up, stand up
lèvre *f.* lip
lézard *m.* lizard
lézarde *f.* crack, crevice
liane *f.* creeper
libéral generous
liberté *f.* liberty
libraire *m.* bookseller
libre free, at liberty, open
librement freely
lice *f.* warp; **haute —** large pieces of tapestry
licence *f.* license, liberty
licol *m.* halter
lié intimate
lien *m.* band; *pl.* bonds
lier to bind, tie
lierre *m.* ivy
lieu *m.* place; cause; *pl.* premises; **avoir — de** to have reason to; **avoir —** to take place
lieue *f.* league (two and a half miles)
lièvre *m.* hare
ligne *f.* line
ligoter to bind, fetter
lilas *m.* lilac
lime *f.* file
limer to file
limier *m.* bloodhound; policeman, detective
limiter to limit
limonade *f.* lemonade
linge *m.* linen, cloth
lire to read
lis *m.* lily
lisible legible, readable
lisière *f.* edge
lit *m.* bed
liteau *m.* stripe
litière *f.* litter, stretcher
litre *m.* liter (liquid measure: ⅞ of a quart)
littéralement literally
livre *m.* book, register
livre *f.* pound
livrer to deliver, give up, engage
se livrer à to be engaged in
livret *m.* little book
locution *f.* expression
loge *f.* room
logement *m.* dwelling
loger to lodge, put
se loger to lodge
logique logical
logis *m.* house; **corps de —** main building
loi *f.* law
loin far, far off; **de — en —** at great intervals; **au —** far away, far and wide; **de —** at a distance; **aller —** to succeed in life; **— de moi!** get away from me! **— de là** far from it
lointain remote, distant, far off; *m.* distance
Londrès *m.* regalia (cigar)
long *m.* length; **tout de son —** at full length; **le — de** along
longe *f.* tether
longer to go close to, skirt
longtemps long, a long time
longuement a long time

longueur *f.* length
loque *f.* tatter
loquet *m.* latch
lorgner to look at
lorgnette *f.* field glass
lorgnon *m.* eye glasses
Lorrain-e *m. f.* native of Lorraine
lors then; **pour —** then
lorsque when
louable praiseworthy
louage *m.* hire; **coupé de —** hired coupé
louange *f.* praise
louche suspicious, mysterious, squinting
louer to rent, take
louer to praise
louis *m.* louis (an old French coin equal to about $4.60)
loup *m.* wolf
lourd heavy, oppressive, clumsy
lourdement heavily
loutre *f.* otter, otter skin
lucarne *f.* garret-window
lueur *f.* glimmer, light
lugubre mournful
luire to shine, gleam
luisant shining, glossy, bright
lumière *f.* light; information
lumineux, -euse luminous
lundi *m.* Monday
lune *f.* moon; **clair de —** moonlight
lunette *f.* eye glasses
luron *m.* determined fellow
luthier *m.* lute-maker
lutte *f.* struggle, contest
lutter to struggle
luxe *m.* luxury
luzerne *f.* alfalfa

M

M. abbreviation of Monsieur
machinalement mechanically, instinctively
mâchoire *f.* jaw
mâchonner to munch, chew
maçonner to plaster, wall up
macreuse *f.* sea-duck
maculer to blot, spot
mademoiselle *f.* miss
maestro (*Italian:* master) artist, musician
magasin *m.* shop
magie *f.* magic
magnanime noble
magnifique magnificent, grand
maigre thin, poor
maigreur *f.* thinness
maigrir to grow thin
main *f.* hand
maintenant now
maintenir to maintain, keep up, secure, adhere to, hold
se maintenir to continue to be, keep up
maintien *m.* maintenance, keeping up
maire *m.* mayor
mairie *f.* town-hall
maison *f.* house, family; **— de ville** town hall
maître *m.* master, owner, proprietor; **— d'hôtel** steward
maîtresse *f.* proprietress, lady of the house
maîtresse superior, extraordinary
maîtrise *f.* music school (for the training of choir boys)
majestueux, -euse majestic
majeur of age
makis *or* **maquis** *m.* thicket
mal *m.* harm, misfortune, difficulty; disease; **faire —** to ache; **faire du — à** to injure, harm
mal wrong, badly; **se trouver —** to faint
malade *m. f.* sick person; (*adj.*) sick
maladie *f.* illness
malaise *m.* discomfort
mâle *m.* male
mâle male, manly
malédiction *f.* curses, damnation!
malencontreux, -se unlucky
malfaiteur *m.* criminal, malefactor
malgré in spite of
malheur *m.* misfortune, disaster, misery, disgrace
malheureusement unfortunately

malheureux, -se unfortunate
malice *f.* malice, trick, craftiness
malicieusement slyly
malignement maliciously
malin, -igne mischievous, sly, clever
malin *m.* **-igne** *f.* sly, shrewd rascal
malle *f.* trunk
malpropre dirty
malsain unwholesome
maltraiter to maltreat
mamelon *m.* rounded eminence
manant *m.* clodhopper
manche *m.* handle
manche *f.* sleeve; **en —s de chemise** in shirt sleeves
manège *m.* work, bustling, running about
mangeaille *f.* victuals
mangeoire *f.* manager
manger to eat, eat up or away
mangeur *m.* **-euse** *f.* eater
manie *f.* mania, inveterate habit
manier to handle
manière *f.* manner, way, kind; fuss; **de — à** so as to; **à la — de** like; **de — que** in such a way that
manifester to show
manne *f.* basket
manœuvre *f.* handling, working (a ship), manœuvre
manœuvrer to manœuvre, handle, drill
manque *m.* lack
manquer to lack, miss, fail; **— de faire quelque chose** to almost do something
mansarde *f.* attic, roof
mante *f.* mantle (woman's)
manteau *m.* cloak, mantel-piece
manufacture *f.* factory
manuscript *m.* manuscript
maquignon *m.* horse-dealer
maquis *m.* thicket
maraîcher *m.* market-gardener
maraîcher, -ère vegetable
marâtre *f.* step-mother
marbre *m.* marble
marchand *m.* **-e** *f.* merchant, dealer
marchandage *m.* bargaining
marchander to bargain, haggle
marchandise *f.* merchandise
marche *f.* walking, gait, march, advance, step; stair
marché *m.* market, market-place, bargaining; **à bon —** cheaply; **avoir bon — de** to easily get the better of
marcher to walk
mardi *m.* Tuesday
mare *f.* pool
maréchal *m.* blacksmith; marshall
marguillier *m.* churchwarden
mari husband
mariage *m.* marriage
mariée *f.* bride
marier to marry, give in marriage
marin *m.* seaman
maritorne *f.* coarse woman
marjolaine *f.* sweet marjoram (aromatic plant resembling mint)
marmite *f.* pot
marmotter to mutter
maroquin *m.* morocco-leather
marque *f.* mark
marquer to mark, show; **— le pas** to beat time
marri grieved
marron *m.* chestnut
marronnier *m.* chestnut-tree
marteau *m.* hammer; **avoir un coup de —** to be somewhat gone in the upper story
martial martial, warlike
Martin Bâton "Mr. Stick" (humorous personification of the instrument of punishment)
martyre *m.* martyrdom
mas *m.* farm (in southern France)
massacrer to massacre, murder
massif, -ve massive; **—** *m.* solid mass, group (of mountains)
massue *f.* club
masure *f.* hovel
mat unpolished, dull
mât *m.* mast; **— de perroquet** top-gallant-mast
matelas *m.* mattress

matelot *m.* sailor
mathématiquement mathematically
matin *m.* morning
matin early; **de si grand —** so early
matinal morning, rising early
matines *f. pl.* matins (early morning prayers)
maudit cursed
maussade sullen, cross
mauvais bad, wretched, tattered; **— sujet** worthless scoundrel
mécanisme *m.* mechanism
méchamment maliciously
méchanceté *f.* malice
méchant bad, ill-natured, malicious
mécontenter to displease
médaille *f.* medal
médecin *m.* doctor, physician
médiocre mediocre, poor
médiocrement hardly, only moderately
méfiant distrustful
se méfier (de) to beware, be on one's guard, take care, look out
meilleur better, best
mélange *m.* mingling
mélanger to mix
mêlé mixed, confused
mêler to mix, mingle; **se —** to take part in; **se — de** to meddle with; **mêlez-vous de vos affaires** mind your own business
méli-mélo *m.* jumble
membre *m.* member, limb
même same, very (after noun); **la sonorité —** the sound itself
même even; **tout de —** all the same; **de — que** just as
mémoire *f.* memory
menaçant threatening
menaçer to threaten
ménage *m.* housekeeping, household
ménagement *m.* regard, consideration, caution
ménager to contrive, construct, humor
ménager *m.* farmer (in Provence)
ménagère *f.* housewife
mendiant *m.* beggar
mener to guide, conduct, lead
ménétrier *m.* village fiddler
menotte *f.* handcuffs (*pl.*)
mensonge *m.* lie
menterie *f.* falsehood
menteur *m.* liar
mention *f.* note
mentir to lie
menton *m.* chin
menu small, petty
menuisier *m.* carpenter
se méprendre to be mistaken
mépris *m.* contempt
mépriser to despise, slight
mer *f.* sea
mercerie *f.* haberdashery, dry-goods
merci *f.* mercy
merci *m.* thanks
mercier *m.* **-ère** *f.* haberdasher
mercredi *m.* Wednesday
mère *f.* mother
meringue *f.* cake with cream frosting
mérinos *m.* merino (woolen cloth)
mérite *m.* talent
mériter to deserve, merit
méritoire meritorious
merle *m.* blackbird
merveilleux, -euse wonderful, marvelous
mesquinerie *f.* meanness
messe *f.* mass
messieurs *m. pl.* gentlemen
mesure *f.* measure; punishment; **en —** accordingly; **à — que** in proportion as, while, as
mesurer to measure
métairie *f.* dairy farm
métamorphose *f.* transformation
méticuleux, -euse over-scrupulous
métier *m.* trade, profession, loom
mètre *m.* meter (French measure, 39⅓ English inches)
mets *m.* dish, food
mettre to put, put on, reduce, use, exercise, estimate; **— la**

main sur to attack, lay hands on; — le feu to set fire; — le couvert to set the table; se — to begin
meuble *m.* piece of furniture
meubler to furnish
meuglement *m.* lowing, bellowing
meunier *m.* miller
meurtre *m.* murder
meurtri bruised, black and blue; **il en avait le cœur —** it made his heart bleed
meurtrier *m.* murderer
meurtrière *f.* loophole
meurtrir to bruise
midi *m.* noon, south
mieux better, best; **faire de son —** do one's best
mignon, ne delicate, pretty
mignonne *f.* darling
migraine *f.* sick or nervous headache
milice *f.* militia
milieu *m.* middle, midst; society
militaire *m. and adj.* soldier, military
mille thousand
mince thin, slender, poor
mine *f.* mien, appearance; **faire —** to pretend
miner to undermine, wear away
ministère *m.* department, department building
minuit *m.* midnight
minutieux, -euse minute, particular
mioche *m. f.* urchin
miraculeux, -euse miraculous, wonderful
miroir *m.* looking-glass
mis dressed
misérable *m. f.* wretch
misérablement wretchedly
misère *f.* wretchedness, want, trouble; **j'aurai l'air misère comme tout** I shall look poor as anything
miséricorde *f.* mercy (on us!), compassion
mistral *m.* north-west wind (in southern France)
mitraille *f.* grapeshot
mitre *f.* mitre
Mlle abbreviation of **Mademoiselle**
Mme abbreviation of **Madame**
mode *f.* fashion, way
modifier to change
moelle *f.* marrow
moelleux, -euse soft
moellon *m.* ashlar, rough-stone
moindre less, the slightest
moine *m.* monk
moinette *f.* little nun
moinillon *m.* petty monk
moins less; **du —** at least; **à — que** unless
moins *m.* least, less
moire *f.* watered silk
mois *m.* month
moisson *f.* harvest
moite moist
moitié *f.* half
mollement gently, softly
molosse *m.* watchdog
moment *m.* moment, instant; **au — où, au — que** the instant that; **de — en —, d'un — à l'autre** from moment to moment, any instant
momie *f.* mummy
momifier to mummify, transform into a mummy
monarchique monarchial
monastère *m.* monastery
monde *m.* world, people
monnaie *f.* money
monologuer to talk to one's self
monomanie *f.* monomania
monotone monotonous
monseigneur *m.* your Grace
monsieur *m.* gentleman, Mr. (mister), sir
monstre *m.* monster
monstrueux, -se monstrous, outrageous
mont *m.* mountain
montagnard highland
montagnard *m.* mountaineer
montagne *f.* mountain
montant high-necked
montée *f.* rise, ascent
monter to mount, carry up, stock

montre *f.* watch
montrer to show, point out
se moquer to make fun of, disregard
moquerie *f.* scoff, jeer
moraine *f.* moraine
moral mental
morceau *m.* piece
mordre to bite
morne gloomy
mort *f.* death; *adj.* dead
mortifier to mortify, humiliate
mortuaire mortuary, burial
mot *m.* word; **— carré** word square, puzzle
motif *m.* motive
mou, mol *m.* **molle** *f.* soft
mouche *f.* fly
se moucher to blow one's nose
moucheté spotted, speckled
mouchoir *m.* handkerchief
moufle *f.* mitten
mouflon *m.* wild sheep
mouillé watery
mouiller to wet, moisten; **— (à) l'ancre** to anchor
moule *m.* mold
moulin *m.* mill
moulinet *m.* small mill; **faire le — avec** to whirl
moulu ground
mourant dying person
mourir to die
se mourir to be dying
mousquetaire *m.* musketeer
mousse *f.* moss, foam
mousse *m.* cabin boy
mousseux, -euse foaming, frothy
moussu mossy
moutardier *m.* mustard-maker
mouton *m.* sheep
mouvant moving, shifting
mouvement *m.* movement, bustle, spirit; impulse
mouvoir to move, prompt
moyen *m.* means, way; **au — de** by means of
moyen, -ne middle; **le — âge** the Middle Ages
mucre damp
muet, -te speechless, silent
mugir to bellow, low
mule *f.* mule
mulet *m.* mule
multiple numerous
munir to provide (with)
munition *f.* ammunition; provisions (*pl.*)
mur *m.* wall; **— d'appui** parapet wall, window sill
mûr mature
muraille *f.* wall
murer to wall up, wall in
mûrir to ripen
murmure *m.* murmuring, muttering
murmurer to murmur, mutter, whisper
musique *f.* music, band
myrte *m.* myrtle
mystère *m.* mystery, mystery-play
mystérieusement mysteriously
mystérieux, -se mysterious

N

nager to swim
naguère lately
naïf, -ve naive, candid, simple
naissance *f.* birth
naître to be born
napolitain Neapolitan
nappe *f.* tablecloth; surface, sheet (of water)
narine *f.* nostril
narrer to relate
natal native
natif, -ve natural
natif *m.* native
natte *f.* mat
naturel *m.* nature; *adj.* natural
naufragé castaway, shipwrecked
nausée *f.* nausea
navet *m.* turnip
navette *f.* shuttle
navigateur *m.* navigator
navigation *f.* navigation
navire *m.* vessel
navrant heart-rending
navré broken-hearted
néanmoins nevertheless
nébuleux, -euse gloomy
nécessaire necessary

nécessairement necessarily, of course
nécessiteux, -euse needy, poverty-stricken
nécroman *m.* wizard
nef *f.* nave
néfaste inauspicious
négligence *f.* negligence, carelessness
négliger to neglect, overlook
négociant *m.* merchant
nègre *m.* negro
négresse *f.* negress
négrier *m.* slave-ship; **bâtiment —** slave-ship
neige *f.* snow
neiger to snow
nerveux, -euse nervous
net, -te clean, clear, empty
net *m.* fair copy; **mettre au —** to make a fair copy
net entirely, outright
nettement plainly
netteté *f.* distinctness
nettoyage *m.* cleaning
nettoyer to clean
neuf nine
neuf, -ve new
neveu *m.* nephew
nez *m.* nose
ni neither . . . nor
niais foolish
niche *f.* niche, nook, kennel
nid *m.* nest
nier to deny
nimbe *m.* halo
nipper to fit out
niveler to level, make even
n° abbreviation for **numéro**
noble noble, of noble birth or descent; *m. f.* nobleman
noblement nobly, honorably
noblesse *f.* nobleness
noce *f.* wedding; *pl.* marriage
noctambule night-wandering
nocturnal nightly, nocturnal
nocturne nocturnal
noël *m.* Christmas
nœud *m.* knot, bow
noir black, negro
noircir to blacken, stain
noisette *f.* hazelnut
nom *m.* name; (in oaths) **— de —!** hang it! confound it!
nomade *m.* nomad; *adj.* wandering
nombre *m.* number
nombreux, -se numerous
nomination *f.* appointment
nommer to name, call; **se —** to be named or called
non no, not; **— plus** either, **ni moi — plus** nor I neither
nonchalamment carelessly, indolently
nonobstant notwithstanding
nord *m.* North; **—-ouest** northwest
normand *m.* Norman
nostalgie *f.* longing
notaire *m.* notary
note *f.* note, bill; **changer de —** to change one's tune
noter to observe
nouer to tie
nourri nourished, sustained, brisk
nourrir to nourish
nourriture *f.* food
nouveau new, fresh, additional, recent
nouvelle *f.* news
nouvellement recently
novice *m. f.* probationer
noyau *m.* stone (of fruit)
noyé drowned, covered
noyer *m.* walnut
noyer to drown
nu naked, bare; **—-pieds** barefoot
nuage *m.* cloud
nuance *f.* difference, distinction
nudité *f.* nakedness
nuire to hurt, be harmful
nuit *f.* night; **— close** nightfall; **cette —** last night
nuitamment by night
nullement not at all
numéro *m.* number
nuque *f.* nape (of the neck)

O

obéir to obey
obéissance *f.* obedience

obéissant obedient, docile
obit *m.* obit (a service in commemoration of the dead)
objet *m.* object
obscur dark, obscure, not clear
obscurcir to darken
obscurité *f.* darkness
observation *f.* remark
Observatoire *m.* observatory
obstiné obstinate
obstinément obstinately
obstrué obstructed
obstruer to obstruct
obséder to obsess, torment
obtenir to obtain, get
occasion *f.* occasion, opportunity
occuper to occupy; **s'—** to busy oneself (**de**, with)
octogénaire *m. f.* person eighty years old
odieux, -euse odious, loathsome
odorant fragrant
œil *m.* eye, look; **à vue d'—** visibly
œsophage *m.* gullet
œuf *m.* egg
œuvre *f.* work
offenser to offend
office *m.* service, worship
officiant *m.* officiating priest
officiellement officially
officier *m.* officer; **— de quart** (*nav.*) officer of the watch
offrande *f.* offering
offre *f.* offer, proposal
offrir to offer
s'offrir to treat one's self to
ogive *f.* pointed arch; **en —** pointed
oie *f.* goose
oiseau *m.* bird
oiseux, -se useless, vain
oisif, -ve idle
oisif *m.* idler
olivier *m.* olive tree
ombrage *m.* shade, suspicion
ombre *f.* shade, shadow, darkness; spirit
oncle *m.* uncle
onction *f.* impressiveness
onctueux, -euse earnest
ongle *m.* fingernail
onze *m.* eleven
opérer to operate, effect, have effect
s'opérer to take place
opiniâtre stubborn
opportunité *f.* opportuneness
s'opposer to resist
oppresseur *m.* oppressor
or *conj.* now, but, well
or *m.* gold, gold color
orage *m.* storm, tempest
orageux, -euse stormy
oraison *f.* prayer
orangé orange-colored
oranger *m.* orange-tree
oratoire *m.* private chapel
ordinaire *m.* ordinary; (*milit.*) mess; **d'—** ordinarily; **comme à son —** in his usual fashion
ordination *f.* ordination
ordonner to order, direct
ordre *m.* order, command
ordure *f.* slops, rubbish
oreille *f.* ear; **avoir l'— dure** to be hard of hearing
oreiller *m.* pillow
organe *m.* organ; medium
organiser to form
orgie *f.* orgy
orgue *m.* organ
orgueil *m.* pride
orgueilleux, -euse proud
orme *m.* elm
ornement *m.* ornament
orner to decorate
ornière *f.* rut, ditch
orphelin *m.* **-e** *f.* orphan
ortie *f.* nettle
os *m.* bone
osciller to swing
oser to dare
osseux, -euse bony
otage *m.* hostage
ôter to remove, take off
oublier to forget
oui yes; **—-dà** yes, indeed
ourdisseur *m.* **-euse** *f.* warper (person who prepares the loom for the weaver)
outil *m.* tool, implement
outre beyond, in addition to; **en —** besides, moreover

ouvert open, frank; **—e tout au large** wide open
ouverture *f.* opening
ouvrage *m.* work
ouvragé figured
ouvrier *m. f.* workman, worker
ouvrir to open; **s'—** to open oneself, begin

P

pacifique peaceable
paillasse *f.* straw mattress
paille *f.* straw, chaff, straw-bottom
paillette *f.* spangle, ripple
pain *m.* bread, loaf
paire *f.* pair, couple
paisible peaceful
paître to graze
paix *f.* peace
palais *m.* palace
paletot *m.* overcoat
palette *f.* paddle
paleur *f.* paleness
palier *m.* landing
pâlir to become pale
palme *f.* palm-tree; **— de Dieu** a mild oath
paltoquet *m.* lout, bloke
pan *m.* flap, part
panache *m.* plume
panier *m.* basket
panique *f.* panic
panneau *m.* square, panel
panse *f.* paunch
panser to dress (wounds)
pantalon *m.* trousers
pantoufle *f.* slipper
paon *m.* peacock
pape *m.* Pope
paperasse *f.* old paper
papier *m.* paper
papillon *m.* butterfly
Pâques *m.* Easter
paquet *m.* bundle, mass
par by, through, in, for, with; **— où?** which way? **— -dessus** over; **— -ci — -là** here and there
paradis *m.* paradise
paraître to appear, seem, look like
paralyser to paralyze
parapluie *m.* umbrella
parbleu! mild expletive for "*par Dieu*"
parce que because
parcourir to look over, go through
pardi a mild oath
pardonner to forgive
pareil like, similar, equal
pareillement likewise
parent *m.*, **-e** *f.* relative; *pl.* parents
parenté *f.* relationship
parer to adorn; **— à** to provide for
paresseux, -euse *n. and adj.* lazy person; lazy
parfaire to perfect
parfait perfect
parfaitement perfectly
parfois sometimes
parfum *m.* perfume
parisien, -ne Parisian
parler to speak
parmi among
paroisse *f.* parish
paroissial parish
paroissien *m. f.* parishioner
parole *f.* speech, word, word of honor
parquet *m.* office of the public prosecutor; wood floor
parrain *m.* godfather
part *f.* part, portion; **quelque —** somewhere; **de ma —** on my behalf; **de toutes —s** on every side; **à —** apart, aside
partager to share, to divide, participate in
parterre *m.* pit (floor of a theatre); flower bed
parti *m.* side; **prendre un —** to make a decision; **prendre son —** to resign oneself; **être du — de** to be on the side of
participer to participate
particulier, -ère particular, peculiar, private
particulier *m.* individual

particulièrement especially
partie *f.* part, game, party
partir to set out, drop off, go away, depart, come; go off (of firearms); **à — de** from
partout everywhere
parure *f.* finery, ornament
parvenir to come, reach, succeed
parvenu *m.* upstart, snob
pas *m.* step, pace, footstep, stride, gait; threshold; **faire un faux —** to make a false step; **à — comptés** very slowly; **— gymnastique** trot
passablement passably, somewhat tolerably
passage *m.* passing, passage, way, crossing
passant *m.* passer-by
passavant *m.* gangway
passé past, last; faded, worn
passé *m.* past life
passementer to ornament
passer to pass, pass along or over, go; to be considered; to put on; to protrude; **— à la revue** to pass in review
se passer to pass; happen, take place; elapse
passionné passionate
passionnément passionately
passionner to interest deeply, absorb
pastèque *f.* watermelon
pasteur *m.* pastor
patati et patata gabble gabble!
patatin, patatan tra-la-la, tra-la-lee (nonsensical refrain of song)
pâte *f.* dough; mass
pâté *f.* blot (of ink)
pâtée *f.* paste, victuals
patenôtre *f.* Lord's prayer
pater *m.* Lord's prayer
patère *f.* clothes peg
paterne fatherly
paternel, -le paternal
paternellement paternally
pâtisserie *f.* pastry, cake
pâtissier *m.*, **-ère** *f.* pastry cook
patois *m.* dialect, jargon
patrie *f.* home
patriote *m. f. and adj.* patriotic
patron *m.* master, employer, "boss," proprietor
patronal patronal; **fête —e** patron saint's day
patronne *f.* mistress
patte *f.* paw; **à quatre —s** on all fours
pâture *f.* food
paupière *f.* eyelid
pauvre poor
pauvret *m.* **-te** *f.* poor thing
pauvreté *f.* poverty
pavé *m.* pavement
paver to pave
pavillon *m.* pavilion, wing
pavoiser to adorn with flags
payer to pay
pays *m.* country, place, district; fellow-countryman; village
paysage *m.* landscape
paysan *m.* peasant
payse *f.* fellow countrywoman
peau *f.* skin
Pécaïre! poor thing!
peccadille *f.* slight offense
péché *m.* sin
pêcher to fish; **— à la ligne** to angle
pécheur *m.*, **-eresse** *f.* sinner
pécuniaire pecuniary
peigner to comb
peindre to paint, express
se peindre to be represented, be expressed
peine *f.* penalty, pain, sorrow, trouble, difficulty; **à —** hardly; **être fort en —** to be much troubled; **ce n'est pas la —** it is not worth while
peiner to pain
peintre *m.* painter
peinture *f.* painting, paint
pelage *m.* coat, fur
pêle-mêle helter-skelter
pêle-mêle *m.* confusion
pèlerinage *m.* pilgrimage
pèlerine *f.* cape
pelisse *f.* fur coat
pelle *f.* spade
peloton *m.* platoon; **feu de —** volley, platoon-firing

penchant *m.* tendency, inclination
pencher to bend; **se —** to lean (out)
pendant during; **— que** while
pendre to hang
pendu hung, hanging
pendule *f.* clock
pénétrant penetrating
pénétrer to penetrate
pénible laborious
pensée *f.* thought
penser to think
pension *f.* pension, annuity; board; **— de retraite** retiring pension
pensionnaire *m. f.* boarder; school-girl
pente *f.* slope, descent
percale *f.* cambric, muslin
perce *f.* piercer, borer; **mettre en —** to pierce
perception *f.* collectorship
percer to pierce, cut (through)
perche *f.* pole
perché perched
perdre to lose, to be the ruin of
perdu lost, stray
père father, sire
perfide *m.* traitor
périlleux, -euse perilous
périr to perish
perle *f.* pearl, bead; **— fine** real pearl
permettre to allow, permit; **se —** to take the liberty
perpétuellement perpetually
perplexe perplexed
perplexité *f.* perplexity
perron *m.* flight of steps, outside landing
perroquet. See mât
perruque *f.* wig
persécuteur *m.*, **-rice** *f.* persecutor
persévérant persevering
persister to persist (in)
personnage *m.* personage, person
personne *f.* person
personne anyone, no one, nobody
perspective *f.* prospect
persuader to convince
perte *f.* loss, ruin; **à — de vue** as far as the eye can reach
pesant heavy
pesée *f.* pressure, weighing
pèse-liqueur *m.* hydrometer (instrument for determining the amount of alcohol in a liquid)
peser to weigh
pétard *m.* firecracker
pétillement *m.* crackling, sparkling
pétiller to sparkle
petiot, -e *n. and adj.* little one
petit little, small; **— -maître** dandy; **petite-fille** granddaughter
pétrifier to petrify
peu little, not very, few; **— à —** by degrees; **depuis —** recently; **dans —** in a little or short time
peuple *m.* people, working classes, subjects
peupler to populate
peuplier *m.* popular
peur *f.* fear; **avoir —** to be afraid
peureux, -euse timid
peut-être maybe, perhaps
pharmacien *m.* apothecary
phrase *f.* sentence
physionomie *f.* countenance
physique physical
piaffer to paw (the ground)
piailler to bawl, scream
pic *m.* peak
picholine *f.* pickled olive; **à la —** pickled
pièce *f.* play; document, paper; cannon; coin; room; **mettre en —s** to tear to pieces
pied *m.* foot; **— à —** step by step; **à —** on foot, afoot; **se lever en —** to stand up
pierre *f.* stone, rock; jewel, precious stone; **— à feu** flint; **Saint Pierre** Saint Peter; **— de taille** building stone
pierreries *f. pl.* precious stones
piété *f.* piety
piétinement *m.* stamping
pieu *m.* stake, post

pieux, -euse pious
pigeonnier *m.* dove-cot
pile *f.* pile, heap
piler to powder
pilier *m.* pillar
pillage *m.* pillage, plunder
piller to plunder, ransack
pilon *m.* pestle, wooden leg
pilote *m.* pilot
pin *m.* pine
pince-nez *m.* eye glasses
pincer to pinch
pioche *f.* pickax
piquer to prick, prod; pick out
piquette *f.* thin wine
piqueur *m.* huntsman
piqûre *f.* hole
pis worse
piste *f.* track, trail
pistolet *m.* pistol
piteusement piteously, woefully
pitié *f.* pity; **faire —** to cause pity; **c'était —** it was pitiful
pitoyable pitiable, wretched
pittoresque picturesque
place *f.* place, room, seat, employment; public square; stronghold; fortified town; **— d'armes** parade ground
placer to place, invest
plafond *m.* ceiling
plaie *f.* wound
plaindre to pity, grudge
se plaindre to complain
plaine *f.* plain
plainte *f.* complaint, groaning; plaintive sound
plaire to please
plaisant pleasant, funny, agreeable
plaisant *m.* jester
plaisanter to joke
plaisanterie *f.* joking, joke
plaisir *m.* pleasure
plan *m.* design, plan
planche *f.* board; **—s d'un bateau** planks, ribs, of a boat
plancher *m.* floor
plante *f.* plant
planter to plant; **bien planté** wellbuilt, strong
planteur *m.* planter
plat *m.* dish, platter, food, course (at dinner); flat side
plat flat
plat-bord *m.* gunwale
plateau *m.* tray, plateau
plate-forme *f.* platform
plâtre *m.* plaster
plâtrier *m.* plasterer
plein central; full, open, complete
plénière full, complete
pleurer to weep, cry, mourn (over, for)
pleurs *m. pl.* tears
pleuvoir to rain
pli *m.* fold, wrinkle
pliant *m.* folding-chair
plier to bend
plomb *m.* lead, shot
plombé leaden-colored
plonger to plunge, throw
pluie *f.* rain
plume *f.* feather, plume, pen
plupart *f.* most, the greatest part, the majority
plus more, no more; **pas — de** no more; **non —** neither; **ne — que** nothing but, only; **au —, tout au —** at most; **de — en —** more and more; **de —** more
plusieurs several
plutôt rather; **voyez —** look, or see, for yourself
pluvial rainy; **eau —e** rain-water
poche *f.* pocket, sack
poêle *m.* stove
poids *m.* weight
poignant painful
poignard *m.* dagger
poignarder to stab
poignée *f.* handful, handshake; **à —s** by handfuls
poignet *m.* wrist, wrist-band
poil *m.* hair; nap (of cloth, of hats)
poindre to appear
poing *m.* fist
point *m.* point; **à —** perfectly, just right

point no, not, not at all, not any, none
pointe *f.* point (sharp end); tiptoe; **à la — du palais** at the highest point of the palace
pointer to point
pointu pointed
poire *f.* pear; **— à poudre** powder-flask
poirier *m.* pear tree, pear wood
pois *m.* pea; **petits —** green peas
poisson *m.* fish
poitrine *f.* chest, breast, lungs
poli polite
policier *m.* police inspector
poliment politely
polisson *m.* young rascal
politesse *f.* politeness
politique *f.* politics
politique political
polonais Polish
pommader to pomade
pomme *f.* apple; **— de terre** potato
pommette *f.* cheek-(bone)
pompe *f.* pump
pomper to pump
pompeux, -euse pompous
pompon *m.* tuft, woolen ball ornament
ponceau poppy-colored
ponctuel, -le punctual
pont *m.* bridge, deck
portail *m.* front gate, door-way, portal
porte *f.* door
porte-bannière *m.* banner bearer
portée *f.* range; **à quelques —s de fusil** a few gun-shots away
portefeuille *m.* portfolio, bill-case
porter to carry, bear, bring; wear; put; **y — la griffe** to reach for a thing; **— une santé** to propose a toast
se porter to be, go
porteur *m.*, **-euse** *f.* bearer
portière *f.* carriage door, portière
posé set
poser to set, put; **se —** to perch
possédé *m.* possessed of the devil
posséder to possess, be possessed of, be master of
se posséder to command one's self; **il ne se posséda plus** he was beside himself
possesseur *m.* possessor
possession *f.* possession (of the devil)
poste *f.* mail; stage-coach
poster to station, place
postillon *m.* post-boy
posture *f.* position
pot *m.* pot, jug; **—-au-feu** meat stew
potée *f.* stew
potelé plump
potence *f.* gallows; **faire banqueroute à la —** to cheat the gallows
poterie *f.* earthenware
pouce *m.* thumb; inch
poudre *f.* powder, gunpowder
poudrer to powder, sprinkle
poudreux, -euse dusty
poudroyer to be dusty
poule *f.* hen
poulet *m.* chicken
pouls *m.* pulse
poupe *f.* stern
poupée *f.* doll
pour for, for the sake of, as for, as to, instead of, in order to; **— que** in order that
pourpoint *m.* doublet, waistcoat
pourpre *m.* purple
pourquoi why
poursuite *f.* pursuit
poursuivre to pursue, chase, persecute
pourtant however, yet, still
se pourvoir to provide oneself
pourvu que provided that, it is to be hoped that
poussée *f.* push; growth
pousser to push, drive, put forth (of plants); utter, urge, carry out, grow, nudge (with the elbow)
poussière *f.* dust
poussiéreux, -se dusty
poutre *f.* beam

pouvoir can, may, to have power; **n'en — plus** to be worn out; **on ne peut plus** exceedingly
pouvoir *m.* power
prairie *f.* meadow
praticable practicable
praticien *m.* practitioner
pratique *f.* practical part, business, customer, custom
pratique practical
pratiquer to make
pré *m.* meadow
préau *m.* yard, courtyard (of a convent)
précédent preceding
précieux, -euse precious, valuable
précipitamment hurriedly
précipitation *f.* haste
précipité hasty
précipiter to precipitate, hurl; **se —** to rush down, rush on
précis precise, accurate
précoce premature
prédire to predict
préfecture *f.* prefectship; **— de police** headquarters (of the police)
préférer to prefer
se prélasser to strut
premier, -ère first, former; **la première** first performance of a play
prendre to take (on), seize, assume; overcome; get, call for; catch (to surprise)
se prendre to begin, go to work; **se — d'amour** to fall in love
préoccuper to absorb
préparatif *m.* preparation
près near, by, close, close by, nearly; **à peu —** nearly
presbytère *m.* parsonage
présenter to present, offer; **se —** to present oneself, appear
préserver to preserve
présider to preside (over)
presque almost, nearly
pressé hurried, crowded, serried
pressentiment *m.* presentiment, foreboding
pressentir to foresee
presser to press, squeeze, pull (trigger); crowd, hurry, urge
prestance *f.* commanding appearance
preste nimble
prêt ready
prétendre to claim
prétendu so-called, would be
prétention *f.* claim
prêter to lend, impart
prêteur *m.*, **-euse** *f.* lender
prêtre *m.* priest
preuve *f.* proof
prévenance *f.* kindness
prévenir to anticipate, prevent; inform, warn
prévoir to foresee
prévoyance *f.* foresight
prier to pray, entreat, request; **se faire —** to require urging
prière *f.* prayer, request, entreaty
prieur *m.* prior (superior of a convent)
prince *m.* prince; **bon —** good fellow (easy-going, good-natured)
principalement chiefly
principe *m.* principle, conviction; **dans le —** to begin with
printanier, -ère spring-like; youthful
printemps *m.* spring
prise *f.* capture, hold
prisonnier *m.*, **-ère** *f.* prisoner
privé, -e private
prix *m.* price; **à tout —** at any price, at any cost
probité *f.* honesty
procédé *m.* proceeding
procéder to proceed
procès-verbal *m.* official report
prochain near, nearest, approaching
proche near
proclamer to announce
prodige *m.* wonder
prodigieusement amazingly
prodigieux, -euse wonderful
produire to produce
produit *m.* yield
proférer to utter

profiter to profit, benefit, avail oneself
profond deep, profound
profondément deeply
profondeur *f.* depth
proie *f.* prey
projet *m.* project, scheme
projeter to project, cast
prolonger to prolong
promenade *f.* excursion
promener to take out for an airing; to turn (one's eyes, looks), cast; utter
se promener to walk, take a walk, promenade
promesse *f.* promise
promettre to promise
promis *m.*, **-e** *f.* a lover, sweetheart
promptement promptly
promptitude *f.* promptness
pronom *m.* pronoun
prononcer to pronounce, utter; **se —** to declare oneself, speak out
propos *m.* discourse; *pl.* remarks; **à —** by the way
propre own; clean, neat; **nous voilà —s** here we are in a fine mess
proprement correctly; **à — parler** as a matter of fact
propreté *f.* cleanliness
propriétaire *m. f.* owner
propriété *f.* property
pro-recteur *m.* vice-rector
proscrire to proscribe, taboo
proscrit *m.* exile, outlaw
prosterner to prostrate
protecteur *m.*, **-rice** *f.* protector
protéger to protect, shield
protester to protest
proue *f.* prow
prouver to prove, show
provençal, -e *n. and adj.* Provençal
province *f.* province; **en —** in the country
provision *f.* supply; **faire — de** to get in a supply of; **aller aux —s** to go marketing
provoquer to provoke, call forth, invite
prudemment cautiously
prudent cautious
pruneau *m.* prune
prunelle *f.* pupil, apple (of the eye)
prussien, -ne Prussian
psaume *m.* psalm
puant stinking
publier to publish
puce *f.* flea
puéril boyish
puis then, after that, afterwards
puiser to take
puisque as, since, because
puissant powerful
puits *m.* well
punir to punish
pur pure
purement purely, correctly
purgatoire *m.* purgatory
pusillanime faint-hearted

Q

quai *m.* quay, wharf
qualité *f.* title; **en — de** in the capacity of
quand when; **— même** just the same, even so, in spite of that
quant à as for, with regard to
quarantaine *f.* about forty; **faire la —** to perform quarantine (enforced isolation)
quart *m.* quarter; **officier de —** officer of the watch
quartier *m.* block, quarter (of a town), district; *pl.* quarters
quasi almost
quasiment almost
quatorze *m.* fourteen; in piquet: four cards alike
quatre four; **— à —** on the run
quatre-vingts eighty
quatrième fourth
que that, how (much), how many, as, when, then, because
quel, -le what, which, whatever
quelconque any, any whatsoever

quelque some, any, a few, whatever, several; **— part** somewhere; **— peu** somewhat of a
quelquefois sometimes
quelqu'un, -e somebody, someone, anybody
querelle *f.* quarrel
quereller to quarrel with, to scold
quérir to fetch
quête *f.* search
quêteur *m.* mendicant (friar)
queue *f.* tail, end, billiard-cue
qui who, whoever, whomsoever, which; **— deçà — delà** some one way, some another
quiconque whomsoever
quinte *f.* quint; in piquet: a series of five cards in the same suit
quinze fifteen
quitter to leave, abandon, forsake
quoi which, what; **de —** enough, sufficient; **— qu'il en soit** be that as it may
quoi! what! to be sure! so to speak!
quoi que whatever
quoique although
quotidien, -ne daily

R

rabais *m.* reduced price
rabattre to lower, turn down
raccommoder to mend, repair
race *f.* race, breed, class
racine *f.* root
râclée *f.* thrashing
raconter to tell, relate
radieux, -euse beaming
radotage *m.* idle talk
radoter to rave
raffoler to be passionately fond (of)
rafraîchir to cool
ragaillardir to make merry
rageusement angrily
raideur *f.* inflexibility
raide rigid; **— mort** stone dead
raidir to stiffen
raie *f.* streak
railleusement jestingly
raisin *m.* grape; **—s secs** raisins
raison *f.* reason, good sense, argument, excuse; **avoir —** to be right; **avoir — de** to get the better of; **à — de** at the rate of
raisonnable reasonable, sensible
raisonné rational
raisonner to reason
rajeunir to grow young again
ralentir to slacken
rallumer to relight
ramassé thick-set, heavy
ramasser to pick up
rame *f.* oar
rameau *m.* branch
ramener to bring back
ramer to row
rameur *m.* rower
rampe *f.* handrail
ramper to creep
rancart *m.* refuse; **mettre au —** to throw aside
rancune *f.* spite, grudge
rancunier, -ère spiteful, inclined to hold a grudge
rang *m.* line, rank, class; **se mettre sur les —s** to offer himself as a candidate
rangée *f.* row, line
ranger to put in order, arrange
se ranger (*milit.*) to fall in line, line up
ranimer to revive, cheer up
râpé shabby
rapide swift, fleet; steep; quick
rapidement rapidly, steeply, suddenly
rapiécer to patch, mend
rappeler to recall, call back; **se —** to remember
rapport *m.* relation, report
rapporter to bring again, bring back, report
se rapporter to have reference to; **s'en — à** to leave it to (any one)
rapprocher to draw near again, bring together; **rapproché** close together
se rapprocher to come near (again)
rare scarce

rarement rarely
rareté *f.* scarcity
ras *m.* short-nap cloth; **au — de** nearly level with
raser to shave
rassasier to satiate
rasseoir to seat again
rassis calm, sober
rassurer to reassure, cheer; **se —** to feel or be reassured; **rassurez-vous** don't be afraid, set your mind at rest
rata *m.* "grub," stew
rater to miss
ratifier to ratify
ratisser to rake
rattraper to catch again
rauque hoarse
ravi delighted
ravir to charm, delight
se raviser to think better of it
ravissement *m.* delight
rayon *m.* ray, beam, shelf
rayonnant radiant
rayonnement *m.* radiance
rayonner to beam, shine
razzia *f.* raid
réapparition *f.* reappearance
rebelle rebellious
reboucher to stop up again, stuff up
rébus *m.* rebus, conundrum
rebut *m.* refuse, trash
recette *f.* recipe
receveur de l'enregistrement *m.* recorder, registration officer
recevoir to receive
rechange *m.* spare things; **de —** spare
réchapper to escape
recharger to load again
réchaud *m.* heating apparatus
recherche *f.* search, research
recherché sought after
rechercher to seek for
rechute *f.* relapse
récit *m.* narrative, tale
réciter to recite
réclamer to implore, demand
recluse *f.* nun
récolte *f.* harvest
récolter to reap, gather in
recommander to recommend, enjoin, request
recommencer to begin again, repeat
récompenser to reward
reconduire to lead back, accompany to the door
reconnaissance *f.* gratitude; reconnoitering (party)
reconnaître to recognize, discover; confess
se recoucher to lie down again
recouvrer to regain
recouvrir to cover (again)
se récréer to take recreation
récrimination *f.* recrimination, reproach
recrue *f.* recruit
recueillir to gather, collect, take in
se recueillir to collect one's thoughts
reculer to draw back, go back, retreat
à reculons backwards
redemander to ask for again, ask back again
redescendre to go down again
redevenir to become again
rédiger to draw up, word
redingote *f.* frock-coat
redonner to give again
redoublé repeated
redoubler to increase (greatly)
redoutable formidable, dreadful
redouter to fear
redresser to raise
se redresser to stand up, straighten up
réduire to reduce, compel
réduit *m.* lodging
réel, -le real
refaire to remake, begin anew, go over again, make again
refermer to shut up again
se refermer to close again
réfléchi thoughtful
réfléchir to reflect, think, ponder
reflet *m.* reflection, reflected light
réflexion *f.* reflection; **faire —** to reflect
réformateur *m.* reformer

se reformer to form again
refroidir to cool, chill
se réfugier to take refuge
refus *m.* refusal
regagner to rejoin
régaler to treat
regard *m.* glance, eye; **en —** opposite; **en — de** facing
regarder to look (at), look on, concern; **— quelqu'un de haut** to look down upon any one
régicide *m.* regicide
règle *f.* rule, order
règlement *m.* regulation, rule
réglementaire according to regulations
régler to regulate, settle
régner to reign
regretter to regret; long for, miss
régulier, -ère regular
régulier *m.* regular
rein *m.* (*pl.*) loins, back; **coup de —s** quick movement of the back
reine *f.* queen
reinette *f.* russet (apple)
réintégrer to reinstate
rejaillissement *m.* splashing
rejeter to throw back
rejoindre to join again, reunite, overtake
réjouir to delight
relais *m.* stage-coach junction (where fresh horses are taken)
relation *f.* connection, social contact
se relayer to relieve one another
reléguer to relegate
relevée *f.* afternoon
relever to restore; raise, relieve
relief *m.* embossment; **en —** embossed
religieuse *f.* nun
religieux, -euse religious
religieux *m.* friar, monk
reluire to shine
reluisant shining, glittering
remarque *f.* observation
remarquer to notice, observe
se rembarquer to re-embark
remercier to thank
remercîment *m.* thanks
remettre to put again, hand over
se remettre to apply one's self again; recover or compose one's self; deliver one's self over; **se — debout** to stand up again; **se — à** *followed by the infinitive* to begin again
remonter to go up again, wind up (clocks, etc.), date from, go back
remords *m.* remorse
rempart *m.* rampart
remplacer to replace, substitute
rempli full
remplir to fill
remporter to obtain, win
remuant turbulent
remuer to move, stir, disturb, handle, shake
renaître to be born again, return
renard *m.* fox
renchérir to raise the price of; **— sur** to improve upon
rencontre *f.* meeting
rencontrer to meet, meet with, come across
rendez-vous *m.* appointment
rendre to render, give back, deliver up; do, make
se rendre to go, surrender
rendu exhausted
renfermer to confine, contain
renflé swollen, bulging
renier to deny, to disown
renifler to sniffle, sniff
renom *m.* reputation
renommée *f.* renown, fame
renoncement *m.* renunciation
renoncer to renounce, give up
renouveler to renew, repeat
renseignement *m.* information
renseigner to inform; **se —** to get information
rente *f.* yearly income, revenue, funds
rentré sunken, compressed
rentrée *f.* return
rentrer to re-enter, go in, come or go home
à la renverse backwards
renverser to throw down, turn back

se renverser to throw back one's head
renvoyer to send back, send away
répandre to diffuse, spread
se répandre to (be) spread, be given out
reparaître to reappear
réparer to repair
reparler to speak again
repartir to go away again; to retort
repas *m.* meal
repasser to pass again
se repentir to regret
repentir *m.* repentance
répertoire *m.* repertory
répéter to repeat
repli *m.* fold, crease
replier to fold
se replier (*milit.*) to fall back, retreat
réplique *f.* reply
répliquer to reply, retort
se replonger to plunge again, go back
répondre to answer, correspond; be accompanied by; **je vous en réponds** I can tell you!
répons *m.* response
réponse *f.* answer
reporter to take back
repos *m.* peace of mind, repose, tranquillity
reposer to rest, repose
repousser to push back, push away
reprendre to take again, take back, take to again, grip; to answer, resume, continue
se reprendre to correct one's self
représentant *m.* representative
représentation *f.* performance
représenter to represent, depict; to perform
se représenter to picture to one's self
réprimer to repress, restrain
reprise *f.* recovery; darn; **à plusieurs —s** repeatedly
reproche *m.* reproach
réservé reserved, cautious
réserver to reserve, keep back, set apart
résigner to resign
résistance *f.* opposition
résister to resist
résolu determined
résonner to resound, clank
résoudre to solve; to decide, to resolve
respecter to respect
respectueux, -euse respectful
respiration *f.* breathing
respirer to breathe, inhale
resplendissant bright, glittering
ressasser to sift again, think over and over
ressembler to resemble
ressort *m.* spring
ressortir to go out again, stand out
ressource *f.* resource
ressusciter to resuscitate, bring to life again
restaurateur *m.* restaurant keeper
reste *m.* rest, remainder, remains; *pl.* mortal remains; **de —** besides; **du —** moreover; **au —** besides
rester to remain, stay
restituer to refund
restreindre to limit
résulter to result
retard *m.* delay; **en —** late
retarder to retard, put off
retenir to suppress, hold back; remember
retentir to resound, ring out
retirer to withdraw, take back, remove
retomber to fall again, relapse
retour *m.* return
retomber to fall again, relapse
retourner to return; to turn, turn inside out; turn up (a card); **voir de quoi il retourne** to see how matters stand
se retourner to turn (over or round), decide what to do; **s'en —** to go back again
retracer to recall to mind

retraite *f.* retreat, retirement, refuge; **battre en —** to retreat; **mettre à la —** to pension off
retranchement *m.* intrenchment, stronghold
retrouver to find again, recover
réunir to reunite, join
réussir to be successful, succeed
réussite *f.* success
revanche *f.* retaliation; **en —** in return
rêve *m.* dream
réveil *m.* awaking, waking-time
réveiller to wake
révélateur, -rice revealing
révéler to reveal
revenant *m.* ghost
revenir to come back, come back (again), return; recover, come to
revenu *m.* income
rêver to dream, muse
réverbère *m.* street lamp
révérence *f.* bow
révérend respectful
rêverie *f.* reverie, musing
revers *m.* reverse, facing (of clothes), back
revêtir to clothe, cover
rêveur, -euse dreamy
revivre to come to life again
revoilà once more
revoir to see again; **au —** goodbye for the present, so long, byebye
révolté *m.* rebel
se révolter to rebel
revue *f.* review; **passer en —** (*milit.*) to review
rez-de-chaussée *m.* ground floor
rhabiller to dress again
rhingrave *f.* knickerbockers
rhum *m.* rum
rhume *m.* cold
ricaner to sneer
richement richly
ricocher to rebound
ride *f.* wrinkle
rideau *m.* curtain
rider to wrinkle
ridicule ridiculous
ridicule *m.* ridiculousness
rein *m.* nothing, anything; **— que** only, nothing but
rieur, -euse laughing
rigide rigid, stern
rigoureux, -euse severe
rigueur *f.* severity; **à la —** at a pinch
rime *f.* rhyme; *pl.* verse, poetry
rimer to rhyme
riposter to fire back, reply
rire to laugh, smile, look pleasant; **— aux larmes** to laugh till the tears come
rire *m.* laugh, laughter
risée *f.* derision
risque *m.* risk
risquer to risk, jeopardize
rissoler to roast brown
rivage *m.* shore
rive *f.* shore
rivière *f.* river; **— (de diamants)** (diamond) necklace
riz *m.* rice
robe *f.* gown, dress, frock, robe
robinet *m.* tap, faucet
roc *m.* rock
roche *f.* rock
rocher *m.* rock; **— à poissons rouges** rock pool for goldfish
rocheux, -se rocky
rôder to creep around, roam, prowl
rogner to cut out, do without
roi *m.* king; le jour des Rois (les Rois) Epiphany, January 6
roide rigid; **— mort** stone dead
roidissement *m.* stiffening
rôle *m.* list; part, character (in play)
roman *m.* novel
romanesque romantic
rompre to break, break off
ronce *f.* bramble
rond round, plump
ronde *f.* round, patrol; **à la —** roundabout
rondelet, -te plumpish
rondeur *f.* frankness, openness
rondin *m.* round log
ronflement *m.* snoring, roaring, humming

ronfler to snore, snort, roar, roll (drums)
ronger to gnaw, consume
rosace *f.* rose-window
rosbif *m.* roast-beef
rose pink
roseau *m.* reed
rosée *f.* dew
rosier *m.* rose-bush
rôti *m.* roast
rôtir to roast
rouage *m.* machinery
roue *f.* wheel (carriage wheel, paddle wheel, steering wheel)
roué *m.* roué, rake
rouet *m.* spinning wheel
rouge red
rougeâtre reddish
rougeur *f.* blush, glow
rougir to blush
rouille *f.* rust
rouillé rusty
roulement *m.* roll (of a drum)
rouler to roll; to roll (over), ramble
roulier *m.* wagoner, driver
roussin *m.* stallion
route *f.* road; **en —** on the way
routier *m.* old hand
rouvrir to open again
roux, -sse reddish, russet, sand-colored
royauté *f.* royalty
ruade *f.* kick
ruban *m.* ribbon
rubis *m.* ruby
ruche *f.* hive
rude coarse, rough, hard
rudement sharply, violently, energetically; **— content** mighty glad
rue *f.* street
ruelle *f.* lane
rugir to roar
ruiner to ruin
ruineux, -euse ruinous
ruisseau *m.* stream, gutter
ruisselant dripping
ruisseler to trickle
rumeur *f.* noise
ruse *f.* cunning, trick
rusé crafty
rusticité *f.* uncouthness

S

sable *m.* sand
sabler to drink off
sabot *m.* wooden shoe, hoof
sabre *m.* saber
sac *m.* sack, bag
saccadé jerky
sacré holy
sacrificateur *m.* high-priest (Jewish)
sacrifier to sacrifice
sacristain *m.* sexton
sacristi! (mild oath) Good Heavens!
safran *m.* saffron, yellow
sage well-behaved
sage *m.* wise man
sagesse *f.* wisdom
saigner to bleed
saillie *f.* witticism
sain sound, healthy, sane; **— et gaillardet** hale and hearty
sainement soundly, judiciously
sainfoin *m.* sainfoin (plant used for fodder)
saint *m.* saint
saint holy, consecrated, saintly
saint-ciboire *m.* sacred vase
sainteté *f.* saintliness; Holiness
La Saint Louis Saint Louis's Day (August 25)
saisir to seize, catch hold of; startle; understand; hear, hold
se saisir to seize, grasp
saisissant striking
saisissement *m.* shock
saison *f.* season
salaire *m.* wages, pay
sale dirty
salé salted
salive *f.* saliva
salle *f.* hall, large room
saluer to bow to, greet, salute
salut *m.* salvation; bow; welfare
salutaire salutary, wholesome
samedi *m.* Saturday
sanctuaire *m.* sanctuary

sang *m.* blood; **coup de —** apoplectic stroke
sang-froid *m.* coolness, composure
sanglant bloody, covered with blood
sanglier *m.* wild boar
sanglot *m.* sob
sangloter to sob
sanguin full-blooded
sanguinaire bloodthirsty
sans que without
santé *f.* health; **maison de —** private asylum
saoul drunk, satiated
sapin *m.* fir tree
satisfaire to satisfy
satisfait satisfied
saucisse *f.* sausage
saucisson *m.* large sausage
sauf, -ve unhurt
sauf except; **— votre respect** begging your pardon
saugrenu absurd, far-fetched
saule *m.* willow
saut *m.* leap, bound
sauter to leap, spring, pop; **faire —** to blow out
sautillant skipping
sautiller to hop, jump
sauvage savage, wild, shy, uncivilized
sauver to save, rescue
se sauver to run away
sauvetage *m.* rescue
savant learned, skillful
saveur *f.* savor, smell
savoir to know (how); **ils nous savent ici** they know we are here
savoir *m.* knowledge, learning, skill
savoir-faire *m.* ability
savonner to soap, wash
savoureux, -euse delicious
scandaliser to scandalize
se scandaliser to be scandalized
scandé broken
scander to scan
scélérat *m.* scoundrel
sceller to fix, cement
sceptique sceptical
science *f.* science, knowledge
scolastique *f.* scholasticism, scholastic philosophy
scrupuleux, -euse scrupulous
scruter to look carefully into
sculpteur *m.* carver
séance *f.* seat, meeting; **— tenante** there and then
sébile *f.* small wooden bowl
sec, sèche dry, lean, cold, unfeeling; sharp; **mettre à —** to impoverish
sèchement coldly, sharply
sécher to dry, evaporate
second *m.* mate
seconde *f.* second
seconder to assist
secouer to shake
secourir to help
secours *m.* help, relief, aid; **au —!** help!
secousse *f.* shudder, shock, jerk
secrétaire *m.* secretary
séculaire secular, ancient
sédentaire sedentary
séduire to charm
séduisant bewitching, fascinating, tempting
seigneur *m.* the Lord, lord
sein *m.* midst
séjour *m.* stay, visit, sojourn
selon according to, after
semaine *f.* week
semblable *m.* fellow creature
semblablement likewise
semblant *m.* appearance, semblance; **faire —** to feign, pretend
sembler to appear, seem
semelle *f.* sole (of boots, shoes); foot; **battre la —** to warm one's feet
semer to sow, scatter, strew, sprinkle
sens *m.* sense, meaning, direction
sensé sensible
sensible sensitive
sentier *m.* path
sentiment *m.* feeling
sentinelle *f.* sentry
sentir to feel, perceive; to smell (of)

se sentir to be conscious of, feel
séparer to separate
se séparer to part company
sept seven
septième seventh
serein serene
sergent *m.* sergeant
série *f.* series
sérieux, -se serious
serment *m.* oath
serpent *m.* snake
serpenter to wind in and out
serpentin *m.* spiral part of a still
serre *f.* greenhouse
serré compact, pressed together, hard up
serrement *m.* squeezing, pang
serrer to press, squeeze, grasp, oppress, draw close
se serrer to crowd, tighten
serrure *f.* lock
servante *f.* maid-servant
serviable obliging
serviette *f.* napkin
servir to serve, be of use; **— de** to be used as, serve as; **pour vous —** at your service
se servir to help one's self; **se — de** to use
serviteur *m.* servant
seuil *m.* threshold, sill
seul alone, single
seulet, -te all alone
seulement only, solely
sévère stern
sevrer to deprive (of)
si if; **— . . . que** so . . . as; **— ce n'est que** except
si so, yes
sicilien-ne Sicilian
siècle *m.* century, age
siège *m.* seat, siege
sien *m.* **-ne** *f.* one's own; **les —s** one's people, family
sieste *f.* afternoon nap
sifflement *m.* whistling
siffler to hiss, whistle
sifflet *m.* whistle; **un coup de —** a whistle
signalement *m.* description
signe *m.* sign, mark, nod, beck, wink
signer to sign
se signer to cross one's self
signet *m.* bookmark
silencieux, -euse silent
silhouette *f.* outline
sillonner to furrow
simple *m.* medicinal plant
simple simple, simple-minded
simplement simply
simuler to imitate
sinapisme *m.* mustard plaster
sincèrement sincerely
singulier singular, peculiar, odd
sinistre sinister, inauspicious, forbidding, dismal
sinon otherwise, if not
sinuosité *f.* winding
sire *m.* sir (lord)
sitôt so soon, as soon
situé situated
sixième sixth
sobre temperate
sobriété *f.* moderation
soeur *f.* sister
soi-disant so-called
soie *f.* silk
soif *f.* thirst; **avoir —** to be thirsty
soigné carefully done, sound
soigner to take care of, attend to
soigneusement carefully
soin *m.* care, attention
soir *m.* evening
soirée evening, evening party
soit well and good
soit weather; **— . . . —** either . . . or
soixante sixty
sol *m.* soil, ground
soldat *m.* soldier
soleil *m.* sun, sunshine
solennel, -le solemn
solennité *f.* solemnity
solitaire solitary, lonely
solitairement solitarily
solive *f.* joist
solliciter to solicite, apply for
solliciteur *m.* **-euse** *f.* petitioner
sollicitude *f.* anxiety
sombre dark, gloomy, melancholy
sommairement summarily

somme *f.* amount; **en —** in general
somme *m.* nap; **faire un —** to have a nap
sommeil *m.* sleep; **avoir —** to be sleepy
sommer to summon
sommet *m.* top, summit
somnambule *m. f.* sleepwalker
son *m.* sound
sonder to sound, examine
songe *m.* dream
songer to dream, to think idly
sonner to ring, sound, strike
sonnette *f.* house bell
sonore deep-toned, loud, resonant
sonorité *f.* sound, sonorousness
sordide sordid, filthy
sort *m.* fate, lot; **tomber au —** to be drafted (for military service)
sorte *f.* sort; **de la —** thus, so; **de — que, en — que** so that
sortie *f.* going out, coming out, exit
sortilège *m.* sorcery, witchcraft
sortir to go out, come out, emerge, issue
sot, -te fool, stupid
sottise *f.* foolish remark
sou *m.* sou (cent)
souche *f.* vine stem, block
souci *m.* care, anxiety
se soucier to mind, care about, concern one's self
soucoupe *f.* saucer
soudain sudden
soudard *m.* trooper, veteran soldier
souffle *m.* breath (of air), breathing, whisper, gust (of wind)
souffler to blow, breathe, pant, puff; to blow out; whisper
soufflet *m.* slap in the face
souffrance *f.* suffering, pain
souffrant suffering, ailing
souffrir to suffer, bear, stand
soufre *m.* sulphur
souhaiter to wish
souiller to stain
soûl glutted, tipsy
soulagement *m.* relief
soulager to relieve
soulever to raise, lift; **se —** to revolt
soulier *m.* shoe
soupçon *m.* suspicion; bit, trifle
soupçonner to suspect
soupe *f.* soup; **— au café** (French breakfast beverage consisting of coffee and hot milk in equal amounts)
souper to take supper
souper *m.* supper
soupière *f.* soup tureen
soupir *m.* sigh
soupirail *m.* air hole
soupirer to sigh
souple supple
souplesse *f.* suppleness, flexibility
source *f.* spring
sourcil *m.* eyebrow
sourciller to flinch; **sans —** without wincing
sourd deaf; dull, hollow, muffled
souriant smiling
sourire to smile; *m.* smile
souris *f.* mouse
sournois crafty
sous under, beneath
sous-chef *m.* chief assistant
sous-directeur *m.* assistant manager
sous-entendre to understand, imply
sous-lieutenant *m.* second lieutenant
sous-marchand *m.* assistant dealer
sous-officier *m.* non-commissioned officer
sous-préfecture *f.* sub-prefecture
se soustraire to escape
soutenir to support, sustain, stand by; endure
soutien *m.* supporter, vindicator
souvenir *m.* remembrance, memory
se souvenir to remember; **il vous en souvient** you remember
souvent often
souverain *m.* and *adj.* sovereign, supreme

spécialité *f.* specialty, special study
spectacle *m.* spectacle, show, sight
squelette *m.* skeleton
stalle *f.* choir seat
strident harsh, shrill
stupéfait astonished, thunderstruck
stupeur *f.* astonishment
stupide in a stupor, stupid, senseless
stylet *m.* stiletto
subalterne inferior
subir to undergo
subit sudden
subitement suddenly
substituer to substitute
subtil subtle
suc *m.* juice
succéder to follow
se succéder to follow one another
succès *m.* success
succession *f.* inheritance, estate
succomber to succumb
sucre *m.* sugar; **pain de —** sugarloaf
sucrer to sweeten
sud *m.* South; **—-est** southeast
suer to perspire
sueur *f.* sweat, perspiration
suffire to suffice
suffisant sufficient
suffoquer to choke
suite *f.* sequel, consequence, series; **de —** in succession
suivant following, next
suivre to follow, observe
sujet, -te subject, liable
sujet *m.* subject, cause; **à ce —** about it (this); **à votre —** about you; **en — de** in regard to; **pipe à —** carved pipe
supérieur superior, upper
superposer to superpose, add
suppliant entreating
supplication *f.* entreaty
supplice *m.* torment
supplier to beseech, implore
supplique *f.* request
supporter to support, endure
sur upon, over, in, concerning, out of
sûr certainly
sûr sure, safe, unerring; **à coup —** surely
suraigu over-shrill
sûreté *f.* safety, security
surexciter to excite
surgir to arise, spring up
surhumain supernatural
surmonter to surmount
surnaturel, -le supernatural
surnuméraire *m.* supernumerary
surpasser to surpass
surplis *m.* surplice (loose white vestment worn by priest)
surprendre to surprise, take by surprise
sursaut *m.* start; **en —** with a start; **secoué de —s** shaken by sobs
surtout above all, especially
surveillant *m.*, **-e** *f.* nurse
surveiller to inspect, look after, watch
survivant *m.*, **-e** *f.* survivor
sus above; **en —** over and above
susciter to stir up
susdit aforesaid
suspendre to suspend, stop
svelte slender
syllabe *f.* syllable
symétrique symmetrical
symptôme *m.* indication

T

tabac *m.* tobacco; **— d'Espagne** snuff colored
tabatière *f.* snuff-box
table *f.* table; **— d'harmonie** sounding board
tableau *m.* picture, blackboard
tablier *m.* apron
tabouret *m.* stool
tache *f.* blot, speck, blemish
tâche *f.* task
tacher to spot
tâcher to try
taciturne silent
tafia *m.* tafia (rum)
taille *f.* height, stature, size, waist

tailler to carve, form
taillis *m.* thicket
taire to say nothing of; **se taire** to be silent
talisman *m.* talisman, protecting charm
talon *m.* heel; **sur ses —s** at his heels
talus *m.* slope, bank
tambour *m.* drum
tambourin *m.* tambourine, player on the tambourine
tandis que whereas, while
tanière *f.* den
tant so much, so many, as much, to such a degree, so, so much so; **— que** as long as; **— mieux** so much the better; **— pis** so much the worse
tante *f.* aunt
tantôt a little while ago; **— . . . —** now . . . now
tapage *m.* uproar
tapageur, -euse roystering, noisy
tape *f.* tap, thump
taper to strike
se tapir to crouch, cower
tapis *m.* carpet, rug
tapisser to carpet; paper
tapisserie *f.* tapestry, upholstery
taquiner to tease
tarabin, taraban tra-la-la, tra-la-lee meaningless syllables in song
tard late
tarder to delay; **on ne tarda pas à voir** one soon saw
tarir to dry up (in talking)
tas *m.* heap, lot
tâter to feel
tâtonner to feel one's way
taudis *m.* hovel
taux *m.* rate
teigneux, -euse scurvy
teint *m.* complexion
teinte *f.* tint
teinter to tint, tinge
tel, telle such; **M. un —** Mr. so and so
tellement so, so much
témoigner to show, express, testify
témoin *m.* witness
tempe *f.* temple
tempête *f.* tempest, agitation
temps *m.* time, term; season; weather; **de — à autre** from time to time; **à — pressé** in hurried measure; **du — de** in the time of; **en même —** at the same time; **à —** in time; **de — en —** from time to time
tenable tenable, habitable, defensible
tenailler to torment
tendre tender, affectionate
tendre to stretch, hold out, hang, extend; **— l'oreille** to listen intently
tendrement tenderly
tendresse *f.* tenderness, love
ténèbres *f. pl.* darkness
ténébreux, -euse dark
tenir to hold, have, keep; get; hold out; to go in (into): **il n'y put —** he could not stand it; **s'en —** to abide by, stick to; **— à** to be desirous, be insistent; **ne pas — en place** to be restless; **— bon** to hold out, stand firm; **tiens, tiens** well, well!
se tenir to keep oneself; stand; contain oneself; **se — debout** to stand up
tentation *f.* temptation
tentative *f.* attempt
tenté tempted
tenter to attempt, try; tempt; **— un effort** make an effort
tenture *f.* tapestry, hangings
terme *m.* term, word, time; **avant —** prematurely
terminer to terminate, end
terne dull, wan
ternir to tarnish, stain
terrain *m.* ground
terrasser to knock down, overwhelm
terre *f.* earth, land, ground, soil; earthenware; **couleur de —** sallow; **par —** on the ground; **à —** on the ground, on the floor
terreur *f.* terror

terrier *m.* burrow
territoire *m.* territory
terroir *m.* soil, ground; **goût de —** a peculiar flavor
tête *f.* head, brains; expression; **faire —** to resist
tête-à-tête *m.* private interview or conversation; **en —** in private
théorie *f.* theory
thésauriser to hoard
tic tac *m.* ticktack
tiède mild
tiédir to become lukewarm
tiens! *or* **tenez!** look here! look there! well!
tiers, tierce third
tige *f.* rod
tigre *m.* tiger
tilbury *m.* gig, two-whelled cart
tillac *m.* deck
tilleul *m.* linden tree
timbre *m.* bell
timonier *m.* helmsman
tintement *m.* tinkling
tinter to ring
tir *m.* shooting
tirailler to pull, haul about; to shoot irregularly
tirailleur *m.* sharpshooter
tirer to draw, pull, take out, get; fire, shoot; extricate; **— vanité de** to boast of
se tirer to get through
tireur *m.* marksman, puller (gatherer)
tiroir *m.* drawer
tisonner to poke (the fire)
tisser to weave
titre *m.* title, capacity; certificate
toile *f.* cloth, net (hunting), web
toilette *f.* attire, dress; **— de soirée** evening dress
toison *f.* fleece
toit *m.* roof
toiture *m.* roof
tôle *f.* sheet iron
tolérer to tolerate
tombeau *m.* tomb
tombée *f.* fall
tomber to fall, drop, sink down, dwindle; **— sur** to come across
ton *m.* tone, tint
tonnant thundering
tonne *f.* cask
tonneau *m.* barrel
tonnerre *m.* thunder
torche *f.* torch
torchère *f.* tall candelabrum
torchon *m.* dish cloth, dust rag
tordre to twist, wring
se tordre to writhe
torrent *m.* stream
tors, -e crooked
torse *m.* trunk, chest (of a person)
tort *m.* wrong; **avoir —** to be wrong
tortiller to twist
tortue *f.* tortoise
tortueux, -euse winding
torturer to torture
tôt soon, quickly
total *m.* sum total
toucher to touch, feel; **— à sa fin** to draw to a close
toucher *m.* touch
touffe *f.* cluster
touffu bushy, thick
toujours always, ever, still
tour *f.* tower
tour *m.* turn, circuit, trick; foretop (of hair); neckerchief; **faire un —** to take a stroll; **— à —** by turns; **à — de rôle** in turn
tourbillon *m.* whirlwind, whirlpool, eddy
tourbilloner to whirl
tourelle *f.* turret; **escalier en —** circular stairway
tourmenter to torture, distress; struggle with
tournant spiral turning
tournée *f.* walk
tourner to turn, turn round, walk; **mal tourné** deformed, badly shaped; **en tournant** around the bend
tournoyer to turn round and round, whirl
tousser to cough
tout all, the whole, the whole of, every, any; **— le monde** everybody

tout *m.* everything; **— en** *plus the present participle* while, even while
tout quite, completely, thoroughly, wide; **— à coup** suddenly; **— au plus** at the most
toutefois nevertheless
tout-puissant all-powerful
toux *f.* coughing
trace *f.* track, footstep, mark
tracer to draw, trace, print
traduction *f.* translation
traduire to translate
trafiquant *m.* trader
trahir to betray, reveal; deceive, disappoint
se trahir to be depicted
trahison *f.* breach of faith
train *m.* pace; noise, animation; **— de derrière** hind quarters; **— de vie** way of living; **être en — de** *plus the infinitive* to be in the act of
traînard *m.* laggard
traînée *f.* trail
traîner to drag; to lie about
traîneur *m.* straggler; **— de sabre** sword dangler
traire to milk
trait *m.* stroke; gulp; feature; reference
traitable manageable
traite *f.* journey; exportation
traité *m.* treatise, tract, agreement
traitement *m.* treatment
traiter to treat; call
traître *m.*, **-esse** *f.* traitor
trajet *m.* trip, way, distance
trame *f.* warp and woof, essence
tranche *f.* slice
tranquille quiet, tranquil; **laissez-noi —** leave me alone
tranquillement calmly, quietly
tranquilliser to tranquillize
tranquillité *f.* tranquillity, calmness
transcendant extraordinary
transférer to transfer, transport
transi chilled, benumbed
transparent *m.* lined paper
transporter to transport
trappe *f.* trap-door
trapu thick-set
traquer to ferret out
travail *m.* work
travailler to work
travers *m.* eccentricity; **de —** askew; **regarder de —** to look daggers; **en —** crosswise
traversée *f.* voyage
traverser to cross, pass through, penetrate; disturb
trébucher to stumble
treize *m.* thirteen
tremblé shaking
tremblement *m.* trembling
trembler to tremble
trémière *f.* *only used in* **Rose —** hollyhock
trempé soaked
tremper to dip, drench, stand in (water, etc.)
trentaine *f.* about thirty
trente thirty
trépas *m.* death
trépignement *m.* stamping
trépigner to stamp
très very, widely; **Le — Haut** the Almighty
trésor *m.* treasure
tressaillement *m.* start, thrill
tressaillir to tremble
trêve *f.* truce
tribune *f.* gallery
tricorne *m.* three-cornered hat
tricot *m.* knitting
trier to pick out
trimestre *m.* quarter's salary
trin, trin, trin tra-la-la (see patatin, patatan)
trinquer to touch, or clink, glasses in drinking
triomphal triumphal
triomphalement triumphantly
triomphant triumphant
triomphe *m.* triumph
triompher to overcome, be triumphant
tripoter to fumble with, to handle
trique *f.* cudgel
triste sad
tristement sadly, sorrowfully
tristesse *f.* sadness
trois three

trombe *f.* water-spout
trompe *f.* horn
tromper to baffle
se tromper to be mistaken
tronc *m.* (tree) trunk
tronçon *m.* stump
trône *m.* throne
trop too, too much, too many
trop *m.* excess
trophée *m.* trophy
troquer to exchange
trot *m.* trot
trottoir *m.* sidewalk
trou *m.* hole, gap; dimple
trouble dull, confused, perplexed
trouble *m.* agitation
troublé confused, distracted
troubler to disturb, agitate; dull
troué full of holes
trouer to perforate, riddle
troupe *f.* troop, band, flock
troupeau *m.* flock
troupier *m.* trooper
trousse *f.* (*pl.*) breeches; heels
trouvaille *f.* thing found (by chance), godsend, discovery
trouver to find, discover; think, deem, judge; **se —** to feel
truite *f.* trout
tuer to kill
à tue-tête with all one's might
tuile *f.* tile
tumulte *m.* uproar, confusion
tumultueux, -euse tumultuous
tunique *f.* tunic, coat (of uniform)
tuteur *m.*, **-trice** *f.* guardian
tutoyer to use the familiar form of address (**tu, toi**)
tuyau *m.* pipe, tube; **— de la cheminée** flue of the chimney

U

unanime unanimous
unique only
uniquement solely
unir to unite
usage *m.* use
user to make use of; to wear out
ustensile *m.* utensil, implement
usure *f.* usury; wear and tear
usurier *m.* usurer
utiliser to make use of

V

va (*int.*) well, believe me!
vacance *f.* vacancy; *pl.* vacation
vache *f.* cow
vaciller to vacillate, tremble
va-et-vient *m.* (going and coming), oscillation
vague *f.* wave
vague indistinct
vaillant worth; **sou — a** single penny
vaincre to conquer
vaincu *m.* conquered (enemy)
vainqueur *m.* vanquisher, victor
vaisseau *m.* ship
vaisselle *f.* plates and dishes
valet *m.* valet, footman; **— de ferme** farm servant
valeur *f.* value
vallée *f.* valley
vallon *m.* little valley
valoir to be worth, yield, bring; **— mieux** to be better; **autant valait-il** it was just as well
valse *f.* waltz
valser to waltz
vanter to praise up, brag about
se vanter to boast
vapeur *f.* vapor
vaquer to attend
varier to change
(à) vau-l'eau adrift, to rack and ruin
vaurien *m.* rogue
se vautrer to roll, spread one's self out
veau *m.* calf
véhicule *m.* vehicle
veille *f.* eve, vigil, day before
veillée *f.* evening
veiller to watch, have an eye upon; stay up late; **— sur** to be upon one's guard
veilleuse *f.* night lamp
veine *f.* vein; good luck
vélin *m.* vellum
velours *m.* velvet; **— ras** short-nap velvet

velouté *m.* smoothness
vendéen, -ne Vendean
vendeur *m.*, **-euse** *f.* dealer, seller
vendre to sell
vendredi *m.* Friday
venger to avenge
venir to come; **d'où vient que?** how is it that? — **à bout de** to get through (anything)
vénitien, -ne Venetian
vent *m.* wind; — **de terre** land breeze
vente *f.* sale
ventre *m.* stomach; **à plat** — flat on the face
ventrebleu! a mild oath
venue *f.* coming, arrival
vêpres *f. pl.* vespers
ver *m.* worm
verdâtre greenish
verdeur *f.* vigor
vergue *f.* yard (of a sail) (spar attached to sail)
vérifier to verify
vérité *f.* truth
vermeil, -le ruddy, rosy
vermeil *m.* silver-gilt
vernir to varnish; **bottes vernis** patent leather boots
vernis *m.* varnish, polish
verre *m.* glass; **petit** — glass of after-dinner wine
verrou *m.* bolt
vers *m.* verse, line (of poetry)
vers toward, about
verser to pour, shed
vert fresh; green; **les —s** green foods
vertement sharply
vertige *m.* dizziness
vertu *f.* virtue; **en — de** by virtue of
verve *f.* animation
veste *f.* jacket
vestige *m.* vestige, sign
vêtement garment, *pl.* clothes
vétérinaire *m.* veterinary
vêtir to array, dress
vêtu dressed
veuf *m.*, **-ve** *f. and adj.* widower; widow
viande *f.* meat
vibrer to vibrate
victoire *f.* victory
vide empty, vacant
vide *m.* emptiness, empty space
vider to empty
vie *f.* life
vieillard *m.* old man; *pl.* old people
vieillesse *f.* old age
vieillir to grow old
se vieillir to make one's self old
vieillot, -te oldish
vierge virgin
vieux, vieil, vieille old, aged
vif, vive animated, finery, sharp, active, running, living
vigne *f.* vine, vineyard
vigoureux, -euse vigorous, energetic
viguier *m.* provost (chief magistrate of a town in olden times)
vil despicable
vilain vile, wicked, unfair
villageois *m.* villager
ville *f.* town, city
vin *m.* wine
vinaigre *m.* vinegar
vindicatif, -ve revengeful
vingt twenty
vingtaine *f.* about twenty
violemment violently
violet, -te violet-colored
violon *m.* violin
virer to turn; — **de bord** to tack about
visage *m.* face
viser to aim (at); examine
visiblement visibly
visière *f.* visor
vision *f.* sight
visionnaire visionary
visiter to visit, inspect
visite *f.* visit, call; examination, inspection
visiteur *m.* **-euse** *f.* visitor
vite swift, quick; **au plus** — as fast as possible
vitesse *f.* speed
vitrage *m.* glass windows
vitrail *m.* stained-glass window
vitre *f.* window-glass or pane
vivacité *f.* animation

vivant living, alive
vivant *m.* person living; **de son —** in his (her) lifetime
vivement quickly, actively, vigorously
vivre *m.* food; *pl.* provisions, rations
vivre to live
vociférer to shout
voeu *m.* wish; *pl.* vows
vogue *f.* vogue, reputation
voguer to sail
voici here is, here are
voie *f.* way, road, path
voilà see there, behold; **— tout** that is all; **me — parti** I'm off; **— de cela quarante et un ans** that was forty-one years ago
voile *m.* veil
voile *f.* sail
voilé veiled
voilier *m.* sailer
se voir to happen
voire indeed
voisin neighboring, adjacent; *m.* neighbor
voisinage *m.* neighborhood, proximity
voiture *f.* carriage, vehicle, conveyance; cart, cab
voix *f.* voice; **à — basse** in an undertone, in a low voice
vol *m.* flight, flock
volaille *f.* poultry
volant *m.* fly-wheel (of machinery); **— de fer** iron pump wheel
volée *f.* flight, flock, shower; **à grande —** in full swing
voler to fly
voler to steal, rob
volet *m.* shutter
voleur *m.* **-euse** *f.* thief
volonté *f.* will, pleasure; *pl.* whims
volontiers willingly, with pleasure
voltiger to flutter
voltigeur *m.* footsoldier, light infantry
volubilité *f.* volubility, fluency
volupté *f.* pleasure, delight
vorace ravenous
voracement ravenously
vouer to consecrate
vouloir to will, wish; **— dire** to mean; **— bien** to be willing; **en — à quelqu'un** to bear any one ill-will, be angry with any one; **que voulez-vous?** what can you expect?
voûte *f.* vault
voûter to vault
voyager to travel
voyageur, -se *m. f.* traveler
voyant *m.* seer, clairvoyant(e)
vrai true, real
vraiment truly, really, indeed
vraisemblance *f.* likelihood
vrille *f.* gimlet
vue *f.* sight
vulgaire vulgar

W

wachtmann *m.* watchman
wagon *m.* railway car

Y

yatagan *m.* yataghan (a Turkish sword)
yeux *m. pl.* eyes
yolofe (la langue—) language spoken by the Negroes of French Senegal

Z

zébré striped (like a zebra)
zèle *m.* zeal
zélé zealous
zingueur *m.* zinc worker